BEAUCOUP D'OUVERTURES

Les taux de placement sont de 90 % et plus dans une majorité de programmes techniques au cégep.

S'assurer un emploi
sur le marché du travail,
c'est d'abord une question
de technique !

Fédération
@ des
cégeps

TABLE DES MATIÈRES

Édition 2006

PORTRAITS

UTILITAIRES

Étudier au Collège Ahuntsic, tu n'as pas idée jusqu'où cela peut te mener!

Le **Collège Ahuntsic** favorise :

la réussite scolaire
la collaboration avec les entreprises
le placement sur le marché du travail

et vous offre :

au secteur préuniversitaire :
3 familles de programmes menant à 10 voies de sortie
au secteur technique :
5 familles de programmes menant à 25 voies de sortie

Tout ça dans un **milieu dynamique**,
reconnu pour la **qualité de son enseignement**
et l'**ambiance chaleureuse** de sa vie étudiante.

Journées « Portes ouvertes »

Jeudis : **10 novembre 2005**, de 14 h à 20 h 30
2 février 2006, de 16 h à 20 h

COLLÈGE AHUNTSIC

9155, rue Saint-Hubert
Montréal (Québec) H2M 1Y8
(514) 389-5921
1 866 389-5921

www.collegeahuntsic.qc.ca

INDEX DES PROGRAMMES PAR SECTEURS DE FORMATION

Comment interpréter l'information	19

Avis important permettant de comprendre la
démarche de l'éditeur et les statistiques publiées.

DÉFI
de l'entrepreneuriat jeunesse

L'entrepreneuriat, un choix de carrière!

Le Défi de l'entrepreneuriat jeunesse est une stratégie gouvernementale qui te permettra plus que jamais de développer ta créativité, ton esprit de solidarité, ton autonomie, ton leadership et ton sens des responsabilités.

Relever des défis t'intéresse? Tu veux en savoir davantage sur la carrière d'entrepreneur? L'agent de sensibilisation à l'entrepreneuriat du carrefour jeunesse-emploi près de chez toi se fera un plaisir de répondre à tes questions.

Mon avenir à ma manière

www.defi.gouv.qc.ca/agents

DÉFI
de l'entrepreneuriat
jeunesse

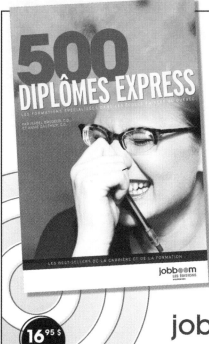

Pour donner une direction à ta vie,
CONSULTE UN CONSEILLER D'ORIENTATION

L'expert
en développement de carrière

Ordre
des conseillers
et conseillères
d'orientation

et des
psychoéducateurs et
psychoéducatrices
du Québec

SECTEUR ORIENTATION

www.orientation.qc.ca

AVIS IMPORTANT
COMMENT INTERPRÉTER L'INFORMATION

Les pages 64 à 375 présentent des témoignages portant sur les programmes techniques menant à un diplôme d'études collégiales (DEC technique).

DEC technique : Les programmes de formation technique au collégial durent généralement trois ans (six sessions). Ils comprennent les cours composant la base de la formation générale, en plus d'une série de cours spécifiquement liés au programme choisi.

Chaque texte vous offre les témoignages d'un diplômé et d'un spécialiste de l'enseignement du programme concerné, de même que des données statistiques tirées des enquêtes *Relance* du ministère de l'Éducation (voir aussi page 387).

Chaque en-tête de texte présente les renseignements suivants :

EXEMPLE :

Secteur : Le ministère de l'Éducation a effectué un regroupement des programmes selon 20 secteurs de formation. Vous pouvez connaître le nom correspondant à chacun des numéros de secteurs en consultant l'index des programmes en page 8.

Nom et numéro du programme : Nom et numéro en vigueur du programme, en accord avec le répertoire du ministère de l'Éducation. Lorsque deux numéros apparaissent, le programme est en voie d'être modifié. Le second numéro sera utilisé aussitôt que la nouvelle version du programme sera implantée.

Code CNP : Le code CNP correspond à la description de la ou des fonctions principales auxquelles mène le programme, selon la Classification nationale des professions établie par Ressources humaines et Développement des compétences Canada (RHDCC). Ce code peut servir à consulter certains répertoires de formations ou certaines bases de données offrant des renseignements sur les différents métiers et professions au Canada.

Code CUISEP : Le code CUISEP correspond à un classement établi à l'usage des responsables de l'orientation scolaire et professionnelle. Il sert notamment à la consultation du logiciel Repères, base de données portant sur les métiers et professions utilisée principalement au Québec par ces spécialistes. Repères est accessible dans la plupart des établissements d'enseignement.

▷

▷ **Préalable(s) :** Le ou les chiffres correspondent aux codes de préalables nécessaires pour être admis dans le programme.

DÉFINITION DES CODES DES PRÉALABLES

0 : Aucun préalable
10 : Mathématiques 426
11 : Mathématiques 436
12 : Mathématiques 526
13 : Mathématiques 536
20 : Sciences physiques 436
30 : Chimie 534
40 : Physique 534
50 : Musique 534
80 : DES, réussite des cours de 5ᵉ secondaire en danse classique ou en danse contemporaine (Arts – études)

90 : DEP
9A : L'établissement d'enseignement peut établir des conditions particulières d'admission, entre autres, réussir le concours d'entrée et être en excellente santé.
9B : Électromécanique de systèmes informatisés
9C : Répartition et installation d'appareils électroniques domestiques
9D : Infirmière ou infirmier auxiliaire ou l'équivalent
9E : Intervention en sécurité incendie
9F : Techniques d'usinage

Les préalables s'ajoutent aux conditions générales suivantes d'admission aux études collégiales : la personne est titulaire du diplôme d'études secondaires (DES) ou du diplôme d'études professionnelles (DEP) décerné par le ministre de l'Éducation.

ET

Les élèves ayant obtenu leur DES ou leur DEP après le 31 mai 1997 doivent avoir réussi les cours d'histoire de 4ᵉ secondaire; de sciences physiques de 4ᵉ secondaire; de langue d'enseignement de 5ᵉ secondaire; de langue seconde de 5ᵉ secondaire; de mathématiques de 5ᵉ secondaire ou de 4ᵉ secondaire déterminés par le ministre et dont les objectifs présentent un niveau de difficultés comparables (436 et 426).

Une personne titulaire d'un DEP peut aussi être admissible aux études collégiales, pour certains programmes de DEC désignés par le ministre, et aux conditions qu'il détermine, de façon à assurer une continuité de formation.

Date de publication : Chacun des portraits affiche une date à la fin du texte. Cette date indique le mois et l'année de première publication du portrait. Cependant, tous les textes sont relus à chaque nouvelle édition et font l'objet d'une mise à jour ou d'une refonte, si nécessaire. Un texte complètement refait porte la date de sa réécriture la plus récente.

AU SUJET DES STATISTIQUES

Les statistiques publiées dans ce guide sont tirées de la plus récente étude *La Relance au collégial*, réalisée par le ministère de l'Éducation. Celle-ci rassemble des données colligées dans tout le Québec, 10 mois après la fin des études de la cohorte de diplômés concernés. Ces données sont présentées À TITRE INDICATIF et doivent être interprétées avec réserve. En effet, l'instabilité du marché du travail dans certains secteurs d'emploi peut avoir changé les conditions offertes aux jeunes diplômés depuis la dernière enquête. Afin de donner un aperçu de cette évolution, nous présentons aussi les données de la même enquête obtenues au cours des deux années précédentes. Nous offrons aussi en page 387 les renseignements complémentaires des enquêtes *Relance*. Pour obtenir les plus récentes statistiques disponibles, communiquez directement avec les établissements offrant la formation qui vous intéresse. Vous en trouverez les coordonnées en page 377. Vous pouvez aussi lire les résultats d'une enquête maison en page 24.

DONNÉES CORRESPONDANT À CHAQUE FORMATION

	A	**B**	**C**	**D**	
	Salaire hebdo moyen	Proportion de dipl. en emploi	Emploi relié	Chômage	Nombre de diplômés
2004	xxx $	xxx %	xxx %	xxx %	xxx
2003	xxx $	xxx %	xxx %	xxx %	xxx
2002	xxx $	xxx %	xxx %	xxx %	xxx

Statistiques tirées de la Relance - Ministère de l'Éducation. Voir données complémentaires, page xx.

A L'indicateur salarial présente le salaire hebdomadaire brut moyen chez des jeunes diplômés 10 mois après la fin de leurs études.

B La proportion de diplômés en emploi représente le pourcentage des répondants ayant déclaré travailler pour leur compte ou pour autrui sans étudier à temps plein.

C L'indicateur d'emploi relié présente le pourcentage des répondants ayant un emploi à temps plein, relié en tout ou en partie à leur formation.

D L'indicateur de chômage est le rapport du nombre de répondants en recherche d'emploi sur l'ensemble de la population active visée (en recherche d'emploi et en emploi).

ATTENTION!

Divers facteurs peuvent influencer l'interprétation des données.

C'est le cas du **NOMBRE DE DIPLÔMÉS**. Plus ce nombre est faible, moins les données obtenues risquent d'être représentatives de l'ensemble du marché du travail pour ce type de professionnels. C'est pourquoi nous indiquons toujours le nombre de diplômés.

IL FAUT TENIR COMPTE DE L'EMPLOI RELIÉ. Le taux d'emploi relié indique le lien entre l'emploi occupé et le domaine d'études. C'est un indicateur essentiel pour juger de manière plus réaliste de la qualité de la situation d'emploi.

IL NE FAUT PAS CONFONDRE les propos des représentants enseignants interrogés dans la partie témoignage (rubrique *Défis et perspectives*) avec les données statistiques. Les statistiques sont d'ordre provincial, alors que les avis des personnes interrogées dans les écoles concernent généralement une situation observable sur le plan local. Un certain écart entre les deux perceptions peut ainsi ressortir. Il est donc important de tenir compte de cette distinction.

N'OUBLIEZ PAS!

Il faut éviter de baser son choix de carrière uniquement sur une statistique de placement ou une moyenne salariale. Afin d'effectuer une bonne démarche de choix de carrière, n'hésitez pas à consulter un conseiller d'orientation ou un conseiller en information scolaire et professionnelle. ◎

Illustration : Kevin Durocher

LES DOSSIERS CHAUDS!

PLACEMENT : UNE ANNÉE FASTE!

Pas de souci à l'horizon pour les diplômés de la formation technique au collégial, si l'on se fie au flair des conseillers en emploi. Consultez les résultats de notre tournée effectuée au printemps 2005 dans différents collèges et cégeps.

ASSURER SON AVENIR

Anticipant une vague de départs à la retraite, les compagnies d'assurances entrent dans une période de recrutement intense. Les diplômés du collégial qui se sont spécialisés dans ce domaine représentent des candidats de choix.

UN CHOIX PAYANT

Les institutions financières vendent des produits de plus en plus complexes. C'est pourquoi elles ont besoin de spécialistes capables de bien orienter leurs clients. Deux formations collégiales donnent accès à de nombreux débouchés dans ce secteur.

Pages **26** à **35** (→)

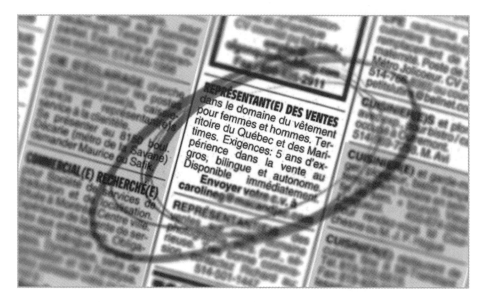

UNE ANNÉE FASTE!

Par Marie-Hélène Proulx

Pas de souci à l'horizon pour les diplômés de la formation technique. Si l'on se fie au flair des conseillers en emploi dans les établissements collégiaux et aux données préliminaires sur les taux de placement, l'année 2005 sera prospère. Alors souriez et préparez votre curriculum vitæ!

Marie Bourgeois, conseillère en placement au Service des stages au Collège Ahuntsic, ne cache pas son enthousiasme. «L'année 2005 surpasse toutes les autres depuis 1999. Dans tous les domaines, le nombre d'offres d'emploi est nettement supérieur et les offres sont de meilleure qualité : ainsi, nous en avons reçu 571 liées au champ d'études principal des diplômés, alors qu'en 2004, on en n'avait eu que 406. Même les secteurs où cela ne fonctionnait pas du tout dans le passé, l'informatique par exemple, connaissent enfin une reprise.»

> «En techniques de radiodiagnostic, le gouvernement a autorisé que l'on double la population scolaire dès septembre 2005. C'est que les mises à la retraite entraînent une sérieuse pénurie.»
>
> — Marie Bourgeois, Collège Ahuntsic

DE L'EMPLOI À REVENDRE

En fait, certains domaines sont si populaires que les employeurs se disputent les candidats, parfois même avant qu'ils aient terminé leurs études. Il en va ainsi dans la plupart des techniques relatives à la santé : soins infirmiers, réadaptation physique, inhalothérapie, archives médicales, électrophysiologie médicale, radiodiagnostic, radio-oncologie. «En soins infirmiers, dès la première année, je dois rencontrer les élèves pour les préparer aux entrevues et les inciter à mettre à jour leur CV. Ensuite, je ne les revois plus, car ils sont rapidement embauchés», remarque Chantal Gingras, responsable du placement au Collège de Bois-de-Boulogne.

En techniques de radiodiagnostic, selon Marie Bourgeois, «le gouvernement a autorisé que l'on double la population scolaire dès septembre 2005. C'est que les mises à la retraite entraînent une sérieuse pénurie.»

En technique d'hygiène dentaire, c'est aussi la course folle aux candidats. «Sur mon bureau, il y a au moins 45 offres d'emploi qui ne trouveront pas preneur, souligne Lise Chagnon, responsable du placement au Cégep de Saint-Hyacinthe. Il y a un manque flagrant de diplômés à la grandeur de la province.» Même constat du côté du Cégep François-Xavier-Garneau : «Je reçois au moins cinq offres d'emploi par semaine durant toute l'année, affirme Jennifer Tremblay, conseillère en emploi. Les gens sont beaucoup plus préoccupés par leur hygiène dentaire qu'auparavant, ce qui entraîne un accroissement de la demande.»

En diététique, le portrait est aussi positif. «Le taux de placement est de 100 % pour nos diplômés de 2004», indique Lise Chagnon. «La conscientisation de la population face à l'alimentation favorise l'embauche des techniciens en diététique, estime pour sa part Johnny Gauthier, conseiller d'orientation au Cégep de Chicoutimi. Selon moi, la demande devrait s'accentuer durant les prochaines années.» L'industrie agroalimentaire et les centres hospitaliers sont les principaux employeurs.

Autre univers, mais même casse-tête : les estimateurs-évaluateurs en bâtiment. «Cette année, les offres d'emploi ont doublé par rapport à 2004, s'exclame André Thouvenot, directeur adjoint du campus de l'Institut Grasset. J'en ai reçu une cinquantaine, alors qu'on a 17 candidats! Trois semaines après le début des classes, les entreprises viennent à l'Institut rencontrer les élèves pour leur offrir des emplois.»

UNE PÉRIODE FLORISSANTE

À peu près tous les secteurs se portent bien, observent les responsables du placement.

Tout va pour le mieux en logistique du transport, en mécanique d'entretien, en chimie analytique, en inspection du bâtiment, en ébénisterie, en éducation à l'enfance, en design d'intérieur, en théâtre, en intervention en délinquance, en santé animale, en génie métallurgique, industriel et civil, en sécurité industrielle et commerciale, en procédé chimique, et en environnement, hygiène et sécurité au travail.

> Revigorés par une économie qui se porte plutôt bien, certains secteurs sortent enfin de la grisaille après quelques années déprimantes. C'est le cas des techniques en construction aéronautique, entretien d'aéronefs et avionique.

À Sept-Îles, en Abitibi, à Québec, à Montréal comme à Chicoutimi, plusieurs établissements ont souligné l'excellente performance du programme de bureautique, micro-édition et hypermédia. «Si l'on avait 25 élèves, on les placerait sans problème, mais on n'en a que 7», remarque Rolland Laflamme, conseiller en placement et stages au Cégep de Rimouski.

Tout se passe également très bien en production télévisuelle et cinématographique. «Le marché est vaste, particulièrement du côté des maisons de production, note André Thouvenot. Toutefois, il faut avoir du talent à revendre et être prêt à vivre avec des horaires difficiles. Mais les diplômés passionnés trouvent des contrats sans difficulté.»

APRÈS LA PLUIE, LE BEAU TEMPS

Revigorés par une économie qui se porte plutôt bien, certains secteurs sortent enfin de la grisaille après quelques années déprimantes. C'est le cas des techniques en construction aéronautique, entretien d'aéronefs et avionique. Depuis les attentats de septembre 2001, l'heure était à la morosité au chapitre des perspectives d'emploi. Mais cette année, le Comité sectoriel de la main-d'œuvre en aérospatiale prévoit devoir pourvoir à 3 000 postes. ▷

▷ «Les appels des employeurs pour recruter des diplômés ont presque doublé, passant de 140 en 2004 à 240 en 2005, remarque Diane Lamothe, conseillère pédagogique à l'École nationale d'aérotechnique. Plusieurs facteurs viennent stimuler la demande. Par exemple, Pratt & Whitney a annoncé un investissement de 250 millions de dollars, principalement pour le développement de nouveaux moteurs, alors que Bombardier prépare les nouveaux avions série C.» Johnny Gauthier remarque aussi une reprise du côté des techniques de pilotage d'aéronefs. «En 2004, nous avons eu un taux de placement de 75 %, ce qui est très bon, compte tenu des difficultés des dernières années.»

Après l'éclatement de la bulle technologique, l'informatique semble aussi remonter la

Après l'éclatement de la bulle technologique, l'informatique semble aussi remonter la pente, car les entreprises entrent dans une période de développement et de mise à jour des systèmes.

pente. En effet, les entreprises entrent dans une période de développement et de mise à jour des systèmes. «Le cycle reprend, remarque Christiane Gingras. En 2004, notre taux de placement était de 90 % en techniques informatiques [informatique de gestion et gestion de réseaux informatiques], et tout indique que 2005 suivra la tendance. En ce moment, j'ai une cinquantaine d'offres d'emploi sur mon bureau, plusieurs faites par des employeurs qui avaient cessé d'embaucher. En 2001, 2002 et 2003, je ne recevais aucune offre d'emploi! Si bien que les classes se sont vidées. C'est tout juste si on a des groupes. L'autre problème, c'est que près de 50 % des élèves poursuivent leurs études à l'université dans ce secteur.»

C'EST PAS LE PÉROU...

Au milieu des bonnes nouvelles, on note cependant quelques bémols. Cette année,

---

La formation collégiale en chiffres

Voici les faits saillants de l'enquête *La Relance au collégial en formation technique* de 2004, du ministère de l'Éducation du Québec (MEQ). Au moment de mettre sous presse (août 2005), il s'agissait des données les plus récentes publiées par le MEQ. Elles constituent le complément le plus exhaustif à notre enquête maison, menée en mai 2005.

Situation en 2004 des diplômés de la formation technique
(cohorte 2002-2003, dix mois après la fin des études)

TITULAIRES D'UN DEC	Total	Hommes	Femmes	Situation en 2000
Personnes visées par l'enquête	17 169	6 697	10 472	15 404
En emploi (%)	67,6	58,3	73,6	74,1
Emploi à temps plein (%)	85,2	91,0	82,2	86,7
Emploi relié (%)	80,9	74,0	84,9	84,1
À la recherche d'un emploi (%)	4,3	5,8	3,3	4,3
Aux études (%)	26,1	34,3	20,6	19,6
Personnes inactives (%)	2,1	1,5	2,5	2,0
Taux de chômage (%)	6,0	9,1	4,3	5,5
Salaire hebdomadaire ($)	547	579	529	496

Source : *La Relance au collégial en formation technique, Le placement au 31 mars 2004 des personnes diplômées en 2002-2003*, ministère de l'Éducation du Québec, 2004. Pour consulter l'enquête : http://www.meq.gouv.qc.ca/relance/Collegial/RelCol.htm. *La Relance* est mise à jour chaque année.

plusieurs cégeps remarquent un ralentissement en électronique. «C'est le calme plat en télécommunications. Les offres sont peu nombreuses et les salaires offerts, peu élevés», remarque Francine Dubé, responsable du traitement des offres d'emploi au Cégep de Maisonneuve. Lise Côté, agente de bureau principale au Cégep de Jonquière, remarque la même baisse : «Les scieries qui embauchaient des diplômés en électronique industrielle connaissent un ralentissement. Les répercussions se font sentir sur le placement.»

«J'ai l'impression qu'on perd des emplois au profit de l'Inde et de la Chine, note pour sa part Lise Geoffroy, conseillère en information scolaire et en placement au Cégep de Victoriaville. Sur 15 diplômés en génie industriel, seulement 5 ont trouvé un emploi lié à leur champ d'études.»

Le génie mécanique semble aussi traverser une période moins prospère. «Nos élèves ne se placent pas tous, remarque Rolland Laflamme. Mais il faut dire que certains facteurs nuisent aux diplômés, comme le fait de ne pas maîtriser l'anglais ou de ne pas être mobile. Le même constat s'applique d'ailleurs à la maintenance industrielle et à la foresterie.»

Finalement, Jennifer Tremblay remarque une baisse des offres d'emploi en techniques de comptabilité et de gestion dans la région de Québec. «Traditionnellement, les ministères embauchaient beaucoup. Or, cette année, ils sont plus discrets.» Toutefois, cette tendance n'est pas observée dans les autres cégeps interrogés, où l'embauche dans ce domaine va bon train.

LES MOINS CONNUS

Victimes d'une mauvaise publicité dans les médias, quelques techniques souffrent d'un manque d'inscriptions alors que les offres d'emploi s'accumulent sur les bureaux des conseillers. En tête de liste, le secteur de la foresterie : «Tout le monde croit que la forêt ne génère plus d'emplois, déplore Pauline Bonami,

responsable des affaires étudiantes au Cégep de l'Abitibi-Témiscamingue. Résultat : il y a un manque criant de candidats. Cette année, une trentaine d'offres de stage en entreprise resteront en suspens. Certes, les scieries connaissent des difficultés, mais pour les diplômés en technologie forestière, il y a beaucoup de travail en reboisement, en exploitation, en plantation.» Annie Marceau, qui travaille au Service de consultation et à la Direction des communications et des affaires étudiantes du Cégep de Sainte-Foy, note cependant qu'il faut accepter d'être mobile et que le travail est saisonnier (du mois d'avril au début de novembre).

> «On dit que les mines ferment, qu'il n'y a plus d'emplois, mais c'est le contraire! De nouvelles mines ouvrent et les compagnies continuent de faire de la recherche de gisements, de l'évaluation et de l'arpentage, par exemple.»
>
> — Pauline Bonami, Cégep de l'Abitibi-Témiscamingue

Pauline Bonami fait aussi mention d'une forte pénurie de candidats en technologie minérale. «On dit que les mines ferment, qu'il n'y a plus d'emplois, mais c'est le contraire! De nouvelles mines ouvrent et les compagnies continuent de faire de la recherche de gisements, de l'évaluation et de l'arpentage, par exemple. Cette année, on a dû faire du recrutement intensif pour trouver des élèves. En 2004, je n'avais que 11 sortants pour les trois branches de la technique, soit minéralurgie, exploitation et géologie appliquée. Même si nous en avions eu le double, ils auraient tous trouvé un emploi.»

L'industrie du textile a aussi été écorchée par les annonces de fermeture d'usines, notamment à Huntingdon. «Si le secteur des vêtements traverse une période très difficile, celui du textile de haute technologie [fabrication d'accessoires médicaux, recouvrement de routes, etc.] se porte à merveille, remarque Lise Chagnon. En 2004, tous les diplômés en design de matériaux souples [technologie des matières textiles] ont trouvé un emploi.» ◉ 06/05

**Cégep
de
Sainte-Foy**

2410, chemin Sainte-Foy, Sainte-Foy, QC G1V 1T3
(418) 659-6600 poste 3653

www.cegep-ste-foy.qc.ca

Le Cégep de Sainte-Foy vous ouvre ses portes,
le lundi 21 novembre 2005 de 18 h 30 à 20 h 30, et
le lundi 30 janvier 2006* de 18 h 30 à 20 h 30.

* Veuillez noter que cette soirée sera remise au lendemain
  en cas de mauvais temps.

EN PRIMEUR

Votre réussite scolaire !

SALON FORMATION CARRIÈRE

15 octobre 2005

10ᵉ anniversaire
Place Bonaventure • Montréal
saloneducation.com

J'ai osé !

250 exposants

Informations pertinentes dispensées par les institutions offrant des programmes d'études aux 3 niveaux de formation (professionnel, collégial et universitaire)

La formation continue

Le financement des études

Les études à l'étranger

L'information scolaire et professionnelle

La recherche et les perspectives d'emploi

L'évaluation des compétences

La réorientation et le développement de carrière

Ajoutez des cordes à votre arc !

Un événement : INEO

SECTEUR DE
L'ASSURANCE

ASSUREZ VOTRE AVENIR

Par Guylaine Boucher

Automobile, maison, chaîne stéréo... La majorité des biens qui nous entourent sont assurés. Même nos vies le sont! Des milliers de personnes travaillent chaque jour à garantir ces protections, mais il en faudrait encore davantage, selon les intervenants du secteur qui parlent d'une pénurie de main-d'œuvre. Avis aux intéressés!

Le secteur de l'assurance se partage en deux grands domaines : l'assurance de dommages et l'assurance de personnes. L'assurance de dommages se concentre sur la protection des biens : maisons, automobiles, meubles, etc. C'est elle qui permet de payer les coûts liés à leur réparation ou à leur remplacement en cas de vol, accident, incendie ou désastre, comme une tornade. L'assurance de personnes, elle, permet aux gens d'obtenir de l'argent pour subvenir à leurs besoins quand un proche (père, mère ou conjoint) décède. Elle peut aussi offrir certaines compensations financières en cas de maladies graves telles que le cancer.

Un seul diplôme d'études collégiales (DEC) et deux attestations d'études collégiales (AEC) permettent de se préparer à travailler dans l'un ou l'autre des domaines de l'assurance.

Le DEC *Conseil en assurances et en services financiers* est offert depuis 2002. «Il ouvre la porte à une panoplie d'emplois», soutient François Leduc, responsable du programme au Collège Montmorency. Le même constat s'applique aux titulaires de l'une ou l'autre des AEC *Assurance de dommages* et *Conseil en services financiers et en sécurité financière*[1], selon Josée Robitaille, responsable de la formule d'alternance travail-études pour ces formations au Cégep de Sainte-Foy.

DES EMPLOIS DIVERSIFIÉS

«Concrètement, ces programmes d'études permettent d'accéder aux métiers d'agent et de courtier d'assurance, de souscripteur et d'expert en sinistre», précise François Leduc. Certains diplômés sont aussi recrutés pour pourvoir à des postes d'agents au service à la clientèle.

En assurance de dommages, les agents et les courtiers s'occupent de la vente des polices d'assurance. Les agents d'assurance offrent les produits d'une seule et unique compagnie : Clarica ou Desjardins, par exemple. À l'inverse, les courtiers d'assurance doivent magasiner afin de trouver la meilleure protection pour leur client en fonction de sa réalité et de ses besoins. Par exemple, pour un client qui recherche une assurance automobile, il faudra tenir compte, entre autres, de son âge et de son dossier de conduite. En assurance de personnes, les agents et les courtiers sont appelés conseillers en sécurité financière. Ils assument toutefois les mêmes responsabilités que leurs collègues de l'assurance de dommages.

Josée Robitaille note que beaucoup d'agents et de courtiers sont salariés, surtout en assurance de dommages, mais qu'une large part sont des travailleurs autonomes. En assurance de personnes, par exemple, au moins 28 % des conseillers en sécurité financière ont le statut de travailleurs autonomes[1].

Quant aux souscripteurs et aux experts en sinistres, ils travaillent essentiellement dans les compagnies d'assurances, soutient François Leduc. Les premiers évaluent les risques que présentent les assurés (âge, état de santé, valeur des biens, etc.) et établissent le montant d'argent que les gens doivent débourser pour être protégés, et ce, tant en assurance de personnes que de dommages. Les experts en sinistres interviennent, pour leur part, uniquement en assurances de dommages. Quand survient un accident d'automobile ou un incendie, par exemple, c'est à eux que revient la responsabilité d'enquêter pour évaluer l'ampleur des dégâts et établir les sommes qui seront remboursées aux assurés.

Finalement, les agents au service à la clientèle agissent essentiellement comme agents d'information et de communication pour les compagnies d'assurances et certains cabinets de courtage. Ils répondent aux questions des clients et peuvent, dans certains cas, recueillir l'information sommaire relative à un accident ou un décès.

URGENTS BESOINS DE MAIN-D'ŒUVRE

Peu importe l'emploi visé, l'avenir s'annonce prometteur pour les diplômés des programmes collégiaux en assurance. C'est que dans ce domaine comme dans d'autres, le temps a fait son œuvre et les départs à la retraite sont imminents. «En assurance de dommages, environ 4 600 emplois seront disponibles d'ici à 2006», signale Robert LaGarde, président de la Coalition pour la promotion des professions en assurance de dommages, un organisme mis sur pied par la Chambre de l'assurance de dommages pour planifier le développement de la relève dans ce secteur.

La situation est semblable en assurance de personnes, selon Denis Gobeille, consultant et auteur de l'étude *La population des conseillers en sécurité financière du Québec*, réalisée en 2004 pour la Chaire en assurance L'Industrielle-Alliance de l'Université Laval. «L'enquête révèle que près de la moitié des conseillers en sécurité financière sont présentement âgés de 50 ans et plus. D'ici à 10 ans, ils seront donc nombreux à prendre leur retraite et il faudra les remplacer.» ▷

Recherchés

Agents au service à la clientèle

Agents en assurance de dommages

Conseillers en sécurité financière (agents en assurance vie)

Courtiers en assurance de dommages

Experts en sinistres

Souscripteurs

Pour en savoir plus sur ce qui atttend les diplômés en *Conseil en assurances et en services financiers*, consultez la page 66.

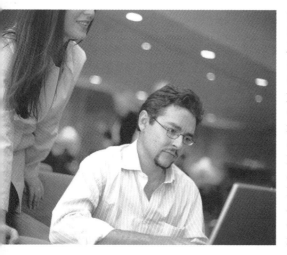

vers la souscription ou les réclamations sans jamais changer d'employeur, précise Josée Robitaille. En ce sens, ce ne sont plus des emplois qu'on leur offre, mais une véritable carrière.» Robert LaGarde renchérit en précisant que les diplômés obtiennent des emplois bien rémunérés et voient leurs responsabilités croître rapidement. «Le secteur de l'assurance est en plein développement. Les cabinets comptent de plus en plus d'employés et de nouveaux postes se créent. Les diplômés du collégial peuvent rapidement accéder à des postes de vice-présidents développement des affaires, des ventes ou du marketing. Tout est possible!»

▷ Déjà dans les établissements d'enseignement, on ne parvient pas à répondre à la demande des employeurs. «Seulement pour les stages, nous avons reçu en 2005, 115 offres provenant de diverses entreprises pour nos 75 élèves, relate Josée Robitaille. Cela illustre bien l'ampleur des besoins.» En fait, les employeurs n'hésitent pas à recruter les sortants avant même qu'ils aient terminé leur formation. «Dès la deuxième année de formation, beaucoup d'élèves du DEC *Conseil en assurances et en services financiers* sont recrutés par les compagnies d'assurances pour travailler à temps partiel», raconte François Leduc du Collège Montmorency.

Les représentants des collèges affirment que les emplois offerts sont nombreux et stimulants. «Les diplômés ont les compétences nécessaires pour occuper des fonctions diversifiées. Les employeurs le savent et leur confient différentes tâches. Ils peuvent être agents en début de carrière, puis se tourner

Sindy Duguay, diplômée de l'ancien programme de techniques administratives, option assurance de dommages, en sait quelque chose. Engagée en 2000 comme agente d'assurance pour L'Industrielle-Alliance, elle a rapidement gravi les échelons pour devenir en moins de cinq ans coordonnatrice au service à la clientèle en assurance de dommages. «J'ai été attirée par le domaine de l'assurance en raison des nombreuses possibilités d'emploi offertes. J'ai commencé à travailler immédiatement après la fin de mes études et je ne regrette pas mon choix. J'apprends de nouvelles choses tous les jours. Chaque client et chaque contrat négocié sont différents. Il faut être créatif, trouver LA solution adaptée aux besoins de notre client. C'est stimulant! Mon prochain objectif, c'est d'accéder à un poste de direction.» ◉ 03/05

1. Le nom des AEC peut changer d'un établissement à l'autre. Nous avons retenu dans le texte les appellations les plus courantes.

Saviez-vous que?

En plus d'avoir besoin de professionnels, le secteur de l'assurance aura aussi bientôt besoin d'entrepreneurs prêts à prendre la direction des entreprises de courtage. En 2003, la Chambre de l'assurance de dommages estimait à 45 ans l'âge moyen des courtiers propriétaires au Québec, tandis que la Chaire en assurance L'Industrielle-Alliance de l'Université Laval parle d'un âge moyen oscillant autour de 49 ans pour les travailleurs autonomes œuvrant en assurance vie. Occasions d'affaires en vue!

UN CHOIX PAYANT

Par Guylaine Boucher

Carte de débit, compte bancaire, petits ou gros placements, que l'on soit jeune ou vieux, les services financiers font partie de notre vie quotidienne. Pour faire tourner la roue, des milliers de gens sont mis à contribution. Beaucoup prendront bientôt leur retraite laissant la place aux plus jeunes, mais le manque de relève se fait déjà sentir.

Le secteur des services financiers est vaste et imposant. Il touche tant le domaine du crédit (prêt pour l'achat d'une maison ou d'une automobile, par exemple), que les épargnes à court, moyen ou long terme (régime d'épargne-retraite, régime d'épargne-études, etc.).

En raison de la complexité des produits vendus, le secteur exige une main-d'œuvre formée. Or, avant 2002, aucun programme collégial n'offrait de formation directement en lien avec ce domaine. Pour y œuvrer, il fallait tout d'abord acquérir une formation en techniques administratives, puis faire des études universitaires en finance, notamment. La création du diplôme d'études collégiales (DEC) *Conseil en assurances et en services financiers* et de l'attestation d'études collégiales (AEC) *Conseil en services financiers et en sécurité financière*[1] a complètement changé ▷

exemple, à titre de conseillers en sécurité financière, note Lise Marquis, conseillère pédagogique au Cégep de Sainte-Foy. Ils peuvent aussi être embauchés comme conseillers ou agents en finances personnelles.» Certains peuvent aussi assumer les responsabilités de courtiers en hypothèque, ajoute François Leduc.

À titre de conseillers en sécurité financière, les diplômés seront appelés à vendre des fonds communs de placement, qui sont des outils financiers permettant d'épargner en vue de la retraite. Ils pourront aussi dresser le bilan des avoirs de leurs clients et les aider à faire des choix éclairés en matière de finances personnelles au sens large : gestion des dettes, achat de maison, épargnes, budget, etc.

Les conseillers ou agents en finances personnelles assument grosso modo les mêmes responsabilités, mais agissent aussi comme responsables de crédit. À ce titre, ils évaluent les demandes de prêts que déposent des individus auprès d'une caisse ou d'une banque et décident si, oui ou non, les prêts peuvent être accordés en fonction du profil de chaque client : ses avoirs, ses dettes, son revenu, etc.

▷ les choses. «Ces nouveaux programmes permettent de bien préparer les élèves à travailler dans le domaine des services financiers», précise François Leduc, responsable du programme *Conseil en assurances et en services financiers* au Collège Montmorency. «Au terme de leur formation, ils peuvent être embauchés autant par une compagnie d'assurances, que par une caisse ou une banque.»

Environ 23 % des conseillers en sécurité financière quitteront le marché du travail d'ici à 2010.

Les titulaires du DEC ou de l'AEC peuvent occuper diverses fonctions dans le domaine des services financiers. «Ils sont engagés, par

Quant aux courtiers en hypothèque, leur fonction principale consiste à magasiner et à trouver, au nom de leur client, l'arrangement de crédit le plus avantageux pour l'achat d'une propriété (maison, commerce).

DES OUVERTURES PAR CENTAINES

Sur le terrain, Lise Marquis confirme la forte demande de diplômés. «À ce jour, deux cohortes d'élèves ont terminé l'AEC dans notre collège et presque tous les diplômés ont trouvé un emploi sans difficulté. Leur taux de placement est excellent.» En fait, précise la conseillère pédagogique du Cégep de Sainte-Foy, le service de placement n'arrive pas à répondre à la demande des employeurs

Recherchés

Agents ou conseillers au crédit
Agents ou conseillers en finances personnelles
Conseillers en sécurité financière
Courtiers en hypothèque

et le tiers des offres d'emploi reçues restent sans réponse faute de candidats. Les banques et les caisses populaires figurent parmi les plus importants recruteurs. Des postes de conseillers en sécurité financière, mais aussi de conseillers en finances personnelles sont généralement proposés aux diplômés.

Jocelyne Houle LeSarge, directrice générale de l'Institut québécois de la planification financière, soutient que l'ampleur de la demande en services financiers s'explique d'abord par l'augmentation de la valeur des avoirs de la population. «Les actifs dont disposent les gens sont de plus en plus importants et diversifiés. Ils ont des maisons, des placements boursiers, des REÉR. Il leur faut de l'aide pour gérer adéquatement tout ce patrimoine. De l'aide provenant de gens formés et compétents.» Le vieillissement de la population contribue aussi, selon elle, à accroître les besoins. «Non seulement les clients seront-ils bientôt nombreux à prendre leur retraite, mais beaucoup décéderont et laisseront en héritage des sommes importantes à investir et à gérer.» Une autre façon de dire que la gestion des épargnes-retraite et des successions entraînera d'importants besoins de diplômés du collégial.

Les conseillers eux-mêmes prendront leur retraite, ce qui accentuera encore davantage la demande. Une étude réalisée par la Chaire en assurance L'Industrielle-Alliance de l'Université Laval en 2004 évalue qu'environ 23 % des conseillers en sécurité financière quitteront le marché du travail d'ici à 2010[2].

Lise Marquis soutient que certains préjugés entourant le secteur des services financiers ont contribué au manque de relève actuelle. «Pour beaucoup de gens, le secteur des services financiers n'est pas très intéressant. Ça veut dire travailler le soir, faire de la vente et accepter de travailler uniquement à commission. Les choses ont beaucoup changé et il est aujourd'hui possible de travailler à salaire avec des clients qui nous sont envoyés. Mais malheureusement, les gens sont encore réticents à s'inscrire dans ces programmes en raison de ces idées reçues.»

> «Plus que de la vente, nous faisons du conseil. Nous aidons les gens à trouver les stratégies pour réaliser leurs projets.»
> – Lyne Francœur

Lyne Francœur, elle, a plongé. Diplômée de l'AEC *Conseil en services financiers et en sécurité financière*, elle est aujourd'hui conseillère en sécurité financière à La Financière Liberté 55. «Quand j'ai commencé ma formation, je me suis réjouie de découvrir qu'il n'y aurait pas de porte-à-porte à faire. Plus que de la vente, nous faisons du conseil. Nous aidons les gens à trouver les stratégies pour réaliser leurs projets, acheter une maison ou prendre une retraite par exemple. C'est stimulant. Et puis, il n'y a pas d'inquiétude à avoir pour le travail, les offres d'emploi sont nombreuses!» ◉ 03/05

1. Le nom de cette AEC peut changer d'un établissement à l'autre. Nous avons retenu dans le texte l'appellation la plus courante.

2. Chaire en assurance L'Industrielle-Alliance. *Rapport de recherche : La population des conseillers en sécurité financière du Québec*, mai 2004.

Saviez-vous que?

Statistique Canada estime qu'entre 1990 et 2004, les consommateurs canadiens ont plus que doublé la valeur de leurs actifs financiers (maison, placements, actions boursières, etc.). Ce sont donc des centaines de milliards de dollars qui doivent être gérés par les intervenants du secteur des services financiers. De quoi tenir les diplômés occupés encore longtemps...

Illustration : Kevin Durocher

LES
GUIDES
PRATIQUES

DIPLÔMES EXPRESS

Certains élèves arrivent à accumuler des diplômes en économisant du temps. Leur secret? Des cheminements scolaires particuliers comme la concomitance et des «passerelles» qui mènent de la formation professionnelle à la formation technique.

UNE FORMATION HAUTE VITESSE

Obtenir un diplôme d'études collégiales et un baccalauréat en moins de six ans, c'est possible avec la formule des DEC-Bac. Des universités et des collèges ont ajusté leur enseignement dans certains programmes d'études connexes pour éviter les redondances.

CULTIVEZ VOS COMPÉTENCES!

Pour faire sa place sur le marché du travail, il faut posséder plusieurs aptitudes qu'on ne développe pas nécessairement à l'école. Les conseillers d'orientation de la firme Brisson Legris et Associés vous donnent des trucs pour apprendre à maîtriser ces compétences essentielles.

PETIT GUIDE DU PARENT ACCOMPAGNATEUR

Votre enfant est en processus de choix de carrière? Vous aimeriez sans doute l'aider à faire le tri parmi toutes les options qui s'offrent à lui. Voici des pistes pour savoir comment vous y prendre et, surtout, par où commencer!

Pages **38** à **62**

DIPLÔMES EXPRESS

Par Claudia Larochelle et Marthe Martel

Obtenir des diplômes sans passer trop de temps sur les bancs de l'école, c'est possible! Certains programmes de la formation professionnelle et technique offrent en effet des raccourcis qui permettent de décrocher plus d'un diplôme en moins de temps qu'il n'en faut habituellement. Découvrez les avantages de ces cheminements qui gagnent en popularité.

FAIRE D'UNE PIERRE DEUX COUPS

Instaurée officiellement en 1996 par le ministère de l'Éducation du Québec (MEQ) dans plusieurs commissions scolaires de la province, la concomitance a fait bien des heureux! Ce mode de formation permet d'obtenir non pas un, mais deux diplômes en deux ans, une fois la troisième secondaire terminée : le diplôme d'études secondaires (DES) et le diplôme d'études professionnelles (DEP). Ensuite, sans être pénalisé, l'élève peut poursuivre ses études au collégial, même après un séjour sur le marché du travail.

La concomitance se révèle avantageuse surtout lorsqu'on connaît le domaine dans lequel on veut étudier et qu'on désire commencer à travailler rapidement.

Ainsi, tout en suivant ses cours de formation professionnelle, qui lui permettront d'obtenir son DEP, l'élève pourra acquérir les unités de formation générale, comme les cours de français, d'anglais et de mathématiques obligatoires, qui lui permettront de décrocher aussi son DES. L'élève peut suivre sa formation générale dans un centre d'éducation des adultes, au centre de formation professionnelle où il fait son DEP ou à son école secondaire. Par la voie de la concomitance, une personne peut même suivre les cours préalables à sa formation professionnelle qui lui manquaient au moment de son admission.

Un coup d'œil sur les statistiques du MEQ permet de constater que la popularité de ce cheminement ne cesse d'augmenter. En 1996-1997, seulement 75 élèves ont été déclarés en concomitance au Québec. Les années suivantes, ce nombre s'est maintenu autour de 150, pour grimper à près de 500 élèves en 2000-2001. En 2003-2004, on comptait plus de 700 personnes inscrites dans cette voie de formation.

Quoique cette formule intégrée et polyvalente soit ouverte à tous, elle ne convient pas à tout le monde. Elle se révèle avantageuse surtout lorsqu'on connaît le domaine dans lequel on veut étudier et qu'on désire commencer à travailler rapidement.

Plusieurs commissions scolaires du Québec offrent le programme de concomitance dans leurs établissements. Informez-vous auprès de votre institution scolaire (école secondaire ou centre de formation professionnelle).

EN ROUTE VERS LE CÉGEP

Pour permettre à un plus grand nombre de personnes d'accéder à la formation collégiale technique, le MEQ a ajouté, en 2002, une nouvelle disposition à son Règlement sur le régime des études collégiales. Celle-ci permet aux titulaires de certains DEP d'accéder directement à des programmes déterminés d'études collégiales en formation technique. Pour y être admis, les élèves ne sont pas obligés d'avoir obtenu leur DES. La reconnaissance de toutes les compétences acquises en formation professionnelle fait en sorte que ces personnes n'ont pas à suivre certains cours du programme technique, ce qui leur permet de terminer leurs études collégiales plus rapidement.

Deux collèges ont expérimenté l'application de cette nouvelle disposition : le Cégep de Drummondville et le Collège de Rosemont. Le Cégep de Drummondville offre depuis l'automne 2003 une «passerelle» qui permet d'accueillir dans son programme *Techniques de génie mécanique* des titulaires du DEP *Techniques d'usinage*. Six élèves en ont profité à l'automne 2004. «Ce cheminement convient bien aux élèves qui ▷

> «Ce cheminement convient bien aux élèves qui pensaient arrêter d'étudier après le DEP, mais qui veulent finalement aller au cégep sans trop allonger la durée de leurs études.»
>
> — Pierre Boucher

Un autre raccourci à connaître

LE PROGRAMME INTÉGRÉ SECONDAIRE-COLLÉGIAL

Le programme intégré secondaire-collégial, également appelé «trois dans cinq», permet d'obtenir trois diplômes – d'études secondaires (DES), d'études professionnelles (DEP) et d'études collégiales (DEC) – en cinq ans (après la troisième secondaire). Dans un cheminement régulier, il faudrait normalement compter sept ans pour terminer ces trois formations séparément.

Après une troisième secondaire réussie, l'élève peut être admis à un programme de formation professionnelle, tout en poursuivant sa formation secondaire générale. Il obtient son DES après sa cinquième secondaire et six mois plus tard, il a en main son DEP. Il peut ensuite poursuivre ses apprentissages au collégial, dans la formation technique associée à son DEP. Comme certaines compétences acquises au DEP sont reconnues, il obtient son DEC en cinq sessions plutôt qu'en six. En fait, la formation collégiale de ces élèves est construite pour éviter la redondance dans l'enseignement des compétences acquises en formation professionnelle.

Ce cheminement est actuellement offert dans le programme *Réparation d'appareils électroniques audiovidéo*, au Centre de formation professionnelle des Riverains de la Commission scolaire des Affluents. Après l'obtention de leurs DES et DEP, les diplômés peuvent poursuivre leurs études au collégial dans les programmes suivants : *Technologie de l'électronique*, option *Audiovisuel* au Collège du Vieux Montréal; *Technologie des systèmes ordinés* au Collège Lionel-Groulx; *Technologie de l'électronique*, option *Télécommunications et ordinateurs* de même que *Technologie de conception électronique* aux collèges Lionel-Groulx et de Maisonneuve.

«Les élèves qui suivent ce cheminement réussissent mieux au cégep que les autres, estime Alain Maynard, directeur adjoint au Centre de formation professionnelle des Riverains. Les titulaires du DEP arrivent au collégial avec une meilleure connaissance de leur domaine d'études.» Par ailleurs, les élèves qui choisissent un programme «trois dans cinq» ne se retrouvent jamais dans un cul-de-sac : s'ils décident de ne pas poursuivre au collégial, ils possèdent quand même deux diplômes, soit un DES et un DEP.

Renseignez-vous auprès de votre commission scolaire pour connaître les programmes et les établissements qui offrent la formule «trois dans cinq».

▷ pensaient arrêter d'étudier après le DEP, mais qui veulent finalement aller au cégep sans trop allonger la durée de leurs études», explique Pierre Boucher, agent d'information au Cégep de Drummondville.

Le Collège de Rosemont offre pour sa part une «passerelle» aux titulaires du DEP *Soutien informatique* qui veulent accéder au programme collégial *Techniques de l'informatique*, option *Gestion de réseaux informatiques*. «Depuis l'hiver 2003, 70 élèves du DEP ont été admis dans ce programme, signale Suzanne Malo, adjointe à la direction des études du Collège. Au terme de leur formation, plusieurs d'entre eux réussiront à obtenir leur diplôme d'études collégiales (DEC) en cinq sessions.» Cette expérience d'harmonisation pourrait s'étendre dans d'autres programmes de la formation professionnelle et technique, notamment entre le DEP *Comptabilité* et le DEC *Techniques de comptabilité et de gestion*[1]. ◉ 03/05

1. Direction de la planification et du développement du ministère de l'Éducation du Québec. *Développement et actualisation des programmes d'études professionnelles et techniques*, 2004.

Les «passerelles» du DEP au DEC

ÉTABLISSEMENTS D'ENSEIGNEMENT QUI OFFRENT LES PROGRAMMES EXPÉRIMENTAUX DE «PASSERELLES» :

Passerelle du DEP *Soutien informatique* au DEC *Techniques de l'informatique*, option *Gestion de réseaux informatiques*

• L'École des métiers de l'informatique, du commerce et de l'administration de Montréal (Commission scolaire de Montréal)

• Le Centre de formation professionnelle de l'Ouest de Montréal (Commission scolaire Marguerite-Bourgeoys)

• Le Centre de formation professionnelle des Riverains (Commission scolaire des Affluents)

• Le Collège de Rosemont

Passerelle du DEP *Techniques d'usinage* au DEC *Techniques de génie mécanique*

• Le Centre de formation professionnelle Paul-Rousseau (Commission scolaire des Chênes)

• L'École professionnelle de Saint-Hyacinthe (Commission scolaire de Saint-Hyacinthe)

• Le Cégep de Drummondville

UNE FORMATION HAUTE VITESSE

Par Kareen Quesada et Claudia Larochelle (mise à jour par Marthe Martel)

Obtenir un diplôme d'études collégiales techniques et un baccalauréat universitaire en moins de six ans d'études, voilà une aubaine! Économie de temps, certes, mais pas d'énergie. Cet apprentissage haute vitesse exige rigueur et travail soutenu.

Formation hybride combinant les enseignements collégial et universitaire, le programme DEC-Bac intègre en moins de six ans l'ensemble des connaissances habituellement acquises au cours d'une formation collégiale technique et d'un baccalauréat. À la fin de son parcours, l'élève aura en main deux diplômes : un diplôme d'études collégiales (DEC) dans le programme technique qu'il a réussi et un baccalauréat dans la discipline universitaire qui lui est associée. Dans un cheminement d'études normal, l'élève obtient généralement ces deux diplômes au terme de six années. Avec le DEC-Bac, l'élève économise une ou deux sessions de cours à l'université. La durée du parcours varie en fonction du programme choisi.

Cette formule permet aux élèves qui désirent poursuivre des études universitaires dans leur champ de spécialisation de le faire de façon plus cohérente, puisque les compétences qu'ils ont acquises au collégial sont prises en compte. Elle mise aussi sur l'avantage que représente l'économie de temps. Mais comment arrive-t-on à raccourcir le cheminement scolaire des élèves? «Nous avons adapté certains de nos cours de la formation collégiale en fonction de ce cheminement et les universités participantes ont fait de même. Nous avons aussi introduit des préalables universitaires dans la formation collégiale. L'université reconnaît dans cette formule les acquis de nos élèves. Ainsi, en cinq ans, l'élève peut obtenir les deux diplômes», précise Daniel Boutet, adjoint au directeur des études au Cégep de Limoilou.

PLAN DE COURS MODIFIÉ

Actuellement, les programmes DEC-Bac sont majoritairement offerts en techniques de l'informatique, en techniques de comptabilité et de gestion, dans certaines techniques liées aux sciences, comme la biologie et la chimie, ainsi que dans les techniques de génie. Depuis l'automne 2002, 42 établissements collégiaux et 9 universités proposent également la formule DEC-Bac en soins infirmiers[1].

À quelques différences près, la formule est la même dans tous les établissements où elle est offerte. L'élève effectue d'abord ses trois années de formation technique au collégial. Comme dans tous les programmes techniques, il suit des cours directement liés à sa formation technique ainsi que des cours de formation générale tels que français et philosophie. Quelques cours spécifiques sont adaptés en vue de l'entrée universitaire ▷

> Cette formule permet aux élèves qui désirent poursuivre des études universitaires dans leur champ de spécialisation de le faire de façon plus cohérente, puisque les compétences qu'ils ont acquises au collégial sont prises en compte.

Photo : Courtoisie UQTR

▷ prochaine. L'élève a aussi à son horaire des cours qui constituent des préalables universitaires, par exemple des cours de mathématiques. Les exigences universitaires varient cependant d'une université à l'autre, tout comme la moyenne des notes requise, qui dépend du contingentement du programme.

> **En réussissant un DEC et un baccalauréat en moins de six ans, le diplômé prouvera qu'il a une bonne capacité d'adaptation et qu'il peut travailler rapidement et sous pression, un atout de taille pour impressionner les employeurs potentiels.**

Au terme des trois années, l'élève reçoit son DEC. Puis, il se verra décerner son bac à la fin de ses études universitaires, deux ans ou deux ans et demi plus tard.

UN PARCOURS EXIGEANT

«Cette formule s'adresse principalement aux élèves qui ont une vision assez claire de leur avenir professionnel», explique Réjean Martin, directeur des communications par intérim à l'Université du Québec à Rimouski (UQAR). Puisque certains cours du collégial sont modifiés en fonction de la formation universitaire, l'élève travaillera très fort pour pouvoir faire une année de moins à l'université. S'il n'est pas certain de vouloir aller à l'université, il aura déployé des énergies qu'il aurait pu épargner en suivant la formation technique régulière. «C'est conçu pour des élèves assez doués, poursuit Lyne Beaudoin, adjointe au directeur des études au Collège François-Xavier-Garneau. Ils doivent ainsi réussir leur collégial avec de bonnes notes, avoir des habiletés dans leur domaine et être capables de s'adapter facilement au passage du collégial à l'université.» Partageant cet avis, Réjean Martin déconseille cette

---

Des exemples de DEC-Bac

Toutes les universités du Québec (sauf la Télé-université) ont conclu des ententes avec divers établissements collégiaux afin d'offrir des programmes de DEC-Bac. Il est recommandé de se renseigner auprès des collèges et des universités pour connaître l'offre des programmes. Voici quelques exemples de DEC-Bac actuellement offerts :

- en sciences infirmières, pour les élèves en techniques de soins infirmiers;

- en comptabilité, pour les élèves en techniques de comptabilité et de gestion;

- en services financiers, pour les élèves en techniques de conseil en assurances et en services financiers;

- en sciences et technologies des aliments, pour les élèves en technologie de la transformation des aliments;

- en informatique, pour les élèves en techniques de l'informatique, informatique de gestion et gestion de réseaux informatiques;

- en génie chimique, pour les élèves en techniques de génie chimique et techniques de chimie analytique.

option aux élèves qui ont un dossier scolaire faible ou moyen. Toutefois, pour un bon élève, la formule du DEC-Bac permet d'éviter la redondance des notions apprises au cégep et à l'université. Mme Beaudoin estime que le DEC-Bac représente un autre atout majeur. Le diplôme d'études universitaires permet d'accéder à des emplois mieux rémunérés comportant plus de responsabilités et des charges de travail diversifiées. Bien entendu, si l'élève ne veut plus aller à l'université au terme de trois années de DEC-Bac, il obtiendra quand même son diplôme de formation technique et pourra commencer à travailler.

Une fois sur le marché du travail, les diplômés du DEC-Bac sont-ils avantagés par rapport à leurs confrères issus du cheminement régulier? Difficile à dire pour l'instant, car la formule est encore trop récente. Plusieurs programmes ne sont offerts que depuis 2001 et 2002. Chose certaine, en réussissant un DEC et un baccalauréat en moins de six ans, le diplômé prouvera qu'il a une bonne

Photo : Courtoisie UQTR

capacité d'adaptation et qu'il peut travailler rapidement et sous pression, un atout de taille pour impressionner les employeurs potentiels. 03/05 ◉

1. Ordre des infirmières et infirmiers du Québec. *Infirmier, infirmière, programmes de formation,* 4ᵉ trimestre 2004.

Un autre raccourci

Saviez-vous qu'un peu plus de 20 % des diplômés issus de la formation collégiale technique font des études universitaires dans l'année qui suit l'obtention de leur DEC? Voici un autre raccourci à connaître si vous êtes titulaire d'un DEC. Une passerelle permet aux diplômés de la formation technique de faire reconnaître, dans certains établissements, jusqu'à 10 cours réussis pendant leur formation collégiale. Dans certains cas, cela permet aux élèves d'épargner une année d'études universitaires. Renseignez-vous!

Source : Ministère de l'Éducation du Québec. *Les indicateurs de l'éducation,* 2004.

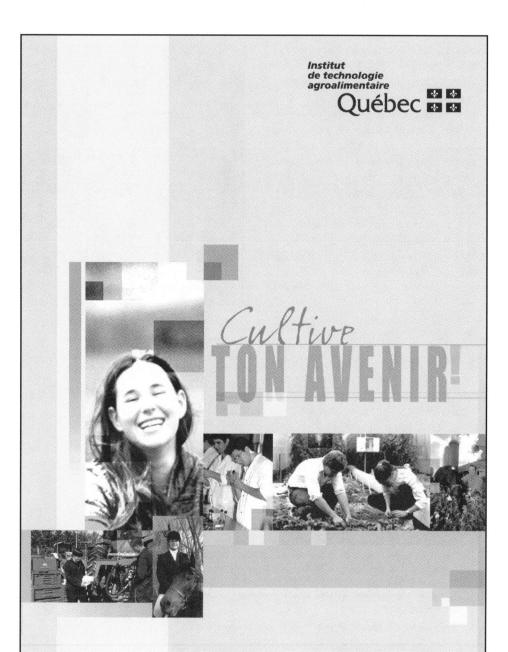

Institut
de technologie
agroalimentaire
Québec

Campus de La Pocatière
401, rue Poiré
La Pocatière (Québec) G0R 1Z0
Téléphone : (418) 856-1110
Télécopieur : (418) 856-1719
Courriel : scitalp@agr.gouv.qc.ca
Site Internet : www.ita.qc.ca

Campus de Saint-Hyacinthe
3230, rue Sicotte, C.P. 70
Saint-Hyacinthe (Québec) J2S 7B3
Téléphone : (450) 778-6504
Télécopieur : (450) 778-6536
Courriel : ita.st.hyacinthe@agr.gouv.qc.ca
Site Internet : www.ita.qc.ca

Illustrations : Kevin Durocher

CULTIVEZ
VOS COMPÉTENCES!

Par Brisson Legris et Associés, conseillers d'orientation, www.brissonlegris.com

Pour se trouver un emploi, il faut avoir deux types d'habiletés : celles que l'on développe à l'école et celles que l'on acquiert au fil de nos expériences de vie. Ces dernières sont très recherchées par les employeurs. Voici comment les acquérir.

C'est en consultant des centaines d'entreprises que le Conference Board du Canada, un organisme de recherche indépendant qui œuvre dans le domaine des affaires, a pu établir la liste des 10 aptitudes utiles pour dénicher un poste, le conserver et obtenir de l'avancement. Quelles sont-elles?

Pour les découvrir, remplissez le questionnaire présenté à la page suivante. Vos résultats révéleront les compétences que vous possédez déjà, et nos trucs vous aideront à perfectionner celles que vous maîtrisez moins bien.

▷

AVEZ-VOUS LES COMPÉTENCES QUI MÈNENT À UN EMPLOI?

Questionnaire	Vrai	Faux
1. Je sais choisir le moyen de communication qui convient à chaque situation (courriel, message écrit, graphique, etc.).		
2. S'il faut partager l'addition au restaurant, les autres se fient souvent à moi pour faire le calcul.		
3. Avant d'entreprendre un travail scolaire, j'élabore un plan pour atteindre les objectifs fixés.		
4. En règle générale, je suis ouvert au changement et je m'y adapte bien.		
5. Afin de ne pas porter de jugement hâtif lors d'un débat, je m'assure de bien comprendre les propos des gens et je demande des précisions au besoin.		
6. J'essaie d'équilibrer le temps et l'énergie que je consacre à l'école, au travail, à ma famille et à mes loisirs.		
7. Lorsque je prends des notes dans un cours, je retranscris ensuite les éléments importants de manière à bien les comprendre plus tard.		
8. Je détermine facilement ce qu'il faut mesurer ou calculer pour résoudre un problème mathématique ou de logique.		
9. Lorsqu'un conflit survient dans mon équipe, je prends le temps d'écouter les autres et de comprendre le problème pour proposer une solution satisfaisante.		
10. Avant de rédiger un texte d'opinion, je cherche de l'information pour appuyer mon argumentation.		
11. Avant de faire un achat, je détermine mon budget et je compare les prix et les caractéristiques des produits semblables.		
12. Je suis une personne positive et j'ai confiance en moi.		
13. Je suis autonome lorsque je fais un travail individuel, et collaborateur quand je travaille en équipe.		
14. Lorsque je passe des examens, je prends le temps d'analyser les éléments de chaque problème avant d'y répondre.		
15. Je m'exprime clairement, tant à l'oral qu'à l'écrit. Les gens n'ont donc pas de difficulté à comprendre mon message ou ma demande.		

> **Vous pouvez interpréter vos résultats à l'aide des explications fournies aux pages suivantes.**

Questionnaire	Vrai	Faux
16. Je respecte l'opinion d'autrui et je suis capable de faire des commentaires constructifs sans être blessant.		
17. Lorsque la discussion tourne en rond dans mon équipe, je suis reconnu pour ma capacité à trouver une solution.		
18. Dans mes travaux scolaires, j'utilise parfois des schémas, des graphiques ou des bases de données pour organiser et présenter l'information recueillie.		
19. Je suis reconnu comme étant une personne honnête.		
20. On peut me faire confiance, car je respecte mes engagements.		
21. Quand je réalise un projet scolaire, je m'arrête en cours de route pour me demander où j'en suis et si je dois réviser ma façon de faire.		
22. J'assume la responsabilité de mes gestes et je ne blâme personne pour tout ce qui m'arrive.		
23. Avant de prendre position lors d'un débat, j'écoute les autres pour comprendre leurs arguments et en évaluer la solidité.		
24. Je connais mes points faibles et je fais des efforts pour m'améliorer.		
25. Je me réjouis devant le succès des autres tout comme devant le mien.		
26. Je n'ai pas de difficulté à changer d'avis et à reconnaître que quelqu'un a raison ou a une meilleure idée que la mienne.		
27. Je trouve qu'il est important de développer mes connaissances et mes compétences. Je m'y emploie même quand je ne suis pas à l'école.		
28. Lorsque je reçois un résultat d'examen, je prends le temps de comprendre mes erreurs.		
29. On me reconnaît un certain talent pour encadrer le travail des autres. C'est souvent mon rôle dans une équipe.		
30. J'ai du talent pour planifier les diverses étapes à franchir pour réaliser un travail.		

Si vous avez répondu «vrai» aux énoncés
1, 5 et 15, vous êtes sans doute un
bon communicateur.

Si vous avez répondu «faux» à au moins un de ces
énoncés, les trucs suivants pourraient vous être utiles.

La communication est une compétence essentielle, car elle est à la base de
nos rapports personnels et professionnels avec les autres. En tout temps, nos
courriels, nos conversations avec les clients et nos présentations visuelles
reflètent notre image et celle de notre employeur. Il est donc primordial de savoir
écouter, parler, lire et écrire de façon efficace.

TRUCS :

- Pour améliorer votre français écrit, lisez beaucoup et portez
attention aux erreurs que vous faites à répétition dans
vos travaux.

- Demandez à votre professeur de français des exercices
supplémentaires pour combler vos lacunes.

- Prenez le temps de bien clarifier votre pensée avant de parler.

- Ne fuyez pas les exposés oraux et les débats. Plus vous en ferez,
mieux vous communiquerez votre message.

- N'hésitez pas à argumenter avec humour et créativité. Votre
message sera plus stimulant; et les gens, plus intéressés.

- Faites un tour à la bibliothèque. Vous y trouverez des volumes
au sujet de l'art oratoire, de la négociation et de la
communication efficace.

COMPÉTENCE | **2** | GÉRER L'INFORMATION

Si vous avez répondu «vrai» aux énoncés 7, 10 et 18, vous savez probablement gérer l'information.

Si vous avez répondu «faux» à au moins un de ces énoncés, les trucs suivants pourraient vous être utiles.

Pour prendre des décisions judicieuses, il faut être capable de recueillir assez de données pertinentes. Il est donc important de savoir faire de bonnes recherches.

TRUCS :

• Dans le cadre de vos travaux scolaires, prenez l'habitude de bien définir votre sujet de recherche et vos objectifs.

• Questionnez le personnel de soutien des bibliothèques à propos des méthodes de classement utilisées pour les documents ou concernant le fonctionnement des différents moteurs de recherche dans Internet.

• Servez-vous de logiciels pour créer des graphiques ou des présentations visuelles. Ainsi, votre argumentation aura plus de poids. Vous pouvez suivre des formations pour apprendre à utiliser ces outils. Informez-vous auprès des écoles publiques et privées de votre région, ainsi que de votre municipalité.

3 UTILISER
LES CHIFFRES

Si vous avez répondu «vrai» aux énoncés
2, 8 et 11, vous semblez avoir du talent pour
utiliser les chiffres.

Si vous avez répondu «faux» à au moins un de ces
énoncés, les trucs suivants pourraient vous être utiles.

Vous n'avez pas la «bosse des maths»? Cessez de les considérer uniquement comme une matière scolaire. Les chiffres sont souvent utiles au travail. Par exemple, il faut des notions de mathématiques pour comprendre les résultats financiers d'une entreprise, pour prendre position dans un débat où des chiffres ont été évoqués ou tout simplement pour parler le même langage que le patron.

TRUCS :

- Prenez l'habitude de faire des calculs mentaux plutôt que d'utiliser une calculatrice. Au restaurant, par exemple, vous pourriez calculer le pourboire dans votre tête avant de regarder sur l'addition à quel montant s'élèvent les taxes.

- Soyez critique lorsque quelqu'un avance des chiffres. Demandez-vous si les calculs se tiennent et si les résultats ne biaisent pas les démonstrations. Vous serez ainsi plus précis et logique lorsque vous utiliserez des chiffres pour convaincre les autres.

COMPÉTENCE | **4** | RÉFLÉCHIR ET RÉSOUDRE DES PROBLÈMES

Si vous avez répondu «vrai» aux énoncés 14, 17 et 23, vous avez certainement de bonnes habiletés pour la réflexion et la résolution de problèmes.

Si vous avez répondu «faux» à au moins un de ces énoncés, les trucs suivants pourraient vous être utiles.

Il est essentiel de savoir analyser l'information donnée pour en tirer des conclusions et passer à l'action. Si vous développez votre capacité à réfléchir et à résoudre des problèmes, vous prendrez de meilleures décisions et vous deviendrez plus confiant en votre aptitude à trouver des solutions.

TRUCS :

- Ne prenez pas la parole avant d'avoir bien assimilé et analysé les faits. Cela vous évitera de faire des propositions qui ne tiennent pas debout.

- N'hésitez pas à demander divers points de vue pour enrichir votre réflexion et considérez-les objectivement.

- Vous venez de vivre un échec? Transformez cette expérience frustrante en occasion d'apprentissage, en prenant le temps de déterminer les causes de vos déboires.

- Vous trouverez plusieurs livres, cours et sites Internet traitant des techniques de résolution de problèmes. Jetez-y un coup d'œil! Vous y dénicherez des trucs pour faire preuve de créativité. Pour des livres de référence : **http://platon.lacitec.on.ca/appui/troubles/resolutionp.htm**.

5 DÉMONTRER DES ATTITUDES ET DES COMPORTEMENTS POSITIFS

Si vous avez répondu «vrai» aux énoncés 12, 19 et 25, vous vous comportez généralement de façon positive.

Si vous avez répondu «faux» à au moins un de ces énoncés, les trucs suivants pourraient vous être utiles.

Les gestionnaires embauchent des gens pour leurs compétences, alors que quand ils les congédient, c'est souvent en raison de leur comportement. En effet, on vous appréciera pour vos connaissances et votre façon de les mettre en pratique. Toutefois, votre attitude jouera un grand rôle dans votre carrière : respecter les autres, reconnaître la valeur de leur travail et être agréable à côtoyer sont des attitudes très importantes!

TRUCS :

- Intéressez-vous aux autres, à leurs idées et à leurs projets.

- Faites beaucoup de compliments. Par exemple, si un travail d'équipe n'a pas été de tout repos, tentez de souligner surtout ce qui s'est bien passé. Vos collègues apprécieront que vous ayez remarqué leurs bons coups, et ils auront tendance à vous féliciter pour les vôtres!

- Soyez optimiste plutôt que de voir uniquement le côté sombre des choses. Quand vous recevez la note d'un examen, commencez par prendre conscience de tout ce que vous aviez bien assimilé.

- Prenez des initiatives. Faites-vous confiance. Vous pouvez, par exemple, proposer des idées pour vos travaux d'équipe et vos activités parascolaires. Vos suggestions ne seront peut-être pas toutes retenues, mais au moins vous aurez fait preuve d'imagination et on reconnaîtra que vos commentaires étaient constructifs.

COMPÉTENCE | **6** | ÊTRE RESPONSABLE

Si vous avez répondu «vrai» aux énoncés
6, 20 et 22, vous êtes probablement
quelqu'un de responsable.

Si vous avez répondu «faux» à au moins un de ces énoncés,
les trucs suivants pourraient vous être utiles.

Être responsable, c'est bien sûr démontrer aux gens qu'ils peuvent compter sur nous. Mais c'est aussi prendre soin de sa santé et veiller à sa qualité de vie en refusant, par exemple, de travailler à l'aide de machines non sécuritaires.

TRUCS :

- Proposez-vous comme chef d'équipe pour réaliser un travail scolaire ou un projet rattaché à un de vos loisirs. Vous serez chargé d'en clarifier les objectifs, de planifier les tâches à accomplir, d'établir les priorités, d'assurer un suivi et de gérer l'échéancier.

- Ne blâmez personne si les résultats d'un travail d'équipe sont décevants. Assumez la responsabilité de vos erreurs.

- Les adultes vous le diront, il est difficile d'avoir une vie vraiment équilibrée. Le combat commence maintenant : vous jonglez déjà avec l'école et les devoirs, la famille, les amis, les activités parascolaires et même, parfois, un emploi. Le meilleur conseil? Pensez à votre santé avant tout! Par exemple, limitez le nombre d'heures que vous consacrez au travail chaque semaine. Vous gagnerez moins d'argent, mais vous arriverez en classe moins fatigué et vous n'aurez pas à laisser tomber les activités qui vous intéressent. Ainsi, vous serez plus performant dans toutes les sphères de votre vie.

Si vous avez répondu «vrai» aux énoncés
4, 13 et 26, vous faites sans doute preuve
de flexibilité.

Si vous avez répondu «faux» à au moins un de ces énoncés,
les trucs suivants pourraient vous être utiles.

Les employeurs apprécient grandement que leurs employés puissent
s'adapter au changement, composer avec l'incertitude, avoir de bonnes idées
et qu'ils soient capables de travailler à de multiples projets.

TRUCS :

- Prenez le risque de vous impliquer dans de nouveaux
projets et de travailler avec des personnes que vous
connaissez peu.

- Changez de rôle. Par exemple, si vous êtes souvent le
leader des groupes dont vous faites partie, laissez
quelqu'un d'autre diriger un projet. Vous verrez comment
vous réagissez à ce renversement de situation.

- Vous avez rapidement résolu un problème? Laissez tomber
votre première idée et essayez de trouver une solution
plus originale.

COMPÉTENCE | **8** | APPRENDRE CONSTAMMENT

Si vous avez répondu «vrai» aux énoncés 24, 27 et 28, vous cherchez sans cesse à enrichir vos connaissances.

Si vous avez répondu «faux» à au moins un de ces énoncés, les trucs suivants pourraient vous être utiles.

Les employeurs apprécient les gens curieux qui tentent toujours d'enrichir leurs connaissances. Lorsqu'elles sont obligées d'effectuer de nouvelles tâches ou de faire de nouveaux apprentissages, de telles personnes ont tendance à se relever les manches plutôt qu'à se décourager. Par ailleurs, plus vous améliorerez votre culture générale, plus vous serez capable d'émettre une opinion fondée sur un grand nombre de sujets... et plus les autres vous trouveront intéressant!

TRUCS :

• Lorsqu'un sujet présenté en classe vous intéresse tout particulièrement, ne vous contentez pas des lectures obligatoires. Trouvez d'autres sources d'information ou lisez un chapitre supplémentaire.

• Prenez l'habitude de parcourir le journal ou d'écouter les nouvelles.

• Intéressez-vous aux documentaires ou aux émissions d'information.

• Les adultes qui vous entourent ont acquis des connaissances au fil des années. Prenez le temps de les écouter.

• Internet est une mine d'information. Entre deux clavardages, faites une petite recherche pour apprendre quelque chose sur un sujet qui vous passionne.

• Suivez des cours pour approfondir votre culture générale ou pour vous perfectionner en musique, en dessin ou en arts martiaux, par exemple.

9 TRAVAILLER
AVEC D'AUTRES

Si vous avez répondu «vrai» aux
énoncés 9, 16 et 29, vous avez
probablement de bonnes habiletés à
travailler avec les autres.

Si vous avez répondu «faux» à au moins un de ces énoncés, les trucs
suivants pourraient vous être utiles.

Même les gens plutôt timides ou solitaires ont à travailler en équipe un jour ou
l'autre. Pas de panique : il n'est pas nécessaire de transformer sa personnalité
du tout au tout pour arriver à s'intégrer dans un groupe.

TRUCS :

- Multipliez les occasions de travailler en équipe, en privilégiant
les petits groupes, car il est plus facile d'y faire sa place.

- Lisez des ouvrages sur les dynamiques de groupe. Vous
découvrirez quel est le rôle que vous adoptez instinctivement
dans un groupe et vous pourrez le jouer plus activement.

- Prenez le temps d'analyser la dynamique de votre groupe et
de cibler les forces de chacun de ses membres, sans vous oublier.

- Osez prendre la parole! Vous pouvez demander des précisions,
souligner le fait qu'une personne a eu une bonne idée, ou encore,
proposer une solution à un problème.

- Vous cherchez un emploi d'été? Pourquoi ne pas en profiter pour
choisir un travail de groupe, comme animateur de camp de jour?

- Privilégiez les sports et les loisirs d'équipe.

COMPÉTENCE **10** ## PARTICIPER AUX PROJETS ET AUX TÂCHES

Si vous avez répondu vrai aux énoncés 3, 21 et 30, vous êtes sans doute très actif lorsqu'on vous confie divers projets ou tâches.

Si vous avez répondu «faux» à au moins un de ces énoncés, les trucs suivants pourraient vous être utiles.

Quand on fait partie d'une équipe, il faut faire sa part du travail. Or, les groupes comptent souvent au moins une personne qui fait acte de présence, mais dont la contribution est plutôt maigre. Ne soyez pas un boulet pour vos coéquipiers, soyez actif!

TRUCS :

- Impliquez-vous! Si vous avez du talent et de l'intérêt pour une partie du travail à accomplir, réclamez-en la réalisation.

- Participez activement à toutes les décisions.

- Planifiez et coordonnez la réalisation de vos tâches et travaux scolaires à l'aide d'un horaire; vous serez plus efficace.

- Arrêtez de procrastiner. Prenez les devants et soyez prêt pour vos rencontres d'équipe; vous gagnerez l'estime des autres membres du groupe.

Une collaboration de Brisson Legris & Associés et des Éditions Jobboom
CONSEILLERS D'ORIENTATION

PETIT GUIDE DU PARENT ACCOMPAGNATEUR

Par Brisson Legris et Associés, conseillers d'orientation, www.brissonlegris.com

En tant que parent, vous êtes témoin des difficultés qu'éprouve votre enfant au moment de choisir un projet de carrière. Comme vous voulez qu'il soit heureux, vous aimeriez sans doute lui donner un petit coup de pouce. Pour simplifier sa réflexion et la vôtre, voici des réponses à cinq questions que les parents se posent souvent.

QUESTION **1** **Plus la date limite d'inscription approche, plus mon enfant est stressé à l'idée de choisir une formation. Comment l'aider?**

La première étape consiste à reconnaître que cette décision est angoissante parce qu'elle a de grandes implications. Votre enfant est peut-être paralysé par la peur de se tromper.

Trois conseils :

- Tout d'abord, ne lui mettez pas trop de pression sur les épaules. Choisir un métier n'est pas une mince affaire, c'est pourquoi la prise de décision est si ardue.
- Faites-lui comprendre que plusieurs professions pourraient lui convenir. La croyance selon laquelle on naît pour un métier bien précis est un mythe… et une grande source d'anxiété.
- Dédramatisez cette étape. Votre enfant a le droit de se tromper. D'ailleurs, un cheminement scolaire et professionnel enrichissant ne se trace pas nécessairement en ligne droite. L'essentiel, c'est de faire des efforts pour cerner ses caractéristiques et effectuer des recherches pour mieux connaître les professions qui y correspondent.

QUESTION **2** **Comment puis-je amener mon enfant à mieux se connaître?**

Pour aider votre enfant à découvrir ses forces et ses faiblesses, dévoilez-lui vos perceptions à cet égard. Tâchez de nommer ses talents réels, et non ceux que vous aimeriez retrouver chez lui. N'oubliez pas de lui mentionner ses défauts : ceux-ci pourraient influencer son choix de carrière… Par exemple, s'il est toujours à la dernière minute, les professions qui exigent beaucoup de planification ne sont pas pour lui.

Ne tentez pas d'établir un lien trop rapide avec une profession. Il vaut mieux faire des observations générales en répondant à des questions comme :

- Votre enfant est-il plutôt manuel, intellectuel ou les deux à la fois?
- Est-il toujours entouré d'amis au point que le téléphone ne «dérougit» pas?
- Est-il toujours prêt à aider les autres?
- Vous étonne-t-il par sa créativité?
- Arrive-t-il parfois à vous faire changer d'idée grâce à sa détermination et à son talent pour l'argumentation?

Soyez attentif à ce qui attire son intérêt à la télévision, dans les livres et lors de vos conversations. Posez-vous aussi les questions suivantes :

- Qui sont les gens qui l'impressionnent et le stimulent autour de lui?
- Quelles activités suscitent son intérêt et le motivent à agir?
- Qu'est-ce qui le différencie de ses frères et sœurs?
- Si vous aviez cinq qualités et cinq défauts à lui attribuer, quels seraient-ils?
- Constatez-vous qu'il a beaucoup de difficulté dans certaines matières et beaucoup de facilité pour d'autres?

▷

Comment puis-je amener mon enfant à mieux se connaître? (suite)

- S'il s'absente de la maison pendant quelques jours, quels aspects de sa personnalité laissent un vide dans la maisonnée? (Son sens de la répartie, son dynamisme contagieux, son sens de l'humour, son calme reposant...)

Bref, agissez comme un miroir pour lui.

Lors de vos observations, ayez en tête les cinq questions suivantes :

- Quels sont ses centres d'intérêt?
- Quelles sont ses aptitudes?
- Quels sont les traits de personnalité qui le caractérisent?
- Quelles sont ses exigences envers une future carrière?
- Quelles sont ses valeurs?

De plus, amenez votre enfant à faire des liens entre ce qui se passe dans sa vie de tous les jours et le genre de qualités qu'il possède. Par exemple, vous pouvez lui demander s'il sait pourquoi ses amis se fient souvent à lui pour choisir des activités. Peut-être est-il reconnu pour ses bonnes idées ou pour son leadership?

QUESTION **Comment aider mon enfant à faire des liens entre ses caractéristiques et les professions qui lui conviennent?**

Voilà une étape importante et exigeante. Il faut beaucoup de travail pour réussir à trouver les métiers qui correspondent à nos champs d'intérêt, nos traits de personnalité, nos valeurs, nos aptitudes et nos exigences professionnelles.

- Commencez par explorer avec votre enfant les divers secteurs d'activité, comme la santé, l'administration ou les communications.

- Ensuite, approfondissez vos connaissances au sujet des secteurs qui l'intéressent le plus. S'il est attiré par le domaine de la santé, par exemple, lisez sur l'inhalothérapie, l'acupuncture ou l'ergothérapie. À cette étape, vous pourrez utiliser les répertoires de métiers que l'on trouve en librairie et dans Internet : certains dressent une liste des centres d'intérêt et des aptitudes que possèdent généralement les gens qui exercent chaque profession. Vous y trouverez également des témoignages et de l'information sur les salaires moyens et les horaires de travail. Invitez votre enfant à souligner avec deux marqueurs de couleurs différentes les caractéristiques qu'il apprécie et celles qui lui déplaisent.

Après avoir exploré plusieurs professions de cette façon, vous verrez se dessiner un portrait plus clair de ce que votre enfant recherche. La liste des choix envisagés diminuera peu à peu, et une décision apparaîtra bientôt.

QUESTION **4** ## Que faire si mon enfant n'a aucun projet de carrière?

En règle générale, deux raisons principales expliquent l'absence de projet : soit votre enfant ne connaît pas assez bien les possibilités qui s'offrent à lui, soit – et c'est encore plus plausible – il n'arrive pas à s'imaginer dans un rôle en particulier.

Il n'y a pas de recette miracle. Votre enfant a besoin de vivre des expériences à partir desquelles il pourra non seulement découvrir ses centres d'intérêt, ses aptitudes et ses traits de personnalité distinctifs, mais aussi ses talents particuliers, le type de tâches qui l'inspirent et les gens avec lesquels il a des affinités. Un conseil : ces expériences seront encore plus utiles si vous encadrez son cheminement. Aidez votre enfant à réfléchir sur l'impact de ces expériences et sur ce qu'il a appris à propos de ses centres d'intérêt, de ses compétences et de sa personnalité. Ensuite, consultez les réponses aux questions 2 et 3 pour pouvoir l'amener à mieux se connaître et à faire des liens entre ses caractéristiques et celles des divers emplois qui l'intéressent.

Voici des façons de garnir son carnet d'expériences :

- **Faire des stages d'observation.** Votre enfant aura une meilleure idée des métiers qui l'attirent s'il passe un moment avec des personnes qui les pratiquent.

- **Parler ou échanger des courriels avec des gens qui pratiquent les métiers qui intéressent votre enfant.** Il pourra ainsi poser les questions qui lui trottent dans la tête. On trouve d'ailleurs des sites de cybermentorat qui permettent aux jeunes d'entrer en contact avec un mentor ou de se préparer aux rencontres :
  http://www.academos.qc.ca/
  http://cyber-mentorat.optionavenir.qc.ca/

- **Avoir un emploi d'été ou travailler à temps partiel pendant l'année scolaire.** En travaillant, votre enfant découvrira de nouveaux champs d'intérêt, mais aussi ses traits de personnalité.

- **Faire des lectures ou écouter des reportages sur différents sujets.** Si votre enfant est habituellement réceptif aux suggestions, vous pouvez lui proposer des émissions ou lui acheter des revues scientifiques sur divers thèmes. Vous verrez à l'usage ce qui retient le plus son attention. Si c'est l'environnement, par exemple, demandez-lui quels aspects de ce sujet l'intéressent, et s'il peut s'imaginer devenir géologue ou technicien en biotechnologie.

- **Participer à un programme d'échange à l'étranger.** Le fait de quitter son quotidien pour vivre une expérience dépaysante peut aider votre enfant à se révéler à lui-même.

- **S'impliquer dans des activités parascolaires ou suivre des cours particuliers.** Tous les domaines peuvent mener à un métier, même la danse ou l'horticulture!

- **Faire du bénévolat.** En plus de se sentir utile, votre enfant pourrait faire des rencontres intéressantes et vivre des expériences très significatives.

▷

Que faire si mon enfant n'a aucun projet de carrière? (suite)

- **S'impliquer dans son milieu scolaire**, que ce soit à la radio étudiante, au journal de l'école ou dans le comité organisateur du bal de fin d'études, par exemple.

- **Se rendre aux «portes ouvertes» ou «journées carrières» des établissements d'enseignement.** C'est l'occasion de rencontrer des responsables de programmes et des professeurs afin de se faire une meilleure idée des exigences d'une formation et du type de travail auquel elle donne accès.

- **Rencontrer un conseiller d'orientation.** Le conseiller pourra l'aider à faire un bilan de ce qu'il connaît de lui-même et l'orienter vers des pistes. La perception que votre enfant a de lui-même et de certaines professions pourrait alors changer.

Pensez aussi à observer votre enfant et voyez ses passe-temps comme des possibilités. Les passionnés de jeux vidéo qui passent leurs soirées entières à s'exercer les pouces bien assis sur le canapé pourraient bien avoir un brillant avenir dans le milieu du multimédia...

 QUESTION 5 **Où puis-je trouver de l'aide pour accompagner mon enfant?**

Les conseillers d'orientation sont spécialement formés pour aider votre enfant à faire un choix de carrière.

Pour trouver un conseiller d'orientation :

- Consultez l'établissement d'enseignement de votre enfant.

- Consultez le site du réseau des Carrefour jeunesse-emploi : **www.cjereseau.org/fr/cje_ouTrouver.asp**. Ces derniers offrent des services gratuits pour les gens de 16 à 35 ans.

- Visitez le site de l'ordre professionnel des conseillers et conseillères d'orientation : **www.occoppq.qc.ca**. Plusieurs conseillers travaillent également à leur compte ou pour une firme privée.

- Vous pourriez aussi obtenir l'aide d'un conseiller virtuel du site gouvernemental Ciblétudes : **www.canlearn.ca**.

Une collaboration de Brisson Legris & Associés et des Éditions Jobboom

ADMINISTRATION, COMMERCE ET INFORMATIQUE

Une formation en administration, commerce et informatique offre de bons débouchés pour qui sait composer avec l'évolution rapide des technologies et la mondialisation des marchés.

Dans le domaine du logiciel et des services informatiques, l'emploi tend à se stabiliser depuis la crise de 2001-2002 qui a suivi l'éclatement de la bulle spéculative. L'innovation technologique et la consommation influencent grandement l'emploi dans ce secteur. Il suffit qu'un nouveau produit s'impose pour que les entreprises, forcées de suivre le pas, embauchent. L'industrie de l'informatique compte au Québec plus de 4 200 entreprises qui emploient au-delà de 38 000 travailleurs. Le secteur du logiciel, pour sa part, comprend au-delà de 200 entreprises et assure du travail à plus de 5 160 personnes.

Les perspectives sont également encourageantes en administration, particulièrement dans le secteur des assurances et des services financiers. Ce marché est en expansion depuis quelques années et la demande de professionnels est croissante. Avec le vieillissement de la population qui entraîne des départs à la retraite et des besoins accrus, notamment pour la gestion de successions et la gestion de l'épargne des *baby-boomers*, les débouchés sont nombreux pour les diplômés du programme *Conseil en assurances et en services financiers*. Les institutions financières les recherchent pour pourvoir à des postes de conseillers en services financiers, de conseillers en sécurité financière de même que de courtiers en assurance, entre autres.

Le commerce de détail, qui emploie 245 000 travailleurs au Québec, a aussi le vent dans les voiles. En croissance depuis le début des années 1990, le secteur est toujours à la recherche de conseillers-vendeurs et de bons gestionnaires. 03/05

CHAMPS D'INTÉRÊT

- aime se sentir efficace et responsable
- aime travailler avec les mots ou les chiffres (symboles, langages spécialisés, règles et normes)
- aime utiliser des outils informatiques
- aime analyser, vérifier, classer

APTITUDES

- capacité de classement (données, chiffres)
- esprit rigoureux, logique et méthodique
- efficacité, fiabilité et rapidité d'exécution
- autonomie, ordre, minutie, souci du détail
- sens de l'organisation

RESSOURCES INTERNET

MINISTÈRE DE L'ÉDUCATION DU QUÉBEC – SECTEURS DE FORMATION
http://www.meq.gouv.qc.ca/ens-sup/ens-coll/program/ProgEtab.asp?vToken=s10
Vous trouverez sur cette page une description des programmes de ce secteur de formation, comprenant, pour chacun, les exigences d'admission, les objectifs de formation et une liste d'établissements d'enseignement.

AUTORITÉS DES MARCHÉS FINANCIERS
www.lautorite.qc.ca
Les élèves en finance trouveront ici toute l'information désirée sur la réglementation du secteur financier québécois.

CHAMBRE DE L'ASSURANCE DE DOMMAGES
http://www.chad.qc.ca
Vous désirez en savoir davantage sur l'assurance de dommages? Ce site vous propose des renseignements diversifiés sur les formations et les carrières dans ce secteur en plein développement.

Conseil en assurances et en services financiers

Dans le domaine de l'assurance et des services financiers, conseiller les gens est un art. Si on a un penchant pour la chose, on peut très bien envisager une carrière comme conseiller en sécurité financière, par exemple, après avoir terminé le programme intitulé *Conseil en assurances et en services financiers.*

PROG. 410.CO
PRÉALABLE : 11, VOIR PAGE 20

CHAMPS D'INTÉRÊT
- aime observer, vérifier, calculer, analyser
- aime expliquer et vulgariser
- aime travailler avec un ordinateur
- s'intéresse beaucoup à l'économie et à la finance (courtier en assurances de personnes, conseiller en finances personnelles, courtier en prêts hypothécaires)

APTITUDES
- esprit d'analyse et de synthèse
- capacité de développer de bons contacts avec ses clients
- sens des responsabilités, de l'organisation et de la planification
- initiative
- capacité de convaincre (courtier en assurances de personnes)

OFFRE DU PROGRAMME PAR RÉGIONS
Capitale-Nationale, Chaudière-Appalaches, Estrie, Laval, Montérégie, Montréal

Pour connaître les établissements qui offrent ce programme : **www.inforoutefpt.org**

RÔLE ET TÂCHES

Ce programme vise à former des personnes pouvant exercer diverses fonctions liées au conseil, à la promotion et à l'analyse dans le domaine de l'assurance et des produits financiers (rentes de retraite, fonds communs, assurance-vie, assurance-invalidité, etc.). Il peut mener à une variété de postes, dont courtier en assurances de dommages, souscripteur (ce dernier analyse les cas soumis par le courtier et décide si l'assureur peut couvrir ou non le risque), expert en sinistres, conseiller en finances personnelles, conseiller en sécurité financière, aussi appelé courtier en assurances de personnes, et courtier en prêts hypothécaires.

Les tâches communes à tous ces postes? Écouter les gens et prendre une décision sur ce qui est le plus approprié pour eux, après avoir fait des calculs et analysé divers renseignements, données, etc.

«Beaucoup de jeunes sont rebutés par le mot "assurance", explique François Leduc, professeur et responsable du programme *Conseil en assurances et en services financiers*, au Collège Montmorency. Pourtant, ils devraient prendre le temps de s'informer sur ce programme parce qu'il débouche sur plusieurs emplois intéressants. Les tâches sont variées et stimulantes, chaque cas étant unique.»

Ainsi, l'une des principales tâches du diplômé sera de bien conseiller ses clients. «Il faut sans cesse se demander ce qui correspond le mieux aux besoins du client et lui expliquer pourquoi il devrait choisir telle ou telle option», résume M. Leduc.

	Salaire hebdo moyen	Proportion de dipl. en emploi	Emploi relié	Chômage	Nombre de diplômés
2004	535 $	82,5 %	84,0 %	0,0 %	84
2003	520 $	72,0 %	94,3 %	6,9 %	99
2002	N/D	N/D	N/D	N/D	N/D

Statistiques tirées de la *Relance* - Ministère de l'Éducation. Voir données complémentaires, page 387.

Comment interpréter l'information, page 19.

Un emploi assuré!

Des milliers d'emplois disponibles
Taux de placement de 96 %

Souscripteur   Courtier en assurance de dommages
Agent en assurance de dommages   Expert en sinistre

CHAMBRE DE L'ASSURANCE
DE DOMMAGES

L'assurance d'un professionnel

Coalition pour
la promotion
des professions
en assurance
de dommages

Un avenir prometteur !

Faisant partie de l'univers des services financiers, l'assurance de dommages est un secteur d'activité en pleine croissance. Avec des milliers d'emplois disponibles, ses 1 300 employeurs établis tant en région que dans les grands centres urbains, et ses carrières qui offrent des défis stimulants dans un contexte de modernité, l'industrie de l'assurance de dommages gagne à être connue. Et ne vous méprenez pas, il n'y a pas de porte-à-porte en assurance de dommages. ✧✧✧

Un emploi assuré !

Agent en assurance de dommages

Maryse Bossé   agent en assurance de dommages   Professionnelle encadrée

En pleine réorientation de carrière, Maryse Bossé était à la recherche d'un travail intéressant, valorisant qui lui permettrait une plus grande latitude au niveau de son horaire de travail. Ayant déjà des responsabilités financières, elle cherchait un emploi bien payé mais ne souhaitait pas retourner sur les bancs d'école. Une occasion se présente lorsqu'elle prend connaissance d'une proposition d'emploi chez un assureur direct qui offre de former les personnes intéressées en plus de les rémunérer. Elle décide de tenter le coup !

Après avoir réussi les examens d'entrée pour devenir agent en assurance de dommages, Maryse se joint à une équipe dynamique travaillant dans le centre d'appels de l'entreprise et conseille les clients concernant leur assurance automobile et habitation.

Saviez-vous que ...

Les horaires de travail
peuvent être variables

Aujourd'hui agent en assurance de dommages, Maryse est fort heureuse de la décision qu'elle a prise. Elle a un travail lui procurant un horaire variable, un salaire de base enviable, des avantages sociaux et des chances d'avancement, tout en étant en mesure de combler son besoin de communication avec les gens, ses clients. Il est important pour elle de les conseiller sur le produit le mieux adapté pour eux et de leur donner les renseignements concernant les risques couverts.

Pour Maryse, les défis sont multiples, à l'image du milieu de l'assurance qui est vaste et en constante évolution. Avis aux intéressés ! ✧✧✧

L'agent est un passionné du service à la clientèle. Il conseille l'assuré sur les produits les mieux adaptés à sa situation, fournit les renseignements concernant les risques couverts, conseille le client éventuel sur le choix des protections et conclut les ventes. L'agent travaille habituellement dans un centre d'appels, il doit donc être à l'aise à travailler avec des outils informatiques et au téléphone.

Un emploi assuré !

Courtier en assurance de dommages

Vincent Gaudreau — courtier en assurance de dommages

Secteur souvent méconnu, l'assurance est pourtant un domaine où les opportunités d'emploi ne manquent pas. Durant son BAC en administration aux HEC, Vincent Gaudreau a travaillé à temps partiel dans un cabinet de courtage en assurance de dommages à classer des dossiers et à faire différentes tâches administratives.

À la fin de ses études, ce même cabinet lui offre un emploi à temps plein dans le secteur des assurances des entreprises. Vincent est très stimulé par cet emploi qui est en lien direct avec ses études. Le risque étant différent si on assure un restaurant ou une usine, son travail de tous les jours lui demande de comprendre le caractère distinctif de chacune des entreprises, et ce, dans le but de pouvoir répondre à leurs besoins.

Le secteur de l'assurance est durement touché par le vieillissement de la population. Plusieurs occasions se présenteront donc pour ceux qui souhaitent faire carrière dans ce domaine. Pour Vincent, cela s'est concrétisé en occupant la fonction de courtier-placeur où il agit plus spécifiquement à titre d'intermédiaire entre les assureurs et les courtiers pour lesquels il place des risques. Il doit faire l'analyse des risques et faire les démarches pour trouver les meilleures protections au meilleur prix. Pour cela, Vincent doit connaître les différents produits de plusieurs compagnies d'assurance. Comme le marché est en constante évolution, il doit être à l'affût des nouvelles tendances et se tenir à jour. ✧✧✧

Saviez-vous que...

Le courtier a la possibilité de développer sa propre clientèle pour augmenter ses revenus ou encore pour fonder sa propre entreprise.

Le courtier en assurance de dommages se spécialise soit dans l'assurance des particuliers (assurance auto et habitation), soit dans l'assurance des entreprises. Il identifie et évalue le risque et les besoins de son client. Il conseille l'assuré sur les produits les mieux adaptés à sa situation et négocie pour lui auprès de différents assureurs. Le courtier travaille dans un cabinet de courtage. Il a donc la possibilité de devenir actionnaire.

Un emploi assuré !

Expert en sinistre

Suzie Godmer expert en sinistre Professionnelle encadrée

À 18 ans, tout ce que Suzie Godmer connaît de l'assurance se limite à la prime qu'elle doit payer pour sa voiture. Alors étudiante en secrétariat, elle effectue un stage dans une compagnie d'assurance. Suzie voit passer des documents en provenance du service des sinistres et se découvre un intérêt et une curiosité croissante pour ce domaine. Elle décide donc de suivre des cours en assurance dans le but d'obtenir son permis d'expert en sinistre.

Par la suite, la compagnie d'assurance affiche un poste d'enquêteur téléphonique que Suzie obtient. Elle traite alors des réclamations en assurance habitation et automobile, en travaillant de 9 à 5. Comme elle est passionnée par le volet « enquête » et qu'elle aime le contact avec les gens, elle postule ensuite pour un emploi d'expert en sinistre sur la route, métier qu'elle adore immédiatement.

Saviez-vous que ...

L'expert en sinistre peut régler des sinistres par téléphone ou encore être appelé à se déplacer sur les lieux.

Souhaitant relever de nouveaux défis, Suzie opte pour un travail d'expert en sinistre indépendant au sein d'un cabinet. À ce titre, elle est maintenant appelée à travailler sur des dossiers diversifiés et plus complexes, qui demandent plus de temps.

En plus de posséder une bonne connaissance générale dans de nombreux domaines (électronique, plomberie, incendie, etc.), elle doit être capable de démontrer de l'empathie, avoir un esprit d'analyse et de synthèse et des aptitudes pour la rédaction. Un jour elle peut aller sur les lieux d'un sinistre dans une usine de chocolat et le lendemain avoir à rencontrer une grand-maman qui s'est blessée en sortant d'un magasin. ◇◇◇

L'expert en sinistre aime se poser des questions et il possède un esprit d'analyse. Il recueille les déclarations de l'assuré, des tierces parties et autres personnes impliquées afin d'établir les faits et circonstances d'un sinistre (incendie, vol, accident ou autre perte matérielle). Il rédige un rapport d'enquête, évalue les dommages et négocie le règlement du dossier.

Un emploi assuré !

Souscripteur

Luc-André Lussier souscripteur

Souscripteur en assurance des entreprises, plus spécifiquement auprès des petites et moyennes entreprises, Luc-André interagit avec les courtiers et négocie ensuite avec les assureurs afin d'aller chercher la meilleure protection pour le meilleur prix. En discutant avec les assurés, il cherche à mieux comprendre leur industrie, et ce, en fonction des aspects de l'entreprise (chiffres d'affaires, genre d'équipements, possibilité d'exportation, etc.).

Pour Luc-André, l'assurance est plus qu'un montant payé pour une protection. Les primes sont définies par des situations et des enjeux sociaux et économiques mondiaux. Vu sous cet angle, l'assurance prend une toute autre dimension. Possédant un BAC en administration de l'Université McGill, Luc-André a ensuite suivi des cours en assurance pour se joindre à l'entreprise familiale. Entrepreneur aguerri, son père lui a transmis sa passion.

Saviez-vous que ...

L'assurance de dommages offre de nombreuses possibilités d'avancement.

Lorsqu'on demande à Luc-André un des souvenirs d'enfance qui l'a marqué, c'est le tour d'auto pour se rendre sur les lieux d'un sinistre après avoir entendu les nouvelles sur les ondes utilisées par la police et les pompiers. Si le sinistre avait eu lieu chez un de leurs assurés, ils étaient là pour s'occuper de lui. ✦✦✦

Le **souscripteur** analyse les propositions qui sont faites par les courtiers et fournit une soumission avec la meilleure protection pour les biens. Il analyse les demandes d'assurance qui lui sont soumises en vue d'une nouvelle affaire, d'une modification, d'une annulation ou d'un renouvellement. Il agit comme personne- ressource et fournit aux divers intervenants les explications relatives aux garanties, aux produits et à la tarification.

Un emploi assuré !

Formation minimale et certification

Pour devenir agent, courtier ou expert en sinistre il y a trois étapes à suivre :

Étape **1** Formation minimale

Satisfaire à l'un des critères de formation suivants :

- Détenir un Diplôme d'études secondaires (DES) ou un niveau d'études équivalent et avoir occupé un emploi à temps plein (dans n'importe quel domaine) pendant au moins trois années (mesure transitoire d'une durée limitée)
- Détenir un Diplôme d'études post-secondaires comprenant au moins 450 heures de formation
- Détenir une Attestation d'études collégiales (AEC) en assurance de dommages + diplôme d'études secondaires (DES)
- Détenir un Diplôme d'études collégiales (DEC) en Conseil en assurances et services financiers

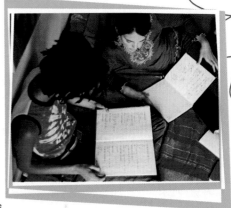

Étape **2** Examens de l'Autorité des marchés financiers

Réussir les examens de l'Autorité des marchés financiers. Pour les candidats qui n'ont pas suivi le DEC en Conseil en assurances et services financiers ou l'AEC en assurance de dommages, il est possible de commander les manuels d'assurance à l'Autorité des marchés financiers ou de faire la formation intensive RCCAQ-Courtier 101 afin dacquérir les notions nécessaires à la réussite des examens.

Pour s'inscrire aux examens et commander les livres

L'Autorité des marchés financiers
(514) 395-2263
1 877 395-2263

Pour suivre la **formation intensive RCCAQ-Courtier 101**
Formation préparatoire aux examens
(interactive en temps réel sur Internet)

(450) 674-6258 poste 29
www.rccaq.com

Étape **3** Stage

Effectuer un stage de 45 ou 90 jours (selon la discipline choisie)

Une fois les examens réussis et le stage complété, le candidat à la profession obtient le statut de professionnel ainsi que le droit de pratiquer au Québec.

Après l'obtention de leur certificat, la pratique professionnelle des agents, des courtiers et des experts en sinistre est encadrée par la Chambre de l'assurance de dommages (ChAD). La ChAD s'occupe de faire respecter les règles et devoirs professionnels de ses membres (agents, courtiers et experts) et veille à leur formation continue.

Un emploi assuré !

Pour plus de renseignements : www.chad.qc.ca

Liste des cégeps

où se donne la formation en assurance de dommages

Diplôme d'études collégiales (DEC) en Conseil en assurances et services financiers

Attestation d'études collégiales (AEC) en assurance de dommages

Cégep de Sainte-Foy
www.cegep-ste-foy.qc.ca
(418) 659-6600

Cégep de Sorel-Tracy
www.cegep-sorel-tracy.qc.ca
(450) 742-6651

Cégep du Vieux Montréal
www.cvm.qc.ca
(514) 982-3437

Cégep Lévis-Lauzon
www.clevislauzon.qc.ca
(418) 833-5110

Collège Montmorency
www.cmontmorency.qc.ca
(450) 975-6100

Séminaire de Sherbrooke
www.seminaire-sherbrooke.qc.ca
(819) 563-2050

Cégep@distance
www.cegepadistance.ca
(514) 864-6464

Cégep Beauce-Appalaches
www.cegep-beauce-appalaches.qc.ca
(418) 228-8896

Cégep de l'Abitibi-Témiscamingue
www.cegepat.qc.ca
(819) 762-0931

Cégep de Jonquière
www.cjonquiere.qc.ca
(418) 547-2191

Cégep de Saint-Hyacinthe
www.cegepsth.qc.ca
(450) 773-6800

Cégep de Sainte-Foy
www.cegep-ste-foy.qc.ca
(418) 659-6600

Cégep de Sorel-Tracy
www.cegep-sorel-tracy.qc.ca
(450) 742-6651

Cégep du Vieux Montréal
www.cvm.qc.ca
(514) 982-3437

Centre d'études collégiales de Varennes
www.cegep-sorel-tracy.qc.ca
(450) 929-0852

Collège de l'Outaouais
www.coll-outao.qc.ca
(819) 777-6584

Collège de Valleyfield
www.colval.qc.ca
(450) 373-9441

Cégep Lévis-Lauzon
www.clevislauzon.qc.ca
(418) 833-5110

Collège Montmorency
www.cmontmorency.qc.ca
(450) 975-6100

Collège O'Sullivan (anglais et français)
www.osullivan.edu
(514) 866-4622

Collège régional de Lanaudière
www.collanaud.qc.ca
(450) 470-0911

Séminaire de Sherbrooke
www.seminaire-sherbrooke.qc.ca
(819) 563-2050

Coalition pour la promotion des professions en assurance de dommages

500, rue Sherbrooke Ouest, 7e étage
Montréal (Québec) H3A 3C6
Téléphone : (514) 842-2591
Sans frais : 1 800 361-7288
Télécopieur : (514) 842-3138
Courriel : coalition@chad.qc.ca

CHAMBRE DE L'ASSURANCE DE DOMMAGES

Visitez la section «Carrière en assurance de dommages» du site Internet
de la Chambre de l'assurance de dommages au **www.chad.qc.ca**

jobboom
LES ÉDITIONS
QUÉBECOR MEDIA

QUALITÉS RECHERCHÉES

Outre le sens des responsabilités, de l'organisation et de la planification, les principales qualités pour travailler dans ce domaine sont l'autonomie, selon François Leduc, «parce que la pratique de la plupart de ces professions est très peu encadrée par une structure hiérarchique», ainsi qu'un bon esprit d'analyse et de synthèse «pour pouvoir bien analyser les besoins, formuler des recommandations et vulgariser celles-ci aux clients». De plus, l'entregent est essentiel puisque la majorité des emplois supposent un contact direct avec des clients et autres spécialistes (notaires, évaluateurs, fiscalistes, ingénieurs, policiers, pompiers, etc.).

La capacité de bien gérer son temps est importante, particulièrement pour les conseillers en sécurité financière ou les représentants en épargnes collectives, par exemple, qui travaillent souvent sur la route et doivent planifier leurs rendez-vous en fonction des disponibilités de leurs clients.

«Enfin, rencontrer une personne qui vient de perdre un être cher, ou sa maison à la suite d'un incendie, ce n'est pas joyeux : il faut savoir faire preuve d'empathie», affirme M. Leduc.

«Beaucoup de jeunes sont rebutés par le mot "assurance". Pourtant, ils devraient prendre le temps de s'informer sur ce programme parce qu'il débouche sur plusieurs emplois intéressants.»

— François Leduc

DÉFIS ET PERSPECTIVES

Selon François Leduc, la place des diplômés sur le marché du travail est assurée. «La pénurie de main-d'œuvre que nous connaissons actuellement devrait perdurer. De plus, la demande se fait non seulement sentir pour les futurs diplômés, mais aussi à des niveaux supérieurs (postes de gestionnaires ou de superviseurs), ce qui ouvre la voie à de très belles perspectives d'avancement.

«Le décloisonnement des institutions financières a entraîné plusieurs changements dans l'industrie, poursuit M. Leduc. Celles-ci agissent désormais comme des guichets uniques en offrant une panoplie de services financiers et d'assurances, alors les diplômés qui cumuleront plus d'un permis (en assurances de personnes et en épargne collective, par exemple) augmenteront leur valeur sur le marché du travail.» Le vieillissement de la population a, lui aussi, provoqué une modification de l'offre de produits, les retraités cherchant à faire fructifier leur argent : «Les diplômés qui deviennent conseillers en sécurité financière ou conseillers en finances personnelles ne devraient pas manquer de travail!» 02/03

HORAIRES ET MILIEUX DE TRAVAIL

- Les horaires de travail sont réguliers («9 à 5»). Cependant, les diplômés œuvrant en assurances de personnes ou en épargnes collectives doivent travailler quand les clients sont disponibles, donc souvent le soir.

- Les heures supplémentaires ne sont pas la norme, mais il peut y en avoir (un samedi par mois, par exemple).

- Il s'agit d'un travail de bureau; l'environnement est calme.

- Les diplômés peuvent œuvrer dans les compagnies d'assurances, les cabinets privés, les institutions financières (banques, caisses populaires), les cabinets de courtage et les fiducies.

Prenez votre place

Utilisez le dynamisme du leader de l'assurance directe au Québec comme tremplin pour votre carrière.

Nous offrons des emplois passionnants et recrutons dans de nombreux secteurs :

VENTE	SERVICE À LA CLIENTÈLE	SOUSCRIPTION	INDEMNISATION

Nous proposons des conditions de travail adaptées à la réalité :
- des horaires stables, de jour, de soir ou de nuit
- un programme de formation et de perfectionnement vous permettant d'évoluer au sein de l'entreprise, même si vous n'avez pas d'expérience en assurance
- un programme de rémunération concurrentiel

Avec son concept de distribution directe, BELAIR*direct* se positionne comme véritable leader de l'assurance au Québec.

BELAIR*direct* est membre d'ING, le plus important fournisseur d'assurances de dommages au Canada, et l'une des premières entreprises de services financiers au monde.

Visitez notre site carrière au
www.belairdirect.com

BELAIR*direct* applique le principe de l'équité en matière d'emploi.

ASSURANCES AUTO ET HABITATION

Gestion de commerces

«Quelqu'un qui a déjà fait partie d'une équipe sportive ou qui a participé à une pièce de théâtre, et qui a aimé son expérience, va certainement se retrouver dans son élément en gestion de commerces. Il pourra y exploiter son sens de l'organisation et son intérêt pour le travail en équipe», affirme Claude Roy, directeur d'établissement du Collège d'affaires Ellis, à Drummondville.

PROG. 410.DO
PRÉALABLE : 11, VOIR PAGE 20

CHAMPS D'INTÉRÊT
- aime le travail de bureau
- aime diriger, superviser, coacher
- aime travailler avec un ordinateur
- aime s'informer, lire des journaux, suivre l'actualité

APTITUDES
- autonomie et débrouillardise
- confiance en soi
- affinité avec les chiffres
- résistance physique et résistance au stress
- sens de l'organisation

OFFRE DU PROGRAMME PAR RÉGIONS
Capitale-Nationale, Centre-du-Québec, Estrie, Lanaudière, Laurentides, Laval, Mauricie, Montérégie, Montréal, Outaouais, Saguenay—Lac-Saint-Jean

Pour connaître les établissements qui offrent ce programme : **www.inforoutefpt.org**

RÔLE ET TÂCHES

«Ce programme permet à l'élève de développer plusieurs champs de compétences nécessaires dans les différents types de commerces», explique M. Roy. Par types de commerces, on entend établissements de vente au détail ou de vente en gros, entreprises de services ou encore entreprises d'import-export.

Les tâches qui attendent le futur gestionnaire sont très variées. Elles englobent la mise en marché et la vente de produits et de services, la gestion de budget, la gestion des ressources humaines, le service à la clientèle et les tâches administratives proprement dites (production de factures, paiement des fournisseurs, etc.). Il faut donc, au départ, se sentir à l'aise à coordonner plusieurs dossiers de nature différente. «On peut avoir à embaucher et à superviser du personnel en plus de se voir confier l'élaboration et le suivi d'une stratégie de marketing», illustre M. Roy.

Puisqu'il aura étudié plusieurs facettes de l'administration, le diplômé aura accès à une grande variété de postes, tels que technicien en administration ou en comptabilité, adjoint administratif, commis aux inventaires, technicien à l'import-export, agent socio-économique, commis d'assurances, analyste financier ou analyste des marchés étrangers.

QUALITÉS RECHERCHÉES

À part la polyvalence, le candidat doit posséder des qualités de base comme le dynamisme, l'optimisme et la débrouillardise, selon M. Roy, car il aura

	Salaire hebdo moyen	Proportion de dipl. en emploi	Emploi relié	Chômage	Nombre de diplômés
2004	N/D	N/D	N/D	N/D	N/D
2003	N/D	N/D	N/D	N/D	N/D
2002	N/D	N/D	N/D	N/D	N/D

Statistiques tirées de la *Relance* - Ministère de l'Éducation. Voir données complémentaires, page 387.

Comment interpréter l'information, page 19.

souvent comme défi de percer et de développer de nouveaux marchés. L'entregent et le tact sont également essentiels pour réussir à établir et à maintenir des relations harmonieuses avec plusieurs types d'interlocuteurs, qu'ils soient employés, fournisseurs ou clients.

Autre aspect à cultiver : le désir de mettre à jour ses connaissances. «À notre époque, c'est essentiel d'être disposé à apprendre de nouvelles façons de faire.» Utiliser un nouveau logiciel, résoudre les conflits ou gérer les attentes des clients sont autant de compétences qu'il faut peaufiner régulièrement en cours de carrière. La profession suppose aussi une bonne dose de confiance en soi, une qualité qui s'acquiert souvent avec l'expérience.

DÉFIS ET PERSPECTIVES

À plus long terme, M. Roy estime que les défis d'un diplômé dépendent de l'attitude et de l'intérêt qu'il aura démontrés au travail. «Il peut rapidement être promu à un poste de coordonnateur d'équipe. Et après cinq à dix années d'expérience, il peut se voir offrir un poste avec plus de responsabilités, comme directeur des ventes ou du marketing, responsable des achats, directeur général d'une PME ou gestionnaire de la production pour un manufacturier.» La plupart de ces postes exigent de superviser d'autres personnes et «ceux qui adopteront une attitude de coach avec leurs employés pourront non seulement tirer le meilleur de ceux-ci, mais aussi compter des points en vue d'obtenir une promotion».

Il reste que pour gravir les échelons, M. Roy affirme qu'il faut avant tout acquérir de l'expérience de travail dans un domaine particulier, que ce soit la rénovation, l'alimentation ou encore l'habillement. «Un futur diplômé devrait accumuler des connaissances sur le ou les domaines dans lesquels il aimerait un jour travailler en lisant des articles de journaux et de magazines, en surfant dans Internet et en établissant un bon réseau de contacts», conseille M. Roy. Pour se perfectionner, un diplômé peut aller chercher un complément de formation universitaire ou un titre professionnel (administrateur agréé, par exemple) et apprendre une deuxième ou une troisième langue. M. Roy précise que, dans les années à venir, le besoin de diplômés trilingues se fera de plus en plus pressant pour les entreprises qui aspirent à faire du commerce international. 02/03

«Ceux qui adopteront une attitude de coach avec leurs employés pourront non seulement tirer le meilleur de ceux-ci, mais aussi compter des points en vue d'obtenir une promotion.»

— Claude Roy

HORAIRES ET MILIEUX DE TRAVAIL

- Les diplômés peuvent décrocher un emploi dans des supermarchés, des grands magasins, dans le commerce de gros, auprès de manufacturiers, dans des entreprises de services ou encore dans des entreprises spécialisées en import-export (courtiers en douanes, par exemple).

- Ils travaillent habituellement dans un bureau équipé d'un ordinateur.

- Les semaines de travail de 35 à 40 heures sont la norme, sauf durant les périodes de pointe, où le nombre d'heures peut atteindre 50.

- Un poste de direction entraîne souvent (mais pas systématiquement) davantage d'heures de travail.

Techniques de bureautique (Coordination du travail de bureau)

Oubliez l'image de la secrétaire! Le technicien spécialisé en coordination du travail de bureau est un employé polyvalent qui joue un rôle clé au sein d'une entreprise. Il maîtrise la supervision de personnel tout comme la gestion du matériel et des logiciels informatiques.

PROG. 412.AA
PRÉALABLE : 0, VOIR PAGE 20

CHAMPS D'INTÉRÊT
- aime travailler avec les chiffres et l'argent
- aime travailler sur support informatique
- aime le travail de bureau
- aime le contact avec le public

APTITUDES
- facilité pour les mathématiques
- entregent; bilinguisme (atout)
- sens du détail et minutie
- discrétion et professionnalisme
- honnêteté et sens des responsabilités

OFFRE DU PROGRAMME PAR RÉGIONS
Abitibi-Témiscamingue, Bas-Saint-Laurent, Capitale-Nationale, Centre-du-Québec, Chaudière-Appalaches, Côte-Nord, Estrie, Gaspésie—Îles-de-la-Madeleine, Lanaudière, Laurentides, Laval, Mauricie, Montérégie, Montréal, Outaouais, Saguenay—Lac-Saint-Jean

Pour connaître les établissements qui offrent ce programme : **www.inforoutefpt.org**

RÔLE ET TÂCHES

«La formation conduit à plusieurs emplois, explique Pierrette Dubois, coordonnatrice du Département de bureautique au Collège de l'Outaouais. Les diplômés ont la possibilité de devenir coordonnateurs d'une équipe, adjoints administratifs, formateurs en milieu de travail ou techniciens de bureau.» Ils sont formés pour diriger et superviser un groupe de travail. «Ils peuvent, par exemple, coordonner le travail d'une équipe de commis ou se retrouver au service des ressources humaines et participer au processus d'embauche du personnel.» La formation et l'évaluation des employés sont également au nombre de leurs compétences.

Johanne Soucy, coordonnatrice du Département de bureautique au Collège de Valleyfield, ajoute que la planification et l'organisation d'événements comme des colloques font aussi partie des tâches des diplômés. «En ce qui concerne la gestion de matériel, les techniciens peuvent obtenir la responsabilité d'un budget et superviser l'achat et le suivi de matériel pour les employés de bureau.» Ces techniciens ont appris à utiliser de nombreux logiciels de traitement de texte, de traitement de données, de comptabilité et de présentations multimédias. Ils connaissent également bien Internet.

QUALITÉS RECHERCHÉES

Un bon sens de l'organisation est indispensable au technicien en bureautique qui exécute une variété de tâches. «Le diplômé doit aussi développer son leadership, note Johanne Soucy. Il dirige des employés et, lors de leur

	Salaire hebdo moyen	Proportion de dipl. en emploi	Emploi relié	Chômage	Nombre de diplômés
2004	480 $	84,4 %	85,8 %	4,8 %	188
2003	464 $	83,5 %	90,1 %	7,1 %	145
2002	N/D	N/D	N/D	N/D	N/D

Statistiques tirées de la *Relance* - Ministère de l'Éducation. Voir données complémentaires, page 387.

Comment interpréter l'information, page 19.

évaluation, il doit pouvoir exprimer ce qui ne fonctionne pas bien.» Une bonne résistance au stress est également nécessaire. Le technicien possède aussi une facilité d'adaptation aux nouvelles technologies. «Quand on choisit de travailler en bureautique, on ne peut pas dire que notre formation se termine en quittant les bancs de l'école, indique Pierrette Dubois. Le diplômé doit s'adapter rapidement aux changements et savoir faire ses propres recherches pour demeurer à la fine pointe de la technologie.» Le souci du travail bien fait et l'esprit d'équipe sont également appréciés.

Les diplômés ont le défi de démontrer l'ensemble de leurs compétences, afin d'être utilisés à leur juste valeur au sein des entreprises.

DÉFIS ET PERSPECTIVES

Au Collège de Valleyfield, on a déjà pu mesurer l'enthousiasme des employeurs. «Ils adorent le programme. Ils nous disent : enfin on a quelqu'un qui peut gérer, réfléchir et prendre de vraies responsabilités!» Mme Soucy estime toutefois que les diplômés ont le défi de démontrer l'ensemble de leurs compétences, afin d'être utilisés à leur juste valeur au sein des entreprises. Pierrette Dubois abonde dans ce sens. «Ces techniciens ont à imposer leurs connaissances et leur niveau de scolarité.» Une tâche parfois délicate pour ces jeunes diplômés qui doivent former des employés comptant parfois de nombreuses années d'expérience au sein de la compagnie. Néanmoins, le métier ouvre de belles possibilités d'avancement. «Il n'est pas rare de voir des techniciens poursuivre des études à l'université en administration ou en comptabilité et accéder à des postes de direction», souligne Mme Dubois.

«À titre d'enseignantes, on se cite souvent en exemple pour prouver aux élèves qu'il n'y a pas de limite, ajoute Johanne Soucy. Nous avons toutes commencé notre carrière comme secrétaires et, au fil des ans, nous sommes retournées à l'université. Nous avons gravi divers échelons et nous voilà dans l'enseignement. On encourage fortement les élèves à acquérir d'autres compétences.» 05/01

HORAIRES ET MILIEUX DE TRAVAIL

- Les principaux employeurs sont : les gouvernements fédéral et provincial, les municipalités, les commissions scolaires et, de façon générale, toute entreprise qui a besoin de personnel de bureau.

- Le technicien spécialisé en coordination du travail de bureau a un horaire régulier qui suit les heures normales d'ouverture des bureaux : de 8 h à 16 h ou de 9 h à 17 h. Sa semaine de travail compte de 35 à 37 heures.

- Les heures de travail supplémentaires sont occasionnelles et se font habituellement le soir.

Techniques de bureautique (Microédition et hypermédia)

«Ce programme développe à la fois la polyvalence et la spécialisation», affirme Lyne Roy, enseignante en microédition et hypermédia au Cégep de l'Abitibi-Témiscamingue. Les techniciens seront à la fois des as de la bureautique conventionnelle et des spécialistes des nouvelles technologies informatiques.

PROG. 412.AB
PRÉALABLE : 0, VOIR PAGE 20

CHAMPS D'INTÉRÊT

- aime l'organisation, le classement, la méthode
- aime se sentir utile aux autres et aime le travail bien fait
- aime travailler avec les technologies de communication
- aime la communication, la lecture et l'écriture

APTITUDES

- respect de l'autorité et des consignes
- débrouillardise et autonomie
- méthode et sens de l'organisation
- bilinguisme et maîtrise des règles d'écriture
- facilité à utiliser la technologie

OFFRE DU PROGRAMME PAR RÉGIONS

Abitibi-Témiscamingue, Bas-Saint-Laurent, Capitale-Nationale, Chaudière-Appalaches, Côte-Nord, Estrie, Gaspésie—Îles-de-la-Madeleine, Lanaudière, Laurentides, Laval, Mauricie, Montérégie, Montréal, Outaouais, Saguenay—Lac-Saint-Jean

Pour connaître les établissements qui offrent ce programme : **www.inforoutefpt.org**

RÔLE ET TÂCHES

«Les connaissances en micro-édition de ces techniciens leur permettent de travailler à la mise en pages sur ordinateur de documents adaptés à l'entreprise, explique Mme Roy. Ce ne sont pas des graphistes, mais ils savent utiliser des conceptions graphiques existantes pour produire leurs documents», poursuit l'enseignante.

Régine Valois, coordonnatrice du programme au Cégep de Rimouski, ajoute que les candidats pourront aussi se retrouver dans les imprimeries et les maisons d'édition à travailler à la mise en pages informatique de journaux ou de documents publicitaires. «Dans le domaine de l'hypermédia, nos diplômés seront aussi appelés à faire l'intégration à l'écran de sites Internet. Ils pourront également être responsables de la maintenance et de la mise à jour de pages Web.» Ce technicien maîtrise donc une panoplie de logiciels de mise en pages, de conception graphique, de présentations multimédias et de création de pages Web. Dans une firme de communication, il est en quelque sorte le bras droit du graphiste et de l'infographiste. Dans une entreprise plus traditionnelle, il est l'employé chargé de la production et de la mise en pages de cahiers de formation, de formulaires, de rapports, de pages publicitaires, de journaux internes, de présentations multimédias et de sites Internet. «Il ne faut pas oublier que nos diplômés sont aussi des généralistes formés pour travailler avec des logiciels de traitement de texte courants et accomplir des tâches générales de bureau», précise Régine Valois.

	Salaire hebdo moyen	Proportion de dipl. en emploi	Emploi relié	Chômage	Nombre de diplômés
2004	452 $	67,1 %	60,2 %	9,4 %	239
2003	469 $	78,0 %	74,3 %	8,6 %	150
2002	N/D	N/D	N/D	N/D	N/D

Statistiques tirées de la *Relance* - Ministère de l'Éducation. Voir données complémentaires, page 387.

Comment interpréter l'information, page 19.

QUALITÉS RECHERCHÉES

Le technicien en bureautique doit posséder une grande capacité d'adaptation aux différents logiciels informatiques. «Une bonne dose de créativité et l'esprit d'initiative sont aussi des atouts», note Mme Valois. Le sens de l'esthétique et le souci du détail sont d'autres qualités qui caractérisent le spécialiste de la microédition et de l'hypermédia. Devant la variété des tâches qui l'attendent, le diplômé devra aussi faire preuve de polyvalence et d'un très fort sens de l'organisation. «Le technicien doit également avoir la capacité de poursuivre sa formation après son DEC, ajoute Régine Valois. Dans le domaine de l'hypermédia en particulier, les outils et les logiciels changent fréquemment.» L'autonomie est une autre qualité à cultiver, soutient Lyne Roy. «Le technicien travaillera souvent seul à la production de ses documents. Il peut aussi devenir travailleur autonome.» L'enseignante ajoute que le diplômé qui est responsable de la rédaction de ses projets doit avoir une excellente maîtrise du français en plus de posséder une bonne connaissance de l'anglais.

> Le technicien spécialisé en microédition et en hypermédia maîtrise une panoplie de logiciels de mise en pages, de conception graphique, de présentations multimédias et de création de pages Web.

DÉFIS ET PERSPECTIVES

«Bien des entreprises ont leur propre site Internet mais n'ont pas d'employé pour le mettre à jour. Nos élèves jouent un rôle important sur ce plan, souligne Régine Valois. Le premier défi des diplômés consiste à faire reconnaître leurs compétences.»

Lyne Roy est très optimiste quant à l'intégration sur le marché du travail de ces spécialistes. «Notre taux de placement en bureautique est très bon depuis plusieurs années. Les diplômés ont un curriculum vitæ très engageant pour les employeurs. Ils sont à la fois polyvalents et spécialisés dans un domaine en pleine expansion!» Pour sa part, Rolland Laflamme, conseiller en placement et stages au Cégep de Rimouski, note l'excellente performance de ce programme. «Si l'on avait 25 élèves, on les placerait sans problèmes, mais on n'en a que sept!», conclut-il. 05/01 (mise à jour partielle 06/05)

Photo : Cégep Édouard-Montpetit

HORAIRES ET MILIEUX DE TRAVAIL

- Le diplômé peut trouver du travail auprès des entreprises qui ont besoin de personnel de bureau, des imprimeries, des maisons d'édition, des firmes de communication et de graphisme, des entreprises de multimédia.

- Le technicien peut aussi offrir ses services à titre de travailleur autonome.

- Le travail se déroule généralement de jour suivant un horaire régulier : de 8 h à 16 h ou de 9 h à 17 h.

- La production de documents dans un délai serré pourra toutefois mener à des heures de travail supplémentaires le soir ou la fin de semaine.

Techniques de comptabilité et de gestion

Le programme *Techniques de comptabilité et de gestion* est conçu pour s'adapter au marché du travail de chaque région. Au Cégep de Matane, par exemple, l'accent est mis sur la polyvalence, une qualité que recherchent les nombreuses PME des environs. «Notre programme forme des généralistes capables de porter plusieurs chapeaux dans tout genre d'entreprise», résume Lucia Lepage, professeure et coordonnatrice du Département d'administration et du programme.

PROG. 410.BO
PRÉALABLE : 11, VOIR PAGE 20

CHAMPS D'INTÉRÊT
• aime respecter des consignes et des normes
• aime le travail d'équipe
• aime la technologie et l'informatique
• aime le travail minutieux

APTITUDES
• souci du détail
• résistance au stress
• capacité d'adaptation
• sens des responsabilités
• habiletés de communication
• discrétion

OFFRE DU PROGRAMME PAR RÉGIONS
Abitibi-Témiscamingue, Bas-Saint-Laurent, Capitale-Nationale, Centre-du-Québec, Chaudière-Appalaches, Côte-Nord, Estrie, Gaspésie–Îles-de-la-Madeleine, Lanaudière, Laurentides, Laval, Mauricie, Montérégie, Montréal, Outaouais, Saguenay–Lac-Saint-Jean

Pour connaître les établissements qui offrent ce programme : **www.inforoutefpt.org**

RÔLE ET TÂCHES

Comme le nom du programme l'indique, un diplômé de cette branche est appelé à travailler en comptabilité, en gestion, ou encore dans ces deux domaines. En comptabilité, il applique le cycle comptable, ce qui inclut l'inscription, dans un journal, des opérations (par exemple, les chèques émis et encaissés par l'entreprise) permettant de produire les états financiers (tableaux présentant la situation financière d'une entreprise pour une période donnée). Il contribue également à la gestion du fonds de roulement et à l'évaluation du rendement des placements de l'entreprise, comme l'immobilier. Enfin, il effectue différentes analyses et recommandations sur l'ensemble des tâches pour lesquelles il apporte son soutien technique.

En gestion, le diplômé recherche, traite et transmet de l'information. S'il est responsable de l'approvisionnement, par exemple, il recueille les données sur les fournitures requises par les employés, comme des stylos et du papier, et commande celles-ci au fournisseur. S'il travaille pour un manufacturier, il s'assure d'avoir en stock le matériel nécessaire pour produire ou vendre un bien donné. Il peut aussi avoir à déterminer les coûts de fabrication des biens produits.

De plus, un technicien en comptabilité et en gestion peut gérer des projets, une fonction plutôt large. «Si le diplômé travaille pour un entrepreneur de construction, il devra planifier, organiser, diriger et gérer toutes les ressources humaines et matérielles requises pour mener à bien la construction d'un nouveau complexe immobilier», illustre Mme Lepage.

	Salaire hebdo moyen	Proportion de dipl. en emploi	Emploi relié	Chômage	Nombre de diplômés
2004	509 $	50,4 %	74,1 %	3,6 %	1 516
2003	494 $	50,9 %	75,1 %	5,9 %	1 590
2002	484 $	47,0 %	81,0 %	7,8 %	145

Statistiques tirées de la *Relance* - Ministère de l'Éducation. Voir données complémentaires, page 387.

Comment interpréter l'information, page 19.

Un diplômé peut aussi être appelé à rencontrer des clients potentiels et à s'occuper des transactions commerciales, entre autres.

QUALITÉS RECHERCHÉES

Pour réussir dans ce domaine, il faut être capable de communiquer efficacement, à l'oral comme à l'écrit, et d'établir des relations interpersonnelles de qualité, selon Mme Lepage. «Le diplômé est en contact continuel avec les gens : des employés, des fournisseurs, des clients.» En outre, la discrétion est essentielle. «Le diplômé connaît le salaire de ses collègues. Il ne doit pas aller le crier sur la place publique!»

Le discernement et un esprit analytique et logique sont également importants : «Pour bien analyser un problème, il faut le décomposer et considérer tous les éléments, positifs et négatifs, pas seulement notre opinion.»

Enfin, le souci du détail est primordial, surtout en comptabilité. «Lorsqu'on reçoit un chèque, il faut bien inscrire le montant de celui-ci. Il faut aussi s'assurer que les transactions pourront être correctement interprétées par les personnes qui vont nous succéder, en les identifiant adéquatement et en gardant le journal propre.»

Si le diplômé possède de bonnes habiletés relationnelles en plus de ses compétences techniques, il peut devenir chef d'équipe ou superviseur après quatre ou cinq années de service.

DÉFIS ET PERSPECTIVES

«L'utilisation de l'informatique est très importante dans le travail du technicien, indique Mme Lepage. Quand l'entreprise implante un nouveau logiciel comptable, c'est lui qui va former et soutenir les employés qui vont l'utiliser.» La mise à jour technologique est donc un défi constant.

Si le diplômé possède de bonnes habiletés relationnelles en plus de ses compétences techniques, il peut devenir chef d'équipe ou superviseur après quatre ou cinq années de service. «Ses perspectives d'avancement seront meilleures s'il poursuit des études universitaires en administration, en comptabilité, en gestion des ressources humaines, en marketing, en production ou en finances», ajoute Mme Lepage. Le bilinguisme, voire la connaissance d'une troisième langue, est aussi un atout. «À cause du commerce international, les fournisseurs peuvent se trouver en Europe ou ailleurs.» 03/03

HORAIRES ET MILIEUX DE TRAVAIL

- Le diplômé peut travailler pour tous les types d'entreprises, étant donné que la gestion et la comptabilité sont présentes partout.
- Le diplômé travaille de 8 h à 17 h, dans un bureau (souvent à aires ouvertes).

- Les heures supplémentaires sont occasionnelles, sauf dans les cabinets d'expertise comptable, en particulier en période de préparation des déclarations de revenus.

Techniques de l'informatique (Gestion de réseaux)

Les administrateurs de réseaux (aussi appelés gestionnaires de réseaux) doivent relever des défis considérables. Au premier chef : la sécurité informatique.

PROG. 420.AC
PRÉALABLE : 13, VOIR PAGE 20

RÔLE ET TÂCHES

Ce programme a vu le jour pour répondre aux demandes des employeurs. «Il y a quelques années à peine, des entreprises nous demandaient des jeunes polyvalents, capables de faire du dépannage informatique et de configurer un ordinateur sur un réseau, raconte Pierre Girard, professeur au Département d'informatique du Cégep de Chicoutimi. Les candidats ne devaient pas nécessairement être des cracks de la programmation, mais des gestionnaires débrouillards, surtout pour la petite et la moyenne entreprise.»

Une longue liste de responsabilités attend les diplômés : gérer le parc informatique d'une entreprise (avec les analyses, les achats et le suivi que cela implique); prendre en charge la sécurité des réseaux et la sauvegarde des données; assigner des droits d'accès aux utilisateurs et répondre à leurs questions; installer des logiciels sur les réseaux; assurer le soutien technique; adapter les réseaux en fonction de l'évolution technologique et des besoins de l'entreprise; sans oublier le dépannage en cas de pépin.

DÉFIS ET PERSPECTIVES

Préoccupés par la confidentialité des données, le piratage informatique et les désastres causés par les virus, les employeurs recherchent des gestionnaires de réseaux irréprochables. «Il faut sensibiliser les utilisateurs à la sécurité informatique, affirme Pierre Girard. C'est là que l'administrateur de réseau va se démarquer du programmeur et de l'analyste en informatique.» 05/03

HORAIRES ET MILIEUX DE TRAVAIL

• Des entreprises de tous les types sont susceptibles d'embaucher les administrateurs de réseaux.

• L'administrateur de réseau doit souvent arriver plus tôt et quitter l'entreprise plus tard que les autres employés. En revanche, il y a des temps morts (quand tout fonctionne normalement).

• En cas de panne ou de piratage informatique, il faut parfois travailler la nuit et le week-end, dans l'urgence.

OFFRE DU PROGRAMME PAR RÉGIONS : Abitibi-Témiscamingue, Bas-Saint-Laurent, Capitale-Nationale, Centre-du-Québec, Chaudière-Appalaches, Côte-Nord, Estrie, Gaspésie–Îles-de-la-Madeleine, Lanaudière, Laurentides, Laval, Mauricie, Montérégie, Montréal, Outaouais, Saguenay–Lac-Saint-Jean
Pour connaître les établissements qui offrent ce programme : **www.inforoutefpt.org**

	Salaire hebdo moyen	Proportion de dipl. en emploi	Emploi relié	Chômage	Nombre de diplômés
2004	711 $	75,0 %	77,8 %	25,0 %	14
2003	N/D	N/D	N/D	N/D	N/D
2002	N/D	N/D	N/D	N/D	N/D

Statistiques tirées de la *Relance* - Ministère de l'Éducation. Voir données complémentaires, page 387.

Comment interpréter l'information, page 19.

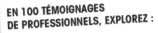

CNP 2172/2174/   CUISEP 153-000.CP
2283/6221

Techniques de l'informatique (Informatique de gestion)

«Chaque matin, je me demande : "Est-ce que je vais apprendre quelque chose aujourd'hui?" Jusqu'à maintenant, la réponse a toujours été oui», affirme Brian Di Croce, qui porte le titre très branché de développeur.net chez Olotech Web Software.

PROG. 420.AA
PRÉALABLE : 13, VOIR PAGE 20

CHAMPS D'INTÉRÊT
• aime les ordinateurs
• aime les mathématiques
• aime rechercher de l'information
• aime se tenir à jour

APTITUDES
• capacité d'apprendre
  par soi-même
• facilité avec les mathématiques
• esprit logique, analytique
• sens de l'organisation
• habiletés de communication

OFFRE DU PROGRAMME PAR RÉGIONS
Abitibi-Témiscamingue, Bas-Saint-Laurent, Capitale-Nationale, Centre-du-Québec, Chaudière-Appalaches, Côte-Nord, Estrie, Gaspésie–Îles-de-la-Madeleine, Lanaudière, Laurentides, Laval, Mauricie, Montérégie, Montréal, Outaouais, Saguenay–Lac-Saint-Jean

Pour connaître les établissements qui offrent ce programme : **www.inforoutefpt.org**

RÔLE ET TÂCHES

Chez Olotech Web Software, une entreprise spécialisée dans la conception d'applications dans Internet, Brian Di Croce a pour rôle de mettre au point des applications sur mesure pour les clients de la firme. «Nous avons, par exemple, un client dans le domaine de la mode féminine. Sa technologie désuète entraîne des pertes en raison d'une gestion déficiente des stocks, du système comptable et du système de paye. On nous a demandé un programme léger qui peut fonctionner non seulement avec un ordinateur de bureau, mais aussi un ordinateur de poche, un téléphone cellulaire ou même une montre. Il doit aussi pouvoir prendre en charge toutes les facettes de la gestion d'entreprise.»

L'équipe de développeurs dont il fait partie se partage les tâches en rotation, de sorte que le diplômé peut s'occuper, au cours d'une journée, de la section base de données, ensuite de l'interface du programme, puis de l'ingénierie du code du programme. En bout de ligne, il arrive ainsi à connaître l'application sous toutes ses coutures. Le travail comporte également des visites régulières chez le client pour installer progressivement les éléments de l'application. Cela permet aux développeurs de recueillir les commentaires des utilisateurs et de s'ajuster au fur et à mesure.

QUALITÉS RECHERCHÉES

Brian Di Croce n'hésite pas un seul instant lorsqu'on lui demande quelles sont les qualités requises pour réussir dans ce domaine. «La curiosité!

	Salaire hebdo moyen	Proportion de dipl. en emploi	Emploi relié	Chômage	Nombre de diplômés
2004	546 $	52,3 %	64,1 %	11,4 %	1 044
2003	552 $	60,2 %	71,5 %	9,3 %	1 154
2002*	563 $	63,6 %	84,2 %	11,8 %	996

Statistiques tirées de la *Relance* - Ministère de l'Éducation. Voir données complémentaires, page 387.
* Données de l'ancien programme *Technique de l'informatique (Informatique de gestion)* (420.86)   Comment interpréter l'information, page 19.

Quand on a un diplôme en informatique, on n'a pas fini d'apprendre pour autant. La technologie change constamment. Il faut avoir le goût, l'énergie et la curiosité pour fouiller, lire et comprendre les changements, tout en se demandant : "Est-ce que cette nouvelle technologie est utile pour moi? Sera-t-elle toujours utile dans 6, 12 ou 24 mois?"» L'esprit analytique est aussi très important puisque le développement d'applications doit être soigneusement planifié : il faut avoir une idée claire du résultat à atteindre avant de se mettre au travail.

Si Brian Di Croce a découvert sa vocation vers l'âge de 10 ans, il note que la formation qu'il a reçue au cégep lui a permis d'acquérir de précieux outils : «Le cégep m'a également donné des notions de communication. L'informatique, c'est aussi s'asseoir avec le client afin de déterminer ce qu'il veut exactement. On doit connaître son rêve à lui pour être capable de l'actualiser.»

> «L'informatique, c'est aussi s'asseoir avec le client afin de déterminer ce qu'il veut exactement. On doit connaître son rêve à lui pour être capable de l'actualiser.»
>
> — Brian Di Croce

DÉFIS ET PERSPECTIVES

Éric Danis, coordonnateur du Département d'informatique au Cégep de l'Abitibi-Témiscamingue, estime que les changements constants et rapides de l'informatique représentent le plus important défi pour ces diplômés. «Ça change tellement souvent que c'est parfois difficile à suivre!»

Ce qui ne changera pas de sitôt, toutefois, c'est le besoin de techniciens en informatique, selon le coordonnateur. «Il y a beaucoup de nouveaux besoins. Les grandes entreprises sont maintenant reliées en réseaux et il existe de nombreuses bases de données centralisées. Il faut des experts pour développer des sites transactionnels où l'on peut faire des achats ou encore aller chercher de l'information.» Les secteurs de la vidéo dans Internet, de la réalité virtuelle et de la téléconférence devraient gagner en popularité, souligne-t-il. «Présentement, les connexions sont un peu trop lentes, mais dès que la bande passante le permettra, l'expansion sera importante et on aura besoin de gens pour gérer tout ça.» 05/03

HORAIRES ET MILIEUX DE TRAVAIL

- Les milieux de travail sont extrêmement variés : toutes les entreprises sont aujourd'hui informatisées.

- Certaines entreprises embauchent leurs propres spécialistes de l'informatique, d'autres font affaire avec des sous-traitants.

- Les horaires peuvent correspondre à la formule du 9 à 5, mais il y a aussi beaucoup de travail sur appel. En effet, plusieurs grosses banques de données fonctionnent 24 heures par jour et il faut pouvoir intervenir à tout moment en cas de pépin. Cependant, les problèmes peuvent souvent être réglés à distance.

DEC

Techniques de l'informatique (Informatique industrielle)

À son premier cours en informatique industrielle au Collège LaSalle en 2000, Jilbert Abelian n'arrivait même pas à faire démarrer l'ordinateur qui lui avait été assigné... Pourtant, quatre ans plus tard, il ouvrait sa propre entreprise dans le domaine!

PROG. 420.AB
PRÉALABLE : 13, VOIR PAGE 20

CHAMPS D'INTÉRÊT

- aime la technologie et l'innovation
- aime jongler avec des concepts, des abstractions (symboles, langage numérique et informatique)
- aime résoudre des problèmes complexes
- aime écouter et expliquer

APTITUDES

- esprit très curieux, objectif et méthodique
- facilité pour les mathématiques et la logique
- grande capacité d'analyse et d'apprentissage
- créativité et habileté à résoudre des problèmes

OFFRE DU PROGRAMME PAR RÉGIONS
Chaudière-Appalaches, Laurentides, Montréal

Pour connaître les établissements qui offrent ce programme : www.inforoutefpt.org

RÔLE ET TÂCHES

«J'ai été un élève très assidu, explique Jilbert. Après l'obtention de mon diplôme en 2003, j'ai décroché un contrat de trois mois pour la Ville de Montréal. J'avais pour mandat de créer une application de gestion visant à tenir l'inventaire des véhicules utilisés par les cols bleus de l'arrondissement Ahuntsic.»

Par la suite, Jilbert a obtenu un emploi d'analyste au service à la clientèle de la division Internet chez Telus, poste qu'il a occupé pendant un an. Jugeant ce travail trop répétitif, Jilbert a eu envie de se rapprocher de son domaine d'études. À l'été 2004, il a donc fondé sa propre compagnie, Informatechs, à Montréal-Nord. Sa clientèle est surtout composée de particuliers peu familiers avec l'informatique et qui viennent d'acheter un ordinateur. Ils ont besoin d'aide pour installer leur système d'exploitation ou établir leur connexion Internet, par exemple.

«J'ai aussi décroché quelques contrats pour des commerces, notamment la chaîne de boutiques de lingerie féminine La Senza. Je devais améliorer le système que le personnel utilise pour produire des rapports, et concevoir une base de données. La quantité d'éléments contenus dans cette dernière est énorme. Il m'a fallu un mois pour terminer le travail.» Mais Jilbert aime relever ce genre de défis qui fait appel à son expertise.

En règle générale, l'informaticien industriel est souvent appelé à contrôler ou à superviser le processus d'une chaîne de production (notamment

	Salaire hebdo moyen	Proportion de dipl. en emploi	Emploi relié	Chômage	Nombre de diplômés
2004	536 $	57,1 %	63,6 %	14,3 %	26
2003	628 $	56,0 %	75,0 %	12,5 %	35
2002	595 $	40,0 %	77,8 %	0,0 %	33

Statistiques tirées de la *Relance* - Ministère de l'Éducation. Voir données complémentaires, page 387.

Comment interpréter l'information, page 19.

créer des logiciels qui seront utilisés par des robots et des automates), mais il peut aussi œuvrer dans le secteur des communications et d'Internet.

QUALITÉS RECHERCHÉES

Le technicien en informatique doit posséder un bon esprit d'analyse et être capable de trouver très rapidement des solutions aux problèmes. Rigueur et précision sont aussi des qualités nécessaires, car un système informatique mal conçu peut causer la perte de journées de production.

De plus, comme l'informatique industrielle évolue constamment, le technicien doit être curieux et suffisamment autonome pour apprendre par lui-même. Enfin, les logiciels et les manuels d'instructions étant presque tous en anglais, il est essentiel de bien connaître cette langue.

Le technicien en informatique doit posséder un bon esprit d'analyse et être capable de trouver très rapidement des solutions aux problèmes.

DÉFIS ET PERSPECTIVES

La progression rapide des technologies amène une diversification importante des applications possibles en informatique industrielle, indique Gilles Champagne, enseignant en informatique industrielle au Cégep de Lévis-Lauzon. «La domotique[1] est aujourd'hui un champ d'application de l'informatique industrielle. Il en va de même pour le positionnement par satellite, l'imagerie par ordinateur et l'infographie.» Les techniciens ont donc pour défi de constamment mettre à jour leurs connaissances.

Selon M. Champagne, l'informatique industrielle souffre un peu de son appellation. En effet, le terme «industrielle» ne doit pas seulement être pris au sens strict (soit lié à l'industrie), car les diplômés peuvent aussi œuvrer auprès d'entreprises spécialisées en communication, en optique, en géomatique et en RD, par exemple.

Photo : Jobboom

«Dans le futur, l'informatique embarquée[2], le RFid[3] et la conception de jeux pourraient constituer des débouchés prometteurs pour nos diplômés», conclut M. Champagne. 03/05

1. Ensemble de techniques permettant d'automatiser certains aspects de l'habitat (éclairage, sécurité, communication, gestion de l'énergie, etc.).

2. Ordinateur miniature utilisé pour contrôler ou superviser des processus industriels.

3. Identification par radiofréquence.

HORAIRES ET MILIEUX DE TRAVAIL

- Les diplômés peuvent travailler dans les grandes entreprises, les PME, ainsi que les firmes de consultants en informatique industrielle.

- L'horaire de travail est généralement de 9 h à 17 h. Plusieurs employeurs offrent toutefois des horaires variables ou du travail à forfait.

- Il faut s'attendre à effectuer des heures supplémentaires en cas de bogue informatique.

- Le travail peut s'exécuter tant dans un bureau qu'en usine.

AGRICULTURE ET PÊCHES

Avec ses 43 700 producteurs, l'agriculture représente l'industrie dominante du secteur primaire de l'économie québécoise. On y dénombre environ 32 000 exploitations agricoles réparties sur près de deux milliards d'hectares.

Selon le Comité sectoriel de main-d'œuvre de la production agricole, ce secteur économique regroupe une vingtaine de sous-secteurs de production animale et végétale qui emploient près de 121 000 personnes.

Un bilan de l'activité bioalimentaire au Québec, publié par le ministère de l'Agriculture, des Pêcheries et de l'Alimentation du Québec (MAPAQ), montre que l'industrie agricole a généré des recettes monétaires d'environ cinq milliards de dollars en 2004. Les productions qui mènent le bal sont l'horticulture ornementale, la production de grains ainsi que la production porcine.

Les perspectives d'emploi sont donc encourageantes pour les diplômés des techniques agricoles comme *Gestion et exploitation d'entreprise agricole*, *Technologie des équipements agricoles* et *Paysage et commercialisation en horticulture ornementale*.

L'industrie de la pêche, pour sa part, mise essentiellement sur la diversification de ses activités et sur la transformation des produits marins afin de compenser les ralentissements dus à son caractère saisonnier et au moratoire sur la capture de certaines espèces, comme la morue. Ainsi l'aquaculture – l'élevage d'espèces aquatiques en eau douce ou salée – suscite de l'intérêt, car elle permet d'offrir des produits à longueur d'année. 03/05

CHAMPS D'INTÉRÊT

- fait preuve de curiosité et de sensibilité à l'égard de la nature
- aime les sciences : biologie, zoologie, chimie
- aime suivre le rythme de la nature ou de la ferme
- aime bouger, faire un travail physique et manuel
- aime analyser et résoudre des problèmes concrets

APTITUDES

- sens de l'observation développé
- dextérité et précision
- autonomie, discernement et sens des responsabilités
- facilité pour les sciences, l'analyse et la résolution de problèmes
- résistance physique et grande capacité de travail

LE SAVIEZ-VOUS ?

Présente dans 14 des 17 régions du Québec, l'activité agricole est concentrée sur les plaines du Saint-Laurent. La pêche est pratiquée en Gaspésie, aux Îles-de-la-Madeleine, sur la Côte-Nord et dans le Bas-Saint-Laurent. La transformation des produits marins se fait dans les mêmes régions et dans les grands centres urbains.

Source :
Les carrières d'avenir 2005,
Les Éditions Jobboom.

RESSOURCES INTERNET

**MINISTÈRE DE L'ÉDUCATION DU QUÉBEC –
SECTEURS DE FORMATION**
**http://www.meq.gouv.qc.ca/ens-sup/ens-coll/program/
ProgEtab.asp?vToken=s20**
Vous trouverez sur cette page une description des programmes de ce secteur de formation, comprenant, pour chacun, les exigences d'admission, les objectifs de formation et une liste d'établissements d'enseignement.

CENTRE D'EMPLOI AGRICOLE DU QUÉBEC
http://www.emploiagricole.com
La référence par excellence pour les chercheurs d'emploi. On peut y effectuer une recherche selon la région ou le secteur de production.

**COMITÉ SECTORIEL DE MAIN-D'ŒUVRE
DE LA PRODUCTION AGRICOLE**
http://www.cose.upa.qc.ca/
Pour tout savoir sur la formation, la main-d'œuvre et l'emploi en agriculture au Québec.

**MINISTÈRE DE L'AGRICULTURE, DES PÊCHERIES
ET DE L'ALIMENTATION DU QUÉBEC**
http://www.mapaq.gouv.qc.ca
Ce site renseigne sur l'économie du secteur de l'agriculture, des pêcheries et de l'alimentation. On y trouve des statistiques sur l'industrie et plusieurs rapports de recherche.

Gestion et exploitation d'entreprise agricole (Productions animales)

Fils d'agriculteur, Jean-François Rioux a été plongé dès l'enfance dans l'univers de la ferme. «Au secondaire, avant même de rencontrer le conseiller d'orientation, je savais exactement ce que je voulais faire plus tard.» Il travaille aujourd'hui dans l'entreprise familiale de production laitière et s'apprête à en prendre la direction.

PROG. 152.AA
PRÉALABLE : 0, VOIR PAGE 20

CHAMPS D'INTÉRÊT
- aime le travail manuel et l'effort physique
- aime la nature et les animaux
- aime le rythme de vie de la ferme
- aime l'organisation, la gestion

APTITUDES
- polyvalence, sens de l'organisation et débrouillardise
- initiative, jugement et leadership
- sens des responsabilités et de la planification
- bonne résistance physique et grande capacité de travail (sept jours sur sept)

OFFRE DU PROGRAMME PAR RÉGIONS
Bas-Saint-Laurent, Centre-du-Québec, Chaudière-Appalaches, Estrie, Lanaudière, Laurentides, Montérégie, Montréal, Saguenay—Lac-Saint-Jean

Pour connaître les établissements qui offrent ce programme : **www.inforoutefpt.org**

RÔLE ET TÂCHES

Après son secondaire, Jean-François a donc poursuivi ses études en gestion et exploitation d'entreprise agricole à l'Institut de technologie agroalimentaire, campus de La Pocatière. Durant les week-ends et pendant l'été, il pratiquait déjà sur la ferme familiale située à Saint-Simon de Rimouski. Son DEC en poche, il y travaille maintenant du matin au soir!

«Dès six heures du matin, je vais à l'étable. C'est moi qui vois à la reproduction et à l'alimentation du troupeau. Je supervise aussi la traite, le nettoyage et les soins à donner aux bêtes. Bref, je gère le tout! Je passe également une partie de la journée dans les champs ou bien je répare de la machinerie, les tracteurs par exemple.»

En plus de soigner les animaux, Jean-François supervise la culture de 200 acres de céréales, ce qui permet à la ferme d'être autosuffisante dans la production de fourrage et de grains. «La moitié sert à l'alimentation du troupeau et l'autre est vendue. C'est moi qui décide de ce qu'on va semer dans les champs, du moment de la récolte ou de la fertilisation.»

QUALITÉS RECHERCHÉES

«La passion de l'agriculture et des animaux est nécessaire pour faire ce métier, parce qu'on doit beaucoup s'y investir : il ne faut pas avoir peur du travail ni compter ses heures! On doit aussi avoir du jugement et un bon sens de l'observation. Par exemple, savoir quand les animaux

	Salaire hebdo moyen	Proportion de dipl. en emploi	Emploi relié	Chômage	Nombre de diplômés
2004	424 $	78,2 %	83,1 %	4,8 %	134
2003	410 $	70,5 %	87,1 %	9,8 %	127
2002*	393 $	88,5 %	90,8 %	3,8 %	114

Statistiques tirées de la *Relance* - Ministère de l'Éducation. Voir données complémentaires, page 387.

* Données de l'ancien programme *Gestion et exploitation d'entreprise agricole (Productions animales)* (152.86)

Comment interpréter l'information, page 19.

sont en chaleur est indispensable pour planifier la reproduction», affirme Jean-François.

Selon le jeune fermier, il faut aussi être un touche-à-tout. «On doit être bon en mathématiques pour calculer la portion adéquate de grains à donner aux animaux, par exemple. Il est utile de s'y connaître en menuiserie et en charpenterie pour réparer une clôture. Parfois, on s'improvise vétérinaire pour soigner une bête malade ou blessée. Il faut savoir quand semer, récolter ou faire les foins et même avoir quelques connaissances en mécanique pour réparer la machinerie.»

DÉFIS ET PERSPECTIVES

Germaine Fortier, coordonnatrice du programme *Gestion et exploitation d'entreprise agricole (Productions animales)* au Cégep de Lévis-Lauzon, remarque un important manque de relève au sein des entreprises agricoles. «La majorité de nos élèves se trouvent du travail un an avant d'obtenir leur diplôme. Les producteurs qui les prennent en stage leur assurent souvent un emploi à la fin de leurs études.»

L'industrie agricole reconnaît aussi la profession, ajoute Mme Fortier. «Les employeurs recherchent les compétences de nos diplômés. Les producteurs ne sont plus intéressés à former un ouvrier du début à la fin. Ils veulent être certains d'avoir des employés en mesure de les remplacer adéquatement durant leur absence. Les employeurs recherchent des travailleurs polyvalents qui, par exemple, sauront quoi faire si un animal du troupeau est malade.»

En outre, les diplômés vont œuvrer dans un domaine où les innovations technologiques sont abondantes. «Ils auront le défi d'évaluer la nécessité d'implanter de nouveaux appareils en fonction des besoins de l'entreprise. Il est important que les techniciens fassent preuve d'un bon jugement et gardent un œil critique sur l'évolution des équipements et de la machinerie.» 06/03

«La passion de l'agriculture et des animaux est nécessaire pour faire ce métier, parce qu'on doit beaucoup s'y investir.»

– Jean-François Rioux

HORAIRES ET MILIEUX DE TRAVAIL

• Le technicien en gestion et exploitation d'entreprise agricole peut être embauché par les fermes agricoles, les entreprises de production laitière, les porcheries, les entreprises commercialisant des volailles, les fermes ovines, les centres d'insémination, les compagnies de produits agricoles ou les firmes de consultants agroenvironnementaux.

• Il peut aussi exploiter sa propre entreprise agricole.

• Le métier exige une très grande disponibilité. Les animaux ont besoin de soins, sept jours sur sept, à longueur d'année. L'exploitant d'une ferme agricole ne compte pas ses heures; bien souvent, il travaille du petit matin jusqu'au soir.

Gestion et exploitation d'entreprise agricole (Productions végétales)

Sylvain Palardy n'a pas hésité une seconde avant d'entreprendre des études en gestion et exploitation d'entreprise agricole à l'Institut de technologie agroalimentaire, campus de Saint-Hyacinthe. On peut même dire que l'agriculture, il a ça dans le sang. «Je représente la cinquième génération d'agriculteurs dans la famille!»

PROG. 152.AB
PRÉALABLE : 0, VOIR PAGE 20

CHAMPS D'INTÉRÊT
• aime le travail manuel et l'effort physique
• aime la nature et les animaux
• aime le rythme de vie de la ferme
• aime l'organisation, la gestion

APTITUDES
• polyvalence, sens de l'organisation et débrouillardise
• initiative, jugement et leadership
• sens des responsabilités et de la planification
• bonne résistance physique et grande capacité de travail (sept jours sur sept)

OFFRE DU PROGRAMME PAR RÉGIONS
Bas-Saint-Laurent, Centre-du-Québec, Chaudière-Appalaches, Estrie, Lanaudière, Laurentides, Montérégie, Montréal, Saguenay–Lac-Saint-Jean

Pour connaître les établissements qui offrent ce programme : **www.inforoutefpt.org**

RÔLE ET TÂCHES

Bien avant l'obtention de son diplôme, Sylvain travaillait déjà pour l'entreprise familiale de Sainte-Madeleine. «Aujourd'hui, je suis responsable de la gestion de toutes les opérations sur la ferme. Nous cultivons plusieurs variétés de légumes et de céréales, que nous vendons ensuite à des grossistes et des fruiteries.» Mais au départ, c'est lui qui aura décidé des différentes sortes de cultures, de la date des semailles et de celle des récoltes.

Au boulot dès six heures du matin, le jeune agriculteur prépare l'équipement de la journée (imperméables, gants). Il s'assure du même coup du bon fonctionnement des tracteurs et autre machinerie en attendant l'arrivée de la demi-douzaine d'employés réguliers qui viennent travailler sur les terres.

Enfin, en après-midi, c'est sous l'œil attentif de Sylvain que les multiples tâches (nettoyage et inventaire de la récolte, séparation des commandes et chargement des camions) sont réalisées.

QUALITÉS RECHERCHÉES

La persévérance semble être le mot d'ordre de l'agriculteur. «Les journées ne sont pas toujours faciles. Il peut faire très chaud ou pleuvoir sans arrêt, mais il ne faut jamais baisser les bras et se décourager», affirme le jeune fermier. Le diplômé doit donc savoir s'adapter au temps qu'il fait. «Quand

	Salaire hebdo moyen	Proportion de dipl. en emploi	Emploi relié	Chômage	Nombre de diplômés
2004	401 $	65,0 %	92,3 %	13,3 %	29
2003	432 $	85,7 %	88,9 %	0,0 %	28
2002*	554 $	69,6 %	87,5 %	5,9 %	28

Statistiques tirées de la *Relance* - Ministère de l'Éducation. Voir données complémentaires, page 387.

* Données de l'ancien programme *Gestion et exploitation d'entreprise agricole (Productions végétales)* (152.87)   Comment interpréter l'information, page 19.

vient le moment des semailles à la fin d'avril, les producteurs de grande culture (maïs, soya, etc.) n'ont qu'un mois pour semer, explique François Mercier, coordonnateur du Département de gestion et exploitation d'entreprise agricole au Cégep de Saint-Jean-sur-Richelieu. Compte tenu qu'ils ne peuvent le faire quand il pleut, certains doivent travailler jusqu'à 18 heures par jour pour terminer à temps. Ils doivent constamment ajuster leurs plans et avoir une solution de rechange pour ne pas perdre leur journée de travail. Par exemple, s'ils avaient prévu un arrosage de pesticides et que le vent se lève, les cultivateurs devront occuper leurs ouvriers à d'autres tâches.»

Aimer travailler à l'extérieur et avoir une bonne résistance physique sont aussi des qualités essentielles. La polyvalence est un autre atout. L'exploitant d'une entreprise agricole doit en effet posséder de bonnes connaissances de la culture des végétaux et connaître certains aspects techniques de l'entretien de sa machinerie. Il doit aussi être capable de diriger des ouvriers et d'effectuer la mise en marché de sa récolte.

Enfin, la débrouillardise et l'initiative le serviront bien dans l'expérimentation de nouvelles techniques, comme la façon de semer.

> «Les journées ne sont pas toujours faciles. Il peut faire très chaud ou pleuvoir sans arrêt, mais il ne faut jamais baisser les bras et se décourager.»
>
> – Sylvain Palardy

DÉFIS ET PERSPECTIVES

François Mercier affirme que les perspectives d'emploi sont bonnes et que les diplômés n'ont pas de mal à se trouver du travail. Cependant, les métiers liés à l'exploitation d'une entreprise agricole sont de plus en plus exigeants. «L'exploitant d'une entreprise agricole a le défi de demeurer compétitif tout en respectant les règles environnementales, dit-il. Il existe des normes restreignant la production des cultivateurs et certains d'entre eux sont tentés d'y contrevenir pour rentabiliser leur entreprise...» M. Mercier ajoute que la compétition est forte et que les coûts de production sont en hausse, alors que la mondialisation des marchés a amené une importante baisse des revenus. Les agriculteurs doivent donc produire davantage pour que leur entreprise demeure rentable. 06/03

Photo : PPM

HORAIRES ET MILIEUX DE TRAVAIL

• Le diplômé peut devenir cultivateur ou prendre la relève de l'entreprise familiale.

• Il peut aussi être employé par les producteurs de grains et de céréales, les producteurs de grande culture, les producteurs maraîchers, les fournisseurs de produits (semences, engrais, pesticides), les coopératives et syndicats agricoles ou les firmes de consultation agroalimentaire.

• Le travail se déroule généralement de jour, suivant un horaire variable.

• La période de pointe se situe d'avril à octobre; c'est le moment de la préparation des sols, des semailles, de l'entretien et des récoltes. Les journées de travail, à cette période, comptent plus de 12 heures.

• Le travail est au ralenti en janvier et en février. Plusieurs cultivateurs en profitent pour prendre des vacances ou faire réparer leur machinerie. D'autres utilisent leurs tracteurs pour effectuer du déneigement.

DEC

Paysage et commercialisation en horticulture ornementale (Aménagement paysager)

L'hérédité semble avoir joué un rôle dans la passion de Nicolas Desrosiers pour les fleurs, les plantes et les jardins. «Ma mère a toujours eu un beau jardin. Je l'ai vue passer des heures à l'aménager, c'est son passe-temps!» Nicolas est aujourd'hui vice-président et technicien horticole chez Services horticoles Pouce-vert, une entreprise de Longueuil spécialisée dans l'entretien de parcs, la conception de plans et la réalisation d'aménagements paysagers.

PROG. 153.CA
PRÉALABLE : 0, VOIR PAGE 20

CHAMPS D'INTÉRÊT

- aime la nature et le monde végétal
- aime faire un travail manuel et minutieux
- aime travailler avec le public
- aime créer, agencer des formes et des couleurs

APTITUDES

- polyvalence et leadership
- minutie et sens des responsabilités
- très bon sens de l'observation
- facilité à communiquer
- sens esthétique et créativité

OFFRE DU PROGRAMME PAR RÉGIONS
Laval, Montérégie

Pour connaître les établissements qui offrent ce programme : **www.inforoutefpt.org**

RÔLE ET TÂCHES

De la mi-mars jusqu'à la fin de septembre, c'est la période de pointe pour Nicolas. Le printemps amène en effet son lot de clients désireux d'embellir l'aménagement extérieur de leur commerce ou de leur résidence.

Nicolas convient d'abord avec eux d'un plan pour l'aménagement paysager, commande les matériaux et les végétaux. Une fois sur le terrain, assisté par son équipe d'ouvriers horticoles, il trace sur le sol avec de la peinture les lignes délimitant les futurs sentiers, plates-bandes et bassins. Il coordonne les travaux d'excavation. Puis, les ouvriers déposent la terre dans les plates-bandes et effectuent les travaux de pavage. Lors de la livraison des plantes et des arbres, Nicolas vérifie leur nombre et leur qualité. Ensuite, il les dispose sur le terrain selon le plan déjà établi. Les ouvriers horticoles se chargeront de les mettre en terre.

Durant l'automne et l'hiver, Nicolas travaille principalement dans son bureau où il s'occupe notamment de la comptabilité et de la publicité de l'entreprise, et compile les listes de prix des fournisseurs.

Nicolas a toujours eu la passion de l'aménagement paysager. Au cours de ses études secondaires, il a lancé une petite entreprise de travaux étudiants (tonte de gazon, plantation de fleurs annuelles) qu'il a continué à gérer pendant qu'il étudiait en sciences humaines au Cégep du Vieux Montréal. Par la suite, il a obtenu un diplôme d'études collégiales (DEC) au terme du programme *Paysage et commercialisation en horticulture ornementale*,

	Salaire hebdo moyen	Proportion de dipl. en emploi	Emploi relié	Chômage	Nombre de diplômés
2004	574 $	62,5 %	100,0 %	23,1 %	19
2003	398 $	53,8 %	83,3 %	22,2 %	17
2002	559 $	57,1 %	57,1 %	11,1 %	17

Statistiques tirées de la *Relance* - Ministère de l'Éducation. Voir données complémentaires, page 387.

Comment interpréter l'information, page 19.

option *Aménagement paysager*, à l'Institut de technologie agroalimentaire de Saint-Hyacinthe. (Deux autres options sont offertes dans ce programme : *Commercialisation des produits et des services horticoles*, et *Espaces verts*.)

C'est en juin 2000 qu'il lance son entreprise avec sa conjointe et associée Marie-Pierre Labelle, également technicienne horticole. «On n'opte pas pour ce métier pour être riche, précise Nicolas. On le choisit pour voir la satisfaction sur le visage du client, quand on a transformé un terrain vague en un bel aménagement paysager.»

QUALITÉS RECHERCHÉES

Beau temps, mauvais temps, le technicien horticole doit travailler à l'extérieur pendant de longues heures. «Il faut avoir une bonne endurance physique. C'est un travail manuel très exigeant», explique Nicolas.

> Le technicien doit coordonner le travail effectué sur les chantiers par les ouvriers, distribuer les tâches et gérer les livraisons, ce qui exige une bonne capacité à résoudre des problèmes.

Le technicien doit également coordonner le travail effectué sur les chantiers par les ouvriers, distribuer les tâches et gérer les livraisons, ce qui exige une bonne capacité à résoudre des problèmes.

Aimer travailler en équipe est un atout non négligeable. «On passe énormément d'heures à travailler ensemble. Tous les membres de l'équipe doivent faire en sorte de maintenir une ambiance de travail positive en faisant preuve de bonne humeur, en s'intégrant harmonieusement et parfois en mettant de l'eau dans leur vin», précise Nicolas.

Photo : ITA, Campus de Saint-Hyacinthe

DÉFIS ET PERSPECTIVES

«Beaucoup de travail attend les diplômés!» lance Luc Dethier, enseignant et responsable du programme en alternance travail-études au Collège Montmorency. En effet, l'engouement pour l'aménagement paysager ne semble pas vouloir s'estomper. «De nouveaux marchés font également leur apparition, comme l'aménagement paysager des toits sur les immeubles à logements.»

Les diplômés doivent aussi protéger les ressources en eau en mettant en place de nouvelles méthodes d'irrigation souterraine et de conservation de l'eau de pluie. 02/05

HORAIRES ET MILIEUX DE TRAVAIL

• Le technicien horticole peut œuvrer auprès d'entreprises d'entretien et d'aménagement paysagers, de municipalités, de golfs, de bureaux d'architectes paysagistes, de pépinières et de jardineries.

• Le technicien horticole travaille généralement à l'extérieur, beau temps, mauvais temps.

• L'horaire de travail comprend environ 40 heures hebdomadaires. Durant la période la plus intense, de mai à juillet, le technicien peut toutefois travailler de 50 à 80 heures par semaine.

DEC

Techniques d'aquaculture

Bruno Archer est biologiste et technicien en aquaculture pour le Centre aquacole marin de Grande-Rivière de l'Université du Québec à Rimouski. Sa mission : développer la technique idéale pour l'élevage de poissons. Sa spécialité : le loup de mer.

PROG. 231.A0
PRÉALABLE : 11,20 VOIR PAGE 20

CHAMPS D'INTÉRÊT
• aime l'eau et la nature
• aime travailler à l'extérieur et en équipe
• aime observer, analyser et prendre des décisions

APTITUDES
• capacité d'analyse, esprit pratique et sens des responsabilités
• bonne résistance physique
• sens de l'observation
• initiative, autonomie et mobilité

OFFRE DU PROGRAMME PAR RÉGIONS
Gaspésie–Îles-de-la-Madeleine

Pour connaître les établissements qui offrent ce programme : www.inforoutefpt.org

RÔLE ET TÂCHES

Au Centre aquacole marin de Grande-Rivière, on compte des dizaines de milliers de loups de mer vivant dans une vingtaine de bassins situés à côté de laboratoires. «Le centre de recherche est comme une ferme, mais dans l'eau», précise Bruno.

Dans l'humidité ambiante des salles de bassins, sarrau sur le dos, bottes imperméables aux pieds, Bruno veille sur cet élevage de poissons destiné à la recherche et effectue différentes expérimentations. Il cherche à déterminer les conditions optimales pour l'élevage des loups de mer (composition des aliments, luminosité, vitesse du courant, densité d'élevage, température de l'eau, concentration de l'oxygène dans l'eau, etc.). Ces recherches permettront aux éleveurs d'avoir une meilleure production, tout en diminuant les coûts et en respectant la santé des poissons.

Pour assurer le bien-être de ses pensionnaires, Bruno nettoie et désinfecte les bassins, nourrit les poissons avec de la moulée, assainit les murs et les planchers des salles avec des produits chimiques. «Les poissons sont très fragiles. Ils doivent subir le moins de stress possible», précise Bruno.

À chacune de ses expérimentations, Bruno modifie un paramètre en particulier. Par exemple, il peut évaluer l'influence de la température de l'eau sur la croissance. «Nous avons constaté que plus la température est élevée, plus la croissance est rapide. Par contre, si la croissance est intéressante mais que la santé des poissons est compromise, nous ne pouvons retenir ces paramètres. Il y a donc des limites à respecter.»

	Salaire hebdo moyen	Proportion de dipl. en emploi	Emploi relié	Chômage	Nombre de diplômés
2004	N/D	N/D	N/D	N/D	N/D
2003	N/D	N/D	N/D	N/D	N/D
2002	N/D	N/D	N/D	N/D	N/D

Statistiques tirées de la *Relance* - Ministère de l'Éducation. Voir données complémentaires, page 387.

Comment interpréter l'information, page 19.

Titulaire d'un diplôme d'études collégiales (DEC) en techniques d'aquaculture du Cégep de la Gaspésie et des Îles et d'un baccalauréat en biologie de l'Université du Québec à Montréal, Bruno est également enseignant en techniques d'aquaculture au Centre spécialisé des pêches du Cégep de la Gaspésie et des Îles.

QUALITÉS RECHERCHÉES

Pour Bruno, la passion du métier est indispensable. «C'est un travail très exigeant qui requiert une disponibilité constante. Un technicien peut se faire appeler à tout moment si un problème survient, comme un bris de conduite d'eau. On travaille avec du vivant! Si on est responsable des poissons, on est aussi responsable de projets dont les résultats vont avoir des répercussions pour les 20 à 30 prochaines années sur l'industrie aquacole du Québec. Nous sommes en train de jeter les bases de cette industrie naissante.»

Le travail du technicien en aquaculture comporte sa part de tâches répétitives. La patience est donc de mise.

Le travail du technicien en aquaculture comporte sa part de tâches répétitives. La patience est donc de mise. «Pendant des heures, je peux peser et mesurer mille poissons l'un après l'autre. Il faut être très minutieux et appliqué dans son travail.»

Avoir un excellent sens de l'observation est une autre qualité recherchée. «On doit presque être détective! Il faut être à l'affût des moindres changements et même anticiper les problèmes qui pourraient survenir», précise Bruno.

DÉFIS ET PERSPECTIVES

Selon Marie-Hélène Fournier, enseignante au Centre spécialisé des pêches du Cégep de la Gaspésie et des Îles, le domaine de l'aquaculture reste mal connu. «Il y a certains préjugés sur ce domaine, autant dans la population que dans l'industrie de la pêche. Des fausses croyances sont véhiculées, par exemple que le poisson d'élevage goûte la moulée, ce qui n'est pourtant pas le cas. L'un des principaux défis pour les diplômés est donc de démystifier l'aquaculture auprès des consommateurs et de l'industrie.»

Photo : C.S. Nguyaha

En outre, le Québec accuse un certain retard sur les autres provinces canadiennes en matière d'aquaculture. «En ce sens, il est important de poursuivre le développement de ce secteur, notamment en élevant des espèces comme les poissons de mer», conclut Marie-Hélène Fournier. 02/05

HORAIRES ET MILIEUX DE TRAVAIL

• Les techniciens en aquaculture peuvent travailler pour des centres de recherche, des aquariums et des entreprises d'élevage.

• Un petit nombre d'entre eux lancent leur propre entreprise d'élevage.

• Selon le type d'employeur, les techniciens œuvrent dans une salle de bassins, dans un bureau, sur un bateau ou en laboratoire.

• Les heures supplémentaires sont monnaie courante dans ce métier.

Techniques de santé animale

Sa passion pour les animaux l'a poussée à suivre la formation en techniques de santé animale. Aujourd'hui jeune diplômée, Isabelle Caron ne regrette pas ce choix qui lui permet d'être quotidiennement en contact avec les animaux.

PROG. 145.A0
PRÉALABLE : 20, VOIR PAGE 20

CHAMPS D'INTÉRÊT
- aime la médecine et adore le contact avec les animaux
- aime observer et faire des analyses de laboratoire
- aime seconder, assister, coopérer
- aime informer et conseiller les personnes

APTITUDES
- grande sensibilité à la vie animale
- dextérité et sens de la précision
- grande faculté d'observation
- sang-froid, force physique et résistance au stress
- facilité à communiquer, à vulgariser
- n'est pas dédaigneux

OFFRE DU PROGRAMME PAR RÉGIONS
Bas-Saint-Laurent, Estrie, Laurentides, Mauricie, Montérégie, Montréal, Saguenay–Lac-Saint-Jean

Pour connaître les établissements qui offrent ce programme : www.inforoutefpt.org

RÔLE ET TÂCHES

La jeune femme travaille dans le domaine de la recherche, pour le Département d'anatomie et de physiologie de l'Université Laval. Le programme des techniques de santé animale vise à former des techniciens aptes à travailler dans tous les secteurs d'activité reliés à la santé et à l'utilisation des animaux. «Mon travail au sein des laboratoires de recherche de l'Université consiste à assister les chercheurs qui utilisent des animaux pour leurs travaux, explique Isabelle. Mon rôle est de veiller au bien-être des animaux et d'aider les chercheurs en effectuant des prélèvements, des injections et parfois même des actes de petite chirurgie. Je dois également m'assurer que les protocoles appliqués respectent les normes et les règlements relatifs à l'expérimentation animale.» Dans le cadre de ce travail, Isabelle effectue des tâches très variées. «Je dois avoir une grande polyvalence et des compétences dans des domaines aussi divers que l'informatique, la chirurgie, l'analyse ou même la cuisine.» Pour la diplômée en techniques de santé animale, assister les chercheurs est un défi fort stimulant. Elle se consacre à des projets en ophtalmologie, en pharmacologie ou à des thèmes de recherche plus spécifiques, comme l'obésité. «L'animalerie de l'Université est assez bien garnie. Outre les rats et les souris, nous avons également des chats, des chiens, des lapins, des brebis, des cochons et même des singes. Mon rôle est d'expliquer aux chercheurs comment manipuler ces différents animaux. Lorsque le cas se présente, c'est aussi à moi de pratiquer les euthanasies. Je dois malgré tout le faire de la meilleure façon possible pour éviter toute souffrance à l'animal.»

	Salaire hebdo moyen	Proportion de dipl. en emploi	Emploi relié	Chômage	Nombre de diplômés
2004	452 $	87,0 %	86,3 %	1,3 %	236
2003	416 $	85,2 %	90,3 %	2,5 %	228
2002	388 $	89,1 %	88,3 %	1,9 %	158

Statistiques tirées de la *Relance* - Ministère de l'Éducation. Voir données complémentaires, page 387.

Comment interpréter l'information, page 19.

QUALITÉS RECHERCHÉES

Le métier de technicien en santé animale nécessite également une certaine habileté technique. «Je me suis aperçue qu'être ambidextre est une qualité précieuse lorsqu'on doit faire une prise de sang à un animal récalcitrant», dit Isabelle. Quand on travaille en recherche, il faut bien sûr aimer les animaux et veiller à leur bien-être, mais aussi être en mesure de prendre une certaine distance quant aux fins pour lesquelles on les utilise. Évidemment, ceux qui désirent orienter leur carrière dans ce domaine ne doivent pas souffrir d'allergies particulières aux animaux.

DÉFIS ET PERSPECTIVES

Grâce au programme, les élèves sont en contact avec les animaux dès la première année. «Nos élèves peuvent ainsi mettre à l'épreuve leur habileté technique et avoir une expérience concrète du secteur vers lequel ils désirent orienter leur carrière», explique Michel Lockquell, coordonnateur du programme au Collège de Sherbrooke. Le coordonnateur explique que les diplômés prennent en général deux voies distinctes. Une moitié d'entre eux se dirige vers les cliniques vétérinaires, alors que l'autre moitié rejoint le secteur de la recherche. Il tient à préciser que le travail en clinique a beaucoup évolué depuis quelques années, les techniciens n'étant plus cantonnés au nettoyage des cages. Ce sont aujourd'hui de véritables adjoints, formés pour assister le vétérinaire dans ses actes médicaux. La demande existe également en recherche. «De nombreux centres travaillent avec les animaux», dit M. Lockquell. C'est le cas des fermes expérimentales, des laboratoires de recherche universitaires et bien sûr des compagnies pharmaceutiques. Les techniciens en santé animale se trouvent aussi dans d'autres domaines. Certains exercent dans les jardins zoologiques, les salons de toilettage, les sociétés protectrices des animaux ou les élevages commerciaux. «Quel que soit l'endroit où l'on travaille, il est nécessaire de constamment mettre à jour ses connaissances et ses compétences, considère M. Lockquell. C'est ce que propose l'Association des techniciens en santé animale du Québec (ATSAQ), qui donne de la formation et de l'information sur les nouveautés du métier.» 03/01

«Je dois avoir une grande polyvalence et des compétences dans des domaines aussi divers que l'informatique, la chirurgie, l'analyse ou même la cuisine.»

— Isabelle Caron

Photo : Cégep de La Pocatière

HORAIRES ET MILIEUX DE TRAVAIL

- Les diplômés peuvent travailler dans des cliniques vétérinaires, des laboratoires de recherche, des compagnies pharmaceutiques ou des fermes expérimentales.

- On trouve aussi ces diplômés dans des jardins zoologiques, des salons de toilettage, des sociétés protectrices des animaux ou des élevages commerciaux.

- Le contact avec les animaux implique un risque, minime, de griffure ou de morsure.

- Le travail se fait selon des horaires de bureau réguliers.

- Dans certains cas, les techniciens peuvent travailler tôt le matin, tard le soir ou les fins de semaine.

- Le milieu de travail est informatisé pour les techniciens qui œuvrent en recherche.

Techniques équines

Une fois obtenu son diplôme en conservation de la faune, Mélanie Boulianne, une Gaspésienne fonceuse et passionnée de chevaux, s'est lancée au grand galop en techniques équines. Diplômée depuis décembre 2001, elle travaille à temps partiel dans une petite écurie de la Montérégie, en attendant de partir à l'étranger.

PROG. 155.AO
PRÉALABLE : 0, VOIR PAGE 20

CHAMPS D'INTÉRÊT
- aime le travail avec les animaux
- aime le contact avec le public
- préfère le travail physique et en plein air
- aimer relever les défis et prendre des décisions

APTITUDES
- force physique et endurance
- patience, sens de l'observation et bon jugement (pour travailler avec les chevaux)
- entregent, sens des responsabilités et capacité d'écoute (pour travailler avec le public)
- persévérance (pour arriver à vivre de son métier)

OFFRE DU PROGRAMME PAR RÉGIONS
Bas-Saint-Laurent

Pour connaître les établissements qui offrent ce programme : **www.inforoutefpt.org**

RÔLE ET TÂCHES

Grâce à sa formation, Mélanie occupe maintenant les fonctions de palefrenière et d'entraîneuse. «Si on résume ma journée, je consacre l'avant-midi à des tâches routinières et l'après-midi, la partie la plus plaisante, à l'entraînement des chevaux. Je commence en faisant une tournée de l'écurie, pour vérifier si les chevaux ont bien mangé ou s'il y en a qui sont malades. Ensuite, je les nourris et je fais les boxes.» Concrètement, «faire les boxes» signifie passer le balai, ramasser le crottin, changer le foin, épousseter, donner de l'eau aux chevaux et nettoyer les mangeoires. En moyenne, un palefrenier a une trentaine de chevaux à sa charge, qu'il entraîne en fonction des demandes des propriétaires ou des concours auxquels ils participeront. Souvent, ce n'est pas le propriétaire mais bien Mélanie qui monte le cheval lors des compétitions, puisque le propriétaire n'est pas forcément un professionnel de l'équitation. Mélanie commence à monter les poulains dès qu'ils atteignent 18 mois pour les préparer à la compétition, qu'ils attaqueront à l'âge de trois ans. «On fait des programmes d'entraînement légers au départ, en les montant une demi-heure à la fois et en leur passant la longe (sorte de laisse pour cheval) au cou quelques minutes, pour qu'ils s'habituent. Puis on intensifie en difficulté et en durée, pour leur apprendre les différentes épreuves qu'ils auront à exécuter dans les concours hippiques (sauts, tours, obéissance, poses, etc.).»

	Salaire hebdo moyen	Proportion de dipl. en emploi	Emploi relié	Chômage	Nombre de diplômés
Spécialisation en équitation western – 155.AA					
2004	325 $	85,7 %	100,0 %	14,3 %	8
Spécialisation en équitation classique – 155.AB					
2004	N/D	N/D	N/D	N/D	N/D
Spécialisation en courses attelées – 155.AC					
2004	N/D	80,0 %	100,0 %	0,0 %	6
Spécialisation en randonnée équestre – 155.AD					
2004	N/D	N/D	N/D	N/D	N/D

Statistiques tirées de la *Relance* - Ministère de l'Éducation. Voir données complémentaires, page 387.

Comment interpréter l'information, page 19.

Travailler avec les chevaux peut sembler simple, mais en fait, c'est tout un art. «Les chevaux ont leur caractère comme les humains. Plus on les connaît, plus leur entraînement sera efficace. Ils doivent également avoir confiance en nous pour nous obéir et apprendre. On doit parfois les remettre à leur place et les corriger afin de leur montrer qui est le patron!»

QUALITÉS RECHERCHÉES

Le métier exige bien sûr d'aimer les chevaux, mais également le public, puisqu'il faut traiter avec les propriétaires des animaux. Le palefrenier doit donc avoir atteint une certaine maturité pour mériter leur confiance et celle des employeurs, en plus de savoir user d'entregent et de diplomatie.

L'emploi commande également un bon sens de l'observation et un bon jugement. «On doit être capable de reconnaître les signes d'une maladie ou d'un malaise. Il faut vérifier si le cheval mange bien, s'il boite ou s'il est irritable.» Faire sa place dans le milieu équestre demande aussi de la persévérance, selon Mélanie. «Il faut aimer se perfectionner parce que c'est long avant d'obtenir de la reconnaissance et de la crédibilité.» Elle songe donc à s'exiler pour apprendre l'anglais, la langue des compétitions internationales.

Le métier exige bien sûr d'aimer les chevaux, mais également le public, puisqu'il faut traiter avec les propriétaires des bêtes.

Photo : MAPAQ

DÉFIS ET PERSPECTIVES

Le programme offre quatre voies de spécialisation : équitation Western, équitation classique, randonnée équestre et courses attelées. La formation offerte à l'Institut de technologie agroalimentaire (ITA), campus de La Pocatière donne de bonnes bases pour travailler avec les chevaux, mais ça ne suffit pas, selon Yolande Cornelisen, enseignante dans cet établissement. «J'encourage les jeunes à sortir des sentiers battus pour trouver des moyens d'offrir des services qui vont modifier la façon dont on aborde l'équitation.» Il peut s'agir, par exemple, de fonder des entreprises offrant des randonnées équestres à vocation écotouristique.

Une grande majorité des diplômés choisissent de s'exiler aux États-Unis, en France ou en Belgique pour pallier la rareté des emplois offerts au Québec dans leur domaine. La pratique de l'équitation western (comme on la voit dans les rodéos entre autres) est en pleine expansion en Europe, et les diplômés d'ici peuvent en profiter, car ils possèdent une bonne expertise en la matière. 02/03

HORAIRES ET MILIEUX DE TRAVAIL

- La plupart des centres équestres et des écuries offrent surtout des emplois saisonniers, contractuels ou même à la pige.

- Les horaires sont variables, voire irréguliers, et dépendent du type de travail, de l'endroit et des concours hippiques. Le travail à temps partiel, le soir et les week-ends est très répandu.

DEC

Technologie de la production horticole et de l'environnement
(Cultures horticoles, légumières, fruitières et ornementales en serre et en champ)

Cellulaire en main, Alexandre Brouillet sillonne les routes pour rencontrer les producteurs de grandes cultures et leur proposer ses produits. Son but? Faire fructifier leurs récoltes et protéger celles-ci des maladies. Son métier? Représentant technique chez Agro-100, une entreprise de Saint-Thomas-de-Joliette qui offre aux agriculteurs des produits et des services horticoles.

PROG. 153.BC
PRÉALABLE : 0, VOIR PAGE 20

CHAMPS D'INTÉRÊT
• aime la nature et le travail en plein air
• aime la communication et la coopération
• aime observer, analyser et résoudre des problèmes concrets

APTITUDES
• excellent jugement et grand sens de l'observation
• respect de la nature et de l'environnement
• sens des responsabilités
• facilité à communiquer et à vulgariser

OFFRE DU PROGRAMME PAR RÉGIONS
Bas-Saint-Laurent, Lanaudière, Laurentides, Montérégie

Pour connaître les établissements qui offrent ce programme : www.inforoutefpt.org

RÔLE ET TÂCHES

«J'ai toujours adoré l'agriculture et le grand air, s'exclame Alexandre. À 12 ans, je triais déjà les fraises chez un producteur. Avant de commencer ma formation collégiale, j'ai travaillé dans une ferme maraîchère et comme manœuvre en aménagement paysager.»

«Mon travail actuel consiste à faire de la prospection de clients, des producteurs de grandes cultures comme le maïs, le soja, l'orge, le blé et l'avoine, poursuit-il. Je vais leur rendre visite pour présenter mes produits : des engrais, des pesticides et des chaux pour amender le sol. Mon bureau, c'est ma voiture, et j'y passe de longues heures. Il ne faut pas craindre la solitude.»

Chacun de ses produits a une fonction particulière, par exemple rétablir le pH d'un sol, combler une carence en minéraux, aider au démarrage d'une production ou éliminer des insectes ou des champignons. Ils sont parfois préalablement testés sur une parcelle de terrain du producteur. Une fois la vente conclue, Alexandre fera un suivi pour s'assurer que le produit a généré les résultats escomptés.

Il est aussi appelé à offrir certains services comme l'analyse de sol – la prise d'échantillons de sol qui seront analysés en laboratoire en vue d'en déterminer les composantes et de proposer une fertilisation ou une application

	Salaire hebdo moyen	Proportion de dipl. en emploi	Emploi relié	Chômage	Nombre de diplômés
Cultures légumières, fruitières et industrielles – 153.BA					
2004	N/D	N/D	N/D	N/D	N/D
Cultures de plantes ornementales – 153.BB					
2004	494 $	70,0 %	71,4 %	12,5 %	15
Cultures horticoles, légumières, fruitières et ornementales en serre et en champ – 153.BC					
2004	466 $	55,6 %	50,0 %	28,6 %	13
Spécialisation en environnement – 153.BD					
2004	577 $	100,0 %	80,0 %	0,0 %	6

Statistiques tirées de la *Relance* - Ministère de l'Éducation. Voir données complémentaires, page 387.

Comment interpréter l'information, page 19.

de chaux appropriée – et le suivi des cultures, qui implique, par exemple, le dépistage des herbes indésirables, des ravageurs et des maladies.

QUALITÉS RECHERCHÉES

L'entregent et la facilité à communiquer sont indispensables pour occuper ce poste. «Il faut être sociable, ouvert d'esprit et à l'aise avec les gens, souligne Alexandre. Par ailleurs, une bonne dose d'assurance est nécessaire pour établir un lien de confiance avec l'acheteur.»

Les périodes de pointe, au printemps et à l'automne, nécessitent une bonne gestion du stress et une grande disponibilité. De plus, un excellent sens de l'organisation est de rigueur pour gérer son temps efficacement.

Comme la technologie évolue rapidement, le travailleur doit s'intéresser aux plus récents développements du domaine de l'agriculture (nouveaux produits, modes de production modernes) et ne pas hésiter à questionner ses pairs sur des sujets moins connus. L'amour du plein air, les habiletés manuelles, la rigueur et le souci du travail bien fait sont également des atouts.

Comme la technologie évolue rapidement, le travailleur doit s'intéresser aux plus récents développements du domaine de l'agriculture (nouveaux produits, modes de production modernes) et ne pas hésiter à questionner ses pairs sur des sujets moins connus.

Photo : ITA de Saint-Hyacinthe

DÉFIS ET PERSPECTIVES

«Mondialisation des marchés et concurrence obligent, le principal défi des diplômés est de travailler à améliorer l'efficacité technique et économique des entreprises», explique Pierre Millette, responsable du programme *Technologie de la production horticole et de l'environnement* à l'Institut de technologie agroalimentaire, campus de La Pocatière.

De l'avis du responsable, l'industrie devra aussi se tourner davantage vers la production de nouvelles cultures plus rentables, comme le lin oléagineux ou le chanvre, et transformer les matières premières en produits ayant une meilleure valeur ajoutée (avoine en flocons, par exemple). En outre, les travailleurs du secteur devront se familiariser avec l'automatisation et la robotisation des productions horticoles. «Dans les serres, tous les contrôles [par exemple, les systèmes d'irrigation et d'injection des fertilisants] sont informatisés. Et dans les champs, le système d'épandage de fumier et d'engrais peut aujourd'hui être relié à un satellite qui, en fonction des informations qu'il reçoit, modifie automatiquement la quantité d'éléments à ajouter selon les composantes du sol.» 02/05

HORAIRES ET MILIEUX DE TRAVAIL

- Les principaux employeurs sont les producteurs agricoles, les fournisseurs horticoles, les clubs de dépistage (dépistage des herbes indésirables, ravageurs et maladies) ou d'encadrement technique, les entreprises spécialisées en aménagement paysager, les municipalités et le ministère de l'Agriculture, des Pêcheries et de l'Alimentation du Québec.

- Les diplômés peuvent également offrir leurs services dans les serres, les jardineries, les pépinières et les vergers.

- Dans ce domaine, on peut travailler le jour, le soir et les fins de semaine.

- En début de carrière, les emplois sont généralement de nature saisonnière. Avec l'expérience, les travailleurs dénichent plus facilement un emploi à l'année.

Technologie des équipements agricoles

Depuis maintenant un an qu'il travaille chez Marcel Morissette inc., Martin Laferrière n'a vraiment pas le temps de s'ennuyer. Cette entreprise spécialisée dans l'équipement laitier lui permet de mettre à profit les connaissances acquises à l'Institut de technologie agroalimentaire, campus de Saint-Hyacinthe.

PROG. 153.D0
PRÉALABLE : 0, VOIR PAGE 20

CHAMPS D'INTÉRÊT
• aime résoudre des problèmes concrets
• aime communiquer et travailler avec les personnes
• aime le milieu agricole, la machinerie et la mécanique
• aime la vente

APTITUDES
• pragmatisme et habileté à comprendre la technologie
• bilinguisme et mobilité
• sait bien communiquer : écouter, conseiller et vulgariser
• sait convaincre et négocier (vente)

OFFRE DU PROGRAMME PAR RÉGIONS
Montérégie

Pour connaître les établissements qui offrent ce programme : www.inforoutefpt.org

RÔLE ET TÂCHES

«Je suis technologue spécialisé dans la maintenance des systèmes de traite, explique Martin. Cela signifie que je veille au bon fonctionnement de l'équipement laitier qui est installé chez nos clients.» Le technologue diagnostique les pannes et choisit les solutions et les réglages les mieux adaptés au problème. Il peut aussi bien gérer un service de pièces, de réparation ou d'entretien, que vendre ou installer des machines et donner des conseils techniques. «Mon rôle auprès des clients comporte plusieurs aspects, précise Martin. D'abord, j'assure l'entretien de leur système de traite. En cas de pépin, je me rends sur place pour localiser et traiter les problèmes techniques. J'explique la nature de la panne au client et lui fait comprendre pourquoi il est peut-être nécessaire de changer une pièce. Ensuite, j'ai également un rôle de conseiller technique auprès des producteurs laitiers. Ensemble, nous analysons les méthodes de traite afin d'améliorer leur production. Enfin, mon travail a aussi un côté commercial. Je fais un peu de représentation et de prospection, je présente nos produits à des clients potentiels et je participe aux différents salons en rapport avec la production laitière.»

QUALITÉS RECHERCHÉES

Dans le domaine de l'équipement agricole, la qualité principale des intervenants reste la disponibilité. «Dans l'agriculture ou l'élevage, il n'y a ni jours fériés ni fins de semaine, dit Martin. Lorsque tout un système de traite tombe en panne, un dimanche à cinq heures du matin, c'est toi que le

	Salaire hebdo moyen	Proportion de dipl. en emploi	Emploi relié	Chômage	Nombre de diplômés
2004	572 $	80,0 %	75,0 %	0,0 %	12
2003	575 $	77,8 %	71,4 %	0,0 %	12
2002	448 $	100,0 %	100,0 %	0,0 %	9

Statistiques tirées de la *Relance* - Ministère de l'Éducation. Voir données complémentaires, page 387.

Comment interpréter l'information, page 19.

producteur appelle. J'aime bien ne pas travailler selon des horaires classiques, même si ce n'est pas toujours évident de marier travail et vie de famille.» Les relations humaines prennent également une grande importance dans ce domaine. «Tu dois être sociable et patient avec tes clients, car tu as autant besoin d'eux qu'ils ont besoin de toi, constate Martin. C'est un échange très enrichissant.» Comme dans tous les domaines techniques, une mise à jour régulière de ses connaissances est essentielle. Le jeune homme explique que, de l'alimentation à la traite, la gestion des troupeaux est entièrement informatisée. Les robots et l'électronique sont omniprésents. Le technologue doit s'attendre à utiliser un ordinateur pour l'aider à faire le diagnostic et la programmation des systèmes.

DÉFIS ET PERSPECTIVES

Le principal défi des diplômés de ce secteur est de suivre le rythme effréné de l'avance technologique. «Les développements technologiques sont si importants et si rapides dans le milieu agroalimentaire que les diplômés sont perpétuellement en formation, indique Mario Laroche, enseignant en technologie des équipements agricoles à l'Institut de technologie agroalimentaire, campus de Saint-Hyacinthe. Tous les secteurs de la culture ou de l'élevage sont touchés par ce phénomène d'automatisation. Les diplômés doivent gérer la maintenance de robots de traite ou d'alimentation, de systèmes d'alarme ou de ventilation. Ils doivent s'occuper d'équipements de technologie de pointe qui coûtent parfois des centaines de milliers de dollars», ajoute l'enseignant.

> «Les développements technologiques sont si importants et si rapides dans le milieu agroalimentaire que les diplômés sont perpétuellement en formation.»
>
> — Mario Laroche

M. Laroche affirme que les entreprises en équipements de ferme s'arrachent littéralement le peu d'élèves formés. «Si un jeune sur deux choisit aujourd'hui de travailler pour les grandes compagnies, il faut savoir que les meilleures possibilités d'évolution de carrière se situent souvent dans les PME, dit-il. Certains postes de contremaîtres ou de superviseurs donnent ainsi des possibilités intéressantes quant à la gestion et aux responsabilités. Si l'on désire à la fois répondre aux besoins techniques de la clientèle et aux besoins de représentation commerciale de l'entreprise, c'est un programme qui offre un grand intérêt et d'excellentes perspectives de carrière.» 03/01

HORAIRES ET MILIEUX DE TRAVAIL

- Les diplômés sont employés par les compagnies qui commercialisent du matériel agricole.

- Ils travaillent dans la vente, la gestion de pièces, l'entretien ou la réparation.

- Les travailleurs de ce domaine sont souvent en déplacement; ils travaillent à l'extérieur ou dans des bâtiments parfois bruyants.

- On utilise de plus en plus l'outil informatique dans la maintenance des systèmes.

- Il est possible de travailler le soir ou les fins de semaine.

- Parfois, un système de garde permettant d'être joint en tout temps est nécessaire pour répondre aux urgences des clients.

Technologie des productions animales

Francis Lajeunesse est représentant pour la Coopérative des Cantons; il s'occupe du secteur de l'élevage porcin. Même s'il n'est pas issu du milieu agricole, Francis a une véritable passion pour ce secteur dans lequel il a choisi de travailler.

PROG. 153.A0
PRÉALABLE : 0, VOIR PAGE 20

CHAMPS D'INTÉRÊT

- aime les animaux et l'agriculture (produits, aliments)
- accorde de l'importance au résultat, à la qualité (des produits)
- aime le travail de précision
- aime observer et manipuler, faire des tests et des analyses de produit

APTITUDES

- n'est pas dédaigneux (odeurs, manipulations)
- sens de l'observation et souci du détail
- aisance avec la technologie
- facilité à communiquer (préférablement bilingue)
- sens des responsabilités et de l'éthique professionnelle

OFFRE DU PROGRAMME PAR RÉGIONS
Bas-Saint-Laurent, Montérégie

Pour connaître les établissements qui offrent ce programme : **www.inforoutefpt.org**

RÔLE ET TÂCHES

La coopérative pour laquelle Francis travaille regroupe différents producteurs de la région des Canton-de-l'Est. «Nous nous occupons d'élevage porcin, d'élevage laitier et nous avons également un volet consacré au végétal. Je fais partie d'une équipe de six représentants et mon rôle est de vendre, de promouvoir et de prospecter pour le secteur porcin.»

Au-delà de ses responsabilités commerciales, Francis a aussi comme mission d'apporter un soutien technique à ses clients. «Je vérifie avec eux si les conditions de vie des cochons que nous leur vendons sont idéales, explique-t-il. Au besoin, je rectifie la température ou la ventilation. Je conseille l'éleveur en ce qui concerne les programmes alimentaires et la composition des moulées qui sont distribuées aux animaux. Il m'arrive aussi de faire la tournée des fermes avec le vétérinaire lorsqu'on me signale un problème de santé dans un élevage.»

S'il passe une grande partie de son temps sur la route et en visite chez ses clients, Francis doit également faire du travail de bureau pour gérer les aspects administratifs liés à son activité de représentant. «J'effectue quotidiennement le suivi des entrées et des sorties de tous les animaux qui sont à l'engraissement, dit-il. La pouponnière de la coopérative produit environ 44 000 porcelets par année; ça fait des bêtes à surveiller! En général, les tâches administratives me prennent une ou deux heures par jour. J'en fais le matin, à mon arrivée, et le soir avant de partir. Entre-temps, je suis sur la route et je visite des clients. Comme la plupart des représentants, je dois

	Salaire hebdo moyen	Proportion de dipl. en emploi	Emploi relié	Chômage	Nombre de diplômés
2004	496 $	72,2 %	96,0 %	13,3 %	46
2003	534 $	78,9 %	96,7 %	9,1 %	42
2002	484 $	76,9 %	96,4 %	3,2 %	51

Statistiques tirées de la *Relance* - Ministère de l'Éducation. Voir données complémentaires, page 387.

Comment interpréter l'information, page 19.

aussi assister à plusieurs réunions chaque semaine et être présent à tous les salons ou colloques ayant un rapport avec le secteur porcin.»

QUALITÉS RECHERCHÉES

Le technologue en productions animales doit être particulièrement rigoureux dans sa démarche et son analyse des problèmes. «On travaille avec du matériel vivant, dit Francis. Il faut donc faire attention aux décisions qu'on prend, car les conséquences peuvent être assez graves.» Que l'on soit employé en production ou en représentation, que l'on travaille dans une exploitation, une coopérative ou un bureau de contrôle, il faut aimer servir et avoir le goût des contacts humains. «La relation avec les producteurs est très enrichissante, estime Francis. On doit gagner la confiance de nos clients en leur prodiguant de bons conseils.» Le domaine de la production animale exige aussi une certaine disponibilité, de la facilité à utiliser les technologies, un bon sens de l'observation et des responsabilités.

> **Si l'industrie laitière demeure l'employeur numéro un des technologues en productions animales, d'autres secteurs se développent fortement. C'est le cas des élevages porcins et avicoles.**

DÉFIS ET PERSPECTIVES

Carole Simon est directrice de l'enseignement à l'Institut de technologie agroalimentaire, campus de Saint-Hyacinthe. Elle considère que leur mission est de former des technologues qui possèdent, en plus de leurs compétences techniques, un sens très poussé du service à la clientèle. «La majeure partie de nos diplômés est en effet appelée à occuper des postes de représentants, explique-t-elle. Pour conseiller les producteurs dans l'achat des produits, ils doivent être aussi à l'aise avec l'aspect technique qu'avec le côté commercial.» Mme Simon a remarqué que le nombre de diplômés qui intègrent chaque année le monde du travail est insuffisant pour répondre aux besoins du marché. Si l'industrie laitière demeure l'employeur numéro un des technologues en productions animales, d'autres secteurs se développent fortement. C'est le cas des élevages porcins et avicoles.

«Selon les conclusions des comités consultatifs auxquels nous participons, en partenariat avec les professionnels de l'industrie agroalimentaire, le principal défi que nos diplômés auront à relever sera de faire baisser les coûts de production pour répondre aux exigences de la mondialisation des marchés, estime Mme Simon. Ils ont d'excellentes perspectives de carrière et peuvent à moyen terme évoluer jusqu'à des postes de direction.» 03/01

HORAIRES ET MILIEUX DE TRAVAIL

- Les diplômés sont employés comme représentants par les coopératives ou les entreprises d'alimentation.

- Ils peuvent travailler dans les grosses unités de production laitière, porcine ou avicole.

- Ils sont aussi embauchés par le ministère de l'Agriculture, des Pêcheries et de l'Alimentation du Québec.

- Les milieux de travail, dans ce domaine, peuvent être bruyants et odorants.

- Les horaires de bureau des représentants peuvent varier.

- Il est possible de travailler le soir et les fins de semaine.

Transformation des produits de la mer

Alors qu'il n'avait que six ans, Pascal Noël allait à l'usine de transformation des produits de la mer où travaillait son père. Il observait les superviseurs et se disait que c'était ce qu'il ferait un jour. Vingt ans plus tard, il est superviseur du contrôle de la qualité pour Les Pêcheries Marinad.

PROG. 231.03
PRÉALABLES : 10, 20, VOIR P. 20

CHAMPS D'INTÉRÊT
• aime faire des calculs et des analyses sur des produits
• aime travailler en usine et coopérer
• aime observer et manipuler
• aime résoudre des problèmes

APTITUDES
• facilité pour les sciences (mathématiques, chimie et biologie)
• sens critique et créativité
• autonome, très responsable et très méticuleux
• grande acuité de perception (visuelle, olfactive, gustative)
• capacité d'adaptation et facilité à communiquer

OFFRE DU PROGRAMME PAR RÉGIONS
Gaspésie–Îles-de-la-Madeleine

Pour connaître les établissements qui offrent ce programme : **www.inforoutefpt.org**

RÔLE ET TÂCHES

Pascal a toujours frayé dans le domaine des pêches. Son père y travaillait avant lui, et tous les emplois qu'il a lui-même occupés pendant ses études y étaient liés. Une fois diplômé en transformation des produits de la mer, il a dû gravir les échelons avant d'obtenir son poste actuel. En tant que superviseur du contrôle de la qualité, Pascal s'assure que tous les produits des Pêcheries Marinad soient propres à la consommation et conformes aux normes de qualité. L'homme gère les trois équipes qui se partagent le travail sur 24 heures. En arrivant le matin, il vérifie la paperasse de la nuit et s'assure du respect de la réglementation. «Une réglementation qui répond aux exigences des clients comme à celles de l'usine», tient-il à préciser. Pascal supervise aussi les contremaîtres responsables de la qualité. De temps à autre, il se rend lui-même dans les usines et entrepôts avec lesquels Les Pêcheries Marinad font affaire, histoire de vérifier si le poisson est conforme aux normes établies. Lors de ces visites inopinées, il rencontre les employés chargés du contrôle de la qualité dans l'entreprise, pour s'assurer que ces gens font bien leur travail.

Il n'est pas toujours évident pour des employés plus âgés de respecter l'autorité d'un superviseur de 26 ans. «Au début, on a dû effectuer certains ajustements, explique Pascal. Mais maintenant, ça va bien», assure-t-il en ajoutant que c'est surtout sur le plan de l'informatisation des procédés qu'il a constaté le plus de réticences. «Les plus âgés m'appelaient "le pitonneux"», dit-il en riant.

	Salaire hebdo moyen	Proportion de dipl. en emploi	Emploi relié	Chômage	Nombre de diplômés
2004	N/D	N/D	N/D	N/D	N/D
2003	N/D	N/D	N/D	N/D	N/D
2002	N/D	N/D	N/D	N/D	N/D

Statistiques tirées de la *Relance* - Ministère de l'Éducation. Voir données complémentaires, page 387.

Comment interpréter l'information, page 19.

QUALITÉS RECHERCHÉES

Selon Pascal Noël, pour percer dans le métier, il faut du cœur au ventre et, surtout, ne pas avoir peur de foncer. «Plusieurs des élèves de ma promotion œuvrent aujourd'hui dans un autre domaine, déplore-t-il. Les autres, pour la plupart, ne travaillent qu'à mi-temps dans les pêches.»

Mais on aurait tort de croire qu'il suffit de foncer pour réussir. «Il faut aussi être novateur et créatif, et ne pas craindre de donner ses idées, dit Pascal Noël. On doit aimer aller au fond des choses et avoir le sens du leadership.» La dextérité manuelle, l'entregent, la minutie et les connaissances informatiques sont également fort utiles à ceux qui exercent un métier dans ce domaine.

DÉFIS ET PERSPECTIVES

«La mer est pleine, mais il y a beaucoup de choses que l'on ne mange pas. Un des récents défis pour cette profession est de développer de nouveaux produits marins, de nouvelles sortes de crustacés, de mollusques et de poissons», considère Yves Tardif, aide pédagogique individuel au Cégep de la Gaspésie et des Îles.

Qui connaît l'aiguillat commun, le concombre de mer, la tanche tautogue ou le caviar de lompe? Ce sont tous des produits marins peu connus, et qui font une apparition timide sur le marché. Depuis le moratoire sur la morue en 1993, le milieu de la pêche a dû s'adapter pour découvrir de nouveaux produits marins propres à la consommation. Les diplômés en transformation de produits de la mer doivent trouver des façons de capturer ces espèces, imaginer différentes manières de les apprêter et repérer des marchés qui sauront exploiter ces nouveautés.

Les deuxième et troisième transformations devront être développées dans ce domaine. La première transformation étant le produit lui-même, la deuxième est le produit apprêté, et la troisième, le plat cuisiné. De larges horizons s'offrent donc aux diplômés qui aimeraient exercer leurs talents de cuisiniers. Le fait de relever ces défis élargira les champs d'activité dans le secteur de la pêche et, aspect non négligeable, permettra à l'industrie de fonctionner à longueur d'année. 03/01

«La mer est pleine, mais il y a beaucoup de choses que l'on ne mange pas. Un des récents défis pour cette profession est de développer de nouveaux produits marins, de nouvelles sortes de crustacés, de mollusques et de poissons.»

— Yves Tardif

Photo : MAPAQ

HORAIRES ET MILIEUX DE TRAVAIL

- Les employeurs sont le ministère des Pêches et Océans Canada et celui de l'Agriculture, des Pêcheries et de l'Alimentation du Québec.

- Les diplômés peuvent aussi travailler pour des usines de transformation de poissons, des centres de recherche et des centres de distribution de produits marins.

- Dans ce milieu, on travaille le jour, le soir ou la nuit.

- Les emplois sont souvent saisonniers.

SECTEUR 3

ALIMENTATION ET TOURISME

Déséquilibrée par les attentats du 11 septembre 2001 aux États-Unis, le SRAS et la guerre d'Irak en 2003, l'industrie touristique a remonté la pente en 2004 et sa croissance devrait se poursuivre dans les prochaines années. Les secteurs du transport aérien et de l'hôtellerie, qui ont subi de façon particulièrement sévère les contrecoups de ces événements, profitent grandement de cette remontée.

L'industrie touristique québécoise compte 34 000 entreprises qui emploient 330 000 personnes. En hôtellerie et en restauration, on a noté en 2004 une augmentation du nombre d'emplois à temps plein et une amélioration des conditions salariales. Selon l'Institut de tourisme et d'hôtellerie du Québec, les diplômés en techniques de gestion des services alimentaires et de restauration, notamment, se placent sans difficulté.

La transformation et le commerce des aliments assurent également de l'emploi à quelque 200 000 travailleurs au Québec. Confrontée à l'augmentation des exigences des consommateurs, l'industrie de la transformation recherche particulièrement les diplômés du collégial pour développer de nouveaux produits et assurer un contrôle de la qualité. Il est aussi à prévoir que le secteur du commerce de l'alimentation aura de plus en plus besoin de gestionnaires efficaces et qualifiés. 03/05

CHAMPS D'INTÉRÊT

- aime les voyages
- aime travailler avec le public
- aime conseiller et expliquer
- aime la nouveauté et la diversité
- aime résoudre des problèmes concrets (impliquant des personnes)

APTITUDES

- facilité pour les langues, la géographie et les mathématiques
- facilité d'apprentissage de l'informatique
- grande curiosité, dynamisme et discernement
- autonomie et sens de l'organisation
- capacité d'écoute
- grande facilité d'expression

RESSOURCES INTERNET

MINISTÈRE DE L'ÉDUCATION DU QUÉBEC – SECTEURS DE FORMATION
http://www.meq.gouv.qc.ca/ens-sup/ens-coll/program/ProgEtab.asp?vToken=s30
Vous trouverez sur cette page une description des programmes de ce secteur de formation, comprenant, pour chacun, les exigences d'admission, les objectifs de formation et une liste d'établissements d'enseignement.

CONSEIL QUÉBÉCOIS DES RESSOURCES HUMAINES EN TOURISME
http://www.cqrht.qc.ca
Ce site saura vous renseigner sur les carrières possibles dans l'industrie du tourisme au Québec.

COMITÉ SECTORIEL DE MAIN-D'ŒUVRE DU COMMERCE DE L'ALIMENTATION
www.csmoca.org
Un point de référence pour les questions liées au développement de la main-d'œuvre dans ce secteur. On y trouve notamment un service de placement en lien avec Emploi-Québec.

COMITÉ SECTORIEL DE MAIN-D'ŒUVRE EN TRANSFORMATION ALIMENTAIRE
www.csmota.qc.ca
Découvrez dans ce site une foule de renseignements sur la formation et les carrières possibles en transformation alimentaire.

Techniques de gestion des services alimentaires et de restauration

Tout jeune, François Bouffard faisait déjà l'entretien de chambres d'hôtels comme travail d'été. Diplômé en techniques de gestion des services alimentaires et de restauration, il est maintenant au service d'un établissement dont la renommée dépasse largement nos frontières, le fameux Fairmont Le Château Frontenac, à Québec.

PROG. 430.02
PRÉALABLE : 10, VOIR PAGE 20

CHAMPS D'INTÉRÊT

- aime assumer des responsabilités et résoudre des problèmes concrets
- aime planifier, organiser et contrôler (la qualité des produits et services, un budget, des stocks, des horaires)
- aime communiquer, coordonner, superviser
- aime écouter, accueillir et servir la clientèle (hôtellerie)

APTITUDES

- polyvalence et disponibilité
- sens de l'organisation et de la planification
- leadership et sens des responsabilités
- grande acuité de perception
- bilinguisme, entregent (hôtellerie)

OFFRE DU PROGRAMME PAR RÉGIONS
Capitale-Nationale, Montréal

Pour connaître les établissements qui offrent ce programme : **www.inforoutefpt.org**

RÔLE ET TÂCHES

«Je suis entré au Fairmont Le Château Frontenac comme serveur, raconte François. Je suis ensuite devenu assistant au maître d'hôtel et, maintenant, j'occupe le poste de gérant du Café de la Terrasse, l'un des deux restaurants de l'hôtel.» Ce travail lui permet d'expérimenter tous les aspects de la gestion d'un restaurant. Ainsi, c'est lui qui s'occupera de planifier les horaires du personnel en fonction de l'achalandage prévu et d'accueillir les clients en compagnie de l'hôtesse. Il s'assurera également du bon déroulement du service. François gère une équipe d'une trentaine de personnes. «Les normes de l'hôtellerie sont de plus en plus exigeantes et je dois veiller à ce que tout le monde offre le même service de qualité», dit-il. Une fois l'an, l'hôtel organise une journée de recrutement à laquelle se présentent entre deux et trois mille personnes. À cette occasion, François fait passer des entrevues aux candidats. Il supervise ensuite les nouveaux employés embauchés, qui seront parrainés par un membre de l'équipe durant leur formation.

La renommée du Fairmont Le Château Frontenac en fait une destination de choix durant les festivals, les congrès ou les événements qui animent la région de Québec. «Ce sont des périodes très actives que nous préparons à l'avance avec le personnel d'encadrement, explique François. Je participe à l'élaboration des menus et au choix des vins qui viendront s'ajouter à notre carte. Ma formation et mon expérience me permettent également d'émettre mes idées au chef ou de donner des conseils sur l'hygiène ou l'entreposage des denrées. C'est un métier où les journées et les services se suivent mais ne se ressemblent pas», conclut-il.

	Salaire hebdo moyen	Proportion de dipl. en emploi	Emploi relié	Chômage	Nombre de diplômés
2004	493 $	87,2 %	100,0 %	0,0 %	59
2003	440 $	73,5 %	86,4 %	3,8 %	62
2002	489 $	84,2 %	87,1 %	3,0 %	57

Statistiques tirées de la *Relance* - Ministère de l'Éducation. Voir données complémentaires, page 387.

Comment interpréter l'information, page 19.

QUALITÉS RECHERCHÉES

Selon François, il faut absolument que restauration rime avec passion. «C'est essentiel pour exercer longtemps ce type de métier, affirme-t-il. Bien qu'on serve tous les jours les mêmes assiettes ou les mêmes vins, si on a la passion de son travail et la curiosité de faire chaque jour de nouvelles rencontres, on ne s'ennuiera jamais.» Des aptitudes pour l'organisation sont essentielles, à son avis. «Il faut planifier les emplois du temps, gérer des événements et du personnel. Ça demande un certain leadership, de la patience, mais aussi de la diplomatie pour régler les conflits.» Pour œuvrer dans ce domaine, il faut évidemment s'intéresser à la cuisine. De plus, dans le secteur privé, la disponibilité est de mise, car certaines semaines de travail peuvent parfois compter 50 ou 60 heures.

> **«Les normes de l'hôtellerie sont de plus en plus exigeantes et je dois veiller à ce que tout le monde offre le même service de qualité.»**
>
> **— François Bouffard**

DÉFIS ET PERSPECTIVES

Pour Richard Giguère, enseignant et coordonnateur du programme des techniques de gestion des services alimentaires et de restauration (TGSAR) du Collège Mérici, le prochain défi des diplômés sera probablement de répondre à des besoins très ciblés du marché. Par exemple, ils devront gérer ce que l'on appelle des «tables alimentaires adaptées». Il s'agit de menus spécialement développés pour des personnes atteintes de diabète ou d'autres maladies. À son avis, les perspectives des diplômés sont excellentes. De plus en plus de compagnies du secteur de l'alimentation recherchent des gens polyvalents qui connaissent la cuisine, le marketing, la gestion des coûts, des stocks ou des ressources humaines. «En fonction de leurs goûts ou de leur expérience, les diplômés peuvent aussi bien travailler dans le public que dans le privé, pour des hôpitaux, des écoles, des traiteurs, des compagnies de transport, des entreprises de restauration collective, des restaurants. Il n'y a pas de limites à partir du moment où l'on propose des services de restauration.

«À relativement brève échéance, ils sont amenés à occuper des postes qui impliquent de nombreuses responsabilités, soit en tant que chefs de production, directeurs ou gérants. C'est un domaine qui ne connaît pas de frontières, explique Richard Giguère. Leurs compétences en gestion et en techniques de cuisine leur ouvrent des portes sur le plan international.» 03/01

HORAIRES ET MILIEUX DE TRAVAIL

- Les diplômés peuvent trouver du travail auprès de tous les établissements offrant des services de restauration.
- Le milieu de travail est légèrement informatisé.
- Le travail se fait selon des horaires stables et réguliers dans le secteur public.
- Les horaires sont irréguliers et très chargés dans le secteur privé.
- Dans tous les cas, le travail de soir et de fin de semaine est davantage la norme que l'exception.

Techniques de gestion hôtelière

Diplômé en techniques de gestion hôtelière, Stéphane Laberge occupe désormais le poste de réceptionniste à l'auberge La Camarine, de Sainte-Anne-de-Beaupré. «L'hôtellerie est un domaine de passionnés, dit-il. Tu dois avoir le goût de servir la clientèle et, surtout, ne pas compter tes heures.»

PROG. 430.01
PRÉALABLE : 10, VOIR PAGE 20

CHAMPS D'INTÉRÊT

- aime assumer des responsabilités et résoudre des problèmes concrets
- aime planifier, organiser et contrôler (la qualité des produits et services, un budget, des stocks, des horaires)
- aime communiquer, coordonner, superviser
- aime écouter, accueillir et servir la clientèle (hôtellerie)

APTITUDES

- dynamisme, débrouillardise, polyvalence et disponibilité
- sens de l'organisation et de la planification
- leadership et sens des responsabilités
- grande acuité de perception : visuelle, olfactive et gustative (services alimentaires)

OFFRE DU PROGRAMME PAR RÉGIONS
Capitale-Nationale, Estrie, Mauricie, Montréal, Outaouais

Pour connaître les établissements qui offrent ce programme : **www.inforoutefpt.org**

RÔLE ET TÂCHES

En tant que réceptionniste, Stéphane doit avant tout répondre aux demandes des clients et faire leurs réservations. L'auberge La Camarine est rattachée au restaurant gastronomique du même nom. Il s'occupe également des réservations de ce restaurant très réputé. «Je gère l'occupation de nos 31 chambres et la fréquentation du restaurant à l'aide d'un système informatique», dit-il. Son rôle à l'accueil est essentiel. Dans l'industrie du tourisme, le service à la clientèle fait souvent toute la différence. «Je suis toujours disponible pour donner des renseignements sur les restaurants, les tarifs, les attraits touristiques de la région, les activités proposées. Je dois me tenir au courant des nouveautés pour communiquer la meilleure information possible.» Stéphane doit savoir s'adapter aux besoins de chacun et personnaliser ses conseils. «En hiver, la plupart de nos clients arrivent de l'Ontario et des États-Unis. Ils viennent faire du ski dans les stations de la région. L'été, la clientèle est différente; j'accueille principalement des groupes de touristes européens.» Outre l'accueil et les réservations, Stéphane accomplit différentes tâches administratives. «Je dois faire la balance quotidienne, vérifier les factures et m'assurer que les tarifs sont bien appliqués. Je garde aussi un œil sur les entrées et les sorties du jour afin que les chambres soient toujours prêtes à l'heure.»

QUALITÉS RECHERCHÉES

La première qualité de ceux qui désirent travailler en hôtellerie, c'est la disponibilité. «Dans le domaine, dit Stéphane, on travaille surtout pendant

	Salaire hebdo moyen	Proportion de dipl. en emploi	Emploi relié	Chômage	Nombre de diplômés
2004	504 $	80,8 %	85,1 %	0,9 %	181
2003	490 $	80,2 %	94,5 %	1,3 %	169
2002	464 $	77,9 %	87,0 %	1,6 %	122

Statistiques tirées de la *Relance* - Ministère de l'Éducation. Voir données complémentaires, page 387.

Comment interpréter l'information, page 19.

que les autres sont en vacances. Et il peut nous arriver de travailler jusqu'à 70 heures dans une seule semaine.» Ce genre de travail exige beaucoup de débrouillardise et un bon sens de l'organisation. «Si ton client arrive et que sa chambre n'est pas encore prête, tu dois jongler avec les réservations pour le reloger rapidement, explique Stéphane. Tout va tellement vite que tu ne vois pas passer les journées.» Le jeune homme considère que le goût des contacts humains et du service à la clientèle est essentiel à ce type d'emploi. «Personnellement, c'est la partie que je préfère, dit-il. Rencontrer des gens qui viennent de partout à travers le monde.» Le bilinguisme est donc, évidemment, une nécessité.

Le jeune homme considère que le goût des contacts humains et du service à la clientèle est essentiel à ce type d'emploi.

DÉFIS ET PERSPECTIVES

L'industrie hôtelière offre d'intéressantes perspectives. C'est ce que confirme Patrick Talbot, coordonnateur des techniques de gestion hôtelière au Collège de Limoilou. «L'industrie du tourisme et de l'hôtellerie recherche de plus en plus de diplômés qualifiés pour gérer ses établissements, dit-il. Le DEC en gestion hôtelière est très fréquemment exigé pour pouvoir accéder à des postes de cadres.»

Il faut croire que le marché se porte bien, car la demande est toujours plus forte que l'offre. «Les établissements d'hébergement privés ainsi que les chaînes d'hôtels demeurent les plus gros pourvoyeurs d'emplois, mais il existe de bonnes ouvertures dans des secteurs moins connus comme les centres de villégiature», affirme M. Talbot. Certains débouchés peuvent mener vers les restaurants ou les services de traiteurs même si ces postes s'adressent, en priorité, aux titulaires du DEC en gestion des services alimentaires et de restauration. «C'est un secteur plein de défis pour les jeunes diplômés motivés, ajoute Patrick Talbot. Si les techniciens en gestion hôtelière débutent souvent au bas de l'échelle à des postes d'exécution (accueil, chambres, entretien), ils obtiennent à plus ou moins brève échéance des postes de gestion. Ils deviennent maîtres d'hôtel, responsables de l'accueil, gérants et même directeurs. Ils doivent alors démontrer leurs qualités en supervision de personnel, en organisation d'événements spéciaux, en gestion des ressources humaines et en relations avec la clientèle. Toutes ces tâches demandent une grande disponibilité», tient-il à préciser. 03/01

HORAIRES ET MILIEUX DE TRAVAIL

- Les diplômés sont embauchés par les établissements hôteliers, les centres de villégiature, les transporteurs aériens.

- Ils occupent des postes de responsables et de gérants, supervisent le personnel et sont en contact avec les clients.

- Leur environnement de travail est informatisé.

- Le bilinguisme est essentiel.

- Le travail se fait selon des horaires très irréguliers, le jour, le soir, la nuit et les fins de semaine.

Techniques de tourisme (Accueil et guidage touristique)

Après des études collégiales insatisfaisantes en sciences humaines, Maryse Handfield s'est réorientée vers le tourisme, attirée par les rencontres et les voyages qu'elle pourrait y faire.

PROG. 414.AA
PRÉALABLE : 0, VOIR PAGE 20

CHAMPS D'INTÉRÊT
- aime le travail avec le public et en équipe
- aime l'histoire et les voyages
- aime superviser, coordonner et planifier
- aime guider des groupes

APTITUDES
- facilité pour les langues
- bonne capacité d'adaptation
- facilité à communiquer
- sensibilité aux besoins d'autrui
- bonne connaissance des coutumes étrangères

RÔLE ET TÂCHES

Diplômée du Collège Laflèche, Maryse occupe le poste d'agente à la commercialisation, à l'accueil et à l'information touristique au Centre local de développement (CLD) de la municipalité régionale de comté (MRC) de Bécancour.

Une de ses principales tâches est de répondre quotidiennement aux demandes d'information des internautes qui visitent le site du CLD, en ce qui concerne l'hébergement, les forfaits vacances, les restaurants et les circuits de cyclotourisme de la région. À ceux qui le désirent, elle expédie des pochettes touristiques et des dépliants. C'est donc elle qui s'assure que le CLD dispose toujours d'une quantité suffisante de matériel promotionnel.

De concert avec les organisateurs de voyages, les associations touristiques et les fédérations de randonneurs, Maryse participe également au développement de circuits touristiques adaptés aux besoins et aux budgets des voyageurs susceptibles de visiter la région. Elle agit aussi comme guide, ce qui l'amène à coordonner les déplacements des touristes, à animer des groupes, à présenter les sites historiques de la région et à répondre aux questions des visiteurs.

Bientôt, Maryse endossera des responsabilités encore plus importantes. En effet, la MRC de Bécancour ouvrira un bureau touristique permanent, et c'est la diplômée qui s'occupera de la gestion et des ressources humaines du nouvel organisme. Elle devra alors embaucher les préposés à l'accueil

OFFRE DU PROGRAMME PAR RÉGIONS
Bas-Saint-Laurent, Capitale-Nationale, Laval, Mauricie, Montérégie, Montréal, Outaouais, Saguenay–Lac-Saint-Jean

Pour connaître les établissements qui offrent ce programme : **www.inforoutefpt.org**

	Salaire hebdo moyen	Proportion de dipl. en emploi	Emploi relié	Chômage	Nombre de diplômés
2004	414 $	82,6 %	87,5 %	0,0 %	32
2003	364 $	50,0 %	100,0 %	20,0 %	10
2002	N/D	N/D	N/D	N/D	N/D

Statistiques tirées de la *Relance* - Ministère de l'Éducation. Voir données complémentaires, page 387.

Comment interpréter l'information, page 19.

et les guides touristiques, organiser les horaires du personnel et voir au bon fonctionnement du bureau.

QUALITÉS RECHERCHÉES

«En tourisme, il faut être passionné de voyages et aimer travailler avec les gens, parce qu'on vend du rêve, de l'évasion, explique Maryse. Il faut également être dévoué et patient, car les horaires sont irréguliers et qu'il faut consacrer beaucoup de temps non seulement aux touristes, mais aussi aux commerçants locaux.» En effet, ces derniers doivent être partie prenante aux efforts de développement touristique de la région. Il faut donc les rencontrer pour susciter leur participation.

Une facilité à communiquer, un langage soigné et une bonne capacité d'adaptation sont tout aussi essentiels pour faire carrière dans le domaine de l'accueil et du guidage. En effet, les groupes de visiteurs se suivent mais ne se ressemblent pas. Le guide doit donc tenir compte de leur degré de familiarité avec la région, de leur pays d'origine, de leur âge et de leurs attentes particulières, afin de moduler sa communication et de rendre leur expérience agréable. «Les gens aiment bien entendre des anecdotes qui leur rappellent leur région natale», indique Maryse.

«En tourisme, il faut être passionné de voyages et aimer travailler avec les gens, parce qu'on vend du rêve, de l'évasion.»

— Maryse Handfield

DÉFIS ET PERSPECTIVES

«Dans le monde, le Canada et le Québec se positionnent dans le haut de la liste des destinations privilégiées par les voyageurs», souligne Jocelyn Picard, enseignant en techniques de tourisme au Cégep de Granby. Ceci dit, la demande touristique est toujours susceptible de fluctuer selon les modes, l'actualité, le contexte politique et les conditions sanitaires.

Autre facteur à surveiller : la clientèle. En ce moment, ce sont les couples de *baby-boomers* à la retraite qui voyagent le plus. «Ils sont davantage scolarisés, plus cultivés, plus autonomes et plus exigeants que les touristes de la génération précédente. Le grand défi de l'industrie sera d'adapter ses pratiques pour satisfaire à leurs demandes», conclut M. Picard. 04/03

HORAIRES ET MILIEUX DE TRAVAIL

- Les diplômés travaillent notamment dans les agences de voyages, les organismes de développement touristique, les hôtels et les entreprises exploitant des attraits touristiques. Ils occupent des postes liés aux services ou encore à la gestion ou à la supervision des employés.

- Les horaires sont généralement réguliers l'hiver, mais peuvent devenir plus exigeants durant la saison estivale, au moment où les vacanciers affluent. Les guides touristiques sont particulièrement sujets à travailler les week-ends, pour répondre à la demande.

- Bien que le domaine soit cyclique et saisonnier, certaines régions possèdent des bureaux de tourisme ouverts toute l'année.

Techniques de tourisme (Développement et promotion de produits du voyage)

«Moi, ce que j'aime dans le domaine du tourisme, c'est le contact avec les gens. C'est très dynamique. Jamais une journée ne ressemble à une autre», affirme Marc-Olivier Guilbault. À 25 ans, il considère avoir fait le bon choix en décrochant un DEC en tourisme du Collège Montmorency de Laval.

PROG. 414.AC
PRÉALABLE : 0, VOIR PAGE 20

CHAMPS D'INTÉRÊT
• aime les voyages
• aime communiquer
• aime le travail diversifié

APTITUDES
• facilité pour la vente
• dynamisme
• entregent
• habiletés de recherche

RÔLE ET TÂCHES

Après avoir fait un stage à Tourisme Lanaudière, Marc-Olivier a été embauché par ce même organisme paragouvernemental en tant que délégué touristique intra-Québec.

Association régionale, Tourisme Lanaudière rassemble quelque 250 fournisseurs de services (hôtels, restaurants, etc.) et se consacre à la promotion des attraits locaux. Son effectif ne compte qu'une dizaine de personnes, mais c'est ce qui permet à Marc-Olivier de remplir une grande diversité de tâches en lien avec son domaine d'études.

Le diplômé n'entre pas en contact direct avec le public; il traite plutôt avec les membres de l'association, lesquels formulent des demandes très variées. «Ils peuvent nous appeler pour obtenir des renseignements sur les publications que nous produisons ou nous demander de valider leur matériel publicitaire.»

À l'occasion, Marc-Olivier effectue la revue des articles de presse publiés sur la région afin de déterminer quels attraits touristiques ont retenu l'attention et lesquels méritent d'être développés. Même s'il travaille principalement depuis son bureau de Rawdon, le technicien en tourisme peut se permettre quelques excursions à l'extérieur pour aller rencontrer des membres ou prendre des photos pour les publications de l'association, ce qu'il apprécie tout particulièrement. Il est aussi appelé à se rendre dans des salons de tourisme pour représenter les membres.

OFFRE DU PROGRAMME PAR RÉGIONS
Capitale-Nationale, Laval, Mauricie, Montérégie, Montréal, Outaouais

Pour connaître les établissements qui offrent ce programme : **www.inforoutefpt.org**

	Salaire hebdo moyen	Proportion de dipl. en emploi	Emploi relié	Chômage	Nombre de diplômés
2004	430 $	70,3 %	72,0 %	7,1 %	55
2003	372 $	66,7 %	100,0 %	20,0 %	7
2002	N/D	N/D	N/D	N/D	N/D

Statistiques tirées de la *Relance* - Ministère de l'Éducation. Voir données complémentaires, page 387.

Comment interpréter l'information, page 19.

QUALITÉS RECHERCHÉES

Comme le voyage n'est pas un produit tangible, mais plutôt une sorte de rêve, les personnes qui veulent faire carrière dans le domaine ont avantage à posséder des aptitudes pour le marketing et la vente. Et qui dit vente dit communication. «Il faut aimer les gens pour travailler en tourisme», souligne Marc-Olivier. Avec une bonne dose d'entregent, il est en effet beaucoup plus facile de se faire apprécier des clients et donc de les conseiller. Dans le cas de Marc-Olivier, cette qualité est essentielle pour entretenir de bonnes relations avec différents fournisseurs de services. Évidemment, une solide connaissance de la région à promouvoir se révèle fort utile quand vient le temps de convaincre quelqu'un d'y passer ses vacances.

Faut-il avoir voyagé pour travailler dans ce domaine? Pas nécessairement. Des notions de géographie et un intérêt marqué pour l'industrie touristique peuvent pallier ce manque d'expérience personnelle. Au lieu d'investir des sommes faramineuses dans des voyages, on peut tout simplement se documenter pour voir le monde.

> «À part dans les agences de voyages, les postes sont souvent saisonniers. Un technicien en tourisme peut facilement avoir deux ou trois emplois.»
>
> — Michel Proulx

DÉFIS ET PERSPECTIVES

Les ouvertures sont plutôt nombreuses pour qui accepte de changer de travail en fonction de la période de l'année. En effet, étant donné l'écart entre les températures saisonnières que connaît le Québec, les diplômés gagnent à acquérir des compétences autant dans les activités estivales qu'hivernales. Voilà probablement le plus grand défi qui les attend. «À part dans les agences de voyages, les postes sont souvent saisonniers. Un technicien en tourisme peut facilement avoir deux ou trois emplois par année» soutient Michel Proulx, coordonnateur du programme au Collège Mérici. 04/03

Photo : Cégep de Matane

HORAIRES ET MILIEUX DE TRAVAIL

- Les agences de voyages et les associations de fournisseurs de services sont les principaux employeurs.

- Le travail de bureau s'organise surtout autour de la formule du 9 à 5.

- Les diplômés peuvent occuper différents types de postes : conseiller en voyages, organisateur touristique, coordonnateur de congrès ou encore agent de commercialisation touristique.

Techniques de tourisme (Mise en valeur de produits touristiques)

Intriguée depuis toujours par les dépliants promotionnels et touristiques, Stéphanie Mathieu ne s'est pas questionnée longtemps au moment de choisir une formation collégiale. «C'était le tourisme ou rien!» raconte celle qui se consacre aujourd'hui à la promotion du Festi Jazz de Rimouski.

PROG. 414.AB
PRÉALABLE : 0, VOIR PAGE 20

CHAMPS D'INTÉRÊT

• aimer le contact avec le public
• aimer travailler en équipe
• aimer organiser, promouvoir et concevoir des événements ou des services
• aimer apprendre et transmettre de l'information

APTITUDES

• bilinguisme et facilité avec les langues étrangères
• habiletés de communication
• attitude prévenante
• sens de l'organisation, professionnalisme et dynamisme
• capacité à gérer du personnel

OFFRE DU PROGRAMME PAR RÉGIONS
Bas-Saint-Laurent, Capitale-Nationale, Mauricie, Montérégie, Montréal, Outaouais, Saguenay—Lac-Saint-Jean

Pour connaître les établissements qui offrent ce programme : **www.inforoutefpt.org**

RÔLE ET TÂCHES

Les techniciens en tourisme qui empruntent la voie de la spécialisation *Mise en valeur de produits touristiques* sont formés pour promouvoir les attraits des régions du Québec, de façon que l'offre touristique soit constamment renouvelée en fonction de la demande.

Avec son diplôme en tourisme du Collège Laflèche et trois ans d'expérience comme préposée à l'information dans un bureau de tourisme, Stéphanie a facilement décroché un stage d'été au Festi Jazz en 2002. Une expérience qui s'est révélée formatrice et fructueuse puisque la diplômée occupe maintenant le poste d'agente de promotion à plein temps.

«En ce moment, je mets sur pied des forfaits touristiques avec les différents intervenants et commerçants de la région, explique Stéphanie. Il s'agit de forfaits golf et nature offerts pendant l'événement. Je dois donc rencontrer les services des ventes et du marketing des différents hôtels et restaurants de la région pour les inciter à se joindre à l'événement.

«Plus tard dans l'année, je vais m'occuper, avec l'adjointe à la direction, de la campagne de promotion et de relations avec les médias pour le Festi Jazz et les forfaits», raconte Stéphanie, très excitée à l'idée de collaborer à une campagne publicitaire avec le quotidien *Le Soleil*, de Québec.

Les tâches de Stéphanie sont nombreuses et variées. Elle planifie et coordonne les activités de préparation du Festi Jazz (choix des artistes, programmation des spectacles, élaboration de forfaits, etc.), participe à la promotion (par exemple, en collaborant à la rédaction des dépliants et en

	Salaire hebdo moyen	Proportion de dipl. en emploi	Emploi relié	Chômage	Nombre de diplômés
2004	399 $	75,7 %	73,3 %	6,4 %	84
2003	373 $	63,6 %	87,5 %	22,2 %	25
2002	N/D	N/D	N/D	N/D	N/D

Statistiques tirées de la *Relance* - Ministère de l'Éducation. Voir données complémentaires, page 387.

Comment interpréter l'information, page 19.

vendant du matériel promotionnel aux commerçants de la région) et assure le lien avec les commanditaires et les partenaires de l'événement.

QUALITÉS RECHERCHÉES

Polyvalence et ouverture d'esprit : voilà deux qualités primordiales pour faire carrière dans ce domaine. Car, comme Stéphanie, lorsqu'on se retrouve dans une petite organisation, il faut s'attendre à faire un peu de tout : administration, communication avec les médias, gestion de personnel, relations publiques, marketing, accueil et même comptabilité. Puis, avec l'accroissement du tourisme international, les diplômés en tourisme sont souvent en contact avec des gens issus de cultures différentes. Ils doivent alors se montrer réceptifs à leurs besoins.

«Le dynamisme, la débrouillardise et l'autonomie sont aussi essentiels, puisqu'on se retrouve souvent dans des situations compliquées qui demandent de trouver des solutions rapidement, indique Stéphanie.

«On doit également avoir de l'entregent, faire preuve de professionnalisme et être souriant, pour faire bonne impression; être créatif et avoir le sens de l'initiative, pour développer des concepts et des projets intéressants», conclut-elle.

> «Il faut être créatif et avoir le sens de l'initiative, pour développer des concepts et des projets intéressants.»
>
> — Stéphanie Mathieu

DÉFIS ET PERSPECTIVES

D'après Jocelyn Bouchard, enseignant en techniques de tourisme au Cégep de Saint-Félicien, chaque région présente des particularités qui demandent à être exploitées. «Reste aux entrepreneurs de développer des idées originales autour des réalités locales, par exemple un fjord ou un lac, comme au Saguenay–Lac-Saint-Jean, ou encore la pratique de la motoneige.» Car ce que les touristes recherchent en visitant une région, ce sont des aspects qu'ils ne retrouvent pas chez eux.

M. Bouchard croit également que les diplômés devront développer des produits touristiques non seulement en fonction de la clientèle étrangère, mais aussi des *baby-boomers*. Très nombreux à prendre leur retraite, ces derniers ont du temps et de l'argent à consacrer au tourisme. Étant généralement assez cultivés et ayant déjà voyagé, ils ont toutefois des exigences élevées en matière de qualité. 03/03

HORAIRES ET MILIEUX DE TRAVAIL

• On retrouve des diplômés dans tous les secteurs de l'industrie touristique, soit : hébergement, aventure et loisirs de plein air, voyages, restauration, transport, événements et congrès, services touristiques et attractions. Selon leur expérience, ils occuperont des postes liés aux services, à la supervision, à la gestion ou à la direction d'employés.

• Les horaires de travail sont généralement réguliers, mais la préparation et la coordination d'événements spéciaux peuvent nécessiter une très grande disponibilité, donc des heures supplémentaires le soir et les week-ends.

DEC

Techniques du tourisme d'aventure

«Je suis constamment en contact avec la nature. C'est très agréable de travailler dans un environnement aussi sain! Le seul inconvénient, c'est lorsqu'il pleut et que mon équipement est mouillé... Là, je me sens vulnérable», lance Sébastien Simard, guide et vice-président pour la coopérative Aube Aventure.

PROG. 414.BO
PRÉALABLE : O, VOIR PAGE 20

CHAMPS D'INTÉRÊT
• aime le travail avec le public et en équipe
• aime les voyages
• aime superviser, coordonner et planifier
• aime guider des groupes

APTITUDES
• capacité d'adaptation
• facilité à communiquer
• sensibilité aux besoins d'autrui
• dynamisme
• entregent
• sens de l'observation et prévoyance
• sens de l'organisation

OFFRE DU PROGRAMME PAR RÉGIONS
Gaspésie–Îles-de-la-Madeleine

Pour connaître les établissements qui offrent ce programme : **www.inforoutefpt.org**

RÔLE ET TÂCHES

Au Camping du Parc, situé à Cap-aux-Os en Gaspésie, se trouve le camp de base d'Aube Aventure, une coopérative de travail offrant des activités de tourisme d'aventure sur l'eau (kayak de mer, canot de rivière et voile). C'est là que Sébastien accueille des groupes qui souhaitent prendre part à des excursions d'une journée ou plus.

En premier lieu, Sébastien donne aux participants une formation de base sur l'utilisation des embarcations. Il explique ensuite les règles de sécurité et distribue l'équipement (gilets de sauvetage, pagaies, embarcations). Pour ne pas être pris au dépourvu en cas d'accident, Sébastien s'assure d'emporter avec lui un gilet de sauvetage et une pagaie de rechange, une pompe à eau, un sifflet, un couteau, des allumettes et un briquet. Puis, les aventuriers en herbe peuvent larguer les amarres. Accompagné de un ou deux guides, Sébastien leur fera découvrir la faune et la flore, tout en veillant à leur sécurité.

En plus de travailler comme guide, Sébastien prépare et sert les petits déjeuners au café-bistrot qui se trouve au camp de base. En tant que vice-président de la coopérative, il s'occupe également de la comptabilité et de la gestion de personnel. Sébastien se réalise pleinement dans son travail. «Quand j'étais petit, derrière notre maison il y avait une forêt et une montagne. J'y allais souvent avec mon grand-père. J'ai toujours aimé la nature et cherché à la protéger. Mon métier me permet de conjuguer le sport et le ressourcement en plein air», explique-t-il.

	Salaire hebdo moyen	Proportion de dipl. en emploi	Emploi relié	Chômage	Nombre de diplômés
2004	N/D	N/D	N/D	N/D	N/D
2003	N/D	N/D	N/D	N/D	N/D
2002	N/D	N/D	N/D	N/D	N/D

Statistiques tirées de la *Relance* - Ministère de l'Éducation. Voir données complémentaires, page 387.

Comment interpréter l'information, page 19.

QUALITÉS RECHERCHÉES

Pour être guide, il faut aimer le contact avec les autres, être à leur écoute et savoir les accompagner dans l'expérience qu'ils sont en train de vivre. «Par exemple, si quelqu'un a peur de l'eau, je dois pouvoir comprendre ses craintes et trouver le moyen de l'apaiser», souligne Sébastien.

Le guide est responsable de sa propre sécurité et de celle des personnes qu'il accompagne. «Il faut être très attentif aux changements de température, au vent et aux vagues. Plus on est prévoyant, plus il est facile d'éviter les accidents», estime-t-il.

> «Le technicien travaille avec des clients qui ne sont pas habitués au tourisme d'aventure. Il a pour rôle de leur faire aimer cette expérience tout en assurant leur sécurité.»
>
> — Dominic Leblanc-Perreault

La vivacité d'esprit, l'humour et la capacité de désamorcer une panique peuvent être aussi des atouts très utiles dans les situations difficiles. Par exemple, Sébastien a un jour servi de guide à une personne qui a failli se noyer dans son enfance, mais qui, souhaitant vaincre sa phobie, a décidé de participer à une expédition. Sébastien a donc dû apporter un soutien aussi bien sur le plan technique que sur le plan émotif.

DÉFIS ET PERSPECTIVES

Selon Dominic Leblanc-Perreault, enseignant au Cégep de la Gaspésie et des Îles, le métier de guide comporte un défi humain. «Le technicien travaille avec des clients qui ne sont pas habitués au tourisme d'aventure. Il a pour rôle de leur faire aimer cette expérience tout en assurant leur sécurité.»

Depuis peu, l'industrie du tourisme d'aventure s'est dotée de nouvelles normes de sécurité, notamment la présence obligatoire de guides formés et expérimentés dans le cadre d'activités d'aventure. Cette main-d'œuvre est donc de plus en plus recherchée par les employeurs. Dominic Leblanc-Perreault conseille aux diplômés de développer une expertise en complétant leur formation par des cours qui permettent d'obtenir des accréditations en canot-camping ou en sauvetage avalanche, par exemple. «En plus d'acquérir plusieurs spécialisations, le diplômé doit développer son expérience sur le terrain. Par ailleurs, s'il a eu l'occasion de travailler à l'étranger, c'est un atout supplémentaire», ajoute l'enseignant. 02/05

HORAIRES ET MILIEUX DE TRAVAIL

- Les entreprises de tourisme d'aventure, les pourvoiries, les bases de plein air, les boutiques de tourisme d'aventure et les fédérations sportives embauchent les techniciens.

- Les diplômés travaillent en plein air, sur les rivières ou les lacs, en forêt, en montagne ou en mer.

- L'horaire de travail est varié. Le technicien peut travailler le jour, le soir et les fins de semaine.

- L'emploi est saisonnier, l'été étant la période de pointe.

Technologie de la transformation des aliments

Diplômée de l'Institut de technologie agroalimentaire (ITA), campus de Saint-Hyacinthe, Pascale Tardif travaille pour la filiale canadienne de la compagnie italienne Parmalat. Elle planifie et teste la production de cette compagnie laitière.

PROG. 154.A0
PRÉALABLES : 11, 20, VOIR P. 20

CHAMPS D'INTÉRÊT
• aime faire des calculs et des analyses sur des produits
• aime travailler en usine et coopérer
• aime observer et manipuler
• aime résoudre des problèmes

APTITUDES
• facilité pour les sciences (mathématiques, chimie et biologie)
• sens critique et créativité
• autonome, très responsable et très méticuleux
• grande acuité de perception (visuelle, olfactive, gustative)
• capacité d'adaptation et facilité à communiquer

OFFRE DU PROGRAMME PAR RÉGIONS
Bas-Saint-Laurent, Lanaudière, Montérégie

Pour connaître les établissements qui offrent ce programme : **www.inforoutefpt.org**

RÔLE ET TÂCHES

«En tant que planificatrice, je dois déterminer avec précision les quantités à produire durant la journée, explique Pascale. Chez Parmalat, nous recevons du lait que nous conditionnons ou que nous transformons en crème et en crème glacée molle. Mon rôle est de superviser la production pour m'assurer qu'elle répond bien aux besoins de nos clients.» Pascale commence toutes ses journées en procédant à l'inventaire des produits finis. «Avec les superviseurs et les opérateurs, je vérifie les procédés de transformation du lait. Il est d'abord pasteurisé, puis envoyé dans l'écrémeuse, une machine qui sépare la crème du lait. Comme nous ne produisons pas de crème tous les jours, je dois surveiller attentivement la qualité des produits finis et leur quantité.»

Pascale souligne les difficultés que suppose le travail avec des denrées fragiles. «Il faut constamment veiller au maintien de la qualité, dit-elle. C'est pourquoi je suis, depuis peu, rattachée au service des tests.» En laboratoire, elle effectue toute une série de tests microbiologiques afin de détecter la présence possible de certaines bactéries. Avec des analyseurs à infrarouge, il est possible de connaître la composition exacte du lait ou de la crème et de contrôler leur qualité afin qu'elle réponde aux exigences et aux normes en vigueur. «La chimie et la biologie font partie de mon quotidien au même titre que la gestion de la production, dit-elle. Cela demande une grande polyvalence et une bonne connaissance des procédés, de la transformation jusqu'à la livraison.»

	Salaire hebdo moyen	Proportion de dipl. en emploi	Emploi relié	Chômage	Nombre de diplômés
2004	639 $	84,2 %	96,9 %	3,0 %	50
2003	613 $	84,0 %	95,2 %	8,7 %	30
2002	575 $	92,6 %	95,8 %	7,4 %	36

Statistiques tirées de la *Relance* - Ministère de l'Éducation. Voir données complémentaires, page 387.

Comment interpréter l'information, page 19.

QUALITÉS RECHERCHÉES

«Lorsqu'on gère quotidiennement la production, il faut avoir le sens des responsabilités, déclare Pascale. On doit constamment garder à l'esprit les impératifs de la production et les besoins du client. Si on se trompe dans nos prévisions, la compagnie subira des pertes sèches.» La jeune femme affirme qu'en contrôle de la qualité, comme en fabrication, il faut garder ses connaissances à jour. Les produits, les procédés et les tests évoluent rapidement. Il faut avoir l'esprit curieux, être débrouillard et savoir s'adapter aux changements technologiques. «Ça prend aussi de l'entregent et de la diplomatie quand, par exemple, il faut expliquer aux gens qu'ils devront mettre les bouchées doubles parce que l'embouteillage a pris du retard.»

DÉFIS ET PERSPECTIVES

«On ignore souvent que la transformation des aliments est, au Québec, le plus important secteur manufacturier quant au nombre d'emplois», déclare Jean-Pierre Lessard, directeur du programme à l'ITA, campus de Saint-Hyacinthe. Selon lui, nos habitudes de consommation laissent présager d'excellentes perspectives pour les diplômés. «Nous recherchons de plus en plus des produits de qualité qui nous font gagner du temps, mais pas au détriment de la santé et du plaisir. Ces produits transformés nécessitent les compétences de nos techniciens. On remarque également un véritable engouement pour la transformation de nos produits régionaux. Les fromages québécois passent de l'artisanat à la microentreprise grâce au savoir-faire des gens qui sont formés pour comprendre et appliquer les procédés de production industriels.» M. Lessard estime que les défis qu'auront à relever les futurs diplômés seront variés. «En contrôle de la qualité, ils veilleront à la sécurité alimentaire en vérifiant l'innocuité des produits et le respect des normes. En contrôle des procédés, ils s'occuperont de l'analyse des risques et de la maîtrise des points critiques. Plus rarement, ils développeront de nouveaux produits ou feront de la représentation. Dans tous les cas, ils seront les personnes-ressources dans les usines et auront la possibilité d'accéder à des postes de direction ou de gestion. Enfin, la mondialisation des marchés leur donne de bonnes possibilités d'emploi à l'étranger.» 03/01

«On ignore souvent que la transformation des aliments est, au Québec, le plus important secteur manufacturier quant au nombre d'emplois.»

— Jean-Pierre Lessard

Photo : MAPAQ

HORAIRES ET MILIEUX DE TRAVAIL

• Les diplômés peuvent trouver de l'emploi dans tous les secteurs de la transformation des produits agroalimentaires.

• Il leur est également possible de travailler en laboratoire au contrôle de la qualité et en production au contrôle des procédés.

• Il existe des possibilités d'emploi en recherche et développement ou en représentation.

• Le travail se fait généralement selon des horaires réguliers, souvent en rotation de jour, de soir et de nuit.

• Il est possible d'effectuer des heures supplémentaires.

• Il peut être nécessaire de posséder un système de garde permettant d'être joint en tout temps les fins de semaine.

PAGES 124 ⇓ 162

ARTS

Très diversifié, le milieu québécois des arts et de la culture comprend, entre autres, le théâtre et les arts de la scène, le cinéma et la télévision, le cirque, les arts visuels, la littérature, l'humour et la musique. Même si ce domaine croît depuis une dizaine d'années au Québec, il reste marqué, dans son ensemble, par la précarité.

Alors que les secteurs du cirque et de l'humour se portent tout particulièrement bien, on a noté, en 2004, un ralentissement dans le secteur de la production cinématographique et télévisuelle causé par la baisse du nombre de tournages étrangers. Beaucoup de professionnels comme les régisseurs, les éclairagistes et les monteurs ont alors été contraints au chômage.

D'autres champs d'activité éprouvent des difficultés. C'est le cas notamment des métiers d'art, de la danse, de la musique et de la littérature où il demeure ardu de percer pour les créateurs. C'est pourquoi la polyvalence est la clé du succès. Les artistes qui excellent dans plus d'une discipline ont généralement davantage de chances de décrocher du travail.

Le marché du livre, quant à lui, est en période de mutation. L'impact du commerce électronique, auquel il doit s'adapter, touche la distribution et l'édition autant que la vente. Les modes de diffusion doivent donc être repensés afin de répondre aux nouvelles habitudes des consommateurs. Cela affecte aussi l'industrie du disque qui se bat contre le téléchargement illégal de pièces musicales, qui prive les artistes de revenus importants. 03/05

CHAMPS D'INTÉRÊT

- aime les arts et la culture en général
- aime imaginer et donner forme à des idées
- aime le travail de création, manuel ou physique
- aime travailler de façon autonome
- aime travailler à forfait et selon un horaire variable

APTITUDES

- grande imagination et acuité de perception sensorielle (vision, toucher, audition)
- dextérité et sens de l'observation très développés
- talent particulier pour la création
- polyvalence, originalité, sens esthétique et sens critique très développés
- patience et persévérance

RESSOURCES INTERNET

MINISTÈRE DE L'ÉDUCATION DU QUÉBEC – SECTEURS DE FORMATION
http://www.meq.gouv.qc.ca/ens-sup/ens-coll/program/ProgEtab.asp?vToken=s40
Vous trouverez sur cette page une description des programmes de ce secteur de formation, comprenant, pour chacun, les exigences d'admission, les objectifs de formation et une liste d'établissements d'enseignement.

MINISTÈRE DE LA CULTURE ET DES COMMUNICATIONS DU QUÉBEC
http://www.mcc.gouv.qc.ca
Pour mieux connaître le domaine des arts et avoir un aperçu du rôle qu'y joue le gouvernement.

CONSEIL QUÉBÉCOIS DES RESSOURCES HUMAINES EN CULTURE
http://www.cqrhc.com
Pour tous les futurs artistes qui désirent explorer les carrières de la culture. Consultez particulièrement la section «Publications» afin de mettre la main sur des études et des documents éclairants sur les conditions de travail des artistes.

UNION DES ARTISTES
https://www.uniondesartistes.com/Public/Default.asp
L'Union des artistes est un syndicat professionnel qui représente les artistes œuvrant en français au Québec et ailleurs au Canada. Un site à visiter pour se familiariser avec la mission de cette organisation.

Arts du cirque*

Avec ses quelques notions d'acrobatie, Nicolas Roche ne croyait pas qu'il lui serait possible de faire carrière dans le monde du cirque. Il a toutefois eu l'audace de se présenter aux auditions de l'École nationale de cirque, et non seulement a-t-il été accepté, mais il a aussi rapidement su se faire remarquer par son talent.

PROG. 561.D0
PRÉALABLE : 0, VOIR PAGE 20

CHAMPS D'INTÉRÊT
- se passionne pour le monde du cirque
- aime la scène et le contact avec le public
- aime créer des numéros
- aime le travail d'équipe
- aime voyager

APTITUDES
- excellente forme physique
- curiosité, créativité et grande sensibilité artistique
- autonomie et discipline
- volonté, persévérance
- faculté d'adaptation

OFFRE DU PROGRAMME PAR RÉGIONS
Montréal

Pour connaître les établissements qui offrent ce programme : www.inforoutefpt.org

RÔLE ET TÂCHES

La formation permet au diplômé de toucher à de nombreuses disciplines comme le trampoline, l'acrobatie, la jonglerie, l'équilibre, la bicyclette artistique, le trapèze, etc. L'artiste a ensuite la possibilité de choisir une spécialité. À sa deuxième année de formation, Nicolas a décidé de devenir un pro des sangles aériennes. «Je suis tombé amoureux de cette discipline où l'on s'enroule sur deux cordes suspendues d'une longueur de quatre mètres à l'aide de ses bras ou de ses jambes. J'ai été fasciné par la beauté du spectacle aérien.»

Dès sa sortie de l'École, Nicolas a été engagé par le cirque Éloize pour participer au spectacle *Nomade*. Il avait déjà monté un numéro de sangles à la fin de ses études, mais il a dû l'adapter pour se produire avec le cirque. «J'ai pu bénéficier de l'aide de conseillers techniques et artistiques. Mais essentiellement, je me suis servi de l'énergie qui était en moi et des choses que je vivais et j'ai essayé de les transposer avec des mouvements très lents sur les sangles.» Ce premier contrat lui a permis de participer à plus de 80 spectacles dans 42 villes, lors d'une tournée aux États-Unis.

En tournée, l'horaire de travail est chargé, précise l'acrobate. «Les techniciens montent la scène le matin et, en après-midi, les artistes participent aux différents tests d'accrochage et d'éclairage.» Nicolas passe aussi beaucoup de temps à s'entraîner, soit dans les gyms des hôtels, soit sur la scène. «Deux heures avant la représentation, on se costume et on se maquille. Puis une fois le spectacle terminé, on participe au démontage de la scène en ramassant les accessoires.» En dehors des tournées, quand le spectacle est en préparation, sa

	Salaire hebdo moyen	Proportion de dipl. en emploi	Emploi relié	Chômage	Nombre de diplômés
2004	763 $	57,1 %	66,7 %	33,3 %	11
2003	N/D	N/D	N/D	N/D	N/D
2002	N/D	N/D	N/D	N/D	N/D

Statistiques tirées de la *Relance* - Ministère de l'Éducation. Voir données complémentaires, page 387.

Comment interpréter l'information, page 19.

journée de travail se déroule plutôt de 9 h à 17 h. Mais Nicolas n'est pas fait pour mener une vie ordinaire. «Le plus passionnant dans ce métier, c'est de voyager, de rencontrer des artistes et de faire rêver les gens.»

QUALITÉS RECHERCHÉES

La volonté et la persévérance sont indispensables pour réussir dans le monde du cirque, estime Nicolas. «En spectacle, les choses ne se passent pas toujours comme on le prévoit. Il faut malgré tout faire la représentation correctement pour les gens qui se sont déplacés. Il faut être là et se donner à fond quelles que soient les circonstances.»

Être en excellente forme physique est une autre qualité incontournable. «Avant même d'être accepté à l'École, il faut avoir des prédispositions physiques et des aptitudes particulières pour l'acrobatie. Le défi, c'est de maintenir cette forme.» En outre, les diplômés ont avantage à développer soit leur polyvalence, soit leur talent dans une discipline particulière. Ainsi, les uns pourront être engagés dans le même cirque pour différents numéros, alors que les autres pourront faire carrière avec un même numéro exceptionnel dans différents cirques. L'artiste doit également être créatif pour réussir à monter des numéros originaux.

> «Le plus passionnant dans ce métier, c'est de voyager, de rencontrer des artistes et de faire rêver les gens.»
>
> — Nicolas Roche

Photo : Christian Tremblay

DÉFIS ET PERSPECTIVES

André St-Jean, formateur à l'École nationale de cirque, soutient que les artistes de cirque sont demandés. «De nombreux spectacles intègrent aujourd'hui des numéros qui font appel à des acrobates. Je pense aux comédies musicales comme *Notre-Dame de Paris* et aux spectacles à grand déploiement comme *Les légendes fantastiques*. Nos diplômés n'éprouvent généralement pas de difficulté à se trouver du travail. Seulement, ils sont pigistes et ils devront se vendre durant toute leur carrière.» L'enseignant ajoute que les artistes de cirque exercent un métier à haut risque où les blessures sont fréquentes et parfois graves. «Ils ont le défi de faire durer leur carrière. C'est à eux de déterminer et de respecter leurs limites. À l'École, on leur apprend à ne pas faire à tout prix le mouvement qu'ils ont prévu s'ils sentent que cela pourrait mal tourner.» 03/03

* Ce programme offre désormais deux voies de spécialisation : *Artiste de cirque spécialiste* et *Artiste de cirque généraliste*.

HORAIRES ET MILIEUX DE TRAVAIL

• Les diplômés peuvent travailler dans des cirques ou pour des spectacles à grand déploiement (comédies musicales, spectacles extérieurs). Ils peuvent également obtenir des contrats pour présenter des spectacles dans des cabarets ou dans des événements spéciaux (festivals, congrès).

• Les artistes de cirque travaillent au Canada ou à l'étranger. Les voyages sont fréquents.

• En tournée, l'horaire de travail est exigeant : l'entraînement et les répétitions se déroulent généralement le jour, et les spectacles ont lieu en soirée.

Danse – interprétation*

Arielle Warnken Saint-Pierre avait un grand intérêt pour la danse contemporaine mais peu d'expérience dans le domaine avant de s'inscrire à l'École de danse de Québec. Elle a dû redoubler d'efforts afin d'atteindre le niveau technique exigé pour être admise au programme. Devenue danseuse professionnelle à 22 ans, elle récolte aujourd'hui les fruits de son travail.

PROG. 561.B0
PRÉALABLE : 80, VOIR PAGE 20

CHAMPS D'INTÉRÊT
• aime la scène et le contact avec le public
• aime s'associer au travail de créateurs et de chorégraphes
• aime la discipline et l'entraînement physique
• nourrit une passion pour l'univers de la danse

APTITUDES
• excellente forme physique et résistance à l'effort
• curiosité, créativité et grande sensibilité artistique
• autonomie, détermination et discipline
• esprit ouvert
• capacité d'apprentissage rapide

OFFRE DU PROGRAMME PAR RÉGIONS
Capitale-Nationale, Montréal

Pour connaître les établissements qui offrent ce programme : www.inforoutefpt.org

RÔLE ET TÂCHES

Depuis sa sortie de l'école, Arielle est travailleuse autonome. Elle cumule plusieurs emplois pour pouvoir vivre de son métier. «J'ai obtenu un contrat d'interprète pour la compagnie Le fils d'Adrien danse, du chorégraphe Harold Rhéaume. J'enseigne la danse contemporaine à l'Université Laval, je donne des cours de danse créative à de jeunes enfants et je remplace occasionnellement le professeur de danse d'une école de cirque de Québec.»

Ses journées débutent le matin par une classe technique (cours dans lequel on apprend la technique du ballet classique ou de la danse contemporaine). Il s'agit pour elle d'un entraînement quotidien qui lui permet de garder sa forme, sa force et sa souplesse. En avant-midi, elle répète avec le chorégraphe en prévision du spectacle et elle enseigne le soir.

Son travail en répétition consiste à apprendre les différents enchaînements avec les autres danseurs sous la direction du chorégraphe. Sa formation, qui l'a initiée à l'improvisation, lui permet également de participer à la création de certaines pièces. Les chorégraphes font souvent appel à la gestuelle des danseurs et à leurs idées pour concevoir leurs œuvres. À titre de professeure de danse, Arielle doit également préparer les plans d'exercices de ses cours en plus de créer les petits enchaînements chorégraphiques qu'elle souhaite montrer à ses élèves. La jeune femme avoue avoir travaillé très fort pour devenir danseuse professionnelle. «Cela m'a demandé une grande volonté. J'ai dû suivre un stage d'été et faire une année préparatoire à l'École pour parfaire ma technique en danse avant d'être acceptée dans le

	Salaire hebdo moyen	Proportion de dipl. en emploi	Emploi relié	Chômage	Nombre de diplômés
2004	N/D	N/D	N/D	N/D	N/D
2003	N/D	N/D	N/D	N/D	N/D
2002	N/D	N/D	N/D	N/D	N/D

Statistiques tirées de la *Relance* - Ministère de l'Éducation. Voir données complémentaires, page 387.

Comment interpréter l'information, page 19.

programme.» Pendant sa formation, Arielle a suivi des cours de ballet classique et de danse contemporaine tous les jours en plus d'effectuer des stages avec des professeurs et chorégraphes invités afin de se familiariser avec les différentes techniques de danse.

QUALITÉS RECHERCHÉES

Le danseur doit être au summum de sa forme et de sa technique pour réussir dans ce domaine. La formation d'un danseur se poursuit tout au long de sa carrière. Le diplômé doit donc être autonome et discipliné pour suivre son entraînement. «Il faut aussi avoir la flamme, ajoute Arielle. Le danseur doit être passionné pour percer dans ce milieu où les conditions de travail sont difficiles. Le milieu est très compétitif, ce sont les meilleurs qui sont engagés, et le danseur doit cumuler plusieurs emplois pour vivre de son métier. Enfin, il faut toujours être à l'affût de ce qui se fait et aller au-devant des créateurs pour se faire connaître.» La sensibilité artistique est une autre qualité importante pour bien rendre l'interprétation, explique la jeune femme. En effet, le danseur doit pouvoir recevoir une émotion et savoir la retransmettre dans le mouvement.

Pendant sa formation, Arielle a suivi des cours de ballet classique et de danse contemporaine tous les jours en plus d'effectuer des stages avec des professeurs et chorégraphes invités afin de se familiariser avec les différentes techniques de danse.

DÉFIS ET PERSPECTIVES

Il est très difficile de se trouver un poste stable dans ce métier, indique Dominique Turcotte, directrice générale et pédagogique de l'École de danse de Québec, qui offre la formation en danse contemporaine. «La recherche d'emploi dépend de la capacité des jeunes à se faire connaître. À leur sortie de l'École, les diplômés doivent acquérir deux années d'expérience avant de pouvoir être considérés comme des danseurs professionnels. Mais ce n'est pas facile de se faire engager lorsqu'on n'est pas connu. Les jeunes danseurs ou les diplômés créent souvent des groupes de production pour monter leurs propres projets et parvenir à cumuler ainsi cette expérience.» Mme Turcotte se montre malgré tout optimiste face à l'avenir de la danse au Québec. «La reconnaissance du métier fait son chemin. Déjà, le fait que la formation soit intégrée au programme du ministère de l'Éducation compte pour beaucoup. Et à moyen terme, ça ne peut que mener à la création de compagnies de danse et à l'amélioration des conditions de travail.» 02/03

Photo : École supérieure de danse du Québec

* Ce programme offre désormais deux voies de spécialisation : *Danse classique* et *Danse contemporaine*.

HORAIRES ET MILIEUX DE TRAVAIL

• Au Québec, les interprètes en danse classique peuvent travailler pour les Grands Ballets canadiens, la principale compagnie de danse classique.

• En danse contemporaine, environ une quarantaine de compagnies et de chorégraphes indépendants sont actifs au Québec.

• Le Canada anglais, l'Europe et les États-Unis offrent d'autres possibilités d'emploi aux danseurs.

• L'entraînement occupe beaucoup de temps dans la vie du danseur. Les classes d'entraînement se déroulent habituellement le matin, les répétitions ont lieu l'après-midi, et les soirées sont consacrées aux représentations.

Design de présentation

Les professionnels du design de présentation sont partout : décorateurs au cinéma, à la télévision ou au théâtre; étalagistes dans les grands magasins; stylistes pour des magazines; concepteurs de stands pour des foires commerciales... Autant de métiers qui façonnent les images autour de nous.

PROG. 570.02
PRÉALABLE : 0, VOIR PAGE 20

CHAMPS D'INTÉRÊT
- aime les arts visuels, le design
- aime le travail manuel
- aime le travail en équipe

APTITUDES
- autonomie
- débrouillardise
- sens artistique
- capacité de travailler sous pression

OFFRE DU PROGRAMME PAR RÉGIONS
Bas-Saint-Laurent, Capitale-Nationale, Montréal

Pour connaître les établissements qui offrent ce programme : **www.inforoutefpt.org**

RÔLE ET TÂCHES

Annick Donnelly travaille pour la chaîne de boutiques Clément, qui se spécialise dans les vêtements, l'ameublement et les accessoires pour enfants, ainsi que dans les uniformes scolaires. «J'aimais beaucoup les arts et la fabrication d'objets, raconte-t-elle. Je suis devenue étalagiste pour les boutiques Clément par goût pour le marché de l'enfance, qui est toujours artistique, imaginatif.»

Ayant décroché son emploi quelques mois après l'obtention de son DEC, Annick Donnelly l'occupe toujours 12 ans plus tard. Mais elle a gravi les échelons. «Aujourd'hui, je suis chef étalagiste, explique fièrement la jeune femme. Je m'assure que les directives de mise en marché sont acheminées dans tous les magasins.» Et même après autant d'années de service, elle ne trouve pas le temps de s'ennuyer. «Il faut refaire les vitrines, les murs et les comptoirs, habiller des mannequins, monter des chambres d'enfants, préparer des présentations d'accessoires pour bébés... Je touche à une foule de choses.» Il lui faut aussi se déplacer d'une boutique à l'autre, ce qui l'amène à travailler dans des environnements fort différents, des grands centres commerciaux en ville et en banlieue jusqu'aux petites boutiques en région.

Les fonctions et les responsabilités des diplômés en design de présentation varient selon le milieu de travail. Dans les grands comme dans les petits magasins, ils seront étalagistes ou assistants des professionnels du marketing. S'ils se spécialisent dans le domaine de l'exposition, ils auront à

	Salaire hebdo moyen	Proportion de dipl. en emploi	Emploi relié	Chômage	Nombre de diplômés
2004	375 $	67,9 %	61,3 %	10,0 %	75
2003	388 $	60,3 %	57,6 %	13,6 %	85
2002	384 $	67,2 %	67,6 %	10,4 %	84

Statistiques tirées de la *Relance* - Ministère de l'Éducation. Voir données complémentaires, page 387.

Comment interpréter l'information, page 19.

concevoir des installations complètes, parfois itinérantes (comme des stands). Les ateliers de décors (de théâtre, de cinéma, de télévision ou encore d'événements spéciaux) représentent d'autres débouchés. Il y a aussi le stylisme, qui consiste à assister des artistes, tels les photographes, en effectuant la recherche d'accessoires pour mettre des produits en valeur dans des publicités. Enfin, un petit nombre de diplômés s'activent au sein des musées.

QUALITÉS RECHERCHÉES

Dans ce métier, la créativité et la débrouillardise sont nécessaires, par exemple pour dénicher des matériaux faciles à utiliser et peu onéreux. «Il faut être polyvalent, rapide, avoir beaucoup d'initiative, professe Annick Donnelly. Il faut aussi être à l'affût de ce qui se passe dans le domaine des arts même s'il n'y a pas de lien direct avec l'emploi qu'on occupe. On peut ainsi découvrir de nouvelles façons de monter des décors, de nouveaux matériaux, etc.» Il s'agit d'un travail très physique, ajoute-t-elle. «On monte souvent sur des escabeaux, il ne faut pas avoir le vertige.»

DÉFIS ET PERSPECTIVES

«Il y a une demande croissante pour les gens en marchandisage, c'est-à-dire qui s'occupent de la mise en place des produits pour les rendre plus visibles et plus attrayants en magasin», affirme Mme Bastien, enseignante au Cégep du Vieux Montréal. Autre avenue prometteuse pour les diplômés : la popularité grandissante des salons de toutes sortes (de l'auto, de l'habitation, du livre, etc.). À Montréal, la Place-Bonaventure et le Palais des congrès ont d'ailleurs été rénovés et agrandis pour satisfaire aux nouveaux besoins.

Dans les domaines de la télévision, du cinéma et des arts de la scène, le travail est plus instable. Les diplômés sont le plus souvent pigistes, employés pour des contrats aussi intensifs que limités dans le temps (un, deux ou trois mois). Pour gagner sa vie dans ces milieux, il faut donc développer un certain sens de l'entrepreneurship et ne pas avoir peur de cogner aux portes. 05/03

> «Il y a une demande croissante pour les gens en marchandisage, c'est-à-dire qui s'occupent de la mise en place des produits pour les rendre plus visibles et plus attrayants en magasin.»
>
> — Francine Bastien

Photo : Collège Inter-Dec

HORAIRES ET MILIEUX DE TRAVAIL

- Certaines industries sont saisonnières, notamment celles des tournages cinématographiques et des salons commerciaux.

- Il y a peu d'emplois réguliers, mais beaucoup de travail à la pige.

- Les horaires varient en fonction du travail et des échéanciers (qui sont souvent serrés).

- Dans le commerce de détail, les emplois peuvent être plus stables. On y observe par ailleurs des périodes de pointe qui correspondent aux efforts de marketing saisonniers : à la rentrée scolaire, à Halloween, à Noël, à Pâques et durant l'été.

Design d'intérieur

S'il existe un terme qui peut servir de leitmotiv à Shade Gosselin, c'est bien le mot «défi». Déterminée comme pas une, cette jeune femme a su relever tous ceux qui se sont présentés à elle avant d'atteindre son poste actuel de designer chez MSM Design.

PROG. 570.03
PRÉALABLE : 0, VOIR PAGE 20

CHAMPS D'INTÉRÊT
• aime les arts
• aime écouter, être utile et conseiller
• aime créer et résoudre des problèmes concrets
• aime dessiner et agencer les formes, les textures et les couleurs

APTITUDES
• talent artistique (dessin) et excellent sens de l'observation
• excellent jugement et grand sens esthétique
• esprit pratique et créativité
• sait communiquer, écouter et convaincre
• a du tact (sait respecter les goûts du client)

OFFRE DU PROGRAMME PAR RÉGIONS
Bas-Saint-Laurent, Capitale-Nationale, Lanaudière, Mauricie, Montérégie, Montréal, Outaouais

Pour connaître les établissements qui offrent ce programme : www.inforoutefpt.org

RÔLE ET TÂCHES

«J'aime relever les défis. Dans le domaine du design, on est toujours en quête d'un nouveau contrat, on doit sans cesse aller plus loin. Créer des concepts est un défi. Comprendre les besoins du client et lui apporter ce qu'il veut est un autre défi», explique Shade Gosselin. Pour arriver là où elle est, elle a dû se tailler une place. Vendeuse chez Bouclair pendant ses études, elle a réussi à obtenir un poste de gérante. Puis, elle s'est retrouvée vendeuse dans une boutique de meubles haut de gamme, et ensuite chez Armoires Design Plus, où tout a vraiment commencé... «Je créais des armoires et je conseillais les gens pour l'aménagement de leur cuisine. C'est là que j'ai commencé à affiner mes goûts et que je me suis mise à créer. C'est aussi là que j'ai réalisé que j'étais une bonne vendeuse.» Un soir, le téléphone a sonné; le patron de MSM Design lui offrait un emploi.

MSM Design est une entreprise de designers concepteurs dont la clientèle est commerciale. La compagnie s'occupe de l'aménagement d'espaces commerciaux. «Quand on "design", on ne décore pas, on crée», explique Shade. Chez MSM Design, elle aide donc à créer. Avec son patron, elle imagine l'aménagement des intérieurs auxquels elle travaille. C'est elle qui fait la recherche des matériaux et qui rencontre les fournisseurs. Avec eux, elle se transforme en femme d'affaires. Elle négocie les contrats et les prix. Shade se rend aussi sur les chantiers de construction, c'est-à-dire ceux des centres commerciaux, des boutiques et des restaurants. Son casque protecteur sur la tête, elle dirige les équipes d'électriciens, de plombiers et autres spécialistes de la construction, leur donnant ses directives pour que

	Salaire hebdo moyen	Proportion de dipl. en emploi	Emploi relié	Chômage	Nombre de diplômés
2004	416 $	77,2 %	69,1 %	2,1 %	181
2003	390 $	87,3 %	71,6 %	0,0 %	218
2002	369 $	82,7 %	70,8 %	5,2 %	182

Statistiques tirées de la *Relance* - Ministère de l'Éducation. Voir données complémentaires, page 387.

Comment interpréter l'information, page 19.

le résultat corresponde au plan initial. C'est aussi elle qui se charge de régler les inévitables pépins. Son prochain défi? Aller chercher les contrats elle-même car, pour le moment, c'est la responsabilité de son patron. «En ce moment, j'apprends, dit-elle. Dans une dizaine d'années, je voudrais avoir ma propre entreprise. C'est le rêve de tout diplômé en design.»

QUALITÉS RECHERCHÉES

«Ceux qui désirent travailler en design doivent être débrouillards, imaginatifs et aimer créer, dit Shade. Ils ne doivent pas craindre les défis, mais avoir du leadership et être en mesure de mener leurs idées à terme.» Savoir travailler en équipe, être disponible, minutieux et curieux sont d'autres qualités recherchées, selon elle. À son avis, l'anglais est un atout important qui permet d'élargir ses horizons. Comme c'est une langue qu'elle ne maîtrise pas, la jeune femme a bien l'intention de remédier à cette lacune en suivant bientôt des cours. Pierre Bilodeau, coordonnateur au Département de design d'intérieur au Cégep François-Xavier-Garneau, croit pour sa part qu'un bon designer doit pratiquer l'écoute active s'il veut adapter l'environnement qu'il va créer à la façon de vivre de son client.

«J'aime relever les défis. Dans le domaine du design, on est toujours en quête d'un nouveau contrat, on doit sans cesse aller plus loin.»

— Shade Gosselin

DÉFIS ET PERSPECTIVES

Le principal défi de tout designer est d'être constamment au fait des nouvelles tendances. «Le diplômé doit sans cesse se renouveler, affirme Pierre Bilodeau. Être au courant, par exemple, des couleurs et des finis qui sont à la fine pointe de la mode.» Il doit faire preuve d'ouverture et se montrer réceptif aux nouveaux produits qui lui sont présentés. Les nouvelles technologies influent également sur le domaine du design, et elles changent toute l'organisation du travail. Les diplômés se servent de plus en plus de logiciels spécialisés, ce qui leur permet de fournir un meilleur rendement. On constate déjà la percée du design informatisé, mais la tendance promet de se développer encore davantage au cours des prochaines années.

Selon Pierre Bilodeau, d'ici à 5 ou 10 ans, tout sera informatisé. «Les clients exigeront de plus en plus les services de designers informatisés afin, par exemple, de pouvoir visualiser le plan tridimensionnel de leur aménagement sur ordinateur», prédit-il. 03/01

HORAIRES ET MILIEUX DE TRAVAIL

- Les employeurs sont les firmes de designers, les bureaux d'architectes, les boutiques de décoration, les magasins de vente au détail, les quincailleries.

- Il est possible de travailler pour son compte, c'est-à-dire de façon contractuelle.

- Le designer peut travailler de 9 h à 17 h, mais aussi les soirs et les fins de semaine si ses contrats l'exigent.

Interprétation théâtrale

Patrick Martin a découvert le plaisir d'interpréter des personnages en participant à des vidéos d'amateurs au secondaire, mais il n'avait jamais joué sur une scène avant de faire son choix de carrière. «Mes premières scènes théâtrales, je les ai jouées lors de mes auditions dans les écoles de théâtre. J'ai eu de la chance! J'ai été admis du premier coup au Cégep de Saint-Hyacinthe.»

PROG. 561.C0
PRÉALABLE : 0, VOIR PAGE 20

CHAMPS D'INTÉRÊT
- se passionne pour le jeu théâtral
- aime la scène et le contact avec le public
- aime le travail de création
- aime lire et se renseigner sur les époques et les auteurs

APTITUDES
- ouverture d'esprit, curiosité et sens de l'observation
- créativité et grande sensibilité artistique
- facilité à mémoriser des textes
- persévérance et discipline
- bonne forme physique

OFFRE DU PROGRAMME PAR RÉGIONS
Laurentides, Montérégie, Montréal

Pour connaître les établissements qui offrent ce programme : www.inforoutefpt.org

RÔLE ET TÂCHES

Le programme d'interprétation théâtrale forme des comédiens professionnels. La formation est axée sur le théâtre parce qu'on estime que les diplômés qui arrivent à maîtriser les techniques théâtrales de jeu, de pose de voix, de diction et de lecture peuvent les adapter pour le cinéma et la télévision. La formation couvre différents aspects du métier d'acteur : l'interprétation, le chant, la danse et l'improvisation. L'apprentissage comprend aussi des cours de jeu devant la caméra et de postsynchronisation pour le doublage de films.

Depuis qu'il a obtenu son diplôme, en juin 2002, Patrick a décroché un rôle dans le téléroman *Watatatow* et joué au théâtre dans une pièce de Marie-Claire Blais, en plus de tenir des petits rôles dans deux téléséries.

Avant de tourner un épisode de téléroman, Patrick dit devoir travailler au moins 10 heures pour apprendre son texte. Il compte ensuite une journée de répétition avec les autres comédiens pour chaque jour de tournage. Le jeune comédien doit également passer des auditions, car comme il travaille à la pige, il lui faut trouver d'autres contrats en prévision de la fin de celui qui l'occupe pour le moment. Souvent, les comédiens doivent passer une dizaine d'auditions avant de décrocher un rôle.

QUALITÉS RECHERCHÉES

Le métier exige une grande ouverture sur le monde. Pour bien comprendre leurs personnages et les interpréter d'une manière crédible, les comédiens

	Salaire hebdo moyen	Proportion de dipl. en emploi	Emploi relié	Chômage	Nombre de diplômés
2004	287 $	70,4 %	30,0 %	9,5 %	40
2003	352 $	71,0 %	36,4 %	4,3 %	49
2002	336 $	29,2 %	33,3 %	12,5 %	34

Statistiques tirées de la *Relance* - Ministère de l'Éducation. Voir données complémentaires, page 387.

Comment interpréter l'information, page 19.

doivent faire des recherches sur les auteurs de théâtre et sur les époques où se déroulent les pièces. Les diplômés peuvent aussi nourrir leur inspiration en s'intéressant à tout ce qui se fait en théâtre et en allant voir des spectacles.

Un bon sens de l'observation aide aussi à enrichir le jeu des acteurs. «Je me promène à Montréal et j'observe les gens, confie Patrick. Je regarde, par exemple, les personnes âgées ou les adolescents, et j'essaie d'enregistrer la façon dont ils bougent et se comportent.»

On s'attend également à ce que le comédien fasse preuve de concentration, d'une bonne capacité à mémoriser des textes et d'une grande patience. «Les journées de tournage sont longues, précise le diplômé. On peut être sur le plateau de tournage pendant 10 heures, mais n'en passer que 2 devant les caméras.» Car même s'il ne joue que dans deux petites scènes, elles ne sont pas nécessairement tournées l'une après l'autre. Patrick doit donc attendre son tour.

La formation est axée sur le théâtre parce qu'on estime que les diplômés qui arrivent à maîtriser les techniques théâtrales de jeu, de pose de voix, de diction et de lecture peuvent les adapter pour le cinéma et la télévision.

DÉFIS ET PERSPECTIVES

À leur sortie du cégep, les diplômés doivent faire face à une compétition féroce, indique Jo-Ann Quérel, coordonnatrice du Département d'interprétation théâtrale au Cégep de Saint-Hyacinthe. «Ils doivent se tailler une place parmi tous les diplômés des autres écoles de théâtre, les autodidactes et les jeunes comédiens sans formation qui ont commencé à faire de la télévision étant enfants et qui sont devenus des professionnels extraordinaires.»

Ils doivent aussi apprendre à s'autodiscipliner. «Ils passent d'un mode de vie très structuré où, pendant trois ans, ils ont été encadrés et entraînés quotidiennement, à un environnement où ils sont libres de leur temps. Les diplômés doivent s'imposer des exercices de diction et de lecture et garder une certaine forme physique pour être prêts lorsqu'on a besoin d'eux.»

Malgré la forte concurrence du milieu, Mme Quérel note que les comédiens ne manquent pas de boulot. «Ce qui est formidable, c'est que le travail n'est plus concentré à Montréal. Il y a une demande importante pour développer la vie culturelle hors des grands centres et on voit naître beaucoup d'événements en région. Également, les jeunes comédiens sont de plus en plus autonomes et ne craignent pas de créer leur emploi en montant leurs propres spectacles.» 03/03

Photo : Collège Lionel-Groulx

HORAIRES ET MILIEUX DE TRAVAIL

- Le comédien professionnel travaille à titre de pigiste pour des compagnies théâtrales et des productions cinématographiques, télévisuelles ou publicitaires.
- La postsynchronisation (doublage de films) et le domaine des communications (animation et journalisme) occupent certains comédiens.
- On verra aussi des diplômés se tourner vers la mise en scène, l'écriture théâtrale ou l'enseignement.
- Les périodes de travail intensif succèdent à des moments plus tranquilles. Le comédien doit se montrer assez souple lorsque les contrats se présentent.

Photographie

«C'est à travers le voyage que j'ai découvert la photo. Je fixais mes rencontres et mes souvenirs sur pellicule. L'idée m'est venue de vivre de ma passion.» Martin Morissette a suivi ses cours de photographie au Cégep du Vieux Montréal. Il est maintenant photographe indépendant, spécialiste des événements culturels.

PROG. 570.04
PRÉALABLE : 0, VOIR PAGE 20

CHAMPS D'INTÉRÊT

- aime observer et créer des images
- aime travailler avec la technologie (utiliser des appareils et l'informatique)
- aime communiquer et vendre

APTITUDES

- sens esthétique et grande acuité de perception visuelle et spatiale (autant du détail que de l'ensemble)
- imagination, jugement et débrouillardise
- esprit vif et excellents réflexes
- facilité à communiquer et à convaincre
- disponibilité, flexibilité, résistance au stress

OFFRE DU PROGRAMME PAR RÉGIONS
Bas-Saint-Laurent, Montréal

Pour connaître les établissements qui offrent ce programme : **www.inforoutefpt.org**

RÔLE ET TÂCHES

Le travail de photographe est constitué de diverses tâches. «Je dois notamment trouver des clients, dit-il. Je vais les chercher dans le milieu culturel. Je couvre les productions théâtrales ou musicales pour le compte des organisateurs. Une autre partie de mon travail consiste à effectuer les prises de vues. J'apporte mon matériel sur les lieux de l'événement et je fais mes photos en me laissant inspirer par le sujet.»

Les commanditaires de Martin lui laissent généralement une grande latitude sur le plan créatif. Il discute préalablement avec eux pour savoir, par exemple, s'ils veulent de la couleur, du noir et blanc ou des cadrages particuliers. «Il m'arrive de faire quelques contrats commerciaux. J'ai aussi d'autres activités, courantes en photographie, telles que le portrait pour les particuliers et les photos de distribution pour les acteurs.» Le jeune homme s'occupe également des tirages dans son laboratoire.

Pour faire connaître son travail, il utilise de plus en plus les nouvelles technologies numériques. Il envoie des échantillons de son œuvre par Internet à ses clients. «J'ai même un site en construction», annonce-t-il fièrement.

QUALITÉS RECHERCHÉES

Martin explique que le temps consacré à la prise de vues, comme telle, est finalement assez restreint. «Je consacre la majeure partie de mon temps à trouver des clients, dit-il. Il faut donc pas mal d'entregent pour réussir dans ce métier. Quand on fait du bon travail, le bouche à oreille est la meilleure publicité.»

	Salaire hebdo moyen	Proportion de dipl. en emploi	Emploi relié	Chômage	Nombre de diplômés
2004	400 $	70,2 %	53,8 %	2,9 %	70
2003	362 $	74,0 %	53,6 %	9,8 %	71
2002	380 $	83,0 %	66,7 %	7,1 %	69

Statistiques tirées de la *Relance* - Ministère de l'Éducation. Voir données complémentaires, page 387.

Comment interpréter l'information, page 19.

La patience et l'écoute sont aussi des qualités indispensables permettant de bien saisir les désirs et les besoins du client. Pour le travail en laboratoire, le souci du détail et l'habileté technique seront fort utiles. «Il faut être très disponible, dit Martin. Ce n'est pas un métier où l'on compte ses heures...» Le jeune photographe est persuadé qu'il faut être pourvu d'un certain talent pour la photographie si l'on veut réussir dans ce métier. «On doit être rapide, attentif, et surtout avoir "l'œil" pour déclencher au bon moment. Ça ne s'apprend pas. Ce talent, tu l'as ou tu ne l'as pas», affirme-t-il.

André Bourbonnais est responsable de la coordination du Département de photographie au Cégep du Vieux Montréal. Il est tout à fait d'accord avec Martin lorsqu'il s'agit de déterminer les qualités essentielles pour exercer ce métier. «Le talent est une qualité incontournable pour réussir en photographie, dit-il. L'aspect créatif aussi. Mais il ne faut pas oublier le côté "business" du métier. Les photographes sont aussi des vendeurs qui gèrent leur petite entreprise. Ils doivent payer leurs factures, leurs taxes. Pour mener à bien tout ça, ils doivent avoir le sens des affaires et une facilité à entretenir de bonnes relations avec les clients.»

> L'avènement du numérique est un défi auquel sont confrontés les diplômés.

DÉFIS ET PERSPECTIVES

M. Bourbonnais met en garde les futurs diplômés : avant d'espérer exercer le métier dont ils rêvent, ça prend en général trois ou quatre ans. Il faut donc être doté d'une persévérance sans faille. Il explique que les diplômés empruntent trois pistes différentes en quittant le cégep. Une bonne partie d'entre eux travaillent dans les laboratoires photo ou comme adjoints aux photographes, d'autres se lancent en affaires en tant que photographes indépendants, et certains continuent à l'université pour accomplir un bac en communication, en cinéma ou en photo.

L'avènement du numérique est un défi auquel sont confrontés les diplômés. «De la prise de vues à l'impression, la technologie numérique s'est emparée de la photographie, dit-il. Paradoxalement, face à ces développements technologiques, on remarque un retour à des procédés plus anciens. Il n'en reste pas moins que de nombreux secteurs tels que la photo médicale, la photo d'architecture, l'édition de catalogues ou la réalisation des circulaires sont déjà passés au numérique.» 03/01

HORAIRES ET MILIEUX DE TRAVAIL

• Les photographes sont souvent des travailleurs indépendants.

• Ils peuvent être employés comme photographes de presse ou faire de la photo publicitaire, médicale, etc.

• Les bureaux d'architectes, les grandes entreprises, les organismes publics se prévalent souvent de leurs services.

• Le travail s'effectue généralement selon des horaires variables, sauf dans les laboratoires où les horaires sont réguliers.

Techniques de design industriel

Embauché à l'Institut national d'optique (INO) à Sainte-Foy, Pascal Leroux a trouvé l'occasion de mettre à profit ses talents de technicien en design industriel. «Les projets sont très complets et me permettent de faire aussi bien de la recherche esthétique que du dessin de pièces assisté par ordinateur», dit-il.

PROG. 570.C0
PRÉALABLES : 11, 40, VOIR P. 20

CHAMPS D'INTÉRÊT
- aime les sciences et la technologie
- aime travailler avec un ordinateur
- aime calculer et dessiner
- aime coopérer et résoudre des problèmes pratiques

APTITUDES
- facilité pour les sciences (math, géométrie, informatique)
- talent pour le dessin
- esprit pratique et méthodique
- grandes capacités d'adaptation et de communication
- jugement et créativité

OFFRE DU PROGRAMME PAR RÉGIONS
Capitale-Nationale, Montréal

Pour connaître les établissements qui offrent ce programme : **www.inforoutefpt.org**

RÔLE ET TÂCHES

Le jeune homme travaille actuellement à un projet de boîtier qui doit recevoir des éléments optiques. Son rôle est de créer un objet à la fois ergonomique, esthétique et fonctionnel. «Je suis en relation étroite avec toute une équipe de chercheurs, d'ingénieurs et de concepteurs qui me fournissent un cahier des charges très précis, explique-t-il. Lors de nos réunions, je lance des idées dont je réalise des croquis sur papier puis, une fois que ces croquis sont validés, j'en fais des études plus détaillées.» Plus le projet avance, plus les données doivent être affinées. L'optique étant un domaine de très haute précision, la justesse des mesures est un facteur essentiel. C'est pourquoi, après les études préliminaires, Pascal dessine ses boîtiers sur ordinateur à l'aide des plus récents logiciels. Il lui arrive également d'en faire des prototypes virtuels animés. Cette seconde phase l'aide à visualiser l'objet et ses défauts possibles. En cours de projet, il peut aussi réaliser d'authentiques maquettes à l'échelle et en trois dimensions. «L'INO étant un centre de recherche sur des technologies de pointe, la confidentialité des informations est vitale, confie Pascal. J'ai un devoir de réserve concernant les projets dont je m'occupe. Ma fonction comporte de nombreuses responsabilités. Je participe à la prise de décisions importantes. Le choix des matériaux est également de mon ressort. C'est un métier plein de défis où l'on doit chaque jour conjuguer les impératifs techniques et l'esthétique.»

	Salaire hebdo moyen	Proportion de dipl. en emploi	Emploi relié	Chômage	Nombre de diplômés
2004	534 $	60,0 %	73,3 %	11,8 %	37
2003	502 $	77,4 %	83,3 %	0,0 %	39
2002	525 $	69,2 %	76,5 %	0,0 %	41

Statistiques tirées de la *Relance* - Ministère de l'Éducation. Voir données complémentaires, page 387.

Comment interpréter l'information, page 19.

QUALITÉS RECHERCHÉES

La créativité est une qualité primordiale du technicien en design. Même si ce dernier exerce dans le milieu industriel, on fera toujours appel à son imagination et à ses talents artistiques, tant pour soigner l'aspect esthétique des objets que pour trouver la solution à un problème de design. «La créativité, ça se cultive plus que ça ne s'apprend, affirme Pascal. Il faut en être pourvu au départ. C'est un état d'esprit qui aide autant dans la conception que dans le dessin.» Ce technicien doit, bien entendu, avoir le souci du détail et être très minutieux. «Les outils informatiques m'aident beaucoup à atteindre ce niveau de précision, explique Pascal. En revanche, ils ne dispensent pas d'être organisé et méthodique. Gérer en même temps plusieurs aspects d'un projet est une chose qui me plaît particulièrement.» Pascal travaille toujours en équipe avec les chercheurs et les concepteurs. «Il faut savoir communiquer ses idées clairement à travers son discours ou ses dessins et saisir les besoins et les concepts de ses partenaires.»

> «C'est un métier plein de défis où l'on doit chaque jour conjuguer les impératifs techniques et l'esthétique.»
>
> — Pascal Leroux

DÉFIS ET PERSPECTIVES

«Les entreprises commencent à découvrir les qualités de nos techniciens en design industriel, constate Michel Lévesque, coordonnateur du programme au Cégep de Sainte-Foy. Grâce à des projets de fin d'études, nos élèves se sont placés dans plus de 150 entreprises de la province et ont ainsi été capables de démontrer leur savoir-faire. C'est d'ailleurs l'un des défis des jeunes diplômés : faire connaître et expliquer les services qu'ils offrent et les avantages que les compagnies peuvent en retirer», considère-t-il.

Photo : Département de design industriel du Cégep de Sainte-Foy

À son avis, si les grandes compagnies n'emploient quasiment que des bacheliers, le marché des PME est très ouvert aux techniciens, qui peuvent remplacer les services des bureaux de design ou les compléter. «À l'heure de la mondialisation et du libre-échange à trois, de nombreuses entreprises mettent sur pied des équipes en recherche et développement ou en amélioration de produits. Ce sont autant de possibilités pour les techniciens en design», fait remarquer Michel Lévesque. De plus, les logiciels de conception et de dessin assistés par ordinateur évoluent aussi vite que l'appareillage et les matériaux comme le plastique ou les composites. «En fonction du secteur où ils exercent, il faudra donc que les diplômés se tiennent toujours au courant des nouveautés», conclut M. Lévesque. 02/01

HORAIRES ET MILIEUX DE TRAVAIL

- Les diplômés travaillent dans le secteur manufacturier, principalement pour les PME.
- Les firmes de design, les bureaux d'ingénieurs ou d'architectes sont des employeurs potentiels.
- L'informatique est utilisée pour le dessin et la conception des pièces.

- Les travailleurs de ce secteur font très souvent partie d'une équipe et collaborent avec des ingénieurs et des concepteurs.
- Le travail s'effectue selon des horaires de bureau réguliers.

Techniques de métiers d'art (Céramique)

Alors qu'elle était préposée dans une bibliothèque, Marie-Ève Fortin rêvait d'autre chose. «Ce que je voulais, c'était travailler dans le domaine des arts, de chez moi.» Elle a atteint son objectif puisqu'elle exerce aujourd'hui le métier de céramiste. De chez elle!

PROG. 573.AA
PRÉALABLE : 0, VOIR PAGE 20

CHAMPS D'INTÉRÊT

- aime étudier la forme des objets par le toucher
- aime travailler seul (bien qu'il soit possible de travailler en groupe)
- aime lire sur les techniques de céramique
- aime le travail manuel

APTITUDES

- dextérité manuelle
- débrouillardise et autonomie
- bonne concentration
- sens des priorités
- bonne compréhension de la chimie (atout)

OFFRE DU PROGRAMME PAR RÉGIONS
Capitale-Nationale, Montréal

RÔLE ET TÂCHES

Marie-Ève a fait un DEC en céramique au Cégep du Vieux Montréal. Depuis deux ans, elle fabrique des pièces issues de son imagination, la plupart du temps en fonction de commandes ponctuelles. «Une fois, je suis allée à un restaurant qui projetait d'ouvrir une terrasse et qui avait besoin d'un service de vaisselle. J'ai offert de créer la collection au complet!»

Réaliser un tel contrat demande environ trois semaines de travail. «Je commence par le tournage de chacune des pièces : je prends de l'argile molle, que je façonne à l'aide d'un tour (sorte de plateau rotatif) pour faire une tasse, par exemple. Ensuite, je forme le genre de cercle qu'on retrouve sous chaque tasse. Puis, je modèle l'anse et toute autre décoration en trois dimensions, et je les pose sur la pièce.»

Marie-Ève doit ensuite attendre que sa série de pièces sèche complètement. «Il y a beaucoup de temps d'attente en céramique. Il faut être patient», précise-t-elle, avant de poursuivre l'énumération des autres étapes : première cuisson, application d'une couche de verre transparente ou opaque (appelée «glaçure»), deuxième cuisson, ponçage, étiquetage et emballage.

La céramiste dit consacrer 60 % de son temps à la production. Ses autres tâches? La mise en marché de ses produits et la gestion de son entreprise, incluant l'achat des matières premières, comme l'argile.

Pour connaître les établissements qui offrent ce programme : www.inforoutefpt.org

	Salaire hebdo moyen	Proportion de dipl. en emploi	Emploi relié	Chômage	Nombre de diplômés
2004	N/D	N/D	N/D	N/D	N/D
2003	N/D	N/D	N/D	N/D	N/D
2002*	245 $	87,5 %	100,0 %	0,0 %	9

Statistiques tirées de la *Relance* - Ministère de l'Éducation. Voir données complémentaires, page 387.

* Données de l'ancien programme *Techniques de métiers d'art (Céramique)* (573.17)

Comment interpréter l'information, page 19.

QUALITÉS RECHERCHÉES

Un céramiste doit évidemment être habile de ses mains, pour effectuer le tournage, entre autres. De plus, il doit posséder une bonne résistance au stress, surtout lors des périodes de production intensive.

«La curiosité est importante aussi, ajoute Marie-Ève. Il faut avoir le goût de chercher de nouvelles idées de produits si on veut réussir à faire quelque chose d'original.» Par exemple, l'obtention d'une couleur peut demander une longue série d'essais et d'erreurs. Marie-Ève croit aussi qu'il faut être passionné et mûr pour réussir la formation, qui, en plus des heures de cours, comporte beaucoup de travail pratique. Par la suite, sur le marché du travail, il faut à la fois maîtriser les aspects techniques, artistiques et commerciaux du métier. «On embarque là-dedans à corps perdu!» Toutefois, de plus en plus de céramistes se regroupent pour briser l'isolement et partager les coûts des locaux et de l'équipement.

> «La curiosité est importante. Il faut avoir le goût de chercher de nouvelles idées de produits si on veut réussir à faire quelque chose d'original.»
>
> — Marie-Ève Fortin

DÉFIS ET PERSPECTIVES

Quand on travaille dans ce domaine, on est généralement travailleur autonome et, pour réussir, il faut proposer un produit original, explique Judith Faber, céramiste et professeure au Centre de formation et de consultation en métiers d'art (relié au Cégep de Limoilou). Cela dit, Mme Faber conseille aux nouveaux diplômés d'acquérir d'abord de l'expérience auprès d'un céramiste établi ou dans une école, pour se familiariser avec tous les aspects de la fabrication. «Après un an ou deux, le diplômé sera en mesure de produire facilement, et donc, de se lancer à son compte.»

Premier défi de tout entrepreneur : trouver du financement. Selon Mme Faber, de 5 000 à 6 000 $ sont nécessaires pour acheter l'équipement de base d'un atelier. Le branchement sécuritaire des fours et la gestion des produits toxiques utilisés peuvent nécessiter de l'aide extérieure, d'où l'importance, selon l'enseignante, de développer un bon réseau de contacts. «Quand on est aux prises avec de l'argile qui se fendille ou un four qui n'atteint pas la température voulue, il faut savoir qui appeler.» Cela prend plusieurs années avant de parvenir à vivre de sa production... si on y arrive, prévient Mme Faber. Les céramistes qui réussissent peuvent occuper le créneau des commandes d'entreprises ou celui des particuliers, en vendant leur production dans les salons de métiers d'art au Canada et à l'étranger. 03/03

HORAIRES ET MILIEUX DE TRAVAIL

- Les céramistes travaillent depuis leur domicile ou dans un atelier qu'ils peuvent occuper seuls ou avec des collègues. Ils peuvent aussi trouver de l'emploi auprès de céramistes établis ou dans l'une des deux écoles québécoises offrant le programme de formation en céramique (à Montréal et à Québec).

- Le céramiste à son compte établit lui-même son horaire. Par exemple, gestion le matin, production l'après-midi et conception... la nuit!

- Les journées peuvent être longues durant les périodes de production intensive.

- L'environnement est salissant (à cause de la poussière).

Techniques de métiers d'art (Construction textile)

«J'adore peindre. J'ai fait un DEC en arts plastiques et entrepris des études universitaires en histoire de l'art. Au bout d'un an, je ne savais plus ce que je voulais, alors j'ai tout arrêté pendant deux ans... et j'ai voyagé! J'ai eu la piqûre en voyant des tissus anciens dans des musées européens : de retour chez moi, j'ai décidé de m'inscrire en construction textile. Ça comblait mon besoin de créer», explique Lysanne Latulippe.

PROG. 573.AB
PRÉALABLE : 0, VOIR PAGE 20

CHAMPS D'INTÉRÊT
• aime créer, toucher des matières textiles
• aime passer beaucoup de temps à effectuer le même travail
• aime travailler avec un ordinateur
• aime travailler avec ses mains et avec des machines à coudre, à tisser ou à broder

APTITUDES
• créativité
• souci du détail
• esprit d'analyse, respect des consignes et bonne écoute (salarié)
• esprit d'entrepreneurship, autonomie (travailleur autonome)

OFFRE DU PROGRAMME PAR RÉGIONS
Capitale-Nationale, Montréal

Pour connaître les établissements qui offrent ce programme : **www.inforoutefpt.org**

RÔLE ET TÂCHES

Son diplôme en poche, Lysanne a ouvert un atelier-boutique appelé «majolie». La production de vêtements pour femmes occupe 60 % de son temps. «Je tricote des panneaux de tissu à l'aide d'une machine à tricoter. Je les repasse ensuite avec un fer à vapeur, pour stabiliser les fibres. Puis, je taille des pièces que je couds ensemble avec une surjeteuse (machine à coudre permettant d'assembler deux pièces de tissu) pour en faire un pull, par exemple.» Elle procède ensuite à la finition de ses créations et appose les étiquettes indiquant le nom des fibres utilisées et le prix, notamment.

La collection majolie (vestes, jupes, camisoles, etc.) est faite de laine, mais aussi de coton, de lin, de viscose et de lycra. Le tout offert dans une variété de textures originales et de tons, généralement chauds, tels que l'orangé, le rouge et le marron.

Les autres tâches de Lysanne sont variées : créer et planifier la production des collections, vendre celles-ci dans des salons d'artisanat et s'occuper de la comptabilité. Elle travaille seule, sauf les quelques fois par année où elle s'adjoint trois sous-traitants qui font de la couture ou vont rencontrer des clients potentiels à sa place.

Un designer textile peut aussi être appelé à teindre des fils; à corriger et à ajuster les armures, c'est-à-dire la façon dont les fils se croisent dans une étoffe; et à travailler avec des machines à tisser ou à broder.

Contrairement à Lysanne, les designers employés dans une usine travaillent à l'ordinateur tous les jours afin d'effectuer la «mise au raccord»,

	Salaire hebdo moyen	Proportion de dipl. en emploi	Emploi relié	Chômage	Nombre de diplômés
2004	N/D	N/D	N/D	N/D	N/D
2003	224 $	75,0 %	75,0 %	0,0 %	11
2002	439 $	83,3 %	75,0 %	0,0 %	7

Statistiques tirées de la *Relance* - Ministère de l'Éducation. Voir données complémentaires, page 387.

Comment interpréter l'information, page 19.

une tâche répétitive qui exige un bon sens de l'observation et qui consiste à agencer les motifs qui seront alors imprimés sur du tissu.

QUALITÉS RECHERCHÉES

La passion des textiles, la créativité et le souci du détail sont essentiels pour réussir dans ce domaine. De plus, les designers travaillant à leur compte doivent être persévérants, patients et disciplinés. «Quand on travaille seul, il faut se motiver pour respecter les échéanciers et les dates de livraison», précise Lysanne.

Il faut aussi «aimer» les machines et faire preuve de débrouillardise : «Quand ta machine tombe en panne, tu dois trouver des techniciens spécialisés ou des pièces pour la réparer toi-même.» Enfin, elle croit qu'une bonne dose de maturité est nécessaire pour faire sa place au soleil, «parce que c'est difficile de vivre de ce métier. Il n'est pas très connu et en plus, quand on est un entrepreneur, il faut tout faire soi-même.»

La passion des textiles, la créativité et le souci du détail sont essentiels pour réussir dans ce domaine.

DÉFIS ET PERSPECTIVES

«Bien des gens associent ce métier au macramé et aux pantoufles en Phentex de nos grands-mères! Pourtant, ceux qui réussissent dans ce milieu sont ambitieux et branchés en décoration ou en mode. L'un des défis qu'ont à relever les diplômés consiste à contrecarrer cette image vieillotte associée, à tort, au métier», mentionne Louise Lemieux Bérubé, directrice générale et enseignante du Centre des textiles contemporains de Montréal.

Travailler en usine est un bon moyen d'acquérir de l'expérience. Avec le temps, le diplômé pourra gravir les échelons en supervisant d'autres designers ou en devenant designer en chef de l'entreprise, ce qui l'amènerait à faire de la recherche d'idées de motifs pour son employeur, en visitant des expositions à l'étranger. «La plupart des designers veulent que leur nom soit reconnu et, pour cela, ils doivent devenir pigistes ou se lancer à leur compte», indique Mme Lemieux Bérubé.

Une mise en garde : pour fonder une entreprise, il faut travailler fort pendant plusieurs années et relever chaque jour les défis associés à la recherche de financement et d'idées. La reconnaissance publique et l'exportation de leurs créations : voilà ce qui attend les plus ambitieux. 02/03

HORAIRES ET MILIEUX DE TRAVAIL

- Les diplômés travaillent pour des usines textiles situées en dehors des centres urbains ou, plus rarement, pour des entreprises dans le domaine cinématographique ou les arts de la scène (cirques, troupes de théâtre); dans ce cas, ils travaillent en équipe et sont spécialisés dans la création et la fabrication des tissus qui servent à faire des costumes.

- L'horaire est régulier (de 8 h 30 à 16 h 30).
- Les heures supplémentaires ne sont pas la norme, mais il peut y en avoir.
- Les travailleurs autonomes choisissent leur horaire et leur milieu de travail. Ils doivent s'attendre aux longues journées de travail lorsqu'ils participent à des salons d'artisanat.

Techniques de métiers d'art (Ébénisterie artisanale)

Attiré par l'odeur du frêne et du pin, intéressé par le dessin et le travail manuel, Éric Boudrias s'est inscrit en ébénisterie artisanale au Cégep du Vieux Montréal. Une formation pratique grâce à laquelle il a aiguisé sa dextérité en plus d'apprendre l'art du croquis et le maniement du ciseau et du rabot.

PROG. 573.AC
PRÉALABLE : 0, VOIR PAGE 20

CHAMPS D'INTÉRÊT
- aime le travail manuel
- aime le bois et le façonnage de matière
- aime le dessin
- désire fonder son entreprise et assumer les fonctions de gestionnaire

APTITUDES
- dextérité
- débrouillardise
- discipline et minutie
- patience et persévérance
- bonne forme physique et bonne vision

OFFRE DU PROGRAMME PAR RÉGIONS
Capitale-Nationale, Montréal,

Pour connaître les établissements qui offrent ce programme : www.inforoutefpt.org

RÔLE ET TÂCHES

Avant de choisir l'ébénisterie, Éric avait déjà étudié deux ans en technologie de l'architecture. Un domaine trop axé sur la conception par ordinateur et pas assez manuel à son goût. Exit l'architecture, il entreprend une formation en ébénisterie qui lui permet de trouver du travail chez Entreprise Claude Archambault.

Depuis la fin de ses études, Éric s'affaire quotidiennement à ce qu'il aime le plus au monde : toucher et travailler le bois. «À la base, la technique d'ébénisterie ne nécessite aucune vis et aucun clou. On utilise plutôt la technique du "lamellé collé", qui demande de coller ensemble des planches et de les égaliser, pour former les grands panneaux nécessaires à la construction de meubles», explique-t-il.

Seul ébéniste de l'établissement, Éric fait de tout. Il décape, ponce, vernit, teint, huile, laque, répare et restaure des meubles de toutes formes et de toutes origines. Mais au cours des derniers mois, la restauration a occupé une place de plus en plus grande dans sa charge de travail. Le diplômé dit maintenant consacrer environ 60 % de son temps à la finition et 40 % à la restauration.

«La restauration implique de remettre à l'état initial un meuble ancien, explique Éric. Notre but est de garder l'aspect authentique du meuble en lui redonnant son fini et son allure d'origine. Mais bien souvent, les meubles sont abîmés et on doit les réparer avant de les restaurer. Il faut alors utiliser des matériaux neufs et les décaper une première fois afin qu'ils paraissent aussi vieux que les originaux. Ensuite, on passe à la finition antique.»

	Salaire hebdo moyen	Proportion de dipl. en emploi	Emploi relié	Chômage	Nombre de diplômés
2004	549 $	68,2 %	63,6 %	0,0 %	27
2003	438 $	88,9 %	100,0 %	5,9 %	24
2002*	461 $	68,0 %	60,0 %	5,6 %	29

Statistiques tirées de la *Relance* - Ministère de l'Éducation. Voir données complémentaires, page 387.
* Données de l'ancien programme *Techniques de métiers d'art (Ébénisterie artisanale)* (573.11)

Comment interpréter l'information, page 19.

S'il aime Montréal, où il travaille actuellement, l'ébéniste signale qu'il est difficile de s'y lancer à son compte, en raison du coût élevé des loyers des locaux commerciaux et de la forte compétition du marché du meuble en bois naturel. Il voudrait donc retourner dans son patelin natal de Grand-Remous, en Outaouais, afin de pouvoir donner libre cours à son projet d'entreprise.

QUALITÉS RECHERCHÉES

De l'avis d'Éric, la formation en ébénisterie permet d'acquérir les notions techniques et la dextérité nécessaires pour fabriquer des meubles intéressants. Toutefois, le diplômé devra acquérir par lui-même des qualités comme la créativité et la débrouillardise, essentielles dans le monde du design de meuble.

«La technique d'ébénisterie ne nécessite aucune vis et aucun clou.»

— Éric Boudrias

Pour faire sa place, l'ébéniste doit donc être patient et persévérant, en plus de développer sa capacité à évaluer en combien de temps il peut fabriquer un meuble et de quels matériaux il aura besoin. Il lui faut aussi être capable de prendre des mesures précises et posséder une bonne vision pour voir les détails de finition et manipuler l'équipement sans se blesser.

DÉFIS ET PERSPECTIVES

Selon les experts, le marché québécois de la fabrication artisanale de meubles serait trop petit pour être viable. En revanche, le domaine de la restauration de meubles anciens présenterait davantage d'ouvertures. Au cours des dernières années, plusieurs petits musées ont mis sur pied des ateliers de restauration, et nombre de diplômés y ont trouvé de l'emploi, indique Pierre Pagé, ébéniste et professeur au pavillon des métiers d'art affilié au Cégep de Limoilou.

Photo : Cégep du Vieux Montréal - Marylène Thériault

M. Pagé croit que la technologie informatique donnera un nouveau souffle à ce métier traditionnel. «À ceux qui maîtrisent bien les logiciels, l'ordinateur offrira une économie de temps et une grande souplesse de création puisqu'il permettra entre autres d'apporter rapidement des modifications ou des corrections aux dessins.» Dans un domaine où l'on fabrique généralement les meubles sur mesure, il ne faut pas négliger cet avantage. «De plus, Internet donnera une nouvelle visibilité aux produits locaux sur le marché étranger, plus lucratif pour les artisans.» 04/03

HORAIRES ET MILIEUX DE TRAVAIL

• L'ébéniste peut travailler à la fabrication de meubles en série dans une usine, en faisant par exemple du polissage, de la finition ou du vernissage.

• Nombre de diplômés choisissent de se lancer à leur compte, après avoir travaillé quelques années dans l'atelier d'un ébéniste établi.

• Plusieurs ébénistes d'expérience choisissent de donner des cours à des jeunes qui désireraient apprendre le métier ou encore à des personnes qui souhaitent pratiquer l'ébénisterie comme passe-temps.

• En usine, les horaires sont plutôt réguliers et comptent environ 40 heures par semaine. Par contre, une entreprise personnelle exigera un nombre d'heures illimité.

Techniques de métiers d'art (Impression textile)

Après avoir passé le quart de sa vie dans les forces armées, Pierre Desormeaux jugeait qu'il était temps de réorienter sa carrière afin de laisser libre cours à sa véritable passion : les arts. Maniant couleurs et textures, il dirige à présent son propre atelier d'impression textile.

PROG. 573.AD
PRÉALABLE : 0, VOIR PAGE 20

CHAMPS D'INTÉRÊT

- aime les arts, le dessin, les tissus et les textures
- apprécie le travail manuel et en équipe
- aime la recherche et l'expérimentation
- désire gérer sa propre entreprise et diriger du personnel

APTITUDES

- autonomie, discipline, sens de l'organisation
- minutie
- persévérance
- créativité et sens artistique
- capacité d'adaptation

OFFRE DU PROGRAMME PAR RÉGIONS
Capitale-Nationale, Montréal

Pour connaître les établissements qui offrent ce programme : **www.inforoutefpt.org**

RÔLE ET TÂCHES

«Avec les nouvelles fibres synthétiques, il y a tellement de produits à essayer, de matières à transformer. La recherche pour trouver des nouvelles techniques de coloration est mon plus grand défi», déclare Pierre.

De nos jours, l'impression textile ne se résume plus à imprimer des couleurs ou des motifs sur des tissus. Il est possible d'imprimer du latex sur les étoffes pour leur donner du relief, ou encore d'employer divers produits chimiques pour conférer aux tissus des propriétés supplémentaires, comme l'imperméabilité ou une résistance accrue.

Artiste et chercheur, Pierre imprime des tapis qui se retrouvent sur les tables des plus grands casinos du monde. La recette de son succès? Il a en effet développé et breveté une technique d'impression pour l'ultrasuède, un matériau très résistant. Depuis, il récolte les contrats à la pelle, non seulement avec les casinos, mais aussi avec les troupes de théâtre et de ballet, les productions cinématographiques et le Cirque du Soleil, pour lesquels il réalise entre autres des tissus de costumes.

En plus de concevoir les dessins à imprimer, Pierre prépare les équipements et les couleurs, coordonne les impressions et surveille la qualité.

Lors de l'impression, les tissus sont disposés sur des tables de plus de 15 mètres de long. On y applique un cadre, qui tend une toile à travers laquelle la couleur est forcée manuellement. «On travaille toujours à deux ou à trois, parce que les cadres sont lourds et qu'il faut les déplacer d'une table à l'autre.»

	Salaire hebdo moyen	Proportion de dipl. en emploi	Emploi relié	Chômage	Nombre de diplômés
2004	N/D	N/D	N/D	N/D	N/D
2003	N/D	N/D	N/D	N/D	N/D
2002*	426 $	80,0 %	66,7 %	0,0 %	5

Statistiques tirées de la *Relance* - Ministère de l'Éducation. Voir données complémentaires, page 387.
* Données de l'ancien programme *Technique de métiers d'art (Impression textile)* (573.14)

Comment interpréter l'information, page 19.

QUALITÉS RECHERCHÉES

Imprimer sur du tissu est un travail de longue haleine qui demande de la précision et de la minutie, selon Pierre. Avant de réaliser une impression, il doit faire des tests pour s'assurer que les produits chimiques et les teintures n'altéreront pas les qualités du tissu. «Avant moi, il n'y avait qu'une seule autre entreprise dans le monde à faire le même genre d'impression, mais elle a fermé ses portes, car elle n'avait pas la bonne technique.»

Généralement entrepreneur, l'imprimeur textile doit aussi faire preuve d'autonomie et être capable de passer d'une fonction à une autre, du travail artistique à la comptabilité, en passant par la recherche de contrats. Habitué à la rigueur militaire, Pierre souligne qu'il «faut se battre pour faire sa place dans les arts». Discipliné et fonceur, il a mis moins de cinq ans à se créer un créneau.

> «Avec les nouvelles fibres synthétiques, il y a tellement de produits à essayer, de matières à transformer. La recherche pour trouver des nouvelles techniques de coloration est mon plus grand défi.»
>
> — Pierre Desormeaux

DÉFIS ET PERSPECTIVES

Le Québec offre des formations complètes qui abordent toutes les techniques d'impression, mais l'industrie textile n'y est actuellement pas en essor. «Ce sont les entreprises situées dans le sud-est asiatique et en Inde qui ont la plus grande part du marché, car les coûts rattachés à la main-d'œuvre y sont moins importants», rappelle Nathalie Tremblay, professeure au Centre de recherche et de design en impression textile de Montréal.

Le défi actuel est de faire connaître le métier à l'étranger, mais également auprès des designers locaux qui œuvrent dans les domaines de la mode et de la décoration intérieure. «Nos idées et nos dessins valent largement ceux des autres pays, poursuit Mme Tremblay. Le seul problème concerne les coûts et les quantités.» En effet, il est difficile pour un petit entrepreneur d'assurer seul le développement de produits, la production et la vente.

À long terme, croit l'enseignante, les imprimeurs textiles vont intégrer davantage l'informatique et l'automatisation dans leur travail. Ils vont utiliser les logiciels de dessin pour concevoir plus efficacement des motifs, tandis que l'application des couleurs et le déplacement des cadres pourront être effectués par des machines, afin de rendre l'impression plus rapide et plus uniforme. 02/03

HORAIRES ET MILIEUX DE TRAVAIL

- Les diplômés sont appelés à imprimer des tissus pour le milieu du spectacle, de la mode ou encore du design d'intérieur.

- La plupart choisissent de devenir travailleurs autonomes, pour s'assurer des conditions de travail et un revenu plus intéressants.

- Il faut s'attendre à travailler intensivement, incluant les soirs et les week-ends, lorsque les contrats l'exigent.

Techniques de métiers d'art (Joaillerie)

«Dans ma famille, on ne regardait pas la télévision, on bricolait!» raconte Marie-Ève Martin, pour illustrer que son intérêt pour le travail manuel et les arts ne date pas d'hier. Même si elle affirme s'être inscrite en joaillerie sans savoir à quoi s'attendre, on peut dire que son flair ne l'a pas trompée! Elle est propriétaire de son propre petit atelier de bijoux, à Montréal.

PROG. 573.AE
PRÉALABLE : 0, VOIR PAGE 20

CHAMPS D'INTÉRÊT
• aime le dessin
• aime la création,
  la fabrication de bijoux
• aime le travail de précision
• aime travailler seul
• aime suivre les modes
  et les courants

APTITUDES
• bonne dextérité manuelle
• créativité
• minutie et perfectionnisme
• patience
• discipline

OFFRE DU PROGRAMME PAR RÉGIONS
Capitale-Nationale, Montréal

Pour connaître les établissements qui offrent
ce programme : **www.inforoutefpt.org**

RÔLE ET TÂCHES

Marie-Ève conçoit des bijoux en argent et en or. «Je fais une petite production que je présente dans divers salons des métiers d'art et que je vends à des boutiques et à une clientèle privée [qui achète directement de l'atelier], explique-t-elle. Je crée des boucles d'oreilles, des bagues, des colliers et des broches.» Elle partage son local et une partie de ses outils avec deux autres joaillières, ce qui lui permet de réduire ses coûts d'exploitation.

La première étape de son travail consiste à concevoir des modèles de bijoux. «Je m'inspire de la mode pour créer des pièces attrayantes.» Après avoir dessiné des croquis, elle réalise le bijou à l'aide de ses pinces, de son chalumeau et de sa lime. «Ce prototype me sert de modèle. Il me permet de voir s'il est aussi beau que le dessin et surtout s'il est facile à fabriquer.» Si certains artisans procèdent en sculptant un moule dans de la cire afin d'y couler le métal, Marie-Ève préfère travailler directement sur le métal. Une fois qu'elle a établi tous ses modèles, elle entreprend la production, un travail très intensif. «Je peux mettre quatre mois à me préparer pour le Salon des métiers d'art de Montréal, à raison de six jours de travail par semaine.»

La mise en marché des bijoux fait aussi partie des responsabilités de l'artisane. «Je dois trouver des points de vente et gérer les stocks de bijoux que je laisse en consignation.» Ainsi, elle doit suivre la vente de ses créations dans diverses boutiques pour aller cueillir les recettes qui lui reviennent. «C'est également moi qui effectue la comptabilité de ma petite entreprise.»

	Salaire hebdo moyen	Proportion de dipl. en emploi	Emploi relié	Chômage	Nombre de diplômés
2004	279 $	87,5 %	40,0 %	12,5 %	12
2003	384 $	75,0 %	37,5 %	18,2 %	18
2002*	328 $	100,0 %	60,0 %	0,0 %	12

Statistiques tirées de la *Relance* - Ministère de l'Éducation. Voir données complémentaires, page 387.
* Données de l'ancien programme *Techniques de métiers d'art (Joaillerie)* (573.16)

Comment interpréter l'information, page 19.

Pour Marie-Ève, l'aspect le plus passionnant de son métier demeure la création. «Le secret, c'est de bien répartir le travail dans mes journées, de façon qu'elles soient agréables.» Par exemple, elle peut faire un peu de comptabilité et de mise en marché le matin, ce qu'elle apprécie moins, et réserver l'après-midi à la création.

QUALITÉS RECHERCHÉES

La patience est une qualité essentielle pour bien exercer le métier de joaillier, souligne Marie-Ève. «On travaille sur de petites pièces avec de petits outils. Il faut donc être très minutieux et perfectionniste.» Elle ajoute que la dextérité manuelle est indispensable, de même que la rapidité. «Évidemment, le travail doit être bien fait, mais il faut aussi parvenir à fabriquer les bijoux assez vite pour que ce soit rentable.» La créativité est également à cultiver pour concevoir des pièces originales qui sauront attirer des clients.

Lorsqu'il est son propre patron, le diplômé doit aussi faire preuve d'autonomie et de discipline puisqu'il devient le maître de son horaire de travail. Motivé par la passion du métier et déterminé, il devra consacrer beaucoup d'efforts et de temps pour réussir à gagner sa vie dans ce domaine où la concurrence est vive.

DÉFIS ET PERSPECTIVES

«Le diplômé doit diversifier ses activités pour réussir, soutient Lynn Légaré, joaillière et enseignante à l'École de joaillerie de Montréal. Cela signifie produire des bijoux pour les salons et les boutiques, exécuter des commandes pour des clients privés et faire des demandes de bourses pour réaliser des projets de création.»

Se faire connaître représente aussi un défi de taille. «On vit un problème de diffusion en joaillerie parce qu'il y a très peu de galeries qui exposent des bijoux d'art. Le public ne nous connaît pas. Pourtant, si nos créations étaient plus accessibles, il serait plus facile de se créer une bonne clientèle.»

Mme Légaré encourage enfin les diplômés à suivre des cours en administration, en gestion, en marketing et en arts visuels pour perfectionner leurs créations et mieux vendre leurs bijoux. 03/03

> «Le diplômé doit diversifier ses activités pour réussir, cela signifie produire des bijoux pour les salons et les boutiques, exécuter des commandes pour des clients privés et faire des demandes de bourses pour réaliser des projets de création.»
>
> — Lynn Légaré

Photo : École de joaillerie de Montréal

HORAIRES ET MILIEUX DE TRAVAIL

- Le diplômé peut se faire embaucher par un joaillier ou fonder sa petite entreprise.

- Pour le diplômé employé, l'horaire est habituellement régulier, de jour. Mais celui qui se lance en affaires doit s'attendre à travailler davantage, souvent jusqu'à 60 heures par semaine.

Techniques de métiers d'art (Lutherie)

Guillaume Schönau fabrique des petits meubles et des accessoires en bois depuis son adolescence. Mélomane dans l'âme, il s'est inscrit au programme de lutherie du Cégep de Limoilou pour pouvoir combiner son amour de la musique et celui du bois. Mission accomplie pour ce diplômé qui exerce aujourd'hui son métier à la Lutherie Richard Compartino de Sainte-Foy.

PROG. 573.AF
PRÉALABLE : 0, VOIR PAGE 20

CHAMPS D'INTÉRÊT
- aime travailler le bois
- aime l'univers de la musique
- aime le travail manuel de précision
- aime se dépasser et apprendre

APTITUDES
- persévérance
- dextérité manuelle
- patience et minutie
- bonne oreille musicale

OFFRE DU PROGRAMME PAR RÉGIONS
Capitale-Nationale, Montréal

Pour connaître les établissements qui offrent ce programme : **www.inforoutefpt.org**

RÔLE ET TÂCHES

«La lutherie est devenue une telle passion dans ma vie que j'ai même travaillé pour un luthier professionnel tout en poursuivant mes études. J'ai donc suivi un apprentissage intensif», raconte Guillaume. Une fois son diplôme en poche, le jeune luthier a tenté de fonder sa propre entreprise. Il a cependant dû abandonner ce projet. «Cela prend un bassin d'un million d'habitants pour arriver à faire vivre un seul luthier. J'éprouvais donc de grandes difficultés à boucler mes fins de mois. Mais heureusement, j'ai pu décrocher un emploi stable à la Lutherie Richard Compartino.»

Cette entreprise est spécialisée dans la fabrication et la réparation de violons, d'altos, de violoncelles et d'archets. À l'arrière du comptoir d'accueil, on retrouve les ateliers où Guillaume et deux autres luthiers s'affairent à répondre aux différentes demandes des clients. Guillaume consacre 90 % de son temps à la réparation des instruments et le reste à la conception.

Les tâches de réparation sont variées. Nettoyage des instruments, changement de cordes, retouches de vernis et remodelage des parties latérales et courbées des violons sont entre autres au programme. «Je suis un peu comme un médecin de violons. Chaque violon à réparer est un violon malade et aucun des "patients" ne reçoit le même traitement qu'un autre», explique Guillaume. Ses outils? Canif, lime, ciseau à bois, rabot, colle et vernis.

	Salaire hebdo moyen	Proportion de dipl. en emploi	Emploi relié	Chômage	Nombre de diplômés
2004	N/D	N/D	N/D	N/D	N/D
2003	359 $	83,3 %	0,0 %	0,0 %	8
2002*	N/D	N/D	N/D	N/D	8

Statistiques tirées de la *Relance* - Ministère de l'Éducation. Voir données complémentaires, page 387.
* Données de l'ancien programme *Techniques de métiers d'art (Lutherie)* (573.13)

Comment interpréter l'information, page 19.

La conception d'un violon demande également beaucoup de minutie. Pour cela, il esquisse d'abord le modèle de son instrument sur papier. Puis, il choisit ses matériaux et ses outils en fonction de la sonorité recherchée. Il fabrique ensuite les gabarits et le moule de l'instrument. Le luthier façonne chaque pièce et assemble le tout. Finalement, il monte le chevalet qui supporte les cordes, il pose les clés et installe les cordes avant d'appliquer le vernis.

Le diplômé voue une grande passion à son métier. «Le champ d'expérimentation en lutherie est infini. Il y a beaucoup à explorer, notamment dans la fabrication du vernis et dans la recherche d'une bonne sonorité.»

QUALITÉS RECHERCHÉES

Guillaume estime qu'il faut avoir la vocation pour exercer ce métier. «C'est une profession où la demande est faible. On doit pouvoir œuvrer dans un noble but et dans le respect des luthiers qui nous ont précédés afin d'exceller au point de vue artistique. Il faut aussi avoir l'humilité d'accepter que les fins de mois seront difficiles. Il faut donc être persévérant pour réussir.» Si la reconnaissance du luthier passe par sa détermination et sa patience, ces deux qualités sont tout aussi essentielles dans la création des instruments. La conception d'un violon prend environ 300 heures. La minutie et la précision sont également essentielles. «Il est important d'avoir confiance en son talent et de savoir reconnaître que certaines réparations sont parfois trop complexes pour nous», ajoute Guillaume. Il faut aspirer à la perfection tout en acceptant de ne pas toujours pouvoir l'atteindre.

DÉFIS ET PERSPECTIVES

Même si l'on compte peu de diplômés en lutherie, rares sont ceux qui arrivent à vivre de leur métier, souligne Simon Bruneau, enseignant au Cégep de Limoilou. «Il faut être persévérant, frapper aux bonnes portes et être prêt à travailler fort pour se tailler une place au soleil. Les résultats ne sont pas immédiats, précise l'enseignant. Le DEC est un premier niveau d'apprentissage. Cela prend plusieurs années pour se perfectionner. N'oublions pas que la lutherie est un art qui dépend d'un autre art, la musique. Si le diplômé veut pouvoir répondre aux exigences des musiciens, il doit penser à suivre des stages auprès de maîtres luthiers au Québec, aux États-Unis ou en Europe.» 03/03

«Je suis un peu comme un médecin de violons. Chaque violon à réparer est un violon malade et aucun des "patients" ne reçoit le même traitement qu'un autre.»

— Guillaume Schönau

Photo : Atelier de lutherie C.F.C.M.A.

HORAIRES ET MILIEUX DE TRAVAIL

- Un luthier peut fonder sa propre entreprise ou travailler pour un autre luthier.

- Embauché chez un luthier, le diplômé connaîtra un horaire régulier. S'il est travailleur autonome, il devra s'adapter à la demande de ses clients. Le diplômé pourra facilement travailler sept jours par semaine.

- Une formation en lutherie peut mener vers d'autres avenues comme l'ébénisterie et la conception de flûtes et d'orgues.

CUISEP 210/220-000.CP

Techniques de métiers d'art (Maroquinerie)

«Aussi loin que je me souvienne, le cuir m'a toujours fascinée, explique Marylène Tremblay. J'aime le toucher, le sentir, le voir vieillir.» C'est cette passion qui l'a amenée à devenir maroquinière et même à fonder sa propre entreprise : Handryk Gadago, à Montréal.

PROG. 573.AG
PRÉALABLE : 0, VOIR PAGE 20

CHAMPS D'INTÉRÊT
- aime le travail manuel
- aime travailler le cuir
- aime le travail bien fait
- aime travailler en atelier
- aime le dessin et la création

APTITUDES
- créativité
- persévérance et minutie
- entrepreneurship
- autonomie

RÔLE ET TÂCHES

Dans une pièce double de son appartement, entourée de grands morceaux de cuir, d'une multitude de retailles et de pots de colle, Marylène s'active à confectionner ses œuvres sur sa table de travail en bois. Coffres à bijoux, porte-monnaie, ceintures, masques, sacs et porte-documents sont au répertoire de ses créations. «En fait, je conçois tout ce qui me passe par la tête», précise la jeune femme.

Diplômée en maroquinerie du Centre des métiers du cuir de Montréal, Marylène dit être aussi à l'aise à créer des objets qu'elle propose aux différents salons de métiers d'art qu'à répondre aux commandes de particuliers. «Le cuir de buffle est celui avec lequel je préfère travailler. Je le fais venir de France. J'utilise aussi le cuir de vache ainsi que d'autres peaux plus exotiques telles que celles du serpent, du requin, de l'autruche et du loup de mer.» Pour concevoir ses pièces, la maroquinière trace d'abord une esquisse afin de construire les gabarits. Puis, elle étale la peau et coupe les morceaux dont elle a besoin. Elle les amincit et assemble le tout à l'aide de colle en plus de coudre certaines parties. Finalement, elle apporte la dernière touche à sa création en apposant divers éléments comme un fermoir, une boucle de ceinture ou des boutons.

OFFRE DU PROGRAMME PAR RÉGIONS
Capitale-Nationale, Montréal

Si Marylène consacre un peu plus de la moitié de son temps à la création, le reste est voué au bon fonctionnement de son entreprise. «Je dois m'occuper de tout : de la comptabilité, des achats, des demandes de subvention, de la publicité. C'est assez difficile de conjuguer création et gestion d'entreprise!»

Pour connaître les établissements qui offrent ce programme : **www.inforoutefpt.org**

	Salaire hebdo moyen	Proportion de dipl. en emploi	Emploi relié	Chômage	Nombre de diplômés
2004	N/D	N/D	N/D	N/D	N/D
2003	N/D	N/D	N/D	N/D	N/D
2002*	225 $	100,0 %	66,7 %	0,0 %	5

Statistiques tirées de la *Relance* - Ministère de l'Éducation. Voir données complémentaires, page 387.

* Données de l'ancien programme *Techniques de métiers d'art (Maroquinerie)* (573.19)

Comment interpréter l'information, page 19.

QUALITÉS RECHERCHÉES

Pour exercer ce métier, la persévérance est nécessaire tant dans la mise en marché que dans la création des œuvres. «Il arrive parfois que l'on ait à recommencer une pièce tout simplement parce que l'on s'est trompé dans le calcul de la longueur d'un morceau. De plus, il nous faut coudre le cuir à la main : c'est long et ça demande beaucoup de patience», précise Marylène. Il est aussi important d'être discipliné. «Lorsqu'on est travailleur autonome, on est laissé à soi-même. Il est essentiel d'établir un horaire de travail et de le respecter», conseille l'artisane.

Être créatif et aimer travailler de ses mains sont d'autres atouts de poids. L'amour du travail bien fait et la minutie permettront au maroquinier de se démarquer et de réaliser des créations intéressantes. Un esprit d'entrepreneur et des qualités de gestionnaire aideront également le diplômé à mieux vivre de sa production. On s'attend aussi à ce que l'artisan soit dynamique, fonceur et possède une bonne confiance en soi pour présenter ses œuvres au public.

> «Lorsqu'on est travailleur autonome, on est laissé à soi-même. Il est essentiel d'établir un horaire de travail et de le respecter.»
>
> — Marylène Tremblay

DÉFIS ET PERSPECTIVES

Au Québec, il n'y a pas d'entreprise qui engage des maroquiniers. Les diplômés sont voués à devenir travailleurs autonomes. Ils sont par conséquent responsables du perfectionnement de leur art. Des formations auprès de maîtres maroquiniers permettront aux diplômés d'acquérir de l'expérience et de raffiner leur création, précise Maxence Guérin, chargé de cours au Centre des métiers du cuir de Montréal. Les diplômés peuvent effectuer des stages au Québec auprès de maroquiniers d'expérience, mais l'Europe demeure la destination idéale selon M. Guérin. «Il existe là-bas un historique du cuir et la maroquinerie est associée à la mode et est donc plus reconnue. Une formation à l'étranger est aussi une expérience qui apporte des connaissances dans tous les domaines de la vie.»

Quant au marché québécois, de nouvelles perspectives s'offrent aux diplômés, estime le chargé de cours. Elles prennent la forme d'associations avec des designers ou d'autres artisans tels que des joailliers. Ce type de jumelage permet aux maroquiniers d'élargir leur champ de création. 03/03

HORAIRES ET MILIEUX DE TRAVAIL

- Travailleur autonome, le maroquinier est appelé à travailler seul ou en équipe dans un atelier privé ou collectif.

- Son horaire de travail varie en fonction des commandes. Il travaille souvent de nombreuses heures, jusqu'à 60 par semaine.

Techniques de métiers d'art (Sculpture)

Fort d'un DEC en arts et d'une bonne connaissance du travail du bois acquise auprès d'un père ébéniste amateur, Martin Brousseau a véritablement trouvé sa voie en choisissant la sculpture. Sa formation lui a permis de découvrir les outils et la technique dont il avait besoin pour nourrir sa passion pour la création d'objets d'art.

PROG. 573.AH
PRÉALABLE : 0, VOIR PAGE 20

CHAMPS D'INTÉRÊT
- aime le travail manuel
- aime la recherche et la création
- aime travailler seul de façon autonome
- aime manipuler des matériaux comme le bois, la pierre et le métal
- aime le travail de précision

APTITUDES
- bonne dextérité manuelle
- sens de l'esthétique
- capacité de visualiser en trois dimensions
- curiosité et créativité
- autonomie et détermination

OFFRE DU PROGRAMME PAR RÉGIONS
Capitale-Nationale, Montréal

Pour connaître les établissements qui offrent ce programme : **www.inforoutefpt.org**

RÔLE ET TÂCHES

Depuis qu'il a obtenu son DEC, Martin occupe divers petits emplois liés à la sculpture. Il travaille comme aide-technicien à La maison des métiers d'art de Québec, là où il a lui-même étudié. Le sculpteur de 30 ans travaille également dans deux galeries d'art de Québec, dont l'une est spécialisée en art inuit. Il participe à l'installation des expositions. «Je fabrique notamment des socles pour poser les sculptures et je restaure des pièces abîmées en ponçant la pierre puisque j'ai appris à la travailler.»

Les diplômés en sculpture deviennent en effet des spécialistes de la forme capables de façonner différents matériaux (pierre, bois, métal, papier, plastique, argile) pour en faire des objets décoratifs, fonctionnels ou artistiques.

À travers ses différentes activités, Martin trouve le temps de se consacrer à ce qui le passionne véritablement : la création de sculptures. Il a quelques clients, surtout des commerces dont une épicerie et une boutique d'aliments naturels, pour lesquels il réalise des meubles en bois. «Je reçois souvent des commandes pour fabriquer des présentoirs qui respectent l'esthétique du commerce. Ce travail s'apparente à celui de l'ébéniste, mais j'y ajoute des éléments de sculpture, dans l'ornementation par exemple.»

À l'été 2002, le jeune homme a également participé à un symposium d'art contemporain à Québec. Il a créé une sculpture d'une hauteur de près de trois mètres qui prenait la forme d'un tourniquet lumineux.

	Salaire hebdo moyen	Proportion de dipl. en emploi	Emploi relié	Chômage	Nombre de diplômés
2004	N/D	N/D	N/D	N/D	N/D
2003	N/D	50,0 %	100,0 %	33,3 %	6
2002*	N/D	N/D	N/D	N/D	2

Statistiques tirées de la *Relance* - Ministère de l'Éducation. Voir données complémentaires, page 387.
* Données de l'ancien programme *Techniques de métiers d'art (Sculpture)* (573.12)

Comment interpréter l'information, page 19.

QUALITÉS RECHERCHÉES

Le sculpteur doit être créatif, curieux et ouvert au monde qui l'entoure afin de nourrir son inspiration, note Martin. «Je me définis comme un grand observateur. Je m'intéresse particulièrement aux sciences où le calcul et l'observation sont importants, comme les mathématiques, la physique, la chimie, et aux défis techniques que l'humain a su surmonter au fil des années. Cela inspire mes créations.» Par exemple, pour un projet de sculpture, il s'était inspiré de la fusée de Jules Verne dans *De la Terre à la Lune* et de celle de Tintin dans *On a marché sur la Lune*.

Le travail en sculpture nécessite aussi de la persévérance. «Il y a beaucoup de techniques à apprendre et c'est long avant de les maîtriser pour réussir à donner la forme voulue à nos créations.» La capacité de visualisation et la dextérité manuelle sont d'autres qualités essentielles au bon sculpteur.

Jean-Pierre Morin, sculpteur et enseignant à La maison des métiers d'art de Québec, soutient pour sa part que les diplômés doivent croire en leurs idées. Ils doivent avoir l'audace de présenter leurs projets au public, aux galeries d'art, à des concours, à des entreprises qui peuvent les subventionner, et avoir l'esprit assez créatif pour se faire remarquer.

Les diplômés en sculpture deviennent des spécialistes de la forme capables de façonner différents matériaux pour en faire des objets décoratifs, fonctionnels ou artistiques.

DÉFIS ET PERSPECTIVES

Selon l'enseignant, les diplômés ont comme premier défi de se donner les moyens financiers pour produire leurs créations. «Ils doivent trouver un local, acheter des matériaux et des outils pour amorcer leur production. L'école offre de l'aide en permettant aux diplômés d'utiliser ses outils et son atelier pendant un an après leurs études.» Ensuite les diplômés doivent voler de leurs propres ailes. Mais M. Morin n'est pas inquiet. «Les sculpteurs sont demandés dans plusieurs champs d'activité comme l'architecture, le design, la conception de décors pour le théâtre et le cinéma, et la restauration d'œuvres d'art.» Il ajoute par ailleurs que l'avènement de logiciels informatiques amènera au cours des prochaines années des transformations dans la pratique du métier. «Certains logiciels de dessin et de modélisation permettent maintenant aux sculpteurs de développer numériquement leur prototype sur ordinateur. À long terme, ces nouveaux outils technologiques donneront la possibilité d'atteindre une qualité optimale beaucoup plus rapidement.» 02/03

Photo : École-atelier de sculpture de Québec

HORAIRES ET MILIEUX DE TRAVAIL

• Les diplômés deviennent généralement des travailleurs autonomes. Ils gèrent leur atelier et leur production, qu'ils peuvent vendre par le réseau des salons des métiers d'art, des galeries et des boutiques d'art.

• Les diplômés peuvent aussi se spécialiser dans la restauration et la reproduction d'œuvres anciennes.

• Les milieux du cinéma et du théâtre font appel aux sculpteurs pour la conception de décors. Les architectes, les designers et les fabricants d'enseignes ont aussi besoin de leurs talents.

• L'horaire de travail varie selon la demande. Le sculpteur qui gère son atelier doit s'attendre à travailler jusqu'à 50 heures par semaine.

Techniques de métiers d'art (Verre)

Caroline Ouellette a trouvé dans les métiers d'art la solution pour combler son besoin de création et son amour du travail manuel. Aujourd'hui verrière de profession, elle partage avec cinq autres diplômés l'atelier Fusion du Centre des métiers du verre du Québec. Son but : transmettre à travers ses œuvres toute la sensualité du verre.

PROG. 573.AJ
PRÉALABLE : 0, VOIR PAGE 20

CHAMPS D'INTÉRÊT
• aime concevoir et réaliser des œuvres uniques ou de série
• aime souffler, former, graver, peindre et assembler le verre
• aime jouer avec les formes, les couleurs, la transparence et la fragilité du verre
• aime travailler en atelier

APTITUDES
• créativité
• capacité de visualiser en trois dimensions
• dextérité manuelle et endurance physique
• persévérance
• entrepreneurship

OFFRE DU PROGRAMME PAR RÉGIONS
Capitale-Nationale, Montréal

Pour connaître les établissements qui offrent ce programme : **www.inforoutefpt.org**

RÔLE ET TÂCHES

Dans un atelier collectif qui lui permet d'utiliser le matériel à moindres coûts, Caroline s'affaire à concevoir ses œuvres au milieu de la chaleur des fours. À partir de l'idée et de la sensation d'un objet, tel qu'un vase, un oiseau ou un fruit, elle le réinvente en lui donnant une forme plus artistique. Pour cela, la verrière utilise diverses méthodes. Elle travaille le verre à froid, c'est-à-dire qu'elle peut le couper, le laminer ou le polir. Autrement, elle le manipule à chaud en le soufflant ou en le coulant. Par exemple, lorsque Caroline souffle le verre, elle utilise une canne à souffler – ressemblant à une paille – et souffle dans une pâte de verre chaude et molle jusqu'à lui donner la forme désirée. Ensuite, elle met le verre dans un four où il est à nouveau chauffé puis refroidi, ce qui le durcit et le rend moins fragile. Elle termine avec la finition, qui comprend notamment le polissage du verre.

Artiste dans l'âme, Caroline est aussi une gestionnaire efficace. C'est elle qui assure la distribution et la promotion de ses œuvres de verre. Ainsi on les retrouve dans des galeries d'art et des expositions se déroulant au Québec comme aux États-Unis. En plus d'avoir obtenu un DEC en techniques de métiers d'art, option verre, du Cégep du Vieux Montréal, la jeune femme a suivi plusieurs ateliers auprès de maîtres verriers en France et ailleurs au Canada, à Vancouver et à Kingston. «J'aime travailler auprès de personnes qui ont davantage d'expérience que moi. C'est une excellente façon de se perfectionner.» Caroline se sent en constant apprentissage de son métier. «J'en ai pour une vie à acquérir toutes les

	Salaire hebdo moyen	Proportion de dipl. en emploi	Emploi relié	Chômage	Nombre de diplômés
2004	N/D	N/D	N/D	N/D	N/D
2003	N/D	33,3 %	100,0 %	33,3 %	6
2002*	N/D	N/D	N/D	N/D	4

Statistiques tirées de la *Relance* - Ministère de l'Éducation. Voir données complémentaires, page 387.
* Données de l'ancien programme *Techniques de métiers d'art (Verre)* (573.18)

Comment interpréter l'information, page 19.

connaissances liées au verre. Je suis donc perpétuellement à l'école. Et c'est pour moi une grande source de motivation.»

QUALITÉS RECHERCHÉES

Selon Caroline, pour réussir dans ce métier, il faut avoir le feu sacré. «La manipulation du verre est une opération délicate, la pièce peut se casser à n'importe quelle étape du processus. Il faut donc avoir beaucoup de plaisir à travailler et ne pas se décourager lorsqu'une création se brise ou n'est pas à la hauteur de nos attentes.» La curiosité et l'ouverture à de nouvelles techniques de travail sont également essentielles pour se perfectionner d'un point de vue artistique. Caroline conseille d'effectuer des stages auprès de maîtres verriers. «Cela permet d'observer d'autres façons de faire.»

> «La manipulation du verre est une opération délicate, la pièce peut se casser à n'importe quelle étape du processus.»
>
> — Caroline Ouellette

Comme le verrier est travailleur autonome, il se doit d'être discipliné en plus d'avoir des qualités de bon gestionnaire. Il doit également être disponible et déterminé, précise la diplômée. «Cela prend du temps et de la persévérance afin d'être reconnu dans ce milieu et de pouvoir vivre de son art. Au début de ma carrière, je travaillais le jour, le soir et les fins de semaine. Aujourd'hui, je peux me permettre de ne travailler que 50 heures par semaine.»

DÉFIS ET PERSPECTIVES

Pouvoir vivre uniquement de son art est le défi ultime du verrier, explique Michèle Lapointe, professeure au Centre des métiers du verre du Québec, associé au Cégep du Vieux Montréal. «Pour y parvenir, le diplômé devra s'adapter aux demandes du marché.» Actuellement, c'est la qualité du produit qui intéresse davantage les gens. Le diplômé doit donc s'attendre à créer des objets uniques ou en petite et moyenne séries, précise l'enseignante. «La création haut de gamme est celle qui est porteuse d'avenir.»

Photo : Cégep du Vieux Montréal - Katheleen Landry

Les verriers doivent également diversifier leurs réseaux de distribution tant ici qu'à l'étranger afin d'obtenir une plus grande visibilité et donc une meilleure rentabilité. Toujours dans ce but, les artisans devraient, selon Mme Lapointe, renforcer leurs alliances entre eux et avec d'autres intervenants tels que les détaillants, les distributeurs, les ateliers et les fournisseurs. 03/03

HORAIRES ET MILIEUX DE TRAVAIL

- Travailleur autonome, le verrier est appelé à travailler seul ou en équipe dans un atelier privé ou collectif.

- Le diplômé doit s'habituer à travailler dans la chaleur des fours. Il doit aussi apprendre à être prudent dans la manipulation du verre brûlant.

- L'horaire de travail d'un verrier s'échelonne sur 40 à 60 heures par semaine, selon les commandes.

DEC

Techniques professionnelles de musique et chanson (Composition et arrangement)

Chez les Beaugrand, la musique était une affaire de famille! Luc a été inscrit à des cours de piano dès l'âge de neuf ans. Sa mère chantait, l'un de ses frères jouait les airs des Beatles à la guitare et l'autre se passionnait pour le jazz. Aujourd'hui, Luc Beaugrand est musicien professionnel.

PROG. 551.A0
PRÉALABLE : 50, VOIR PAGE 20

CHAMPS D'INTÉRÊT
• aime la musique et la chanson
• aime concevoir des œuvres musicales
• aime l'écriture
• aime jouer d'un ou de plusieurs instruments

APTITUDES
• créativité
• originalité
• curiosité intellectuelle
• persévérance, autonomie
• ouverture d'esprit

OFFRE DU PROGRAMME PAR RÉGIONS

Pour connaître les établissements qui offrent ce programme : www.inforoutefpt.org

RÔLE ET TÂCHES

«La composition et l'arrangement sont proches parents. En composition, le musicien crée une musique de toutes pièces», explique Luc. L'arrangement consiste à effectuer des modifications ou des ajouts (comme un accord de guitare) à une œuvre existante, dans le but de l'améliorer ou de l'adapter à un contexte particulier, de la musique de film par exemple.

Luc touche aux deux domaines et plus encore. «En début de carrière, j'ai fait de l'accompagnement. J'ai été claviériste dans une émission de variétés à la télévision et accompagnateur de chanteurs dans les congrès, les salles de spectacle et au Casino de Montréal.»

Aujourd'hui, celui qui a aussi composé pour des films se consacre à la musique qui le fait vibrer : le jazz. «En plus de donner des spectacles avec chanteurs et musiciens au Thursday's [un restaurant-bar du centre-ville de Montréal], j'écris actuellement des musiques pour un chanteur qui prépare un album jazz en français.»

Lorsqu'il compose, Luc cherche une mélodie qui colle aux paroles qu'on lui a fournies. Il s'installe au piano, chante et essaie de marier mélodie et texte. Luc peut ensuite enregistrer le résultat et ajouter des sons d'instruments électroniques pour habiller la chanson. Il grave alors sa musique sur CD pour l'écouter et la retravailler. Quand il parvient à un résultat satisfaisant, il planifie une session d'enregistrement, engage des musiciens et procède à l'enregistrement des instruments et des voix en studio. Différentes étapes, comme le mixage, suivent avant d'en arriver au produit final.

	Salaire hebdo moyen	Proportion de dipl. en emploi	Emploi relié	Chômage	Nombre de diplômés
2004	430 $	39,6 %	40,0 %	13,6 %	69
2003	320 $	40,8 %	66,7 %	0,0 %	62
2002	297 $	22,0 %	50,0 %	10,0 %	54

Statistiques tirées de la *Relance* - Ministère de l'Éducation. Voir données complémentaires, page 387.

Comment interpréter l'information, page 19.

QUALITÉS RECHERCHÉES

La créativité, l'originalité et la curiosité sont au cœur du métier. Persévérance, détermination, patience et autonomie sont aussi primordiales. «C'est un domaine où il faut se battre, souligne Luc. Le Québec est un petit marché. Nous travaillons à la pige et les emplois sont instables. De plus, il est difficile de gagner sa vie uniquement en composition. Plusieurs musiciens doivent se tourner vers l'interprétation pour joindre les deux bouts.»

C'est pourquoi l'ouverture d'esprit doit être cultivée. «En début de carrière, il faut accepter les compromis, prévient Luc. Ainsi, il y a fort à parier que même si l'on préfère le jazz, on devra aussi toucher à d'autres styles musicaux. Mais quand on s'est bâti une réputation, on peut davantage faire ses propres choix.»

> «De façon générale, il y a aussi davantage d'émissions de télévision, de films et de publicités, poursuit-il. Cela ouvre des perspectives pour les diplômés.»
>
> — Pierre Côté

DÉFIS ET PERSPECTIVES

Travailleurs autonomes, les diplômés sont responsables de l'avancement... ou du piétinement de leur carrière. Ils doivent chercher des contrats et cultiver plusieurs habiletés. «Pour percer dans ce métier, vaut mieux cultiver la polyvalence, croit Pierre Côté, professeur de guitare et d'arrangement, au Cégep Marie-Victorin. Celui qui veut réaliser un album ou de la musique de film, par exemple, devra être polyvalent, puisqu'il faut à la fois composer, jouer et enregistrer ses pièces.»

Par ailleurs, les studios d'enregistrement poussent comme des champignons, souligne le professeur. «Comme la technologie est plus abordable aujourd'hui, plusieurs personnes possèdent leur propre studio à domicile. Cela ouvre des portes et crée de l'emploi pour les réalisateurs, musiciens et arrangeurs.

«De façon générale, il y a aussi davantage d'émissions de télévision, de films et de publicités, poursuit-il. Cela ouvre des perspectives pour les diplômés.» 02/05

HORAIRES ET MILIEUX DE TRAVAIL

- Les principaux employeurs sont les studios d'enregistrement, la télévision, le cinéma, les maisons de publicité et les boîtes de production multimédia. Les diplômés peuvent aussi travailler pour des auteurs-compositeurs.

- Les horaires fluctuent au gré des contrats. Cela peut impliquer des périodes où l'on travaille sans arrêt (jour, soir, semaine et week-end) ou, à l'inverse, des périodes creuses qui, idéalement, devraient être consacrées à la prospection de nouveaux clients.

- Le travail s'effectue souvent en studio d'enregistrement. Il faut savoir s'adapter aux différents équipements et se montrer flexible quant aux plages horaires restreintes que supposent les réservations des studios.

Techniques professionnelles de musique et chanson (Interprétation)

«Pour être musicien, il faut être débrouillard, aimer se produire en spectacle, avoir envie de s'entourer de gens et de voyager, mais d'abord et avant tout, il faut aimer jouer», précise Michel Éthier, professeur de saxophone et l'un des coordonnateurs du programme *Techniques professionnelles de musique et chanson (Interprétation)* au Cégep de Joliette.

PROG. 551.AB
PRÉALABLE : 50, VOIR PAGE 20

RÔLE ET TÂCHES

Le programme permet notamment d'exercer comme instrumentiste soliste ou encore comme accompagnateur au sein d'un groupe. Le diplômé peut aussi décrocher des contrats pour réaliser des arrangements musicaux, pour des émissions de télévision par exemple. L'enseignement dans une école de musique privée est une autre voie envisageable. Même si la vie du musicien peut être ponctuée de temps morts entre les contrats, elle n'est pas toujours de tout repos. Une journée de travail peut comporter une répétition pour un spectacle, une session d'enregistrement en studio et, pour couronner le tout, une petite prestation dans un bar en soirée.

DÉFIS ET PERSPECTIVES

La plus grande difficulté du diplômé? Les limites du marché québécois, qui obligent à se faire connaître ailleurs, affirme Michel Éthier. Autre défi de nature plus technique, l'instrumentiste doit développer sa capacité de lecture rapide des partitions, mais surtout sa mémoire des pièces à interpréter! «En spectacle, on demande au musicien de jouer sans partition, afin qu'il puisse participer à la chorégraphie ou se déplacer avec plus d'aisance, explique le professeur. Et la première fois qu'on fait un spectacle où l'on doit jouer une cinquantaine de pièces, il faut vaincre la crainte des trous de mémoire!» Enfin, il faut apprendre à composer avec la vie de tournée. Le musicien doit accepter d'être séparé de sa famille pendant de longues périodes, en plus de s'acclimater aux différents lieux visités et de s'intégrer à l'équipe de spectacle. «Côtoyer quotidiennement une personne avec qui on ne s'entend pas, ça peut être long; il faut donc savoir s'adapter», conclut l'enseignant. 04/03

HORAIRES ET MILIEUX DE TRAVAIL

• Le musicien peut travailler en studio d'enregistrement, à la télévision, dans les bars et les salles de spectacle.

• Comme le musicien vit de contrats, les périodes sans travail succèdent aux périodes d'activité intensive.

• Pas d'horaire fixe; on peut être appelé à jouer à n'importe quel moment de la journée, sans maximum ni minimum d'heures.

OFFRE DU PROGRAMME PAR RÉGIONS : Capitale-Nationale, Centre-du-Québec, Lanaudière, Laurentides, Montréal, Saguenay–Lac-Saint-Jean
Pour connaître les établissements qui offrent ce programme : **www.inforoutefpt.org**

	Salaire hebdo moyen	Proportion de dipl. en emploi	Emploi relié	Chômage	Nombre de diplômés
2004	N/D	N/D	N/D	N/D	N/D
2003	N/D	N/D	N/D	N/D	N/D
2002	N/D	N/D	N/D	N/D	N/D

Statistiques tirées de la *Relance* - Ministère de l'Éducation. Voir données complémentaires, page 387.

Comment interpréter l'information, page 19.

Théâtre – production[*]
(Décors et costumes)

Patricia Ruel a la piqûre du théâtre depuis longtemps. Déjà, au secondaire, elle participait aux pièces produites à son école. Mais pendant que ses collègues de classe rêvaient de briller sous les projecteurs, elle se voyait plutôt en train de matérialiser l'univers des personnages.

PROG. 561.AA
PRÉALABLE : 0, VOIR PAGE 20

CHAMPS D'INTÉRÊT
• aime le théâtre
• aime à la fois le travail en équipe et individuel
• aime la conception
• aime le travail manuel

APTITUDES
• habiletés de communication
• tolérance au stress et à l'instabilité
• imagination
• esprit cartésien
• disponibilité

OFFRE DU PROGRAMME PAR RÉGIONS
Laurentides, Montérégie, Montréal

Pour connaître les établissements qui offrent ce programme : www.inforoutefpt.org

RÔLE ET TÂCHES

Suivant sa passion, Patricia s'est inscrite au profil *Décors et costumes* du programme *Théâtre – production*, au Collège Lionel-Groulx. Un choix qu'elle n'a pas regretté une seconde depuis. «J'ai commencé à travailler deux jours après avoir terminé le programme et je n'ai jamais arrêté!» fait valoir la diplômée, qui roule sa bosse depuis quelques années dans le milieu du théâtre et de la télévision.

Travaillant à forfait, Patricia change d'employeur pratiquement tous les mois, ce qui fait qu'au bout d'une année, elle peut ajouter une dizaine de productions théâtrales en plus de quelques émissions de télévision à ses réalisations. Son métier de scénographe l'amène surtout à s'occuper de la disposition des éléments scéniques. Par exemple, elle a été responsable de la disposition du mobilier de l'émission *Ce soir on joue*, sur les ondes de Radio-Canada. Elle a également conçu les décors de *Réal-TV*, une émission jeunesse de Vrak TV.

Dans un petit atelier qu'elle a aménagé chez elle, Patricia conçoit les décors qu'elle transportera ensuite sur scène ou devant les caméras. Sa matière première? Son inspiration, qu'elle alimente en visitant les musées, en lisant et en restant à l'affût de ce qui se fait dans son domaine. Après avoir mis ses idées sur papier, la scénographe s'attaque à la construction des décors. Elle les fabrique à partir de matériaux légers pour faciliter leur transport... tout en veillant à ce qu'ils soient suffisamment solides pour ne pas s'écrouler en plein spectacle!

	Salaire hebdo moyen	Proportion de dipl. en emploi	Emploi relié	Chômage	Nombre de diplômés
2004	283 $	69,2 %	88,9 %	18,2 %	17
2003	510 $	84,2 %	84,6 %	11,1 %	25
2002	N/D	N/D	N/D	N/D	3

Statistiques tirées de la *Relance* - Ministère de l'Éducation. Voir données complémentaires, page 387.

Comment interpréter l'information, page 19.

QUALITÉS RECHERCHÉES

S'il doit être curieux et créatif pour faire rêver le public, le technicien en décors et costumes doit aussi être cartésien et terre à terre «parce que, sur scène, il faut que tout tienne», explique Patricia. Par contre, le diplômé ne devra pas craindre l'instabilité en matière d'emploi puisque les postes permanents sont à peu près inexistants dans ce domaine. Pour Patricia, cette réalité représente un avantage. «J'aime changer de travail tous les mois. Comme ça, je ne m'ennuie jamais.» Passer d'une production à l'autre demande également une grande disposition à travailler en équipe. Chaque fois que l'on se joint à un nouveau groupe, il faut en effet parvenir à bien s'entendre, autant avec le metteur en scène et les acteurs qu'avec les autres techniciens, pour ne pas se fermer de portes. Ceci dit, la conception de décors et de costumes requiert aussi de pouvoir fonctionner en solitaire. Par ailleurs, le technicien doit faire preuve d'une très grande disponibilité. À mesure que les répétitions avancent, le metteur en scène peut demander des modifications aux décors et aux costumes.

Dans un petit atelier qu'elle a aménagé chez elle, Patricia conçoit les décors qu'elle transportera ensuite sur scène ou devant les caméras.

DÉFIS ET PERSPECTIVES

Le plus grand défi pour les nouveaux diplômés, c'est probablement de se trouver un premier contrat, estime Louis Morin, professeur au Cégep de Saint-Hyacinthe. «En règle générale, les gens commencent dans des petits théâtres de création ou de répertoire, et ensuite viennent les grandes productions, mais ce n'est pas systématique. Les diplômés peuvent aussi commencer par des projets autogérés, comme des pièces montées par des élèves. Et de contrat en contrat, ils se font un nom.» Chose certaine, ceux qui n'ont pas peur de travailler vont réussir, croit l'enseignant. La compétition entre les professionnels est toutefois très forte dans ce milieu. «La compétence est rapidement reconnue... et l'incompétence aussi.» Dans ces conditions, un travail bâclé signifie inévitablement plus de travail du tout. D'où l'importance de toujours donner le meilleur de soi-même. Louis Morin ajoute que les techniciens en décors et costumes ont avantage à entretenir leur polyvalence pour augmenter leurs chances de trouver des contrats. Ainsi, ceux qui ont des compétences dans plusieurs domaines connexes, comme l'éclairage ou la régie, peuvent plus facilement se démarquer. 04/03

* Il existe aussi un programme intitulé : *Théâtre-production (Gestion et techniques de scène)* (561.A0).

HORAIRES ET MILIEUX DE TRAVAIL

• Les horaires sont très variables et suivent principalement ceux des productions. Seule constante : il n'existe pas de 9 à 5 dans ce métier!

• Le travail se partage entre l'atelier et le lieu de production.

• Les contrats en théâtre sont plus nombreux, mais ceux en télévision sont plus payants.

Théâtre – production (Éclairage et techniques de scène)*

«Le côté technique du théâtre est sûrement celui qui propose le plus de diversité dans les choix de carrière», affirme Christopher Brown, enseignant en théâtre au Collège John Abbott.

PROG. 561.AC
PRÉALABLE : 0, VOIR PAGE 20

RÔLE ET TÂCHES

En effet, les diplômés peuvent occuper une grande variété d'emplois liés à la création et à la production des costumes, des décors, de l'éclairage ainsi qu'à la scénographie. Toutefois, selon M. Brown, «un bon technicien devrait bien connaître chacun des aspects liés à la production théâtrale, tout en ayant une spécialité qui lui permette d'atteindre un niveau de compétence supérieur aux autres».

Plusieurs diplômés choisissent de devenir régisseurs ou directeurs techniques. Des fonctions plus éloignées du processus créatif, mais combien nécessaires pour la coordination de tous les aspects d'une production, comme la gestion de personnel, la production des plans d'éclairage ou encore la conception de la bande sonore. On voit aussi des techniciens en théâtre flirter avec la réalisation. C'est alors à eux de voir à ce que l'éclairage, le son, les changements de décor fonctionnent bien ensemble pendant le déroulement de la pièce.

DÉFIS ET PERSPECTIVES

Au Québec, l'industrie cinématographique, la télévision, les festivals et les cirques ont permis à plusieurs diplômés de trouver du travail dans des secteurs connexes au théâtre. Dans l'avenir, les programmes de formation pourraient être adaptés aux besoins du marché afin de donner une meilleure mobilité aux techniciens en théâtre, croit M. Brown. 05/03

* Il existe aussi un programme intitulé : *Théâtre-production (Gestion et techniques de scène)* (561.AO).

HORAIRES ET MILIEUX DE TRAVAIL

• Les diplômés sont présents partout où l'on fait de la production théâtrale, télévisuelle ou cinématographique.

• La plupart du temps, les techniciens sont embauchés à forfait.

• Les horaires s'ajustent en fonction des besoins des productions et varient énormément d'un contrat à l'autre.

OFFRE DU PROGRAMME PAR RÉGIONS : Laurentides, Montérégie, Montréal
Pour connaître les établissements qui offrent ce programme : **www.inforoutefpt.org**

	Salaire hebdo moyen	Proportion de dipl. en emploi	Emploi relié	Chômage	Nombre de diplômés
2004	N/D	N/D	N/D	N/D	N/D
2003	N/D	N/D	N/D	N/D	N/D
2002	N/D	N/D	N/D	N/D	N/D

Statistiques tirées de la *Relance* - Ministère de l'Éducation. Voir données complémentaires, page 387.

Comment interpréter l'information, page 19.

BOIS ET MATÉRIAUX CONNEXES

Le secteur du bois et des matériaux connexes doit s'ajuster à la forte concurrence des marchés asiatiques dans le domaine du meuble. Après avoir enregistré une progression annuelle de 7 à 25 % pendant près de 10 ans, l'industrie du meuble a connu un ralentissement en 2004. Ce recul est notamment dû à la progression des importations de meubles bon marché et à la hausse du dollar canadien qui a freiné la vente de meubles destinés à l'exportation.

L'industrie du meuble, qui compte environ 2 200 entreprises au Québec, doit relever des défis considérables : elle doit suivre le développement technologique et miser sur la qualité de ses travailleurs. Dans ce contexte, cette industrie recherche plus activement des dessinateurs concepteurs, des ébénistes et des techniciens de production de meubles.

Il est à noter que la performance exceptionnelle de la construction résidentielle, commerciale et industrielle a récemment contribué à favoriser les perspectives d'emploi, principalement dans la fabrication de portes, de fenêtres et d'armoires de cuisine. Selon le Comité sectoriel de main-d'œuvre des industries des portes et fenêtres, du meuble et des armoires de cuisine, les entreprises de ce secteur ont connu ces dernières années une croissance annuelle de 25 à 30 %. 03/05

CHAMPS D'INTÉRÊT

- aime travailler manuellement et utiliser des outils
- aime manipuler et transformer du bois ou d'autres matériaux
- aime le travail méthodique et de précision

APTITUDES

- dextérité, sens de l'observation et discernement
- patience, minutie, précision et rapidité d'exécution
- sens esthétique

RESSOURCES INTERNET

MINISTÈRE DE L'ÉDUCATION DU QUÉBEC – SECTEURS DE FORMATION
http://www.meq.gouv.qc.ca/ens-sup/ens-coll/program/ProgEtab.asp?vToken=s50
Vous trouverez sur cette page une description des programmes de ce secteur de formation, comprenant, pour chacun, les exigences d'admission, les objectifs de formation et une liste d'établissements d'enseignement.

ASSOCIATION DES FABRICANTS DE MEUBLES DU QUÉBEC
http://www.afmq.com
En plus d'offrir des renseignements utiles sur l'industrie du meuble, ce site permet de trouver les fabricants grâce à un moteur de recherche. Bien utile lorsque viendra le moment de chercher un emploi.

COMITÉ SECTORIEL DE MAIN-D'ŒUVRE DES INDUSTRIES DES PORTES ET FENÊTRES, DU MEUBLE ET DES ARMOIRES DE CUISINE
http://www.clicemplois.net
Ce site vous propose d'explorer près de 60 professions liées au secteur des portes et fenêtres, du meuble et des armoires de cuisine. Une visite qui s'impose!

DEC

Techniques du meuble et d'ébénisterie (Production sérielle)

C'est après avoir lu un texte dans le quotidien *Le Nouvelliste*, faisant état du haut taux de placement des diplômés en techniques du meuble et d'ébénisterie, qu'Éric Gaboury a décidé de s'inscrire au programme. Il est aujourd'hui directeur de production chez Soli-Meubles 1997, une entreprise de fabrication de meubles de salle à manger (bahuts et huches) située à Saint-Édouard-de-Maskinongé.

PROG. 233.BA
PRÉALABLE : 0, VOIR PAGE 20

CHAMPS D'INTÉRÊT
- aime travailler en usine
- aime utiliser la machinerie (ajuster et programmer)
- aime le travail méthodique et de précision

APTITUDES
- dextérité manuelle, sens de l'observation
- patience, minutie, précision
- rapidité d'exécution
- facilité pour les mathématiques, la logique
- résistance physique

OFFRE DU PROGRAMME PAR RÉGIONS
Centre-du-Québec

Pour connaître les établissements qui offrent ce programme : **www.inforoutefpt.org**

RÔLE ET TÂCHES

L'usine pour laquelle travaille Éric compte 30 employés et fabrique de 200 à 250 meubles par semaine. Dans le bruit des machines et l'odeur de copeaux de bois, Éric s'assure de la mise en production en fonction des commandes reçues. Pour ce faire, il dessine les différentes composantes des meubles à produire en utilisant un logiciel de dessin assisté par ordinateur (DAO). Puis, il imprime une feuille de production sur laquelle sont inscrits le nombre de meubles à fabriquer, l'essence de bois à utiliser ainsi que les dimensions de chacune des composantes. Cette feuille est envoyée au service de débitage où sont coupés aux bonnes dimensions les panneaux de bois nécessaires. Ces derniers sont ensuite expédiés à l'usinage, où les différentes pièces des meubles seront taillées selon une forme définie. Puis, les pièces sont assemblées. Durant toutes ces étapes, Éric peut intervenir pour résoudre les problèmes qui se présentent. Par exemple, si la tablette d'un meuble n'est pas conforme aux dimensions prescrites, il peut décider qu'une nouvelle tablette soit débitée. Une fois les meubles finis, Éric prépare le bon de livraison en vue de l'expédition au client.

Éric est titulaire d'un diplôme d'études collégiales (DEC) en technologie de l'architecture du Cégep de Trois-Rivières et d'un DEC en techniques du meuble et d'ébénisterie, option production sérielle, de l'École québécoise du meuble et du bois ouvré du Cégep de Victoriaville. Ce dernier programme offre également une option en menuiserie architecturale. Après l'obtention de son diplôme en techniques du meuble et d'ébénisterie, Éric a été dessinateur et directeur d'usine chez Innov International, un fabricant de mobilier de bureau

	Salaire hebdo moyen	Proportion de dipl. en emploi	Emploi relié	Chômage	Nombre de diplômés
2004	491 $	60,0 %	100,0 %	25,0 %	5
2003	544 $	66,7 %	100,0 %	0,0 %	8
2002	225 $	100,0 %	66,7 %	0,0 %	33

Statistiques tirées de la *Relance* - Ministère de l'Éducation. Voir données complémentaires, page 387.

Comment interpréter l'information, page 19.

de Saint-Hyacinthe, puis il a travaillé comme dessinateur et superviseur chez Meubles Canadel à Louiseville, avant d'occuper son poste actuel.

QUALITÉS RECHERCHÉES

Avoir du leadership et savoir communiquer sont des qualités recherchées chez les techniciens. En effet, ils doivent trouver de nouvelles méthodes de travail pour optimiser la production et savoir convaincre leur équipe du bien-fondé de ces dernières. La polyvalence est aussi de mise. «Je touche à tout, explique Éric. Par exemple, c'est à moi de trouver une solution lorsqu'une machine se brise, de dénicher un remplaçant quand un employé est malade ou encore de recruter du personnel.» L'autonomie et la débrouillardise sont d'autres atouts non négligeables. En effet, c'est par lui-même que le technicien devra trouver des techniques de production plus efficaces ou de nouveaux fournisseurs de matière première. Enfin, le souci du détail est primordial, tant pour le dessin qu'en ce qui a trait au mode d'assemblage, car le succès commercial d'un meuble passe par son apparence, sa finition et sa qualité.

> Le souci du détail est primordial, tant pour le dessin qu'en ce qui a trait au mode d'assemblage, car le succès commercial d'un meuble passe par son apparence, sa finition et sa qualité.

DÉFIS ET PERSPECTIVES

Les manufacturiers asiatiques sont des concurrents féroces dans l'industrie du meuble. «Les produits y sont fabriqués à moindre coût, car la main-d'œuvre y est sous-payée. On peut toutefois les concurrencer en utilisant des nouveaux matériaux ou de nouvelles techniques de production et ainsi offrir des meubles de meilleure qualité fabriqués à un coût moindre qui se vendront moins cher», explique Éric Allard, enseignant en techniques du meuble et d'ébénisterie, option production sérielle, à l'École québécoise du meuble et du bois ouvré du Cégep de Victoriaville. Selon M. Allard, plusieurs entreprises de l'industrie du meuble fonctionnent avec d'anciennes méthodes. «Le technicien doit amener de nouvelles façons de faire, tant en ce qui concerne les logiciels de dessin, les méthodes de production, que les approches de gestion. Les employeurs privilégient l'embauche d'une main-d'œuvre qualifiée et bien formée, notamment pour avoir accès à ces nouvelles techniques.

«C'est un programme qui reste peu connu, poursuit Éric Allard. Certains pensent que les techniciens ne font que tailler du bois... Ce qui n'est pas le cas, car ils sont appelés à travailler en tant que gestionnaires et superviseurs.» 02/05

HORAIRES ET MILIEUX DE TRAVAIL

- Les techniciens travaillent dans des entreprises de production de meubles en série et dans des ébénisteries (production artisanale).

- Ils peuvent œuvrer dans un bureau, en usine ou en atelier.
- L'horaire de travail est régulier, soit de 8 h à 17 h les jours de semaine.

CHIMIE ET BIOLOGIE

Ce secteur regroupe plusieurs fabricants de produits destinés aux domaines de l'alimentation, de la santé, des cosmétiques, de la métallurgie, des raffineries et des pâtes et papiers. Avec plus de 200 entreprises qui emploient 21 000 personnes au Québec, l'industrie de la biotechnologie et de la pharmaceutique en est une des branches les plus dynamiques. Après avoir connu une croissance remarquable pendant près de 10 ans, cette industrie a été ralentie par des réductions de crédits d'impôt entre 1999 et 2003 et par la fermeture de laboratoires importants. Cependant, depuis 2004, la création d'emplois dans le domaine a repris.

Le secteur de la chimie et de la biologie recherche particulièrement les diplômés en techniques de laboratoire. Les employeurs potentiels sont les centres de recherche, les laboratoires d'analyse, les laboratoires scolaires, les entreprises pétrochimiques, pharmaceutiques et de transformation alimentaire. La situation de l'emploi est aussi favorable pour les techniciens en procédés chimiques, qui se placent sans difficulté surtout dans les entreprises de pétrochimie et de raffinage.

Enfin, les diplômés en assainissement de l'eau et en environnement, hygiène et sécurité au travail sont favorisés par les nouvelles politiques et réglementations dans les domaines de l'eau, de la gestion des matières résiduelles et des sols contaminés, qui exigent l'embauche de travailleurs qualifiés. 03/05

CHAMPS D'INTÉRÊT

- aime les sciences : chimie, biologie, mathématiques, informatique
- se soucie de l'environnement
- aime observer, analyser, vérifier et résoudre des problèmes
- aime prendre des décisions et se sentir responsable
- aime utiliser des appareils scientifiques de précision

APTITUDES

- facilité d'apprentissage intellectuel (sciences et technologie)
- autonomie, discernement et sens des responsabilités
- méthode, minutie et rigueur

RESSOURCES INTERNET

MINISTÈRE DE L'ÉDUCATION DU QUÉBEC – SECTEURS DE FORMATION
http://www.meq.gouv.qc.ca/ens-sup/ens-coll/program/ProgEtab.asp?vToken=s60
Vous trouverez sur cette page une description des programmes de ce secteur de formation, comprenant, pour chacun, les exigences d'admission, les objectifs de formation et une liste d'établissements d'enseignement.

COMITÉ SECTORIEL DE MAIN-D'ŒUVRE DE L'ENVIRONNEMENT
http://www.csmoe.org
Ce site vous présente des informations sur les professions, la formation, de même que sur les dossiers chauds concernant l'industrie de l'environnement : nettoyage industriel, eau potable et gestion environnementale municipale.

DÉPARTEMENT D'ASSAINISSEMENT DES EAUX DU CÉGEP DE SAINT-LAURENT
http://www.cegep-st-laurent.qc.ca/departements/assainissement.htm
Pour avoir de l'information sur les programmes *Assainissement de l'eau* et *Environnement, hygiène et sécurité au travail.*

DÉPARTEMENT DE CHIMIE DU CÉGEP DE SAINT-LAURENT
http://www.cegep-st-laurent.qc.ca/depar/chimie
Ce site contient des renseignements utiles pour tous ceux qui étudient en chimie ou s'intéressent au domaine.

Assainissement de l'eau

En 1999, Claude Catellier s'est vu confier la tâche de régler les graves difficultés auxquelles faisait face la centrale de traitement de l'eau potable de la réserve autochtone des Atikamekw. De quatre à six mois de dur labeur furent nécessaires pour venir à bout des problèmes, mais aujourd'hui, les habitants peuvent boire leur eau en toute sécurité.

PROG. 260.A0
PRÉALABLES : 12, 20, VOIR P. 20

CHAMPS D'INTÉRÊT
• se soucie de la sécurité et de la qualité
• aime la chimie et la biologie
• aime travailler avec des outils informatisés et automatisés
• aime observer, vérifier, analyser
• aime travailler en équipe
• aime résoudre des problèmes

APTITUDES
• facilité en sciences (chimie, biologie, math)
• grand sens des responsabilités et du respect pour les consignes et les normes de sécurité
• sens de l'observation et de l'analyse
• facilité à utiliser la technologie
• autonomie et débrouillardise

OFFRE DU PROGRAMME PAR RÉGIONS
Montréal

Pour connaître les établissements qui offrent ce programme : www.inforoutefpt.org

RÔLE ET TÂCHES

C'est par hasard que Claude Catellier s'est retrouvé en assainissement de l'eau. «J'ai choisi ce programme un peu pour explorer. Finalement, je m'y suis reconnu.» Ses études terminées, Claude a travaillé dans de petites entreprises de traitement de l'eau. Il y faisait de l'épuration, du traitement d'eau potable, de l'optimisation de machineries, de la recherche et du développement. Puis, la filiale Proserco de l'entreprise John-Meunier, une compagnie importante dans le domaine, l'a envoyé à Wemotasi, l'une des réserves Atikamekw, située à une heure et demie au nord-ouest de La Tuque. L'endroit ne compte pas plus de 1 300 habitants. Six mois plus tard, la compagnie s'est retirée du dossier, mais le Conseil de bande des Atikamekw a gardé son employé. Avant son arrivée, les gens devaient faire bouillir leur eau. Sans parler des épidémies de gastro-entérite, devenues choses courantes.

Le rôle premier du responsable de la centrale est évidemment de produire de l'eau potable pour tous les habitants de la réserve. «Je m'assure d'abord que les dosages de produits chimiques sont exacts. Au moindre changement de la qualité de l'eau de la rivière, il faut calibrer de nouveau ces dosages, explique-t-il. Je vérifie le chlore, le pH, la couleur de l'eau, sa turbidité (les particules en suspension dans l'eau) et la présence de coliformes.»

Il fait aussi des «jar tests», c'est-à-dire qu'il mélange, dans des bocaux, différents dosages de produits chimiques avec l'eau. Si l'un des bocaux produit une bonne qualité d'eau, il applique le dosage concerné à l'eau de l'usine.

	Salaire hebdo moyen	Proportion de dipl. en emploi	Emploi relié	Chômage	Nombre de diplômés
2004	N/D	N/D	N/D	N/D	N/D
2003	630 $	68,8 %	81,8 %	0,0 %	18
2002	573 $	79,2 %	94,1 %	0,0 %	32

Statistiques tirées de la *Relance* - Ministère de l'Éducation. Voir données complémentaires, page 387.

Comment interpréter l'information, page 19.

Claude s'occupe aussi du laboratoire. Il commande les produits nécessaires au bon fonctionnement de l'usine. En ce moment, il forme deux employés qui n'ont aucune notion en traitement de l'eau, histoire d'avoir plus de personnel issu de la réserve œuvrant à la centrale.

Et comme Wemotasi est loin de tout, Claude joue un peu à l'homme à tout faire. Ainsi, c'est lui qui se charge de réparer les appareils défectueux dans l'usine.

QUALITÉS RECHERCHÉES

«Il est important qu'un élève travaille dans le milieu pendant ses études», considère Claude. Selon lui, il faut également être débrouillard, autonome et pratique. Savoir s'exprimer correctement par écrit est aussi un atout, car il y a des rapports à rédiger.

Pour faire ce métier, il est préférable d'aimer travailler en équipe et il faut être fort rigoureux dans l'accomplissement de ses tâches. «Travailler en assainissement des eaux comporte de grosses responsabilités, prévient-il. Il faut être très honnête. Si on fait des erreurs, c'est toute la population qui s'en ressent.»

DÉFIS ET PERSPECTIVES

«Les diplômés doivent se maintenir à jour, suivre l'évolution de la technologie, connaître les nouveaux produits chimiques et les nouveaux équipements», explique Jean Langevin, coordonnateur du Département d'assainissement au Cégep de Saint-Laurent. À son avis, beaucoup de secteurs industriels (particulièrement celui des mines) ne traitent pas l'eau de façon adéquate. Mais il est persuadé qu'à l'avenir, ces secteurs devront se soumettre à une réglementation plus sévère. Ce qui voudra dire davantage d'ouvertures pour les diplômés.

«Cette année, nous avons admis plus de 45 élèves en première année et nous formons aussi des groupes d'adultes dans le cadre de l'attestation d'études collégiales. Malgré cela, nous ne pouvons répondre à toutes les offres que nous recevons. Les emplois ne manquent pas, en particulier grâce au Règlement sur la qualité de l'eau potable qui exige que les intervenants dans ce domaine possèdent une formation reconnue», ajoute pour sa part Monique Henry, responsable du programme au Cégep de Saint-Laurent. 03/01 (mise à jour partielle 06/05)

> «Travailler en assainissement des eaux comporte de grosses responsabilités. Il faut être très honnête. Si on fait des erreurs, c'est toute la population qui s'en ressent.»
>
> — Claude Catellier

Photo : Cégep de Saint-Laurent

HORAIRES ET MILIEUX DE TRAVAIL

- Les employeurs dans ce domaine sont les stations de traitement d'eau potable et usée, les municipalités, les industries des pâtes et papiers, les fabricants d'équipements de produits chimiques, les firmes d'ingénieurs ou de consultants en environnement.

- L'horaire de travail est fort variable. On peut travailler de 9 h à 17 h, le soir, la nuit, la fin de semaine et même sur appel.

DEC

Environnement, hygiène et sécurité au travail

À la fin de son secondaire, Jean-François Hogue est allé consulter un conseiller d'orientation qui, après lui avoir fait passer des tests, lui a recommandé d'explorer trois métiers : technicien en environnement, technicien en traitement des eaux, et technicien en environnement, hygiène et sécurité au travail. «J'ai finalement choisi le dernier, parce que c'est un domaine très vaste et varié», explique-t-il.

PROG. 260.B0
PRÉALABLES : 11, 20, VOIR P. 20

CHAMPS D'INTÉRÊT
- aime communiquer et être utile aux personnes
- aime analyser et résoudre des problèmes
- se soucie de la santé et de la sécurité
- aime le travail d'équipe

APTITUDES
- grandes qualités de communicateur (écouter, convaincre, servir de médiateur)
- grand sens des responsabilités
- bonne capacité d'analyse et bon jugement

OFFRE DU PROGRAMME PAR RÉGIONS
Montérégie, Montréal,
Saguenay—Lac-Saint-Jean

Pour connaître les établissements qui offrent ce programme : www.inforoutefpt.org

RÔLE ET TÂCHES

Jean-François est technicien en environnement, hygiène et prévention chez Pétro Canada Machinerie. Il travaille à la fois pour le service d'hygiène et sécurité, et le service de l'environnement à la raffinerie. En ce qui concerne l'hygiène et la sécurité, son mandat consiste à déterminer le danger potentiel de certains produits et à faire en sorte que les travailleurs exposés à des substances dangereuses soient correctement équipés et bien protégés, qu'il s'agisse des employés qui manipulent des produits chimiques en laboratoire ou des opérateurs de machine à combustion. «C'est une grande responsabilité, dit-il, car une personne mal équipée est une personne en danger. Mon rôle est d'informer les travailleurs sur les dangers, par exemple d'explosion d'hydrocarbures, mais aussi sur les risques à long terme pour ceux qui sont exposés à des produits cancérigènes, comme l'amiante ou le benzène. Je forme également les nouveaux employés sur les symboles utilisés et les systèmes de sécurité, par exemple les détecteurs de gaz qui vont prendre la mesure d'explosivité.»

Régulièrement, Jean-François mesure la présence de contaminants dans l'air en prélevant et analysant des échantillons. «Puis, je produis un rapport et je fais certaines recommandations aux personnes concernées, soit les supérieurs et les employés.» Il prélève également des échantillons d'eau dans les puits d'observation disséminés sur le terrain et autour de la raffinerie. «Ces puits descendent jusqu'à la nappe phréatique, explique-t-il. En analysant les échantillons, on vérifie qu'il n'y a pas d'écoulement de produits nocifs dans l'eau et pas de pollution des sols en dehors de la raffinerie.»

	Salaire hebdo moyen	Proportion de dipl. en emploi	Emploi relié	Chômage	Nombre de diplômés
2004	583 $	64,3 %	77,8 %	10,0 %	17
2003	641 $	73,3 %	81,8 %	8,3 %	20
2002	657 $	76,2 %	93,3 %	5,9 %	26

Statistiques tirées de la *Relance* - Ministère de l'Éducation. Voir données complémentaires, page 387.

Comment interpréter l'information, page 19.

En ce qui concerne l'environnement, Jean-François est chargé de produire les documents d'expédition pour l'envoi des déchets de produits pétroliers vers les distributeurs. «Il existe des lois spécifiques relatives au transport de matières dangereuses. Sur le document, je dois préciser la dangerosité des déchets, les risques qu'ils comportent pour la santé et l'environnement, afin que les mesures de sécurité qui s'imposent puissent être prises advenant un accident pendant le transport.»

QUALITÉS RECHERCHÉES

«Ce métier exige de la polyvalence et de la curiosité, affirme Jean-François. En trois ans de formation, on ne peut pas tout apprendre sur ce vaste domaine. Il faut donc faire de la recherche par soi-même et se renseigner sur les procédés, les produits, etc.»

Les diplômés doivent également se tenir au courant des nouvelles normes sur l'environnement, la santé et la sécurité au travail, ainsi que sur les nouveaux produits potentiellement dangereux. Il est essentiel d'être à l'aise dans les relations interpersonnelles et de communiquer facilement. En effet, les diplômés sont amenés à conseiller les travailleurs et à répondre à leurs questions sur les dangers de certaines matières. Une bonne capacité de communication écrite est aussi nécessaire, car ils doivent rédiger de nombreux rapports.

DÉFIS ET PERSPECTIVES

«Le principal défi est de convaincre les gens du milieu industriel de considérer l'environnement, l'hygiène et la santé au travail comme des éléments tout aussi importants que la production, estime Jacques Cicioli, responsable de la coordination du Département d'environnement, hygiène et sécurité au travail au Cégep de Jonquière. C'est tout un défi malgré l'évolution des mentalités», souligne-t-il.

Pour M. Cicioli, les secteurs de l'hygiène et de la santé au travail se sont bien développés depuis les 20 dernières années et devraient continuer à offrir de bonnes perspectives d'emploi. Quant à l'environnement, il va poursuivre sa croissance. «Cet essor est encouragé par la mise en place de réglementations poussant les entreprises à prendre la voie du développement durable.» 02/05

> «Ce métier exige de la polyvalence et de la curiosité. En trois ans de formation, on ne peut pas tout apprendre sur ce vaste domaine. Il faut donc faire de la recherche par soi-même et se renseigner sur les procédés, les produits, etc.»
>
> — Jean-François Hogue

Photo : UQTR

HORAIRES ET MILIEUX DE TRAVAIL

• Ils peuvent œuvrer dans les équipes de santé au travail des CLSC, dans l'industrie de l'aluminium, des pâtes et papiers ou de la pétrochimie par exemple, les laboratoires d'analyses en environnement privés, les municipalités et les firmes de consultants en santé et sécurité au travail, les firmes de consultants en environnement.

• Les horaires sont généralement de type «9 à 5», mais les usines étant en activité 24 heures sur 24, les diplômés peuvent être appelés à tout moment en cas d'urgence ou d'accident.

• Les techniciens en environnement, hygiène et sécurité au travail peuvent prétendre à différents postes : conseiller en environnement, conseiller en santé-sécurité et technicien en hygiène industrielle.

Techniques de génie chimique

Diplômé en techniques de génie chimique, Michel Boivin a suivi un parcours quelque peu atypique. Il travaille aujourd'hui comme représentant en ventes et services chez E.Q.U.I.P. International, une compagnie qui fabrique et distribue des produits chimiques pour l'industrie des pâtes et papiers.

PROG. 210.02
PRÉALABLES : 12, 30, 40 VOIR P. 20

CHAMPS D'INTÉRÊT

- aime la chimie et les mathématiques
- aime observer, analyser, vérifier, calculer
- aime le travail d'équipe et le travail en usine
- valorise l'efficacité et la productivité

APTITUDES

- grande capacité d'adaptation et esprit pragmatique
- facilité à communiquer et à coopérer
- sens des responsabilités, minutie et méthode
- dextérité et sens de l'observation

OFFRE DU PROGRAMME PAR RÉGIONS
Chaudière-Appalaches, Saguenay–
Lac-Saint-Jean

Pour connaître les établissements qui offrent ce programme : **www.inforoutefpt.org**

RÔLE ET TÂCHES

«Les usines de pâtes et papiers sont de grandes consommatrices de produits chimiques, explique Michel Boivin. Mon rôle n'est pas simplement de leur vendre des produits, mais plutôt des solutions chimiques qui répondent à leurs besoins très précis. C'est là que ma formation en chimie est mise à contribution.»

Bien souvent, c'est le client qui l'appelle pour lui demander de trouver la solution adéquate à un problème technique concernant son papier. Il peut s'agir, par exemple, d'en modifier certaines propriétés telles que la formation ou l'opacité. «Mon rôle est alors de développer une solution chimique pour résoudre son problème, dit-il. Il faut chaque fois trouver le produit ou l'additif qui fournit le résultat escompté, mais aussi s'occuper de l'ensemble du procédé, c'est-à-dire la façon de l'appliquer ainsi que les techniques et les stratégies de contrôle qu'on doit ensuite mettre en place. Chaque nouvelle demande est un défi.» Dans ce processus, Michel a l'appui de plusieurs ressources, notamment de son directeur. Ensemble, ils élaborent des stratégies et font des études en laboratoire afin d'optimiser les coûts et la qualité du papier. Ils présentent ensuite leurs résultats et recommandations aux dirigeants de l'entreprise pour obtenir un essai en usine. «Je m'occupe surtout de ce que l'on appelle le "bout humide" de la chaîne, la pâte à l'intérieur de laquelle sont insérés la plupart des additifs. C'est là qu'il est possible d'avoir une incidence sur les propriétés du papier et sur les paramètres de fonctionnement de la machine. Nous appliquons également des produits chimiques pour traiter les effluents et les boues d'usine, ainsi que pour contrôler la contamination microbiologique. C'est un travail

	Salaire hebdo moyen	Proportion de dipl. en emploi	Emploi relié	Chômage	Nombre de diplômés
2004	654 $	61,5 %	87,5 %	0,0 %	16
2003	527 $	61,9 %	84,6 %	13,3 %	24
2002	542 $	55,0 %	90,9 %	26,7 %	24

Statistiques tirées de la *Relance* - Ministère de l'Éducation. Voir données complémentaires, page 387.

Comment interpréter l'information, page 19.

passionnant où la routine n'a pas sa place», affirme Michel. Le reste de son temps est consacré à l'amélioration des produits existants, par la recherche de nouveaux programmes et par l'interprétation de données d'exploitation.

QUALITÉS RECHERCHÉES

Les technologues en génie chimique doivent posséder des aptitudes certaines pour les sciences et avoir de bonnes dispositions pour travailler en équipe. «Il faut comprendre rapidement les attentes de son interlocuteur, explique Michel Boivin. Être un bon communicateur épargne du temps. Si l'on veut gagner et conserver la confiance de ses clients, il est aussi essentiel de respecter ses engagements.» Le sens de l'observation, la dextérité et la patience sont également très utiles. «Cela prend aussi beaucoup de curiosité intellectuelle et une certaine capacité de réflexion pour aborder un nouveau problème. Ce n'est pas un métier où solution rime avec précipitation.»

> «Le défi des diplômés est, avant tout, de faire connaître leur discipline.»
>
> — Marc-Yvan Côté

DÉFIS ET PERSPECTIVES

Selon Marc-Yvan Côté, responsable de la coordination de ce département au Cégep de Jonquière, le défi des diplômés est, avant tout, de faire connaître leur discipline. «Le nombre de diplômés en techniques de génie chimique est encore assez restreint, dit-il. Les employeurs potentiels connaissent peu cette formation. C'est à nos diplômés de faire valoir leurs qualités et d'expliquer l'avantage que constitue la polyvalence de leur technique par rapport à d'autres, plus spécialisées.»

Le coordonnateur estime qu'il y a constamment de nouveaux défis pour les techniciens en génie chimique. «Si la grande industrie demeure traditionnellement l'employeur principal de nos diplômés, on voit une recrudescence de la demande du côté des PME, a-t-il constaté. C'est une tendance très marquée, notamment dans la petite industrie des matériaux comme la peinture, le bois ou les plastiques. Nos diplômés sont recherchés pour leurs compétences techniques, mais aussi pour leur facilité de communication avec les ingénieurs chimistes, dont ils doivent comprendre les attentes en matière de planification des essais. Il faut également qu'ils se tiennent prêts à s'engager dans des domaines qui se développent fortement, comme la résistance des matériaux – surtout les composites –, la simulation de procédés par ordinateur et les biotechnologies.» 02/01

HORAIRES ET MILIEUX DE TRAVAIL

• Les techniciens de ce domaine assistent les ingénieurs chimistes dans les raffineries, les usines de produits chimiques, les papetières ou les centres de recherche.

• C'est un milieu très informatisé en raison du traitement des données et des opérations de simulations.

• Le travail se fait selon des horaires réguliers.

• En production ou en contrôle de la qualité, il est possible de travailler en rotation, de soir ou de nuit.

Techniques de laboratoire (Biotechnologies)

«Nos diplômés participent à une révolution : celle de la biotechnologie. Pendant longtemps, ils ont travaillé sans qu'il y ait des retombées majeures. Maintenant, des retombées, il y en a!»

PROG. 210.AA
PRÉALABLES : 12, 30, 40, VOIR P. 20

RÔLE ET TÂCHES

L'affirmation est de Jocelyn Laplante, enseignant au Collège de l'Outaouais (campus Gabrielle-Roy), à Gatineau. Ses diplômés travaillent en effet dans ces laboratoires où l'on manipule le vivant pour mettre au point de nouveaux médicaments, expérimenter des traitements contre le sida ou le cancer, créer des micro-organismes capables d'éliminer des contaminants... Sans oublier les manipulations génétiques des plantes agricoles et des arbres destinés à la foresterie.

«La première qualité du diplômé, c'est le sens de l'organisation, souligne M. Laplante. Il doit aussi être consciencieux et minutieux.» En effet, les techniciens doivent suivre des instructions précises et un protocole scientifique strict, sans brûler les étapes. Autrement, leur travail n'est pas crédible. De plus, ils doivent observer des consignes de sécurité.

«Les diplômés travaillent souvent en petites équipes multidisciplinaires», ajoute l'enseignant. Dans un laboratoire, il y a plusieurs spécialistes : biologistes moléculaires, chimistes, pathologistes, écologistes, microbiologistes...

DÉFIS ET PERSPECTIVES

Le diplômé doit absolument maintenir ses connaissances à jour, car l'innovation technologique dans ce secteur est constante. Par ailleurs, il peut être confronté à de déchirantes questions d'éthique comme : doit-on laisser les multinationales breveter (donc privatiser) des organismes vivants ou jouer les apprentis sorciers avec les organismes génétiquement modifiés (OGM)? Bien sûr, le technicien agit à titre d'exécutant, mais il n'est pas à l'abri des problèmes de conscience. «Il y a des revenus incroyables liés à ces activités, admet M. Laplante. C'est heureux ou malheureux selon qu'on se situe à droite ou à gauche sur l'échiquier idéologique.» 03/03

HORAIRES ET MILIEUX DE TRAVAIL

• Un laboratoire est un endroit calme, d'une impeccable propreté, très ordonné.

• Les descriptions de tâches sont strictes.

• Le technicien ne travaille pas sous pression afin de toujours respecter les protocoles scientifiques et les consignes de sécurité.

• Les horaires sont réguliers, de 9 h à 17 h.

OFFRE DU PROGRAMME PAR RÉGIONS : Chaudière-Appalaches, Estrie, Mauricie, Montérégie, Montréal, Outaouais
Pour connaître les établissements qui offrent ce programme : **www.inforoutefpt.org**

	Salaire hebdo moyen	Proportion de dipl. en emploi	Emploi relié	Chômage	Nombre de diplômés
2004	484 $	69,8 %	83,7 %	2,2 %	84
2003	501 $	55,8 %	89,1 %	5,9 %	112
2002	N/D	N/D	N/D	N/D	N/D

Statistiques tirées de la *Relance* - Ministère de l'Éducation. Voir données complémentaires, page 387.

Comment interpréter l'information, page 19.

Techniques de laboratoire (Chimie analytique)

Fort de sa formation en chimie analytique, Éric Bergeron travaille au département de recherche et développement du ministère de la Défense nationale et des Forces canadiennes, à Val-Cartier. Un travail qui lui permet d'atteindre «un niveau maximal de stimulation intellectuelle», dit-il.

PROG. 210.AB
PRÉALABLES : 12, 30, 40, VOIR P. 20

CHAMPS D'INTÉRÊT

- aime la chimie et les mathématiques
- aime travailler avec précision, en suivant un protocole
- aime calculer, observer, analyser et vérifier
- désire apprendre et renouveler ses connaissances

APTITUDES

- connaissance de l'anglais, pour utiliser les volumes de chimie et les logiciels informatiques
- logique et compréhension des phénomènes physiques et chimiques
- sens de l'observation
- bonne mémoire et capacité de concentration
- dextérité et minutie
- méthode et rigueur

OFFRE DU PROGRAMME PAR RÉGIONS
Chaudière-Appalaches, Mauricie,
Montérégie, Montréal,
Saguenay—Lac-Saint-Jean

Pour connaître les établissements qui offrent ce programme : **www.inforoutefpt.org**

RÔLE ET TÂCHES

Parce qu'il rêvait de faire carrière au Laboratoire de sciences judiciaires et de médecine légale du Québec, Éric s'est inscrit en *Techniques de chimie analytique* (nom de l'ancien programme) au Cégep de Lévis-Lauzon. Son diplôme obtenu, c'est toutefois en environnement qu'il a commencé à travailler, en prélevant des échantillons (d'eau, de sol, de minerai, etc.) sur le terrain pendant l'été. À la suite de cette expérience, il a décidé d'entreprendre un certificat en biotechnologies à l'université.

La combinaison de ses deux formations lui a permis d'obtenir son emploi actuel, au ministère de la Défense nationale et des Forces canadiennes. Un poste pour le moins spécialisé : au service de recherche et développement, il est affecté à la section des matériaux énergétiques et biotechnologiques, et plus précisément aux propulsifs et aux explosifs. Au sein d'une équipe de chercheurs, il doit vérifier la stabilité des agents de conservation de différents produits explosifs (comme la poudre à canon) que possède le Canada. Il participe également à la recherche sur les nouveaux produits qui remplaceront ceux actuellement utilisés par les différents corps armés.

Au quotidien, Éric prépare et pèse des échantillons de produits explosifs en vue de les analyser. Utilisant la chromatographie liquide, une technique hautement sophistiquée qui permet la séparation et l'analyse de mélanges de substances chimiques, il étudie le vieillissement de chaque produit, les effets des variations de température sur son rendement, sa force et ses

	Salaire hebdo moyen	Proportion de dipl. en emploi	Emploi relié	Chômage	Nombre de diplômés
2004	597 $	81,5 %	84,6 %	5,7 %	108
2003	575 $	79,2 %	86,1 %	2,4 %	120
2002	N/D	N/D	N/D	N/D	N/D

Statistiques tirées de la *Relance* - Ministère de l'Éducation. Voir données complémentaires, page 387.

Comment interpréter l'information, page 19.

caractéristiques chimiques. En fait, il cherche ainsi à s'assurer que les agents de conservation contenus dans les explosifs ne se détérioreront pas et ne causeront pas d'auto-allumage durant l'entreposage. «Car l'explosion d'une de ces poudres dans un dépôt pourrait déclencher une réaction en chaîne très dangereuse», explique-t-il.

Puisqu'il travaille dans un ministère, Éric doit également rédiger de nombreux rapports ainsi que des fiches techniques pour chacune des analyses qu'il effectue. Chaque année, il soumet ainsi une centaine de substances à toute une batterie de tests afin de juger de leur qualité.

QUALITÉS RECHERCHÉES

«Ces tâches demandent de la minutie, de la précision, de la patience, un bon esprit de synthèse et de la dextérité. Il faut aussi avoir le sens de l'observation, pour remarquer les variations de la matière», souligne le diplômé.

Le technicien doit aussi être méthodique et rigoureux, pour être en mesure d'organiser et de documenter son travail selon les normes du laboratoire. Responsable, il aura le souci du travail bien fait.

Puisqu'il travaille dans un milieu de technologie de pointe, non seulement sera-t-il à l'aise avec la chimie de base et les mathématiques, mais aussi avec les instruments de mesure et l'informatique. Une réalité qui implique des mises à jour fréquentes de ses connaissances.

DÉFIS ET PERSPECTIVES

Pour Daniel Bergeron, enseignant en techniques de laboratoire au Cégep de Lévis-Lauzon, le grand défi du futur réside dans le domaine de la protection de l'environnement, vu les préoccupations grandissantes des gouvernements quant à la conservation des ressources naturelles. «C'est un domaine où il y aura toujours une demande de techniciens, puisque les normes de plus en plus strictes exigeront de nombreuses analyses chimiques un peu partout. Entre autres, il va falloir surveiller les usines et les compagnies pétrolières pour s'assurer qu'elles respectent les limites de rejets dans l'environnement.» 03/03

> Le technicien doit être méthodique et rigoureux, pour être en mesure d'organiser et de documenter son travail selon les normes du laboratoire.

Photo : Hôpital Notre-Dame — Stephen Nopel

HORAIRES ET MILIEUX DE TRAVAIL

- On retrouve des techniciens de laboratoire dans les ministères, les organismes gouvernementaux, les entreprises des secteurs pharmaceutique, de l'environnement, de l'aluminium, de la pétrochimie, des aliments, des plastiques et des pâtes et papiers, bref, dans les organisations qui utilisent des produits chimiques ou qui en testent les qualités.

- Les emplois liés à l'environnement sont saisonniers et contractuels puisque les analyses d'eau et de sols se font pendant l'été.

- Dans les entreprises privées, la plupart des emplois sont permanents. Les horaires comptent de 37 à 42 heures par semaine, partagées entre le travail de laboratoire et de bureau.

- Il existe des risques pour la santé liés à la manipulation de solvants et de produits chimiques durant une longue période. Les maladies respiratoires, cutanées, neurologiques ou même le cancer sont au nombre des dangers potentiels.

Techniques de procédés chimiques

Diplômé en techniques de procédés chimiques, Michel Bertrand est contremaître de production pour la compagnie de produits chimiques Delmar, située à LaSalle. Il veille au respect des bonnes pratiques de fabrication et fait le suivi du contrôle de la qualité.

PROG. 210.B0
PRÉALABLES : 11, 20, VOIR P. 20

CHAMPS D'INTÉRÊT

- aime le travail en milieu industriel et le travail d'équipe
- aime travailler selon des consignes et des normes
- aime la technologie et l'informatique
- aime observer, vérifier, calculer, analyser, superviser

APTITUDES

- facilité pour les sciences
- excellente faculté d'adaptation et beaucoup de pragmatisme
- respect de l'autorité et des consignes
- résistance physique et résistance au stress

OFFRE DU PROGRAMME PAR RÉGIONS
Montréal

Pour connaître les établissements qui offrent ce programme : **www.inforoutefpt.org**

RÔLE ET TÂCHES

Cette technique forme des personnes dont le rôle est de faire fonctionner des installations de traitements chimiques. «Chez Delmar, nous produisons des ingrédients pharmaceutiques actifs sous forme de poudre, explique Michel Bertrand. Ils sont utilisés dans la fabrication des médicaments. Mon rôle de contremaître est de veiller à ce que les bonnes pratiques de fabrication soient appliquées. Nos procédés sont suivis de près, notamment par la Food and Drug Administration (FDA) américaine, car nous commercialisons nos produits aux États-Unis. La qualité du produit doit être parfaite.» Le jeune homme poursuit en expliquant pourquoi le contrôle de la qualité a un rôle primordial dans l'industrie chimique et pharmaceutique. «Nous mettons en œuvre des procédés de transformation très complexes qui provoquent parfois quatre ou cinq réactions consécutives sur le produit, dit-il. Après chacune de ces réactions, les opérateurs prélèvent un échantillon qui est envoyé au service du contrôle de la qualité. Si son superviseur détecte un problème, c'est à moi de faire les ajustements nécessaires. C'est un travail d'équipe dans lequel même les ingénieurs de la division de la recherche collaborent avec nous.» D'autres tâches sont rattachées à la fonction de Michel. «Je m'occupe aussi de l'aspect santé et sécurité au travail. Je dois m'assurer que les règles de protection sont respectées. La gestion des équipements et du personnel ainsi que la planification de la production sont également dans mes attributions.»

	Salaire hebdo moyen	Proportion de dipl. en emploi	Emploi relié	Chômage	Nombre de diplômés
2004	807 $	83,3 %	72,0 %	3,8 %	42
2003*	787 $	71,4 %	73,3 %	11,8 %	31
2002*	680 $	85,0 %	84,8 %	2,9 %	54

Statistiques tirées de la *Relance* - Ministère de l'Éducation. Voir données complémentaires, page 387.

* Données de l'ancien programme *Techniques de procédés chimiques* (210.04)

Comment interpréter l'information, page 19.

QUALITÉS RECHERCHÉES

Cette technique s'adresse, bien sûr, aux adeptes des sciences et de la chimie, à qui on demandera surtout beaucoup de minutie. «Il faut être très précis lorsqu'on décide d'agir sur l'équipement en cours de procédé, dit Michel. Le moindre détail, la plus petite fausse manœuvre, peuvent avoir des conséquences graves.» Le sens des responsabilités et la capacité de prendre des décisions sont souvent mis à contribution. «Je dois appliquer et faire respecter les règlements sur la santé, la sécurité et les pratiques de fabrication. Si le niveau de stérilité des chambres blanches, où est emballé le produit, n'est pas suffisant, la production sera inutilisable et j'en serai responsable.» Le technologue doit également posséder un bon sens de la communication, car il collabore la plupart du temps avec des superviseurs et des ingénieurs.

DÉFIS ET PERSPECTIVES

«Les diplômés de cette technique ont des perspectives d'emploi dans des secteurs de plus en plus diversifiés, dit Martin Demers, directeur adjoint de l'Institut de chimie et de pétrochimie du Collège de Maisonneuve. Si l'industrie de la pétrochimie et du raffinage demeure toujours le domaine de prédilection des techniciens de procédés chimiques, un nombre grandissant d'autres secteurs s'intéressent à leur polyvalence. Il s'agit notamment de compagnies qui s'occupent d'environnement, d'agroalimentaire, de traitement des métaux, de chimie de spécialité, de l'industrie pharmaceutique et cosmétique.» Le développement important des PME œuvrant dans ces domaines promet d'accroître la demande de personnel qualifié et offre des défis et des possibilités d'avancement très intéressants.

«Les diplômés devraient également profiter dans les cinq prochaines années d'un mouvement qui vise à remplacer la main-d'œuvre vieillissante en pétrochimie et en raffinage», ajoute Martin Demers. Les diplômés pourront aussi bien travailler en qualité de techniciens de production qu'en tant que représentants techniques chez les fabricants et les distributeurs de produits chimiques. «Certaines compagnies emploient des techniciens qui sont spécifiquement au service de l'un de leurs clients pour présenter les nouveaux produits, faire du suivi, du soutien et des ajustements en production.» 03/01

> «Il faut être très précis lorsqu'on décide d'agir sur l'équipement en cours de procédé. Le moindre détail, la plus petite fausse manœuvre, peuvent avoir des conséquences graves.»
>
> — Michel Bertrand

Photo : Collège Maisonneuve

HORAIRES ET MILIEUX DE TRAVAIL

- Les diplômés sont employés par les pétrolières, les usines de plastique, de peinture, de produits chimiques.

- Ils peuvent aussi travailler dans l'industrie alimentaire, l'industrie pharmaceutique ou dans le domaine du traitement des eaux et des métaux.

- Dans le cadre de leurs fonctions, ils utilisent des équipements de protection : casques, habits, masques, bouchons d'oreilles.

- Les horaires sont variables, parfois irréguliers.

- Le travail peut se faire par rotation de 12 heures, soit de jour, de nuit et en fin de semaine.

- Il est possible d'avoir à effectuer des heures supplémentaires.

BÂTIMENT ET TRAVAUX PUBLICS

Depuis plusieurs années, la construction affiche une forte croissance, notamment grâce à la relance des investissements publics dans de grands travaux d'infrastructure et à l'explosion de la construction résidentielle.

Le marché de l'emploi dans ce domaine va de pair avec l'effervescence de l'activité. Selon la Commission de la construction du Québec, le nombre d'heures travaillées a atteint des sommets en 2004 en s'élevant à 120 millions. L'industrie est constamment en quête d'employés qualifiés. Elle voit toutefois ses élans freinés par des manques flagrants de main-d'œuvre dans certains métiers. Mais comme sa croissance est directement liée à l'état de l'économie, il demeure difficile de prédire son avenir à long terme.

Il reste que l'avènement de techniques et de matériaux de construction novateurs a fait naître de nouvelles exigences. L'industrie veut désormais davantage des travailleurs qualifiés et polyvalents, comme les diplômés en technologie de la mécanique du bâtiment et en technologie de l'estimation et de l'évaluation en bâtiment. Le secteur de la géomatique, en plein essor, pousse également l'industrie à embaucher davantage de techniciens qualifiés.

Le génie civil profite aussi du dynamisme du secteur de la construction. En effet, on trouve des technologues en génie civil à toutes les étapes des grands projets de construction publics et industriels. Sans compter que le secteur de l'environnement mobilise également ce type de professionnels (assainissement des eaux, décontamination des sites, etc.). La surveillance des chantiers et la gestion des travaux sont d'autres avenues à explorer pour ces diplômés. 03/05

CHAMPS D'INTÉRÊT

- aime le travail manuel de précision nécessitant l'emploi d'outils
- aime bouger, se dépenser physiquement
- aime comprendre le fonctionnement des divers éléments d'un bâtiment, d'une construction
- aime travailler sur un chantier

APTITUDES

- dextérité, rapidité et grande précision d'exécution
- résistance physique et excellente coordination motrice
- sens de l'observation et grande acuité visuelle
- facilité d'apprentissage manuel et technique
- capacité à respecter des normes et des règlements liés à la sécurité et à l'environnement

RESSOURCES INTERNET

MINISTÈRE DE L'ÉDUCATION DU QUÉBEC – SECTEURS DE FORMATION
http://www.meq.gouv.qc.ca/ens-sup/ens-coll/program/ProgEtab.asp?vToken=s70
Vous trouverez sur cette page une description des programmes de ce secteur de formation, comprenant, pour chacun, les exigences d'admission, les objectifs de formation et une liste d'établissements d'enseignement.

COMMISSION DE LA CONSTRUCTION DU QUÉBEC
http://www.ccq.org
Visitez ce site pour tout savoir sur l'industrie de la construction au Québec. Vous y trouverez des renseignements sur les métiers et occupations, la formation, les conventions collectives, etc.

CONSTRUNET
www.construnet.com
À consulter pour tout savoir sur les appels d'offres en construction au Québec, les dernières nouvelles de l'industrie et les organismes du secteur.

DEC

Sécurité incendie

«Je m'interrogeais sur mon choix de carrière à la fin de mes études secondaires. Mon père est pompier et cet univers m'attirait. J'ai donc suivi une formation en sécurité incendie», raconte Carl Darveau, inspecteur en prévention des incendies pour le ministère de la Défense nationale.

PROG. 311.A0
PRÉALABLE : 9E, VOIR PAGE 20

CHAMPS D'INTÉRÊT

- aime organiser et coordonner les activités d'une équipe
- aime les contacts avec le public (pour informer et éduquer)
- aime maintenir une excellente forme physique
- aime travailler selon un horaire variable et souvent imprévisible

APTITUDES

- dynamisme, initiative et leadership
- coordination motrice, dextérité manuelle et bonne perception spatiale
- conserve son calme dans des situations dangereuses
- grande facilité à communiquer; excellent jugement

OFFRE DU PROGRAMME PAR RÉGIONS
Capitale-Nationale, Laval

Pour connaître les établissements qui offrent ce programme : **www.inforoutefpt.org**

RÔLE ET TÂCHES

Carl Darveau travaille dans les bureaux de la caserne de pompiers de la base militaire de Valcartier. Son rôle? Inspecter les bâtiments afin d'assurer la prévention des incendies, tout en formant et sensibilisant les usagers à cette réalité.

Lors de l'inspection des bâtiments, Carl vérifie que toutes les mesures de prévention sont bien respectées : portes de secours dégagées, lumières d'urgence fonctionnelles, extincteurs en place et en bon état de marche, matières dangereuses entreposées adéquatement, etc. Il fait en sorte qu'il existe un lieu sécuritaire pour les fumeurs à l'extérieur du bâtiment. Il rédige finalement un rapport dans lequel il peut faire certaines recommandations au responsable du bâtiment inspecté. «Tous les édifices de la base militaire de Valcartier sont vérifiés. Certaines bâtisses nécessitent des visites plus fréquentes parce que les risques d'incendie y sont plus élevés, par exemple les garages et les entrepôts de matériel militaire», explique Carl.

Carl donne également de la formation sur la prévention des incendies dans le cadre des cours de jour offerts aux militaires. La formation comprend une partie théorique où il explique notamment les différentes classes d'incendies, les types d'extincteurs et leur fonctionnement. Une partie pratique, durant laquelle les participants apprennent à éteindre un feu avec un extincteur, se déroule à l'extérieur de la caserne.

	Salaire hebdo moyen	Proportion de dipl. en emploi	Emploi relié	Chômage	Nombre de diplômés
2004	606 $	93,5 %	50,0 %	4,4 %	63
2003	581 $	93,8 %	83,6 %	3,2 %	91
2002	629 $	78,9 %	77,8 %	9,1 %	61

Statistiques tirées de la *Relance* - Ministère de l'Éducation. Voir données complémentaires, page 387.

Comment interpréter l'information, page 19.

Carl peut être appelé à combattre des incendies lorsque les pompiers ont besoin de renfort. Il est titulaire d'un diplôme d'études professionnelles (DEP) en intervention et sécurité incendie et d'un diplôme d'études collégiales (DEC) en sécurité incendie, option prévention, du Campus Notre-Dame-de-Foy. Le programme en sécurité incendie offre aussi l'option gestion.

QUALITÉS RECHERCHÉES

Savoir garder son sang-froid lors des situations dangereuses est l'une des qualités indispensables dans ce métier. «On doit aussi être en excellente forme physique», ajoute Carl. Un bon sens de l'observation peut également faire toute la différence. «Dans le cadre d'une inspection, il faut savoir repérer les éléments pouvant créer un incendie, mais aussi détecter rapidement les situations pouvant mettre notre vie en danger lors du combat d'un incendie. Par exemple, une faiblesse dans la structure d'un édifice qui va le faire s'écrouler.»

Aimer travailler en équipe est une autre qualité recherchée. L'entregent et l'empathie sont aussi des atouts importants, car le diplômé est appelé à œuvrer avec la population, parfois dans des conditions extrêmes.

L'entregent et l'empathie sont aussi des atouts importants, car le diplômé est appelé à œuvrer avec la population, parfois dans des conditions extrêmes.

DÉFIS ET PERSPECTIVES

Selon Guy Daoust, coordonnateur au Collège Montmorency, le défi premier du diplômé est de sauver des vies et de se mettre au service des citoyens. Pour relever le défi, il doit constamment garder ses connaissances à jour sur les différents éléments entrant en jeu lors d'un incendie. «Il y a toujours de nouveaux produits chimiques inflammables sur le marché. Il faut être au fait des caractéristiques de ces produits en cas de feu. Par ailleurs, les structures des bâtiments modernes sont beaucoup plus fragiles que celles des édifices plus anciens. Par exemple, les poutres en bois massif ont été remplacées par des poutrelles de bois plus minces. L'équipement de prévention d'incendie et les logiciels dans les camions de pompiers continuent aussi d'évoluer. Le diplômé doit également connaître les nouveaux matériaux utilisés pour la construction des automobiles, et qui sont susceptibles de prendre feu lors d'accidents. Ainsi, une automobile hybride dont la carrosserie est en polymère émet des émanations plus dangereuses lors d'un incendie», explique Guy Daoust. 02/05

Photo : C.S. Notre-Victorin

HORAIRES ET MILIEUX DE TRAVAIL

- Le diplômé peut œuvrer pour les municipalités, les compagnies d'assurances et les casernes industrielles.

- L'environnement de travail – caserne, bureau ou usine – varie selon l'employeur. Le diplômé peut aussi avoir à se rendre sur les lieux d'un incendie.

- Selon le milieu de travail, les diplômés sont appelés à travailler le jour, le soir, la nuit, les fins de semaine ou sur appel.

Technologie de l'architecture

Israël Beaulieu travaille pour le bureau d'architectes Claude Brisson, en Beauce. «Plus jeune, l'image que j'avais de mon travail se limitait à une règle et à un crayon sur une planche à dessin, raconte-t-il. Je me suis vite aperçu que je devais remplacer cette image par celle d'une souris et d'un écran...»

PROG. 221.A0
PRÉALABLES : 11, 20, VOIR P. 20

CHAMPS D'INTÉRÊT
• aime l'architecture et le dessin
• aime travailler sur ordinateur
• aime faire un travail minutieux et précis
• aime travailler avec le public et en équipe

APTITUDES
• curiosité, pragmatisme et polyvalence
• capacité d'analyse et de synthèse
• sens de l'esthétique et souci du détail
• facilité à communiquer et bilinguisme
• autonomie, disponibilité et persévérance

OFFRE DU PROGRAMME PAR RÉGIONS
Bas-Saint-Laurent, Chaudière-Appalaches, Laval, Mauricie, Montréal, Saguenay–Lac-Saint-Jean

Pour connaître les établissements qui offrent ce programme : www.inforoutefpt.org

RÔLE ET TÂCHES

Le rôle du technologue est habituellement d'assister l'architecte. Celui-ci fait la conception générale de l'édifice et le technologue peaufine les détails de construction tels que la plomberie, l'électricité ou le choix des matériaux. Pour sa part, Israël se considère comme chanceux de travailler avec un architecte qui lui laisse une grande autonomie et de nombreuses responsabilités. «Nous travaillons beaucoup pour les secteurs commercial et institutionnel, précise Israël. J'ai dessiné des plans d'écoles, de centres commerciaux, d'usines et de bâtiments administratifs. J'utilise pour cela l'ordinateur et le logiciel AutoCad, qui est devenu une référence pour tous ceux qui font du dessin technique.

«L'architecture est un domaine où l'on communique beaucoup, ajoute-t-il. Je dois bien comprendre les idées de base et les croquis préliminaires que me donne l'architecte. C'est essentiel pour dessiner mes plans et concevoir les détails techniques comme les fondations ou la composition des murs. Je dois également être très à l'écoute du client pour saisir ses besoins et ses envies.» Il lui faut ensuite traduire tout cela en dessins en tenant compte de l'aspect pratique et du côté fonctionnel. À l'issue d'un projet, il dessine les plans de présentation pour le client et les plans d'exécution pour l'entrepreneur.

Les technologues en architecture se rendent parfois sur le terrain pour prendre des mesures ou des photographies qui les aideront à faire des levés précis et à dessiner leurs plans.

	Salaire hebdo moyen	Proportion de dipl. en emploi	Emploi relié	Chômage	Nombre de diplômés
2004	525 $	56,8 %	82,2 %	6,0 %	185
2003	500 $	58,5 %	93,2 %	0,0 %	169
2002*	476 $	59,3 %	94,4 %	0,0 %	163

Statistiques tirées de la *Relance* - Ministère de l'Éducation. Voir données complémentaires, page 387.
* Données de l'ancien programme *Technologie de l'architecture* (221.01)

Comment interpréter l'information, page 19.

QUALITÉS RECHERCHÉES

Les technologues doivent bien sûr être minutieux, mais il leur faut avant tout posséder la capacité de conceptualiser un plan. «C'est très important d'avoir ce côté visuel, considère Israël. Si tu es incapable d'imaginer la construction finale d'un édifice en examinant son plan, il y a peu de chances pour que cet édifice tienne debout...»

Ceux qui désirent travailler dans ce domaine doivent également avoir un bon esprit de synthèse pour pouvoir coordonner tous les éléments qui composent un bâtiment. «Bien souvent, mon patron se charge de trouver le client, raconte Israël. Il me donne ensuite les limites du budget et me dit de commencer les plans.»

Le travail se fait souvent en équipe et les relations avec les clients sont quotidiennes; il faut avoir le goût de communiquer avec les gens. En revanche, il n'est pas nécessaire d'avoir du talent en dessin puisque la plupart des plans se font par ordinateur. «Mais quand tu es capable de faire un joli croquis à la main pour le client, c'est tout de même un avantage», estime Israël.

Les technologues doivent bien sûr être minutieux, mais il leur faut avant tout posséder la capacité de conceptualiser un plan en deux dimensions.

DÉFIS ET PERSPECTIVES

Selon Gilbert Pelletier, responsable de la coordination du programme au Cégep de Rimouski, les perspectives de placement de ces diplômés sont très bonnes. Il explique que grâce à leur grande polyvalence, à leur maîtrise du dessin technique et à leur connaissance des matériaux de construction, ce sont des sujets de choix pour les cabinets d'architectes, pour l'industrie du bâtiment et pour les secteurs du design d'intérieur ou de la fabrication de meubles. «Certaines pistes de carrière les dirigent même vers des organismes gouvernementaux ou vers des postes au sein des municipalités, poursuit M. Pelletier. Ainsi, un de nos anciens diplômés travaille comme technologue à plein temps pour l'Hôpital Laval. Il est en charge de tous les travaux de construction et de rénovation.» Gilbert Pelletier conclut en rappelant que le défi majeur auquel font face les diplômés réside dans leur habileté à maîtriser les outils de dessin assisté par ordinateur. Ces outils sont de plus en plus nombreux et perfectionnés. On n'a qu'à penser à la tendance actuelle qui est à la modélisation virtuelle des bâtiments en trois dimensions. 02/01

Photo : Collège de Lévis-Lauzon

HORAIRES ET MILIEUX DE TRAVAIL

- Les diplômés peuvent être employés par les bureaux d'architectes, d'entrepreneurs, d'ingénieurs-conseils, les usines fabriquant des meubles, des portes et des fenêtres.

- Ils sont souvent travailleurs autonomes pour les projets de moins de 100 000 $.

- Certains travaillent comme designers d'intérieur.

- C'est un milieu très informatisé.

- Il est possible de travailler à l'extérieur pour faire des levés et des croquis sur le terrain.

- Le travail de bureau se fait selon des horaires réguliers.

Technologie de la géomatique (Cartographie)

François Poulin était intéressé par l'informatique et les mathématiques, mais ne souhaitait pas aller à l'université. Il cherchait en fait une formation axée sur la technologie qui ferait appel à sa créativité. Le programme *Technologie de la géomatique (Cartographie)* a répondu à ses attentes.

PROG. 230.AA
PRÉALABLE : 11, VOIR PAGE 20

CHAMPS D'INTÉRÊT
- s'intéresse aux cartes et à la géographie
- aime le travail de précision
- aime les mathématiques, la physique et l'informatique
- aime lire, écrire et communiquer

APTITUDES
- bonne perception spatiale
- aisance en mathématiques
- souci du travail bien fait
- capacité d'adaptation, débrouillardise et polyvalence

OFFRE DU PROGRAMME PAR RÉGIONS
Capitale-Nationale, Outaouais

Pour connaître les établissements qui offrent ce programme : www.inforoutefpt.org

RÔLE ET TÂCHES

Ce programme permet aux élèves de maîtriser des notions et des techniques comme la cartographie, la géométrie, la géographie, la statistique, l'arpentage, l'interprétation de photographies aériennes et d'images satellites et le dessin par ordinateur.

Au service de JLC Repro Graphique, une entreprise qui réalise entre autres des cartes géographiques pour les gouvernements, François ne cesse d'apprendre et de mettre en pratique les acquis de sa formation. «J'utilise des images satellites pour voir les routes, les cours d'eau, les bâtiments, et je détermine ensuite dans quelle catégorie les classer.» La classification qu'il établit lui permet de distinguer, par exemple, les routes principales des routes secondaires qu'il dessinera sur la carte, à l'ordinateur.

François est aussi appelé à concevoir ce qu'on appelle des cartes thématiques, c'est-à-dire qui présentent une région ou un site en fonction d'un but précis, comme un événement ou une activité touristique. L'une de ses plus belles réussites est le dépliant contenant les cartes de localisation pour le Sommet du G8, tenu à Kananaskis en 2002. Au cours de ce travail, il a pu choisir les couleurs, concevoir la mise en pages, rédiger les textes, dessiner les cartes, préparer les légendes, etc.

Bien qu'il ait fait des stages dans la fonction publique et au sein de grandes entreprises de cartographie, François est heureux de travailler pour cette firme dynamique et prometteuse, qui lui offre davantage de responsabilités et un travail varié. «On me fait confiance et on s'attarde aux résultats plutôt

	Salaire hebdo moyen	Proportion de dipl. en emploi	Emploi relié	Chômage	Nombre de diplômés
2004	532 $	84,0 %	85,7 %	8,7 %	33
2003	564 $	90,0 %	82,4 %	5,3 %	31
2002*	N/D	N/D	N/D	N/D	N/D

Statistiques tirées de la *Relance* - Ministère de l'Éducation. Voir données complémentaires, page 387.

* Données de l'ancien programme *Technologie de la cartographie* (230.01)

Comment interpréter l'information, page 19.

qu'aux erreurs. On m'a même confié le projet de construction du site Internet de JLC Repro Graphique, afin qu'on puisse vendre les cartes en ligne.»

QUALITÉS RECHERCHÉES

Selon François, le dessin de cartes est un travail de précision, assez répétitif, qui demande beaucoup de patience et un grand souci du détail. «Il faut aussi être autonome et faire preuve de jugement pour prendre les bonnes décisions de classement. Du côté technique, on doit avoir de la facilité à comprendre les concepts de géographie, de mathématiques et d'informatique puisqu'il faut calculer les échelles et faire des statistiques. S'intéresser à la géographie, au terrain et au relief naturel est aussi très important pour apprécier ses études ou son emploi.»

Le technologue en géomatique doit également posséder une bonne vision pour être capable de distinguer les effets de profondeur, de percevoir les couleurs et de bien se représenter l'espace en trois dimensions. Les capacités artistiques sont devenues secondaires en raison de l'informatisation des tâches, mais elles demeurent un atout pour le travail de conception de cartes thématiques.

«Les entreprises ont besoin de technologues pour assister les ingénieurs civils, les arpenteurs-géomètres, les urbanistes et les géographes.»

— Martin Majot

DÉFIS ET PERSPECTIVES

Selon Martin Majot, professeur et coordonnateur du Département de géomatique au Cégep de l'Outaouais, le marché de la géomatique devrait croître au cours des prochaines années. «Les entreprises ont besoin de technologues pour assister les ingénieurs civils, les arpenteurs géomètres, les urbanistes et les géographes, soutient-il. Avec la vague de prises de retraite dans la fonction publique, des possibilités d'emploi vont s'ouvrir aux jeunes à tous les paliers de gouvernement», poursuit M. Majot. Les diplômés sont également appelés à travailler à l'étranger puisque plusieurs entreprises québécoises exportent leur savoir-faire en géomatique. Soulignons enfin que la mise à jour technologique est constante dans ce domaine. À surveiller : l'évolution du système de positionnement par satellite, communément appelé GPS (pour *Global Positioning System*), qui permet de recueillir des données géographiques plus facilement et à moindre coût. 02/03

HORAIRES ET MILIEUX DE TRAVAIL

- Les diplômés peuvent trouver du travail dans la fonction publique, au sein des services d'urbanisme, d'aménagement du territoire, de géographie, de conservation des bâtiments, de communication ou encore d'environnement.

- Ils peuvent aussi se faire embaucher par des entreprises spécialisées en cartographie, en arpentage, en urbanisme, en environnement ou en génie-conseil.

- Les entreprises de services publics (comme l'électricité et le téléphone), les exploitations minières

et forestières de même que les entreprises touristiques sont d'autres employeurs potentiels.

- Les entreprises qui ont pignon sur rue ont les mêmes horaires de travail que les commerces, ce qui inclut certains soirs et les week-ends. Pour respecter les échéanciers, des heures supplémentaires peuvent parfois être exigées. Dans la fonction publique, cependant, les horaires sont plus réguliers.

- Le technologue en géomatique travaille généralement seul, mais il arrive qu'on l'intègre dans une équipe multidisciplinaire.

Technologie de la géomatique (Géodésie)

Débrouillardise et autonomie sont nécessaires dans ce métier, selon la coordonnatrice du Département de géodésie du Cégep de Limoilou, Thérèse Desnoyers. Quand on est seul en forêt, par exemple, on doit être capable de placer ses outils de mesure aux endroits appropriés. La représentation fidèle du territoire en dépend!

PROG. 230.AB
PRÉALABLE : 11, VOIR PAGE 20

RÔLE ET TÂCHES

Le technicien en géodésie a pour principale fonction la mesure des dimensions des terrains, un travail qui le conduit souvent à l'extérieur. Il ne doit toutefois pas être confondu avec l'arpenteur-géomètre, spécialiste des calculs de surfaces habilité à émettre des certificats de localisation (documents à caractère juridique qui prouvent l'emplacement exact des terrains).

À l'aide de cartes, d'images satellites, de photos aériennes et du GPS (système de positionnement par satellite), le technicien prend des mesures qu'il inscrit dans son carnet de notes. Puis, de retour à son bureau, il reproduit à l'échelle le terrain qu'il a mesuré en utilisant un logiciel de dessin. Il propose ensuite le plan à un arpenteur-géomètre, qui l'utilise pour déterminer l'emplacement des rues ou des bâtiments par exemple. Le diplômé est aussi appelé à réviser des certificats de localisation, à rédiger des rapports sur ses activités et à mettre à jour des données foncières (dimensions de lots, largeur de rues, etc.).

DÉFIS ET PERSPECTIVES

L'évolution rapide des technologies et l'apparition de nouveaux logiciels poussent les professionnels de la géodésie à mettre leurs connaissances à jour de façon continue. De plus, comme le travail s'effectue souvent à l'extérieur, les diplômés doivent s'attendre à braver le froid de nos hivers rigoureux tout comme le soleil de plomb des après-midi de juillet. Le métier suppose une grande minutie ainsi que des aptitudes pour la résolution des problèmes mathématiques et le travail en équipe. 05/03

HORAIRES ET MILIEUX DE TRAVAIL

• Le diplômé peut être recruté par des compagnies minières ou pétrolières, par le gouvernement ou encore par des bureaux d'arpenteurs-géomètres.

• Le travail de terrain alterne avec le travail de bureau.
• Possibilité d'heures supplémentaires.

OFFRE DU PROGRAMME PAR RÉGIONS : Capitale-Nationale, Montréal
Pour connaître les établissements qui offrent ce programme : **www.inforoutefpt.org**

	Salaire hebdo moyen	Proportion de dipl. en emploi	Emploi relié	Chômage	Nombre de diplômés
2004	556 $	70,0 %	100,0 %	0,0 %	25
2003	547 $	94,7 %	50,0 %	0,0 %	23
2002	N/D	N/D	N/D	N/D	N/D

Statistiques tirées de la Relance - Ministère de l'Éducation. Voir données complémentaires, page 387.

Comment interpréter l'information, page 19.

Technologie de la mécanique du bâtiment

«La mécanique du bâtiment est vraiment une discipline très complète. Il faut connaître la plomberie, le chauffage, la climatisation, la ventilation pour y exceller. Bref, tout ce qui fait le confort et la sécurité d'un édifice.» Diplômé dans cette technique, Mario Morin est chef d'équipe chez Brookfield-LePage-Johnson Controls.

PROG. 221.CO
PRÉALABLES : 11, 20, VOIR P. 20

CHAMPS D'INTÉRÊT

- aime les mathématiques, la mécanique et le travail manuel
- aime résoudre des problèmes pratiques
- aime travailler sur ordinateur
- aime communiquer et travailler en équipe

APTITUDES

- sens de l'observation, pragmatisme et débrouillardise
- polyvalence
- sens de la logique
- facilité à communiquer

OFFRE DU PROGRAMME PAR RÉGIONS
Bas-Saint-Laurent, Capitale-Nationale, Mauricie, Montérégie, Montréal, Outaouais, Saguenay—Lac-Saint-Jean

Pour connaître les établissements qui offrent ce programme : **www.inforoutefpt.org**

RÔLE ET TÂCHES

La mission du technologue en mécanique du bâtiment est de rendre les édifices à la fois confortables et sécuritaires. Il s'occupe donc habituellement de la maintenance et de l'entretien des systèmes de chauffage, de climatisation, de ventilation et de protection contre les incendies.

Chez Brookfield-LePage-Johnson Controls, chaque nouveau projet est différent du précédent, car la compagnie fait de la gestion d'immeubles au sens large du terme. Mario peut aussi bien réaménager la chaufferie d'un bâtiment, rénover son circuit de ventilation ou optimiser ses coûts énergétiques en étudiant le système qui offre le meilleur rapport rendement/prix. «Avec le chargé de projet, je visite les lieux, j'observe la configuration initiale des équipements et j'émets une série d'avis et de conseils pour améliorer ou remplacer le système existant, dit-il. Je dois toujours tenir compte du budget prévu à l'origine pour effectuer le travail. C'est pourquoi je contacte moi-même les entreprises susceptibles d'effectuer les travaux afin d'obtenir les meilleurs prix possible.» Mario a la responsabilité de l'entretien et des modifications. «Nous travaillons presque exclusivement pour des bâtiments commerciaux. Je dois connaître les normes de santé et de sécurité sur le bout des doigts pour que les différents systèmes correspondent à ces exigences», dit-il.

L'environnement est aussi une de ses principales préoccupations. Ainsi, lorsqu'il conçoit un nouveau système, il doit s'assurer que les rejets dans

	Salaire hebdo moyen	Proportion de dipl. en emploi	Emploi relié	Chômage	Nombre de diplômés
2004	604 $	68,3 %	85,7 %	3,4 %	61
2003	620 $	70,5 %	93,5 %	3,1 %	61
2002*	554 $	79,6 %	89,7 %	0,0 %	64

Statistiques tirées de la *Relance* - Ministère de l'Éducation. Voir données complémentaires, page 387.

* Données de l'ancien programme *Technologie de la mécanique du bâtiment* (221.03)

Comment interpréter l'information, page 19.

l'atmosphère ou dans les égouts ne sont pas des sources de pollution et ne nuisent pas à l'environnement.

QUALITÉS RECHERCHÉES

La mécanique du bâtiment est un domaine assez complexe; il s'adresse à des personnes qui aiment résoudre des problèmes et qui sont pourvues d'un bon sens de la logique. «Il faut être très curieux et inventif, dit Mario. C'est un secteur pour lequel il est nécessaire d'avoir le goût de la mécanique de base ainsi qu'une bonne perception spatiale. C'est la combinaison de ces différentes qualités qui permet de trouver rapidement les solutions à la fois sur place et sur plans.» Le métier demande aussi le sens de l'initiative, une bonne capacité de communication et de la disponibilité. «Certains de nos clients ont des bâtiments hébergeant des serveurs et des banques de données. Si un bris mécanique les prive de refroidissement, cela peut endommager leurs équipements et entraîner des coûts considérables. Dans une telle situation, il faut être prêt à intervenir d'urgence.» Les technologues utilisent de plus en plus l'informatique. «Il est important de maîtriser cet outil pour le dessin de plans, le calcul, la gestion des coûts et le traitement de texte», considère Mario.

La mission du technologue en mécanique du bâtiment est de rendre les édifices à la fois confortables et sécuritaires.

Photo : Cégep de Saint-Hyacinthe – Denys Bélanger

DÉFIS ET PERSPECTIVES

«Le métier a énormément évolué, estime Sylvain Lapointe, coordonnateur du Département de technologie de la mécanique du bâtiment au Collège de l'Outaouais. Les diplômés utilisent désormais les nouvelles technologies pour concevoir, calculer, dessiner des systèmes de chauffage ou de ventilation. Ils implantent dans les bâtiments des systèmes d'éclairage, d'alarme ou de contrôle d'accès qui sont gérés par ordinateur. C'est un domaine en constante évolution et qui propose des défis très intéressants.»

La principale mission de ces technologues est de coordonner et de concevoir des systèmes qui répondent aux normes de la construction et qui soient parfaitement adaptés à chaque édifice. «Que ce soit pour des projets de réfection, de rénovation ou de construction, leur défi est de choisir le meilleur système, celui qui offrira le meilleur rendement et la plus faible consommation d'énergie. Cela implique une mise à jour continuelle de leurs connaissances pour maîtriser à la fois les nouveaux produits et les nouveaux logiciels.» 03/01

HORAIRES ET MILIEUX DE TRAVAIL

- Les diplômés de ce programme sont embauchés par les compagnies qui vendent, installent et entretiennent des systèmes de chauffage, de climatisation, etc.

- Ils collaborent avec des ingénieurs, des architectes, des électriciens et des plombiers.

- Le travail se fait habituellement selon des horaires de bureau réguliers.

- Il est possible d'avoir à travailler sur appel, le soir, la nuit ou les fins de semaine.

Technologie de l'estimation et de l'évaluation en bâtiment

C'est le beau-frère de Mélissa Thibault, estimateur en électricité, qui lui a donné la piqûre. D'abord en lui vantant son métier, ensuite en lui faisant miroiter les nombreuses possibilités d'emploi. Aujourd'hui estimatrice pour la firme d'ingénieurs BPR, elle est certaine d'avoir trouvé sa voie!

PROG. 221.D0
PRÉALABLES : 11, 20, VOIR P. 20

CHAMPS D'INTÉRÊT
- aime le domaine de la construction et le marché de l'immobilier
- aime communiquer et coopérer
- aime se déplacer, observer, inspecter et calculer
- aime travailler sur ordinateur et au téléphone

APTITUDES
- esprit d'analyse, rigueur et minutie
- sens de l'observation et jugement
- beaucoup de facilité à communiquer et à coopérer
- habileté à calculer et à utiliser l'informatique
- polyvalence et mobilité

OFFRE DU PROGRAMME PAR RÉGIONS
Capitale-Nationale, Centre-du-Québec, Laval, Montréal,

Pour connaître les établissements qui offrent ce programme : **www.inforoutefpt.org**

RÔLE ET TÂCHES

Le programme de technologie de l'estimation et de l'évaluation en bâtiment offre deux voies de spécialisation : celle de l'estimation en construction et celle de l'évaluation immobilière. L'estimateur prévoit le prix d'un projet de construction, alors que l'évaluateur détermine la valeur marchande d'un immeuble. Après un stage de six semaines dans l'entreprise de son beau-frère, Mélissa a découvert que c'était l'estimation qui l'intéressait. Le rôle de Mélissa, au sein de BPR, est d'estimer le coût de construction d'un bâtiment quelconque. Ainsi, lorsqu'il y a un projet de construction, l'ingénieur vient la voir pour qu'elle évalue le projet et tente de faire en sorte que les budgets soient respectés. «Pour les fondations d'un immeuble, je regarde la hauteur et la longueur du bâtiment et j'évalue ensuite les quantités de béton, de coffrages et d'armatures nécessaires, dit-elle. Je dois aussi calculer les prix des matériaux et de la main-d'œuvre. Je recommence la même procédure pour chaque partie du bâtiment.» Le travail demande évidemment de savants calculs mathématiques, des calculs de superficie et de volume. Tous ces chiffres, Mélissa les entre dans un ordinateur. Et il faut être vigilant! Les erreurs coûtent cher... «Une erreur de formule et tu viens de te tromper de 20 000 $!»

Autre facteur dont on doit absolument tenir compte : la variation des prix. «Les coûts varient selon l'endroit où la construction sera faite, selon les matériaux qui seront utilisés et en fonction de la période de l'année», explique-t-elle.

	Salaire hebdo moyen	Proportion de dipl. en emploi	Emploi relié	Chômage	Nombre de diplômés
2004	589 $	77,3 %	88,2 %	10,5 %	27
2003	N/D	N/D	N/D	N/D	N/D
2002*	453 $	87,5 %	78,6 %	0,0 %	19

Statistiques tirées de la *Relance* - Ministère de l'Éducation. Voir données complémentaires, page 387.
* Données de l'ancien programme *Technologie de l'estimation et de l'évaluation en bâtiment* (221.04)

Comment interpréter l'information, page 19.

À entendre parler Mélissa de coffrages, de béton et d'armatures, on n'est pas surpris d'apprendre qu'elle fait un métier où les femmes sont peu nombreuses. «Il n'y a pas beaucoup d'estimatrices, admet-elle. À l'école, on était 6 filles sur 15 élèves et, dans l'entreprise, je travaille avec 3 hommes. Il faut avoir du caractère. Mais je ne trouve pas ça si difficile étant donné que j'ai toujours côtoyé des garçons. J'ai fait beaucoup de sports d'équipe avec eux.» Elle ajoute en riant : «Et ce n'est pas parce que je suis un garçon manqué!»

QUALITÉS RECHERCHÉES

«Il faut être extrêmement méthodique pour savoir où l'on s'en va et ne rien oublier. Il faut aussi avoir une très bonne concentration pour éviter les erreurs de calcul», explique Mélissa. Le sens de l'observation et la minutie sont également requis. Et il est quasi essentiel d'avoir la faculté de «voir en 3D», c'est-à-dire être capable d'imaginer un bâtiment fini à la seule vue de son plan. Aimer travailler en équipe, avoir de l'entregent et posséder des qualités de communication sont d'autres atouts recherchés.

> «Il faut être extrêmement méthodique pour savoir où l'on s'en va et ne rien oublier. Il faut aussi avoir une très bonne concentration pour éviter les erreurs de calcul.»
>
> — Mélissa Thibault

DÉFIS ET PERSPECTIVES

Les métiers d'estimateur et d'évaluateur étant différents, les diplômés font donc face à des défis distincts. «Le principal défi de l'estimateur est de faire preuve de professionnalisme afin d'obtenir la confiance de son patron. Le diplômé joue avec les sous de son patron. L'entreprise se sert du travail de l'estimateur pour soumissionner. Il est donc important que les prévisions aient été bien faites si l'on veut que les contrats soient rentables. Il en va de l'avenir de l'entreprise, explique Francine Fortin, coordonnatrice du programme de technologie de l'estimation et de l'évaluation en bâtiment au campus Notre-Dame-de-Foy. Quant à l'évaluateur, son défi est d'être ouvert à tout ce qui se passe et d'être en contact avec les tendances du marché immobilier.» Mme Fortin prévoit qu'au cours des prochaines années, la mondialisation des marchés de la construction se fera sentir de plus en plus. «Le domaine de la construction n'est pas statique, dit-elle. Il faut suivre l'innovation et être à l'affût.» L'estimateur devra, à son avis, pouvoir suivre le courant et exporter son savoir-faire dans le monde entier. Quant à l'évaluateur, son travail d'analyse se verra modifié par la mécanisation et la géomatique. Le diplômé doit donc être préparé à travailler avec ces nouveaux outils. 03/01

Photo : PPM

HORAIRES ET MILIEUX DE TRAVAIL

- Les diplômés peuvent trouver du travail auprès des firmes d'évaluation privées, des compagnies d'assurances, des municipalités, des entrepreneurs de construction, des firmes d'ingénieurs, des organismes gouvernementaux et paragouvernementaux, des propriétaires de parcs immobiliers et des experts en sinistre.

- Dans ce domaine, les horaires sont réguliers et les employés travaillent de 9 h à 17 h.

Technologie du génie civil

«Quand j'ai choisi ce programme, c'étaient surtout le travail à l'extérieur, l'arpentage et l'étude des sols qui m'intéressaient», raconte Marc Raby. Aujourd'hui, il est directeur technique du Groupe Poly-Tech, firme sherbrookoise de consultants en environnement et génie civil dont il est cofondateur.

PROG. 221.B0
PRÉALABLES : 12, 20, VOIR P. 20

CHAMPS D'INTÉRÊT
- aime les mathématiques et la construction
- aime observer, vérifier, mesurer, calculer et dessiner
- aime travailler sur ordinateur et à l'extérieur
- aime travailler en équipe

APTITUDES
- curiosité et bonne capacité d'adaptation
- polyvalence : esprit scientifique, pragmatique et artistique
- rigueur, sens des responsabilités et minutie
- assurance et fermeté

RÔLE ET TÂCHES

«Notre plus gros créneau, qui constitue 60 % de notre chiffre d'affaires, précise Marc Raby, c'est la conception d'installations d'assainissement des eaux. Nous effectuons des essais de percolation du terrain, c'est-à-dire des analyses du sol pour déterminer le taux d'infiltration des eaux usées dans le sous-sol, en fonction notamment de la pente et de la densité du roc sous-jacent, afin d'indiquer le meilleur emplacement pour les installations d'assainissement. Puis il faut voir à la réalisation des travaux selon les normes. Les autres 40 %, ce sont les entrepreneurs, les municipalités et les gouvernements qui nous les assurent : branchements d'égouts et d'aqueducs, voirie, arpentage de construction, analyses des sols, essais de matériaux, bref tout ce qui a trait au génie civil en général.»

«Bien qu'un nombre croissant de nos diplômés s'établissent pour leur compte, comme sous-traitants ou consultants, j'aime répéter que le technologue en génie civil est le bras droit de l'ingénieur, déclare Pauline Rivard, coordonnatrice du programme en technologie du génie civil au Collège de Sherbrooke. L'ingénieur a l'idée, il fait la conception générale du projet, mais tout ce qui est soumis à des normes, c'est le technologue en génie civil qui s'en occupe. Par exemple, il détermine le genre d'attache qui s'impose pour arrimer telle poutrelle à telle colonne, et décide des processus de manipulation des divers éléments sur le chantier. Bref, c'est lui qui fait le lien entre la vision de l'ingénieur et sa réalisation par l'entrepreneur. Et même s'il dessine lui-même les plans et devis, le technologue ne peut les signer : seul un ingénieur peut le faire.»

OFFRE DU PROGRAMME PAR RÉGIONS
Abitibi-Témiscamingue, Bas-Saint-Laurent, Capitale-Nationale, Chaudière-Appalaches, Côte-Nord, Estrie, Lanaudière, Laval, Mauricie, Montréal, Outaouais, Saguenay–Lac-Saint-Jean

Pour connaître les établissements qui offrent ce programme : **www.inforoutefpt.org**

	Salaire hebdo moyen	Proportion de dipl. en emploi	Emploi relié	Chômage	Nombre de diplômés
2004	618 $	54,2 %	93,8 %	7,2 %	157
2003	619 $	59,4 %	93,3 %	7,7 %	136
2002	577 $	53,2 %	95,4 %	6,9 %	169

Statistiques tirées de la *Relance* - Ministère de l'Éducation. Voir données complémentaires, page 387.

Comment interpréter l'information, page 19.

QUALITÉS RECHERCHÉES

«On aime avant tout le travail bien fait, et on se doit d'être attentif à tous les détails pouvant influencer la qualité d'une construction, d'un aménagement quelconque, explique Marc Raby : de l'élaboration des plans et devis à la supervision des travaux, en passant par les analyses des sols, les essais des matériaux et autres expertises. Il faut savoir travailler en équipe, mais aussi s'imposer, ne pas se laisser marcher sur les pieds et faire preuve de beaucoup de rigueur professionnelle.»

«Un bon technologue en génie civil est quelqu'un qui aime passer à l'action et qui est très minutieux, ajoute Pauline Rivard. C'est lui qui voit au respect des normes gouvernementales en matière de construction, tel le Code du bâtiment, et il faut qu'il suive les règles scrupuleusement. Les contraintes sont souvent énormes, il y a beaucoup d'argent en jeu, mais en aucun cas peut-il se permettre de prendre des raccourcis. Il doit être précis et avoir le souci du détail, le sens des responsabilités. Ça prend aussi des gens polyvalents, capables de passer de la table à dessin au chantier.»

> «Il y a de plus en plus de débouchés en génie civil, dans tous les domaines liés à la construction.»
>
> — Pauline Rivard

DÉFIS ET PERSPECTIVES

«Il y a de plus en plus de débouchés en génie civil, dans tous les domaines liés à la construction, fait remarquer Pauline Rivard. Les plus gros employeurs sont les firmes d'ingénieurs-conseils, les municipalités, le ministère des Transports, Hydro-Québec et toutes les entreprises d'installation et d'aménagement d'infrastructures. Et l'environnement aussi nous mobilise de plus en plus : l'assainissement des eaux, la décontamination des sites, sans compter la réfection des infrastructures vieillissantes qu'on a peut-être un peu négligées pendant les années de vaches maigres. Il y a aussi la gestion du territoire, où le génie civil se marie avec l'urbanisme.»

Les perspectives d'avenir sont très prometteuses pour les technologues en génie civil, et la possibilité de se perfectionner, à l'École de technologie supérieure ou à l'université, est toujours ouverte. «Notre but est de former des diplômés intéressés à poursuivre leur formation, conclut Mme Rivard. Que ce soit en classe ou sur le terrain, en situation de travail, ils ne cessent d'apprendre.» 09/99

HORAIRES ET MILIEUX DE TRAVAIL

- Ce sont en général les horaires et les calendriers des firmes d'ingénierie et des chantiers de construction qui déterminent les heures de travail du technologue en génie civil.

- Les chantiers sont tout autant tributaires des caprices de la météo que de la diligence des entrepreneurs; il faut se montrer flexible.

- En cas d'échéanciers serrés, il faut s'attendre à faire des heures supplémentaires.

ENVIRONNEMENT ET AMÉNAGEMENT DU TERRITOIRE

L'industrie de l'environnement est de taille modeste. Selon le Comité sectoriel de main-d'œuvre de l'environnement (CSMOE), elle compte environ 750 entreprises au Québec, qui génèrent un chiffre d'affaires annuel de deux milliards de dollars et emploient quelque 20 000 personnes. Il s'agit des fabricants d'équipement, des compagnies de recyclage industriel et de décontamination, des laboratoires spécialisés, des firmes d'experts-conseils, etc. À cela s'ajoutent entre 5 000 et 10 000 travailleurs qui évoluent au service des trois ordres de gouvernement et des entreprises soumises à des réglementations environnementales, comme les usines de pâtes et papiers et de pétrochimie.

L'embauche n'est pas massive dans le secteur, mais connaît tout de même une progression constante. Les gouvernements imposent davantage de normes dans les domaines de l'eau et de la gestion des matières résiduelles ou des déchets. Pour se conformer aux nouvelles règles et politiques environnementales, les entreprises doivent donc embaucher des travailleurs qualifiés. Le CSMOE remarque notamment une augmentation des débouchés dans le domaine municipal pour les diplômés du programme *Techniques d'aménagement et d'urbanisme*. On les recrute notamment pour réviser les plans d'urbanisme, vérifier la conformité des bâtiments et veiller à la mise en application des règlements.

À l'échelle canadienne, l'industrie employait 251 000 personnes en 2004. Selon le Conseil canadien des ressources humaines de l'industrie de l'environnement, le secteur a connu une croissance de l'emploi de 13,7 % entre 2000 et 2004, comparativement à 8,4 % pour l'ensemble de l'économie canadienne. 03/05

CHAMPS D'INTÉRÊT

- aime les sciences et la gestion
- se passionne pour la nature
- aime vivre et travailler
  en plein air
- aime appliquer et faire respecter
  des règlements
- aime communiquer avec le public

APTITUDES

- curiosité et excellent sens
  de l'observation
- discernement et sens
  des responsabilités
- bonne résistance physique
- grande autonomie et
  débrouillardise
- facilité d'expression verbale

RESSOURCES INTERNET

**MINISTÈRE DE L'ÉDUCATION DU QUÉBEC –
SECTEURS DE FORMATION**
**http://www.meq.gouv.qc.ca/ens-sup/ens-coll/program/
ProgEtab.asp?vToken=s80**
Vous trouverez sur cette page une description des programmes de ce
secteur de formation, comprenant, pour chacun, les exigences d'admission,
les objectifs de formation et une liste d'établissements d'enseignement.

**COMITÉ SECTORIEL DE MAIN-D'ŒUVRE
DE L'INDUSTRIE DE L'ENVIRONNEMENT**
http://www.csmoe.org
Pour tous ceux qui prévoient étudier et travailler dans le domaine
de l'environnement. La section «Milieux de travail» vous permet
d'ailleurs d'explorer plus en profondeur les possibilités de carrière
dans ce secteur d'activité.

ECO CANADA
http://www.eco.ca
Ce site offre des renseignements sur la formation et les carrières
possibles dans l'industrie de l'environnement au Canada.

Techniques d'aménagement cynégétique et halieutique

Pierre-David Beaudry a d'abord souhaité être biologiste. «Mais j'avais besoin de travailler à l'extérieur et avec des notions plus concrètes. Le DEC en techniques d'aménagement cynégétique et halieutique me permettait d'exercer un métier qui collait davantage à mes champs d'intérêt.» Le diplômé travaille aujourd'hui pour la Société de la faune et des parcs du Québec.

PROG. 145.B0
PRÉALABLE : 10, VOIR P. 20

CHAMPS D'INTÉRÊT
- aime travailler dans la nature
- aime les activités liées à la conservation des ressources fauniques
- aime le travail manuel et scientifique
- aime travailler en équipe

APTITUDES
- bonne endurance physique
- facilité d'adaptation
- autonomie et rigueur
- leadership

OFFRE DU PROGRAMME PAR RÉGIONS
Côte-Nord

Pour connaître les établissements qui offrent ce programme : **www.inforoutefpt.org**

RÔLE ET TÂCHES

À titre de technicien de la faune, Pierre-David veille à l'entretien et à l'exploitation des sites de chasse et de pêche de toute la région de la Mauricie. Il travaille au sein d'une équipe composée d'autres techniciens et d'un biologiste. «Je travaille au service de la nature et j'apprécie ce qu'elle a à nous offrir. On peut en profiter et l'exploiter, mais dans des limites raisonnables.»

Sa mission consiste autant à entretenir les infrastructures liées à la chasse (les chalets, les routes, les ponts) qu'à préserver les populations des espèces de la région de la Mauricie comme les poissons et le gibier. Le diplômé veille notamment à la préservation du territoire en protégeant les chemins forestiers. Par exemple, si des castors érigent un barrage sur un chemin forestier, la route devient inaccessible aux hommes et l'écosystème risque d'être dérangé. C'est le diplômé qui s'assurera de déplacer convenablement le barrage.

De plus, pour préserver les ressources du territoire, le technicien procède à l'inventaire des espèces chassées et pêchées dans les zones d'exploitation contrôlée (ZEC), les pourvoiries et les autres territoires de chasse de la région. Il comptabilise, par exemple, le nombre d'orignaux, de lièvres et de perdrix chassés et s'assure du maintien de leur population. Il procède également à l'aménagement du territoire afin de favoriser la reproduction de certaines espèces en implantant, par exemple, des frayères de poissons. «Avec mon équipe, nous allons rétrécir la largeur d'un cours d'eau dans le but d'accélérer la vitesse du courant et de diminuer la température. L'eau fraîche permet une meilleure conservation des œufs de poisson. Nous déposons aussi du gravier au fond de l'eau pour protéger les œufs.»

	Salaire hebdo moyen	Proportion de dipl. en emploi	Emploi relié	Chômage	Nombre de diplômés
2004	447 $	38,9 %	66,7 %	53,3 %	25
2003*	N/D	20,0 %	100,0 %	76,9 %	22
2002*	476 $	42,9 %	62,5 %	50,0 %	27

Statistiques tirées de la *Relance* - Ministère de l'Éducation. Voir données complémentaires, page 387.

* Données de l'ancien programme *Techniques d'aménagement cynégétique et halieutique* (145.04)   Comment interpréter l'information, page 19.

Comme il travaille avec la nature, son métier suit le rythme des saisons. À l'extérieur de la fonte des neiges au gel des lacs, Pierre-David reste dans son bureau l'hiver. «Je fais alors de la recherche sous la supervision d'un biologiste.»

QUALITÉS RECHERCHÉES

Le technicien en aménagement cynégétique et halieutique doit aimer la nature et le travail à l'extérieur. «Il faut avoir une bonne résistance physique et ne pas craindre de travailler dans des conditions difficiles alors qu'on est seul en forêt, assailli par les mouches sous un soleil de plomb», précise Pierre-David. La prudence est donc de rigueur afin d'assurer sa sécurité en forêt, mais aussi lors d'opérations délicates comme la capture d'animaux.

Un bon esprit d'équipe aidera le technicien dans ses relations avec ses collègues de travail, soit les autres techniciens et les biologistes. La rigueur, l'autonomie et la débrouillardise lui permettront de faire face aux problèmes pouvant surgir à tout moment dans l'exercice de ses fonctions. Finalement, il devra savoir supporter l'isolement puisqu'il sera appelé à travailler en région éloignée.

«Je travaille au service de la nature et j'apprécie ce qu'elle a à nous offrir. On peut en profiter et l'exploiter, mais dans des limites raisonnables.»

— Pierre-David Beaudry

DÉFIS ET PERSPECTIVES

Le technicien en aménagement cynégétique et halieutique devra faire face à des défis de taille dans l'avenir, estime Serge Bisaillon, professeur au Cégep de Baie-Comeau. «On observe une augmentation et une diversification de la réglementation, par exemple quant aux différents permis demandés pour le port d'armes, à la conduite d'une embarcation motorisée ou encore aux ententes avec les peuples autochtones. Le technicien devra avoir une bonne connaissance de ces nouvelles réglementations pour s'assurer que la pêche et la chasse s'effectuent bien selon les normes établies.» Un autre défi pour les diplômés consiste à veiller à ce que l'exploitation des ressources naturelles se fasse dans le cadre d'un environnement durable. «Il est de plus en plus difficile de conserver un équilibre entre la demande de la population et la conservation de l'environnement. Les techniciens devront tenter de limiter l'impact des besoins humains sur la nature», continue Serge Bisaillon. 03/03

Photo : Cégep de Baie-Comeau

HORAIRES ET MILIEUX DE TRAVAIL

• Les techniciens peuvent travailler auprès des ZEC, des pourvoiries, des réserves fauniques ainsi que de firmes de consultation en environnement.

• Les techniciens travaillent en pleine nature, dans un bureau ou en laboratoire (pour ceux qui effectuent des recherches avec des biologistes).

• Les horaires peuvent être irréguliers et soumis aux différentes conditions climatiques.

Techniques d'aménagement et d'urbanisme

Durant sa formation en techniques d'aménagement et d'urbanisme, Stéphanie Mercier a effectué plusieurs stages au sein du ministère des Ressources naturelles, de la Faune et des Parcs. Ses bonnes performances lui ont valu un emploi. «Aménager notre patrimoine naturel tout en le préservant est une mission très stimulante», dit-elle.

PROG. 222.A0
PRÉALABLE : 10, VOIR PAGE 20

CHAMPS D'INTÉRÊT

- se soucie des personnes et de l'environnement
- aime apprendre et appliquer des normes, observer, calculer, vérifier
- aime coopérer, communiquer et travailler pour les gens
- aime un travail varié (bureau, terrain)

APTITUDES

- sens du service au public et du travail d'équipe
- sens des responsabilités et minutie
- respect pour les lois, les normes et les règlements
- polyvalence et débrouillardise
- être prêt à travailler en région

OFFRE DU PROGRAMME PAR RÉGIONS
Bas-Saint-Laurent, Montréal, Saguenay–Lac-Saint-Jean

Pour connaître les établissements qui offrent ce programme : **www.inforoutefpt.org**

RÔLE ET TÂCHES

Stéphanie travaille pour le secteur «territoire» du ministère des Ressources naturelles, de la Faune et des Parcs. Au terme de ses études, elle a été embauchée comme technicienne par le bureau régional de Rouyn-Noranda. Ce bureau a pour mission particulière de développer l'aménagement des zones naturelles de la région Abitibi-Témiscamingue. «J'utilise les bases de données qui concernent ce territoire pour trouver les endroits les plus propices à l'implantation de constructions résidentielles, explique Stéphanie. Les gens viennent ensuite nous consulter pour savoir où et comment il est permis de construire.» Pour les techniciens en aménagement et urbanisme, appliquer les règlements est une seconde nature. Ils doivent connaître les lois pour assurer le respect de l'environnement, la sécurité des personnes et le droit de propriété. «Je consulte régulièrement la base géographique régionale qui dresse l'inventaire des baux du ministère. Cela évite, par exemple, d'autoriser la construction d'un chalet au beau milieu d'un camp de chasse», explique Stéphanie.

Tous les endroits sélectionnés par Stéphanie sont mis sur plans et ces plans sont envoyés à Québec où ils sont numérisés. Ils rejoignent ensuite la base de données du territoire. «Près de 94 % des terres du Québec appartiennent au domaine public. Mon rôle est d'aménager ce territoire, mais également de préserver ses richesses et sa diversité. C'est pourquoi il faut, avant de classer une zone constructible, étudier des accès ou des systèmes d'épuration des eaux qui soient en accord avec la protection de l'environnement. C'est un travail très valorisant et pas monotone du tout.»

	Salaire hebdo moyen	Proportion de dipl. en emploi	Emploi relié	Chômage	Nombre de diplômés
2004	571 $	80,0 %	100,0 %	20,0 %	5
2003	486 $	73,3 %	81,8 %	8,3 %	19
2002	473 $	62,5 %	55,6 %	23,1 %	19

Statistiques tirées de la *Relance* - Ministère de l'Éducation. Voir données complémentaires, page 387.

Comment interpréter l'information, page 19.

QUALITÉS RECHERCHÉES

L'esprit d'analyse et l'objectivité sont deux qualités primordiales pour travailler dans ce domaine. Les technologues en aménagement et urbanisme doivent pouvoir synthétiser de nombreuses informations avant d'arriver à une conclusion. «Il faut vraiment penser à tout, croiser les données et vérifier tous les facteurs, estime Stéphanie. Nos décisions doivent être réfléchies et étayées. Nous sommes d'abord au service des citoyens», insiste-t-elle. Il faut également aimer le travail en équipe. «Je dois souvent appeler d'autres départements du ministère pour recevoir ou transmettre des informations, explique Stéphanie. Il faut avoir une bonne expression écrite et verbale ainsi que le sens de la communication.»

DÉFIS ET PERSPECTIVES

«De nombreux défis attendent les jeunes diplômés, affirme Louis Fradette, coordonnateur du Département d'aménagement et d'urbanisme au Cégep de Matane. L'inspecteur municipal est de plus en plus sensibilisé à son rôle de protecteur de l'environnement; il sait que les développements urbains ont un impact sur le milieu naturel et il essaie de préserver cet équilibre écologique.»

Selon lui, l'autre tendance forte du moment est la géomatique. «C'est un domaine encore peu connu, mais qui se développe énormément, dit-il. Il s'agit de la gestion du territoire par informatique. Certaines compagnies proposent ainsi des cartes topographiques et des modélisations en trois dimensions grâce à la numérisation de photos aériennes ou satellites. C'est le secteur à surveiller.» Si l'on en croit Louis Fradette, le placement ne pose pas de problème pour les diplômés de ce programme. À son avis, c'est toujours le domaine municipal qui offre le plus d'ouvertures. «Le nombre de diplômés a du mal à couvrir les besoins d'inspecteurs des municipalités, dit-il. On compte en effet au moins un inspecteur municipal dans chaque ville d'environ 5 000 habitants et un dans chaque municipalité régionale de comté (MRC); ça fait beaucoup de postes à renouveler.» D'autres pistes d'emploi existent du côté des compagnies spécialisées dans l'arpentage et la cartographie ainsi que dans les services du ministère des Ressources naturelles, de la Faune et des Parcs qui s'occupent de la gestion et de l'aménagement des territoires ruraux. 02/01

«L'inspecteur municipal est de plus en plus sensibilisé à son rôle de protecteur de l'environnement; il sait que les développements urbains ont un impact sur le milieu naturel et il essaie de préserver cet équilibre écologique.»

— Louis Fradette

Photo : Collège de Rosemont

HORAIRES ET MILIEUX DE TRAVAIL

• Les diplômés sont employés par les municipalités, les bureaux d'arpenteurs et de cartographes et par le ministère des Ressources naturelles, de la Faune et des Parcs.

• Les missions d'arpentage ou de contrôle se font à l'extérieur, le plus souvent en milieu urbain.

• L'environnement de travail est de plus en plus informatisé.

• Le travail se fait selon des horaires réguliers.

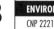
Techniques d'écologie appliquée

François Gagnon entretient une passion pour la nature depuis sa plus tendre enfance. C'est un paradis pour lui. Déjà, très jeune, il se rendait fréquemment au Jardin zoologique de Québec avec ses parents. Devenir technicien de la faune pour la Société de la faune et des parcs à Rivière-du-Loup allait donc de soi...

PROG. 145.01
PRÉALABLES : 11, 30, 40 VOIR P. 20

CHAMPS D'INTÉRÊT
- préfère l'effort et l'aventure à la sécurité et à la stabilité
- est passionné d'écologie (respect de la faune et de la flore)
- aime travailler en plein air et au rythme de la nature
- aime observer, s'informer, analyser et calculer
- aime se sentir utile

APTITUDES
- habileté pour les sciences (biologie, sciences de la nature)
- sens de l'observation, débrouillardise et autonomie
- résistance physique et habileté manuelle
- capable de travailler seul et en équipe

OFFRE DU PROGRAMME PAR RÉGIONS
Bas-Saint-Laurent, Estrie, Montréal

Pour connaître les établissements qui offrent ce programme : www.inforoutefpt.org

RÔLE ET TÂCHES

La spécialité de François, c'est la faune aquatique. C'est dans cette discipline qu'il a fait un stage portant sur le suivi de la reproduction de l'éperlan arc-en-ciel. Son travail consistait à recueillir des spécimens, à les dénombrer, à les diviser selon leur sexe et à conserver certains d'entre eux pour faire, ultérieurement, une lecture d'âge. «Ce travail permettait d'établir l'état de la population des éperlans dans cette rivière, explique-t-il. Ça permettait également de constater l'état de santé de la rivière et de savoir si cet état était menacé.» Son travail à la Société de la faune et des parcs à Rivière-du-Loup est sensiblement le même. Sauf que, cette fois, François travaille à plusieurs projets à la fois : les pêcheries d'anguilles, la population d'éperlans et les ravages des cerfs de Virginie. *Grosso modo*, il recueille sur le terrain des données qui vont aider à comprendre les phénomènes biologiques et environnementaux. À la Société, il travaille avec des biologistes. Ces derniers montent les projets, alors que les techniciens s'occupent de la cueillette des données sur le terrain. Ils rapportent ensuite les échantillons recueillis aux biologistes, qui les analysent et inscrivent leurs résultats dans un rapport.

Comme François travaille avec la nature, son emploi suit le rythme des saisons. Au printemps, c'est la période de préparation des projets qui vont être menés l'été et l'automne suivants. C'est aussi le moment où il rédige les protocoles de recherche. L'été, il est sur le terrain pour recueillir les échantillons. «On y est presque tous les jours. Si la pluie nous empêche d'effectuer nos tâches, on fait du travail de bureau.» L'automne et l'hiver

	Salaire hebdo moyen	Proportion de dipl. en emploi	Emploi relié	Chômage	Nombre de diplômés
2004	420 $	47,2 %	46,7 %	10,5 %	57
2003	489 $	50,0 %	63,6 %	33,3 %	64
2002	445 $	54,5 %	55,6 %	25,0 %	45

Statistiques tirées de la *Relance* - Ministère de l'Éducation. Voir données complémentaires, page 387.

Comment interpréter l'information, page 19.

sont les saisons où l'on analyse les données recueillies; on rédige également des rapports et l'on effectue d'autres activités administratives. On complète aussi des projets laissés en suspens.

Interrogé sur sa conscience environnementale, François Gagnon répond honnêtement. «Lorsqu'on travaille avec la nature, on développe une conscience environnementale, mais on comprend aussi les aspects socioéconomiques des problèmes, dit-il. C'est un peu comme si on voyait les deux côtés de la médaille. Doit-on demander à un agriculteur de changer une méthode qu'il utilise depuis toujours parce qu'elle est nocive pour l'environnement?»

QUALITÉS RECHERCHÉES

Pour travailler dans ce domaine, il faut posséder un bon sens des responsabilités et de la débrouillardise. La dextérité est aussi de mise, car il y a beaucoup de manipulations à faire. Il faut de plus aimer travailler en équipe.

Comme la question environnementale est au cœur même du travail du diplômé, celui-ci doit être conscient des enjeux. Et être un amoureux de la nature est, bien sûr, essentiel!

DÉFIS ET PERSPECTIVES

Le diplômé se doit d'être polyvalent et de posséder une bonne capacité d'adaptation. «La diversité des tâches et le fait d'avoir à travailler au sein de nombreuses équipes seront des défis pour lui, explique Patrick Boutin, enseignant en techniques d'écologie appliquée au Cégep de La Pocatière. Il peut se retrouver sur un bateau de pêche comme en milieu forestier, dit-il. Il peut aussi travailler en laboratoire.»

> «Lorsqu'on travaille avec la nature, on développe une conscience environnementale, mais on comprend aussi les aspects socioéconomiques des problèmes.»
>
> — François Gagnon

Photo : Cégep de La Pocatière

Des nouveaux secteurs sont en voie de développement, offrant nombre de débouchés aux diplômés en techniques d'écologie appliquée. L'agroenvironnement en est un. «C'est dans ce domaine qu'on agira efficacement sur le plan de la gestion durable des ressources renouvelables comme la foresterie, l'agriculture, la faune, la flore, l'eau, etc.», affirme M. Boutin. Tout comme l'aquaculture, spécialité d'où l'on voit émerger de nouvelles techniques d'élevage. L'enseignant remarque aussi un développement marqué des domaines de l'écotourisme et de l'écoforesterie. 03/01

HORAIRES ET MILIEUX DE TRAVAIL

- Les employeurs se situent à tous les paliers de gouvernement : fédéral, provincial et municipal.
- Les diplômés peuvent aussi trouver du travail auprès des centres d'interprétation de la nature, des cégeps et universités, des centres éducatifs, des parcs, des sociétés de gestion de la faune, des réserves fauniques, des zones d'exploitation contrôlée, des pourvoiries et des clubs agroenvironnementaux.

- Les diplômés travaillent en général de 9 h à 17 h, mais il est aussi possible de travailler le soir et les fins de semaine.
- Les emplois dans ce secteur sont souvent saisonniers.

Techniques d'inventaire et de recherche en biologie

Jescika Lavergne travaille depuis un an chez AES Global, une compagnie qui produit et commercialise des biopesticides. «Je planifie des expériences avec nos produits pour voir leur effet sur les insectes auxquels nous nous intéressons, explique la jeune femme. C'est un travail à long terme.»

PROG. 145.02
PRÉALABLES : 11, 30, VOIR P. 20

CHAMPS D'INTÉRÊT
- aime travailler dans un laboratoire
- aime chercher et analyser
- aime manipuler et calculer avec grande précision
- aime respecter des normes de qualité et de sécurité
- aime communiquer

APTITUDES
- facilité pour les sciences (biologie, chimie, math)
- excellente capacité de concentration
- dextérité
- sens des responsabilités, minutie et autonomie
- facilité à communiquer et à vulgariser de l'information

OFFRE DU PROGRAMME PAR RÉGIONS
Capitale-Nationale, Montréal

Pour connaître les établissements qui offrent ce programme : **www.inforoutefpt.org**

RÔLE ET TÂCHES

Jescika est rattachée au service d'entomologie de sa compagnie. Elle s'occupe plus spécialement de tester les effets de différents biopesticides. «J'ai une grande autonomie, dit-elle. Dans le laboratoire, je planifie les expériences et je commande le matériel nécessaire aux manipulations. Comme il s'agit souvent de matériel vivant, je dois être particulièrement organisée. Ainsi, si j'ai besoin de plants de chou pour une série de tests, je dois tenir compte qu'il faut deux mois avant d'obtenir le type de feuillage qui m'intéresse.» Outre l'aspect technique de sa tâche, Jescika doit veiller à l'ensemble du processus entourant l'expérimentation. «Pour chaque nouveau projet, je dois d'abord rechercher un maximum d'informations sur le sujet dans les publications spécialisées et parmi les sites Internet. Une fois que j'ai vérifié la faisabilité de l'expérience, il faut que j'établisse un protocole scientifiquement rigoureux.» Les biopesticides sont des insecticides biologiques développés à partir de certaines bactéries. Celles-ci s'attaquent à un type d'insecte spécifique, comme les chenilles de papillons qui dévorent les bourgeons d'épinettes. «J'imagine et je mets en place des expériences démontrant l'efficacité du produit sur les insectes et son innocuité sur le milieu.»

Tous les résultats de ces manipulations doivent être analysés et compilés dans des rapports. C'est une partie importante de son travail. «Lorsque je fais des essais sur le terrain pour contrôler la qualité d'un produit, j'effectue le suivi de la pulvérisation en prenant régulièrement des notes, explique-t-elle. J'analyse et je décris la réaction des insectes, je rédige des documents

	Salaire hebdo moyen	Proportion de dipl. en emploi	Emploi relié	Chômage	Nombre de diplômés
2004	475 $	57,1 %	66,7 %	35,5 %	48
2003	486 $	66,7 %	88,2 %	25,0 %	36
2002	519 $	54,5 %	80,0 %	14,3 %	31

Statistiques tirées de la *Relance - Ministère de l'Éducation*. Voir données complémentaires, page 387.

Comment interpréter l'information, page 19.

qui expliquent les conditions de l'expérience et je détaille les résultats comparatifs entre l'insecticide biologique et l'insecticide chimique.»

QUALITÉS RECHERCHÉES

L'autonomie et le sens de l'initiative sont des qualités demandées à ces techniciens. «La plupart du temps, on travaille en équipe, mais on est livré à soi-même pour réaliser la partie du projet dont on est responsable, précise Jescika. Dans mon laboratoire, il n'y a personne au-dessus de moi. Je dois m'organiser pour que les expériences et les résultats soient disponibles à temps.» Ce type de travail nécessite aussi beaucoup de professionnalisme et un grand sens des responsabilités. En biologie et dans le domaine des biotechnologies, il faut être précis et minutieux, car on manipule et on analyse des produits vivants. «Il faut constamment garder le contrôle des expériences», dit Jescika.

En biologie et dans le domaine des biotechnologies, il faut être précis et minutieux, car on manipule et on analyse des produits vivants.

DÉFIS ET PERSPECTIVES

Hélène Duguay est coordonnatrice du programme au Cégep de Sainte-Foy. Elle considère que cette formation est avant tout axée sur la polyvalence et la capacité de s'adapter à différents environnements de travail. «Les diplômés qui intègrent le marché du travail sont aussi à l'aise pour faire des prélèvements sur le terrain que des analyses en laboratoire, dit-elle. Leur formation, très développée du côté de la recherche, en fait des candidats appréciés par de nombreuses compagnies.» Si les perspectives d'emploi se dessinent plutôt du côté des entreprises privées, on pressent une reprise de l'activité dans la fonction publique. «Les postes gouvernementaux dans l'environnement ou l'aménagement de la faune ont été les premiers abolis lors des compressions budgétaires, explique Hélène Duguay. Toute-fois, les récents problèmes affectant la qualité de l'eau ont démontré que le secteur du contrôle et de l'analyse se prêtait mal aux économies budgétaires. C'est une voie à surveiller dans les années à venir.» Certains domaines, comme les biotechnologies ou la phytopathologie, connaissent un fort développement. «Ce sont des créneaux qui offrent des défis intéressants à nos diplômés. Souvent employés en qualité de techniciens de laboratoire ou comme assistants de recherche, ils doivent aussi bien gérer l'équipement que faire des manipulations très minutieuses en milieu aseptisé.» 03/01

Photo : UQTR

HORAIRES ET MILIEUX DE TRAVAIL

- Les diplômés sont embauchés par des laboratoires d'analyse et de recherche, différents ministères, des firmes de biotechnologie ou de biologistes-conseils.

- Leur environnement de travail est informatisé pour la rédaction des rapports et l'analyse des données.

- Habituellement, le travail se fait selon des horaires de bureau réguliers.

- Il est possible que les techniciens aient à faire des heures supplémentaires pour certaines expérimentations ou selon l'activité.

Techniques du milieu naturel*

«J'ai toujours été attirée par la nature. Je voulais tout connaître d'elle et toucher à tous ses aspects. Lorsque j'étais jeune, j'observais les animateurs dans les centres d'interprétation et j'imaginais avoir, comme eux, un groupe de personnes suspendues à mes lèvres...»

PROG. 147.01
PRÉALABLES : 10, 20, VOIR P. 20

CHAMPS D'INTÉRÊT
- aime la nature et les sciences
- aime travailler avec le public
- souci de l'environnement
- aime le travail en plein air

APTITUDES
- facilité pour les sciences (biologie)
- beaucoup de curiosité et bonne capacité à apprendre
- polyvalence et grande débrouillardise
- talents d'animateur et de vulgarisateur (écouter, raconter, captiver l'attention, expliquer)

OFFRE DU PROGRAMME PAR RÉGIONS
Saguenay–Lac-Saint-Jean
Pour connaître les établissements qui offrent ce programme : **www.inforoutefpt.org**

RÔLE ET TÂCHES

Les rêves d'enfant de Julie Bolduc, naturaliste, se sont matérialisés. Cette jeune femme qui travaille pour l'Association forestière du Saguenay–Lac-Saint-Jean se promène dans les écoles primaires de la région et donne ce qu'on appelle des classes vertes, c'est-à-dire des cours ayant trait à l'environnement. Elle visite les classes de 1re, 2e, 3e et 5e année et parle surtout des arbres à ses jeunes auditeurs. «Dans ces cours, on vise à sensibiliser les jeunes aux arbres et à l'environnement.» Mais la compréhension des élèves n'est pas la même à chaque niveau. La jeune femme doit donc adapter son cours en conséquence. Tout comme elle doit adapter sa matière en fonction des objectifs scolaires et des programmes du ministère de l'Éducation. Ainsi, comme les jeunes de 5e année doivent étudier les insectes, Julie Bolduc leur parle des maladies des arbres. Les tout-petits de 1re année, eux, auront plutôt droit à un cours général sur les arbres. «Je leur explique, par exemple, pourquoi les animaux ont besoin de la forêt et pourquoi on plante des arbres dans les villes», raconte la naturaliste.

	Salaire hebdo moyen	Proportion de dipl. en emploi	Emploi relié	Chômage	Nombre de diplômés
Exploitation forestière – 147.11					
2004	650 $	30,0 %	100,0 %	40,0 %	13
Aménagement de la faune – 147.14					
2004	439 $	30,8 %	75,0 %	42,9 %	18
Aménagement et interprétation du patrimoine – 147.15					
2004	N/D	28,6 %	100,0 %	33,3 %	9
Santé animale – 147.16					
2004	409 $	71,4 %	90,0 %	9,1 %	17
Laboratoire de biologie – 147.17					
2004	N/D	N/D	N/D	N/D	N/D
Protection de l'environnement – 147.18					
2004	596 $	37,5 %	100,0 %	40,0 %	19
Aquiculture – 147.19					
2004	N/D	N/D	N/D	N/D	N/D

Statistiques tirées de la *Relance* - Ministère de l'Éducation. Voir données complémentaires, page 387.

Comment interpréter l'information, page 19.

Est-il gênant de faire des exposés devant une classe? «Ce n'est pas intimidant parce que ce sont des enfants, affirme Julie. De plus, leurs questions sont faciles! dit-elle en riant. J'aime ce que je fais. J'aime aussi beaucoup les enfants, alors je suis à ma place.»

Son emploi précédent touchait l'aménagement. Une station de ski l'avait embauchée pour qu'elle aménage une île en aire de jeu pour les jeunes l'été. Un travail qui demandait de connaître la flore et la faune dans leurs moindres détails et de savoir les respecter.

QUALITÉS RECHERCHÉES

«Il faut aimer la nature et le travail en équipe. Avoir du leadership est également utile lorsqu'il s'agit de coordonner des groupes. On doit aussi être dynamique pour capter l'attention du public et curieux parce que l'on doit répondre à de nombreuses questions. Et il faut bien sûr aimer les gens», conclut Julie. La capacité d'analyse et le sens de l'observation sont des qualités recherchées, de même que l'autonomie et la débrouillardise.

Depuis quelques années, les gens vont de plus en plus en forêt et fréquentent davantage les milieux naturels.

DÉFIS ET PERSPECTIVES

«Le territoire québécois devient de moins en moins sauvage», annonce Claude Dionne, coordonnateur au Département de techniques du milieu naturel du Cégep de Saint-Félicien. Cette réalité fait en sorte que les mêmes espaces naturels seront utilisés pour plusieurs types d'activités, comme l'exploitation forestière, la chasse ou encore les randonnées en traîneaux à chiens. Comment concilier des intérêts aussi divergents? Comment faire pour que tous ces gens puissent s'entendre? «C'est là que résidera le défi des futurs diplômés, estime M. Dionne. Ils devront faire de la gestion intégrée de territoire, consulter les différents utilisateurs et trouver des façons de satisfaire chacun d'entre eux.» Le coordonnateur raconte que les Québécois ont découvert leur nature et veulent la protéger. «Leurs préoccupations environnementales font qu'ils exigent maintenant une meilleure gestion de l'eau, de l'air et du sol, explique-t-il. Pour cette raison, la demande de diplômés travaillant en protection de l'environnement ou dans des laboratoires environnementaux augmentera.» 03/01

* Dès septembre 2006, ce programme offrira quatre options : *Aménagement de la faune, Aménagement de la ressource forestière, Aménagement et interprétation du patrimoine naturel* et *Protection de l'environnement.*

HORAIRES ET MILIEUX DE TRAVAIL

• Les diplômés trouveront du travail dans les parcs, les réserves, les centres touristiques, les centres d'interprétation, les colonies de vacances, les musées, les pourvoiries.

• D'autres employeurs sont l'industrie forestière, les compagnies de décontamination de l'eau, de l'air et du sol, les entreprises piscicoles et les laboratoires.

• Dans ce domaine, on a des horaires réguliers de 9 h à 17 h, mais aussi des heures de soir et de fin de semaine.

• Il y a beaucoup d'emplois saisonniers.

ÉLECTROTECHNIQUE

Les diplômés issus des programmes de la formation collégiale technique de ce secteur travaillent principalement dans des industries de fabrication de pointe comme l'aérospatiale et les télécommunications. Leur formation leur permet d'acquérir de bonnes connaissances en informatique, en électronique, en électricité et en physique. Les employeurs apprécient particulièrement la polyvalence de ces diplômés capables d'entretenir et de réparer divers types d'équipement.

Le domaine des télécommunications, qui a souffert du krach des valeurs technologiques survenu en 2000, ne manque désormais pas de défis. Stimulé par la concurrence féroce que se livrent les différentes entreprises de l'industrie, le secteur recherche des travailleurs spécialisés, comme les diplômés en technologie de l'électronique industrielle.

L'industrie de l'aérospatiale représente un employeur important au Québec, mais elle demeure fortement tributaire de la conjoncture économique, voire géopolitique. Ainsi, après avoir connu une période d'incertitude à la suite du 11 septembre 2001, le secteur s'est stabilisé en 2004. Le trafic aérien mondial est revenu à la normale et on prévoit même une croissance pour les prochaines années. Si cette tendance se maintient, les techniciens en avionique pourraient connaître de bons débouchés. 03/05

CHAMPS D'INTÉRÊT

- aime observer et démonter des mécanismes et des systèmes électriques et électroniques pour en comprendre le fonctionnement
- aime le travail manuel et de précision
- aime analyser et résoudre des problèmes pratiques

APTITUDES

- sens de l'observation et facilité d'apprentissage intellectuel et technique
- esprit logique, méthodique et analytique
- curiosité, mémoire, discernement et ingéniosité
- dextérité, concentration, acuité visuelle et auditive
- initiative et sens des responsabilités

RESSOURCES INTERNET

MINISTÈRE DE L'ÉDUCATION DU QUÉBEC – SECTEURS DE FORMATION
http://www.meq.gouv.qc.ca/ens-sup/ens-coll/program/ ProgEtab.asp?vToken=s90
Vous trouverez sur cette page une description des programmes de ce secteur de formation, comprenant, pour chacun, les exigences d'admission, les objectifs de formation et une liste d'établissements d'enseignement.

CONSEIL CANADIEN DES ÉLECTROTECHNOLOGIES
http://www.cce.qc.ca/frame_f.htm
Ceux qui veulent mieux comprendre en quoi consiste l'électrotechnique trouveront ici une brève introduction aux technologies courantes.

TECHNOCOMPÉTENCES
www.technocompetences.qc.ca
Ce site vous offre un tour de piste des carrières offertes dans le domaine des technologies de l'information.

CENTRE D'ADAPTATION DE LA MAIN-D'ŒUVRE AÉROSPATIALE AU QUÉBEC (CAMAQ)
http://www.camaq.org
En plus de présenter les objectifs et les principales réalisations de cet organisme, le site du CAMAQ offre une série de publications portant sur le secteur, la situation de l'emploi et la formation.

Avionique

Sébastien Bouthillette est technologue en avionique pour le compte de Mechtronix Systems, une compagnie qui fabrique des simulateurs de vol. «Plus jeune, j'aidais mon père à réparer des télés et des magnétoscopes, se souvient-il. Il a toujours été passionné d'électronique et m'a sûrement passé le virus...»

PROG. 280.04
PRÉALABLES : 12, 40, VOIR P. 20

CHAMPS D'INTÉRÊT

- aime l'électricité et les avions
- aime faire un travail manuel et de précision
- aime travailler en usine et en équipe
- aime observer et vérifier

APTITUDES

- habileté au travail manuel (dextérité, précision)
- concentration, force et résistance physique
- autonomie et grand sens des responsabilités
- être prêt à travailler selon un horaire variable et à se déplacer

OFFRE DU PROGRAMME PAR RÉGIONS
Montérégie

Pour connaître les établissements qui offrent ce programme : **www.inforoutefpt.org**

RÔLE ET TÂCHES

Le rôle du technologue en avionique est d'installer, d'entretenir, de vérifier et de réparer le matériel électrique et électronique des aéronefs. «Chez Mechtronix, on conçoit des simulateurs de vol qui sont en tous points conformes aux appareils réels, dit Sébastien. Comme sur une vraie machine, mon rôle est de faire le schéma des tableaux électriques et de vérifier que les câblages des différents systèmes envoient les bonnes informations au bon moment. La seule différence avec un véritable avion est que les systèmes ne réagissent pas à des facteurs extérieurs réels, mais à des programmes qui simulent la réalité. Les ingénieurs qui font la programmation modélisent des données sur la pression, le vent ou les turbulences qui vont faire réagir les systèmes de pilotage automatique, de communication ou de navigation.» Les clients de Mechtronix sont des écoles de vol ou des compagnies aériennes. Ils n'ont pas tous besoin des mêmes simulateurs. Sébastien doit donc analyser précisément les manuels et la documentation qui se rapportent au type d'appareil qu'ils désirent. Une petite cabine de pilotage de Cessna n'a que peu de chose en commun avec une cabine de Boeing 737. Il faut qu'il étudie le design électrique des panneaux de commandes pour que les commutateurs ou les potentiomètres soient placés aux bons endroits et, surtout, que les connecteurs d'entrée ou de sortie reçoivent les bons programmes en temps réel.

«Je travaille en collaboration avec les personnes qui s'occupent de l'aspect mécanique, explique-t-il. Ils prennent les mesures d'une vraie cabine de pilotage et en font un moulage en fibres de verre qui a les dimensions exactes du modèle original. En fonction des systèmes que le client veut

	Salaire hebdo moyen	Proportion de dipl. en emploi	Emploi relié	Chômage	Nombre de diplômés
2004	590 $	46,2 %	41,2 %	10,0 %	55
2003	679 $	71,1 %	76,0 %	10,0 %	47
2002	724 $	65,4 %	81,3 %	0,0 %	41

Statistiques tirées de la *Relance* - Ministère de l'Éducation. Voir données complémentaires, page 387.

Comment interpréter l'information, page 19.

intégrer dans son simulateur, je leur indique où découper les emplacements qui me permettront d'installer les bons interrupteurs et les bonnes commandes. Il faut que je compile le plus de données possible sur l'ingénierie pour que les programmeurs puissent ensuite connecter leurs microprocesseurs et leurs projecteurs d'images.»

QUALITÉS RECHERCHÉES

Les systèmes installés dans les simulateurs doivent être aussi précis et fiables que ceux des vrais avions. «Il faut vraiment avoir le souci du détail et une bonne habileté manuelle pour manipuler les petites pièces et les circuits imprimés.» Les compagnies qui œuvrent dans le domaine de l'aéronautique sont très exigeantes en ce qui concerne la fiabilité de leurs employés. Le sens des responsabilités est une qualité que doivent posséder les technologues en avionique, dont le travail a une influence directe sur la sécurité des appareils et des passagers.

Le sens des responsabilités est une qualité que doivent posséder les technologues en avionique, dont le travail a une influence directe sur la sécurité des appareils et des passagers.

DÉFIS ET PERSPECTIVES

Selon Marcel Dubois, coordonnateur de la technique à l'École nationale d'aérotechnique du Québec, «lorsque l'économie est en croissance, le secteur des transports suit le mouvement, dit-il. Cela signifie de bonnes occasions de carrière chez les gros constructeurs d'avions ou d'hélicoptères dont les carnets de commandes se remplissent régulièrement.» Les secteurs affiliés proposent aussi des ouvertures intéressantes. «Les transporteurs aériens basés au pays ont toujours besoin de techniciens pour l'entretien et la maintenance de leur flotte. Il y a également des défis à relever du côté des entreprises qui fabriquent des produits ou des équipements électroniques destinés à l'industrie aéronautique.»

M. Dubois souligne que les diplômés sont très polyvalents. À son avis, leurs compétences en électronique peuvent aussi les diriger vers des ateliers qui font de l'entretien ou de l'installation de systèmes sur de petits appareils. Il leur est également possible de faire de l'électronique générale ou de travailler dans le secteur des télécommunications. «Dans tous les cas, ils sont rapidement amenés à diriger des équipes ou à faire du soutien technique en qualité d'inspecteurs ou d'experts dépêchés en mission pour le compte d'un transporteur.» 03/01

HORAIRES ET MILIEUX DE TRAVAIL

- Les diplômés de ce programme sont embauchés par les constructeurs d'avions, d'hélicoptères ou de simulateurs.

- Il y a aussi des possibilités d'emploi dans les compagnies de transport, les entreprises d'électronique ou de télécommunications.

- Pour faire leur travail, ils utilisent des outils traditionnels et font parfois du dessin assisté par ordinateur.

- Le travail suit des horaires variables, soit le jour, le soir, la nuit ou la fin de semaine.

Technologie de conception électronique

«J'aime beaucoup créer et c'est pour cette raison que je me suis dirigé vers la conception électronique», raconte Hugo Laporte, qui travaille comme soutien électronique chez CAE Électronique, une entreprise fabriquant des simulateurs de vol.

PROG. 243.16
PRÉALABLES : 11, 20, VOIR P. 20

CHAMPS D'INTÉRÊT
• aime travailler avec des circuits électroniques
• aime travailler seul et en équipe
• aime résoudre des problèmes
• aime se tenir au courant des progrès technologiques

APTITUDES
• autonomie et capacité d'adaptation
• minutie et bonne dextérité manuelle
• capacité d'apprendre par soi-même
• débrouillardise

OFFRE DU PROGRAMME PAR RÉGIONS
Laurentides, Mauricie, Montréal

Pour connaître les établissements qui offrent ce programme : **www.inforoutefpt.org**

RÔLE ET TÂCHES

De façon générale, le technicien de conception électronique entre en jeu après que l'ingénieur a produit, sur plan, un schéma. Le technicien monte alors un modèle à partir de ce dernier. Dans certains cas, cette répartition des tâches peut cependant varier. Il existe des bureaux d'ingénieurs où le technicien participe à la conception des schémas. C'est évidemment une question de connaissances, mais aussi de confiance entre les ingénieurs et les techniciens. Par la suite, le technicien est chargé de faire passer une batterie de tests au prototype afin de vérifier que celui-ci répond bien dans toutes les conditions. Chez CAE, le travail de Hugo consiste à concevoir et à fabriquer des appareils servant à éprouver la qualité des différentes cartes à puces qui composent le simulateur de vol. Selon la complexité des cartes, la création d'une station peut prendre de huit à cent heures de travail, et même plus. La mise en production de ces cartes se fait surtout de façon automatisée, du moins lorsqu'il s'agit de grandes séries. Généralement, le technicien travaillera en développement de produits et en fabrication. Il est rare que le technicien de conception électronique s'occupe de service à la clientèle. Il peut cependant offrir des services de dépannage spécialisé. Ses connaissances technologiques, alliées à de bonnes habiletés relationnelles, peuvent lui permettre d'œuvrer dans le domaine des ventes. Finalement, il touche aux branches de plusieurs spécialisations. Audio-visuel, biomédical, aéronautique et télécommunication en sont quelques exemples. Le mot clé : polyvalence.

	Salaire hebdo moyen	Proportion de dipl. en emploi	Emploi relié	Chômage	Nombre de diplômés
2004	635 $	20,0 %	33,3 %	0,0 %	39
2003	456 $	22,7 %	75,0 %	0,0 %	30
2002	483 $	51,7 %	35,7 %	0,0 %	38

Statistiques tirées de la *Relance* - Ministère de l'Éducation. Voir données complémentaires, page 387.

Comment interpréter l'information, page 19.

QUALITÉS RECHERCHÉES

Claude Barbaud, directeur du programme au Collège de Maisonneuve, estime que le candidat doit posséder un esprit scientifique et une bonne capacité d'abstraction, car il est chargé d'appliquer des phénomènes physiques grâce à des méthodes de calculs mathématiques. Est-il besoin de préciser qu'il faut être fort en sciences? «Le programme nous permet d'approfondir considérablement nos connaissances en mathématiques et en physique», selon Hugo. «Étant donné qu'il fait beaucoup de montage, le technicien de conception électronique doit avoir une bonne dextérité manuelle. Il faut aimer les montages et travailler de façon précise», dit M. Barbaud. La curiosité intellectuelle est aussi de mise. Hugo ajoute que la patience et la concentration sont très importantes. «Il y a beaucoup de monde autour de moi et je dois constamment venir en aide aux gens avec lesquels je travaille. Il faut donc être capable de "sortir de sa bulle" et d'y rentrer facilement.»

> Le candidat doit posséder un esprit scientifique et une bonne capacité d'abstraction, car il est chargé d'appliquer des phénomènes physiques grâce à des méthodes de calculs mathématiques.

Savoir travailler en équipe est un atout majeur : le technicien est appelé à collaborer étroitement avec les ingénieurs et les chercheurs. Et à l'instar de bien d'autres domaines de pointe, la connaissance de l'anglais est presque obligatoire. Les spécifications de certaines composantes accessibles grâce à Internet et les manuels d'instructions sont, la plupart du temps, dans cette langue. Finalement, parce qu'il travaille dans le domaine de l'électronique, le technicien doit s'attendre à être en formation continue.

DÉFIS ET PERSPECTIVES

Après avoir développé certaines aptitudes au cours de leurs études collégiales, il n'est pas rare que des techniciens aient le goût de pousser plus loin leur apprentissage en allant à l'université. C'est d'ailleurs l'un des «problèmes» du programme, d'après M. Barbaud : pas assez de techniciens vont tout de suite sur le marché du travail. Pour sa part, Hugo Laporte mentionne que les six diplômés avec lesquels il est encore en contact ont tous choisi de poursuivre leurs études à l'université. «J'étudie actuellement en génie de production automatisée, dans le domaine de l'instrumentation et du contrôle. De toute façon, la formation en conception électronique est tellement poussée qu'elle offre la possibilité de se diriger dans plusieurs domaines», conclut Hugo. 09/99

HORAIRES ET MILIEUX DE TRAVAIL

- Une très grande variété de bureaux embauchent des technologues en conception électronique.
- On peut travailler pour de grosses entreprises ou pour de petites compagnies qui produisent des appareils hautement spécialisés.

- En général, les horaires de travail sont très stables.
- Cependant, pour de grosses entreprises, il n'est pas impossible de travailler selon plusieurs horaires (jour ou nuit).

Technologie de l'électronique

«J'ai toujours baigné dans le milieu de l'électronique», dit Sylvain Mayer. Diplômé en technologie de l'électronique, il travaille chez Aube Technologies, une compagnie spécialisée dans les systèmes de gestion d'énergie.

PROG. 243.11
PRÉALABLES : 11, 20, VOIR P. 20

CHAMPS D'INTÉRÊT

- est passionné par les mécanismes, les appareils, les circuits
- aime observer, analyser et manipuler (démonter, faire des tests, réparer)
- aime résoudre des problèmes, améliorer, créer, innover

APTITUDES

- facilité pour les mathématiques
- grande faculté d'observation et grande dextérité
- esprit curieux et ingénieux (excelle à analyser et à résoudre un problème, et à innover)
- facilité à comprendre et à utiliser la technologie
- bilinguisme et facilité à communiquer

OFFRE DU PROGRAMME PAR RÉGIONS
Bas-Saint-Laurent, Capitale-Nationale, Centre- du-Québec, Estrie, Gaspésie–Îles-de-la-Madeleine, Lanaudière, Laurentides, Laval, Mauricie, Montérégie, Montréal, Outaouais, Saguenay–Lac-Saint-Jean
Pour connaître les établissements qui offrent ce programme : **www.inforoutefpt.org**

RÔLE ET TÂCHES

Aube Technologies est une entreprise spécialisée dans la réalisation de thermostats et de minuteries qui gèrent des systèmes de chauffage, des thermopompes ou de l'éclairage. «Mon rôle, dit Sylvain, c'est de programmer et de coder ces appareils afin qu'ils réagissent conformément aux tâches qui leur sont demandées. Je m'occupe de programmer les microcontrôleurs, qui sont un peu l'équivalent des microprocesseurs d'ordinateurs. C'est le cerveau de nos appareils. Je me fonde sur le modèle mathématique du système, développé par les ingénieurs, pour créer le circuit imprimé de base. Je programme ensuite le contrôleur afin qu'il déclenche les bonnes commandes.» Pour gérer le chauffage ou la lumière, ce contrôleur doit analyser plusieurs paramètres et surtout recevoir et envoyer des données fiables. Sylvain effectue ensuite une série de tests, notamment pour étudier le comportement du boîtier dessiné par le designer industriel. «Les composants électroniques ont tendance à chauffer; il faut donc que le boîtier qui les abrite puisse supporter cette contrainte sans nuire au fonctionnement de l'appareil.»

Aube Technologies distribue ses produits partout en Amérique et en Europe. Pour Sylvain, cela sous-entend qu'il faut adapter les systèmes à ces différents marchés. «Par exemple, les normes de qualité et de sécurité sont très différentes entre les États-Unis et la France. Je dois me tenir au courant des réglementations en vigueur pour que nos produits répondent à ces exigences et puissent être commercialisés.»

	Salaire hebdo moyen	Proportion de dipl. en emploi	Emploi relié	Chômage	Nombre de diplômés
2004	N/D	N/D	N/D	N/D	N/D
2003	N/D	N/D	N/D	N/D	N/D
2002	N/D	N/D	N/D	N/D	10

Statistiques tirées de la *Relance* - Ministère de l'Éducation. Voir données complémentaires, page 387.

Comment interpréter l'information, page 19.

QUALITÉS RECHERCHÉES

L'électronique, au même titre que l'informatique, est un domaine où les changements sont nombreux et rapides. «Il faut sans cesse remettre ses connaissances à jour, regarder ce qui se fait de nouveau en matière de produits et de composants. Quand on travaille en recherche et en développement, on n'arrête jamais d'apprendre. C'est un peu comme si on retournait chaque jour à l'école.» Il faut également être minutieux et très patient, car il est rare qu'un système fonctionne parfaitement du premier coup. Le technologue en électronique doit évidemment être à l'aise avec l'informatique.

DÉFIS ET PERSPECTIVES

«L'électronique pure est un domaine qui ouvre bien des portes, estime Michel Lévesque, coordonnateur du Département de génie électronique au Cégep de Saint-Jean-sur-Richelieu. Les diplômés peuvent aussi bien se spécialiser dans les domaines des télécommunications, des systèmes informatiques ou des appareils audiovisuels. L'électronique étant omniprésente, les possibilités sont quasiment infinies.»

«Il ne faut cependant pas oublier que les grandes industries sont toujours à la merci des fluctuations économiques, fait remarquer M. Lévesque. Celles qui proposent aujourd'hui les meilleurs salaires aux débutants peuvent demain les mettre à pied avec la même rapidité.» Le coordonnateur poursuit en affirmant que si le travail est plus routinier dans les grandes compagnies que dans les PME, l'évolution des carrières est en revanche très bonne dans les deux cas. Après quelques années, il n'est pas rare de voir ces technologues à des postes de responsabilité.

Selon Michel Lévesque, les diplômés devront faire preuve de beaucoup d'autonomie et de débrouillardise pour mener à bien leurs projets. «Dans les entreprises de moindre importance, ils seront les personnes-ressources sur lesquelles on compte pour penser la conception, réaliser des prototypes, faire du montage ou de la réparation. Cette polyvalence leur permettra de s'adapter sans mal à l'évolution de leur métier.» 03/01

> «Les diplômés peuvent aussi bien se spécialiser dans les domaines des télécommunications, des systèmes informatiques ou des appareils audio-visuels. L'électronique étant omniprésente, les possibilités sont quasiment infinies.»
>
> — Michel Lévesque

Photo : Cégep de l'Abitibi-Témiscamingue

HORAIRES ET MILIEUX DE TRAVAIL

- Les principaux employeurs de ce secteur sont les compagnies qui développent, fabriquent ou utilisent du matériel électronique.
- Les technologues en électronique utilisent appareils de mesure, multimètres et fers à souder.
- Leur environnement de travail est très informatisé.

- Ils travaillent selon des horaires de bureau réguliers.
- Il est possible de travailler sur appel le soir, la nuit et les fins de semaine dans certaines compagnies.
- Les déplacements chez les clients sont fréquents.

Technologie de l'électronique industrielle

Sébastien Lavoie est chargé de projets aux Industries Hypershell, à Sherbrooke. «C'est chaque fois un défi renouvelé : on invente des machines, on va jusqu'à élaborer des chaînes complètes de fabrication et d'assemblage, de A à Z.»

PROG. 243.06
PRÉALABLES : 11, 20, VOIR P. 20

CHAMPS D'INTÉRÊT

- est passionné par les mécanismes, les appareils, les circuits
- aime observer, analyser et
  manipuler (démonter,
  faire des tests, réparer)
- aime résoudre des problèmes,
  améliorer, créer, innover

APTITUDES

- facilité pour les mathématiques
- grande faculté d'observation et
  grande dextérité
- esprit curieux et ingénieux
  (excelle à analyser et à résoudre
  un problème, et à innover)
- facilité à comprendre et
  à utiliser la technologie
- bilinguisme et facilité
  à communiquer

OFFRE DU PROGRAMME PAR RÉGIONS

Abitibi-Témiscamingue, Bas-Saint-Laurent,
Capitale-Nationale, Centre-du-Québec,
Chaudière-Appalaches, Côte-Nord, Estrie,
Gaspésie—Îles-de-la-Madeleine, Laval,
Mauricie, Montérégie, Montréal, Outaouais,
Saguenay—Lac-Saint-Jean
Pour connaître les établissements qui offrent
ce programme : www.inforoutefpt.org

RÔLE ET TÂCHES

Sébastien travaille pour une importante entreprise de consultants et de sous-traitants en génie industriel, spécialisée dans la programmation adaptée à l'entreprise manufacturière, la conception assistée par ordinateur et le montage de panneaux de commande. Là, dans un bureau tout récemment aménagé au-dessus d'une mini-usine qui tient à la fois du laboratoire d'électronique et de l'atelier d'artisans *high-tech*, le jeune chargé de projets et son équipe conçoivent des machines-outils à la fine pointe des technologies pour des clientèles diversifiées, comme Domtar, Bombardier et Sherwood-Drolet.

«J'ai toujours été intéressé par la robotique, et ceci, c'est tout comme. On nous soumet un besoin, comme Bombardier qui voulait un couvre-silencieux pour ses Sea-Doo. À partir d'un procédé de fabrication, on conçoit une séquence d'opérations pour arriver au produit fini, puis on dessine les plans de la machine et des circuits, des instruments de commande, etc. On crée la machine-outil virtuellement, en 3D, sur écran, puis on la fabrique ici, en bas dans notre usine, et on la teste, on la perfectionne. Et on livre ça clés en main, comme on dit. C'est vraiment fascinant, surtout quand on termine une mise au point et qu'on voit ça aller tout seul! J'adore ça!»

Émile Germain, coordonnateur du programme de technologie en électronique industrielle au Collège de Sherbrooke, explique que les tâches des diplômés peuvent être très variées, allant de l'entretien des systèmes et

	Salaire hebdo moyen	Proportion de dipl. en emploi	Emploi relié	Chômage	Nombre de diplômés
2004	768 $	78,3 %	81,3 %	10,1 %	29
2003	681 $	86,8 %	81,3 %	2,9 %	44
2002	N/D	N/D	N/D	N/D	1

Statistiques tirées de la *Relance* · Ministère de l'Éducation. Voir données complémentaires, page 387.

Comment interpréter l'information, page 19.

mécanismes d'usine à la vente et à l'installation de réseaux de distribution électrique de chauffage et d'éclairage, en passant par la conception de circuits, l'assemblage d'appareils, le calibrage de machines-outils et le recyclage d'équipements.

QUALITÉS RECHERCHÉES

Une personne à l'esprit curieux et méthodique, qui aime régler des problèmes, trouver des solutions innovatrices, et qui n'hésite pas à mettre la main à la pâte, a sa place en technologies de l'électronique industrielle. «Il faut être bricoleur, reconnaît M. Germain, et un peu inventeur : l'esprit analytique, l'imagination, une bonne base mathématique, bien sûr, mais surtout le goût de toujours en apprendre davantage, de se perfectionner.»

Souplesse, capacité de travailler en équipe jointe à une bonne autonomie, dextérité manuelle et patience sont des qualités utiles dans cette profession. «La minutie, le goût de la précision et du travail bien fait ainsi qu'une préoccupation constante pour la sécurité sont essentiels à mon avis», ajoute Sébastien en exhibant fièrement une palette (la lame) de bâton de hockey fabriquée par une des machines qu'il a conçues pour Sherwood-Drolet. «On est en train d'automatiser, sans qu'il y ait de mise à pied, une usine où presque tout se faisait à la main. On va décupler la productivité sans que la qualité s'en ressente. Notre machine doit être ultra-rapide, sécuritaire pour les opérateurs et atteindre une précision micrométrique.»

> Souplesse, capacité de travailler en équipe jointe à une bonne autonomie, dextérité manuelle et patience sont des qualités utiles dans cette profession.

DÉFIS ET PERSPECTIVES

«Il est évident qu'en temps de reprise économique, la demande de technologues augmente : nouvelles usines, chantiers importants, modernisation des équipements génèrent des besoins que les diplômés des différentes écoles n'arrivent pas toujours à combler», affirme M. Germain.

Plusieurs choisissent de se perfectionner, soit à l'université, soit à l'École de technologie supérieure. Sébastien est un de ceux-là : «Tout en continuant à travailler ici, je compte suivre des cours additionnels à l'université pour me spécialiser en programmation d'alternateurs et en contrôle d'énergie. C'est un réel plaisir de fabriquer une nouvelle machine-outil automatique, mais j'adore aussi apprendre du nouveau. D'ailleurs, dans ce métier, on est toujours en apprentissage.» 09/99

HORAIRES ET MILIEUX DE TRAVAIL

- Les technologues peuvent travailler pour leur compte ou en entreprise.

- Quel que soit leur milieu de travail, ils doivent s'attendre à intervenir à toute heure du jour ou de la nuit en cas de problème.

- Certaines firmes cependant, tels les bureaux d'ingénieurs-conseils ou les PME, ont en général des horaires plus réguliers que les usines.

Technologie de systèmes ordinés

Hami Monsarrat travaille chez Morgan Schaffer Systems, une compagnie qui fabrique des moniteurs conçus pour analyser l'état des transformateurs électriques. «Je conçois les circuits électroniques qui vont permettre aux capteurs d'envoyer les bonnes informations au bon moment», explique-t-il.

PROG. 243.15
PRÉALABLES : 11, 20, VOIR P. 20

CHAMPS D'INTÉRÊT

- aime concevoir et fabriquer du matériel
- aime travailler seul et en équipe
- aime résoudre des problèmes
- aime se tenir au courant des progrès technologiques

APTITUDES

- facilité pour les mathématiques
- patience et persévérance
- minutie et bonne dextérité manuelle
- capacité de faire face aux imprévus
- esprit curieux et ingénieux

OFFRE DU PROGRAMME PAR RÉGIONS
Capitale-Nationale, Estrie, Laurentides, Montréal, Outaouais

Pour connaître les établissements qui offrent ce programme : www.inforoutefpt.org

RÔLE ET TÂCHES

Les systèmes ordinés sont des systèmes commandés par ordinateur. Il peut s'agir d'une machine à laver dont les cycles sont gérés par un microprocesseur ou bien de systèmes industriels beaucoup plus complexes comme ceux dont s'occupe Hami. «Je travaille pour le service de recherche et développement de Morgan Schaffer Systems. Je suis chargé de développer les circuits électroniques qui se trouvent à l'intérieur des moniteurs que nous fabriquons. Il s'agit d'appareils qui sont utilisés par les compagnies de production et de transport d'électricité pour contrôler la présence de gaz et leur concentration dans les transformateurs de haut voltage.» Hami travaille en collaboration avec un chef de projet qui est ingénieur-chimiste. Ensemble, ils font le design mécanique du moniteur. «Je m'occupe ensuite de dessiner le circuit imprimé grâce à un logiciel de dessin spécialisé, puis je choisis et je commande les pièces électroniques dont j'ai besoin pour fabriquer le prototype. J'assemble ces composants en les soudant selon le schéma préétabli.» Le cerveau de ces appareils est constitué de microcontrôleurs, qui sont l'équivalent des microprocesseurs d'ordinateurs. Ils sont utilisés dans le domaine industriel et servent à traiter les données recueillies par les capteurs. Les senseurs et les chromatographes prélèvent et analysent des échantillons de fluides et envoient leurs résultats dans le système électronique conçu par Hami. Toutefois, il ne faut pas uniquement recueillir les données; il faut aussi pouvoir les transmettre et les lire pour en interpréter les résultats. «Il faut faire en sorte que le système transmette correctement et sans

	Salaire hebdo moyen	Proportion de dipl. en emploi	Emploi relié	Chômage	Nombre de diplômés
2004	492 $	62,8 %	54,2 %	7,5 %	112
2003	565 $	49,0 %	72,3 %	15,0 %	136
2002	539 $	66,7 %	80,7 %	6,1 %	130

Statistiques tirées de la *Relance* - Ministère de l'Éducation. Voir données complémentaires, page 387.

Comment interpréter l'information, page 19.

problème les informations qui sont ensuite envoyées vers un logiciel spécialement adapté.»

QUALITÉS RECHERCHÉES

Hami considère qu'il faut avant tout aimer les technologies et la résolution de problèmes pour travailler dans le domaine des systèmes ordinés. Comme il est rare que les prototypes fonctionnent du premier coup, cela demande également pas mal de persévérance. «Cela fait près de huit mois que je travaille au même projet, dit-il. C'est un travail à long terme, mais il n'y a pas de routine, car j'ai chaque jour de nouveaux défis à relever», s'empresse-t-il d'ajouter. Ces travailleurs sont souvent amenés à effectuer un travail de précision sur de très petites pièces. Les montages électroniques et la soudure sur les circuits imprimés nécessitent une grande habileté manuelle ainsi que beaucoup de minutie. Et comme dans toutes les techniques, l'évolution est rapide, les changements, nombreux.

> «Il faut faire en sorte que le système transmette correctement et sans problème les informations qui sont ensuite envoyées vers un logiciel spécialement adapté.»
>
> — Hami Monsarrat

DÉFIS ET PERSPECTIVES

Selon Alain Sirois, enseignant au Département des technologies du génie électrique du Cégep de Sherbrooke, il y a actuellement une très forte crois-sance de l'automatisation raccordée au système informatique des entreprises. «La plupart des compagnies cherchent à automatiser une partie ou l'ensemble de leur production, a-t-il constaté. Les diplômés sont en mesure de mettre en place des automates programmables et de concevoir l'interface entre les opérateurs et les machines. On leur demande également de créer des liens, des réseaux entre les systèmes de production et les outils de gestion informa-tisés. C'est une tendance très marquée dans l'industrie d'aujourd'hui.»

La montée de l'automatisation et de l'informatisation dans la majorité des secteurs laisse présager de très bonnes perspectives pour ces diplômés. Ils devront aussi bien travailler à la conception électronique des systèmes qu'au développement des logiciels qui permettront de les utiliser. «Nous entrons dans une ère où l'automatisation n'est plus réservée qu'aux entreprises riches, prédit M. Sirois. Les PME accèdent de plus en plus à ces technologies. Même les particuliers les utilisent couramment pour régler la température de leur maison ou ouvrir la porte de leur garage. Les technologues en systèmes ordinés ont donc un bel avenir.» 03/01

HORAIRES ET MILIEUX DE TRAVAIL

- Les diplômés sont employés par des compagnies qui fabriquent des produits ou des systèmes électroniques.
- Ils peuvent faire de l'installation ou de la réparation pour des entreprises de services.
- Leur environnement de travail est très informatisé.

- En recherche et développement, les horaires sont réguliers et flexibles.
- Les horaires sont plus irréguliers en production ou en service à la clientèle.

Technologie physique

Après avoir achevé un DEC en sciences humaines et avoir exercé quelque temps dans ce domaine, Éric Jarry a décidé de revenir à ses premières amours en s'inscrivant au DEC en technologie physique. «Je suis très manuel et j'aime tout ce qui touche à la physique, dit-il. Cette formation correspondait donc parfaitement à mon profil.»

PROG. 244.A0
PRÉALABLES : 12, 40, VOIR P. 20

CHAMPS D'INTÉRÊT
- aime calculer, mesurer, vérifier, analyser
- aime utiliser des appareils et travailler sur ordinateur
- aime diagnostiquer et résoudre un problème
- aime apprendre et communiquer

APTITUDES
- facilité pour les mathématiques
- aisance avec la technologie (informatique et appareils de mesure)
- débrouillardise et polyvalence
- facilité à apprendre, à s'adapter et à communiquer
- sens de l'observation et de l'analyse

OFFRE DU PROGRAMME PAR RÉGIONS
Bas-Saint-Laurent, Montréal

Pour connaître les établissements qui offrent ce programme : **www.inforoutefpt.org**

RÔLE ET TÂCHES

Éric est technologue en physique chez ITF Technologies Optiques, qui œuvre dans le domaine de la photonique. «Lorsqu'on débute dans ce métier, il ne faut pas s'attendre à faire immédiatement de la recherche, dit-il. On passe toujours quelques mois à acquérir de l'expérience en production. J'ai occupé un certain temps un poste proche de celui d'opérateur.»

Éric travaille aujourd'hui en équipe pour développer les fibres optiques de demain. «Les chercheurs possèdent une connaissance de la technologie extrêmement théorique. Mon rôle est de les aider à faire évoluer les prototypes de laboratoire pour que ceux-ci puissent être produits en série, de façon industrielle. Les procédés de production sont en constante évolution; j'essaie d'y apporter toutes les améliorations possibles. Je travaille au sein d'un groupe de recherche où je mène généralement un ou deux projets à la fois. Nous nous réunissons beaucoup pour échanger des idées. Je dois m'assurer qu'elles sont applicables sur le plan pratique et, lorsqu'elles fonctionnent, je dois trouver des procédés stables pouvant se répéter en production. C'est un secteur très dynamique où il faut constamment innover si l'on veut rester compétitif.» Éric a aussi pour mandat de superviser les nouveaux techniciens qui intègrent la compagnie. Son travail se partage donc entre le bureau et le laboratoire.

QUALITÉS RECHERCHÉES

La curiosité technique est une base essentielle du travail en technologie physique. «Dans un contexte de recherche et de développement, on doit être à la fois curieux et débrouillard, estime Éric. C'est primordial pour

	Salaire hebdo moyen	Proportion de dipl. en emploi	Emploi relié	Chômage	Nombre de diplômés
2004	535 $	42,1 %	40,9 %	11,1 %	75
2003	577 $	33,9 %	60,0 %	16,7 %	70
2002	614 $	73,2 %	96,7 %	9,1 %	54

Statistiques tirées de la *Relance* - Ministère de l'Éducation. Voir données complémentaires, page 387.

Comment interpréter l'information, page 19.

résoudre les problèmes.» Un goût prononcé pour les sciences et le sens de l'observation sont également requis. «Certains champs de la photonique sont encore vierges. Il n'est pas rare de voir naître des nouvelles technologies.» Les technologues en physique travaillent tous en équipe et sont parfois responsables de leur laboratoire. Il faut qu'ils aiment communiquer, mais qu'ils soient aussi autonomes. «L'écoute et le dialogue sont très importants dans les groupes de recherche. Il faut s'adapter à chacun, surtout dans un domaine en pleine expansion. Lorsque je suis arrivé chez ITF il y a deux ans, nous étions 60. Nous sommes aujourd'hui plus de 700», dit-il pour illustrer ses propos.

DÉFIS ET PERSPECTIVES

«C'est la folie en ce qui a trait aux perspectives, s'exclame Jean-François Doucet, professeur en technologie physique au Cégep André-Laurendeau. Avant même d'avoir achevé leur formation, nos élèves ont déjà choisi le domaine et la compagnie au sein de laquelle ils désirent exercer.»

> «Les chercheurs possèdent une connaissance de la technologie extrêmement théorique. Mon rôle est de les aider à faire évoluer les prototypes de laboratoire pour que ceux-ci puissent être produits en série, de façon industrielle.»
>
> — Éric Jarry

Le Canada et le Québec sont à l'avant-garde des recherches en photonique. On voit même se créer un véritable «axe de la fibre optique» entre le Centre de recherche canadien (CRC) d'Ottawa, Polytechnique de Montréal et l'Institut national d'optique (INO) de Québec. Selon Jean-François Doucet, les avancées de la recherche rejoignent très vite les industries de la technologie de pointe. «Avec le développement des technologies de l'information et de la communication, la télévision, le téléphone et Internet vont devoir être encore plus rapides, plus perfectionnés et de meilleure qualité. On a mis de grands espoirs dans la fibre optique et dans le multiplexage, qui permet de faire voyager simultanément plusieurs signaux sur la même fibre. De nombreuses PME spécialisées dans la fibre optique et ses applications se sont implantées. Elles fournissent les entreprises de télécommunications et proposent à nos diplômés des emplois fort intéressants qui leur permettent d'accéder rapidement à des responsabilités.» 03/01

HORAIRES ET MILIEUX DE TRAVAIL

- Les diplômés sont employés par des centres de recherche, des cabinets de consultants et des compagnies de technologie de pointe, en photonique, en physique nucléaire ou en acoustique.
- Le travail se fait au bureau, en laboratoire ou sur les sites de production.
- L'environnement de travail est systématiquement informatisé.
- Le travail se fait de jour, selon des horaires réguliers.
- En production, il est possible de travailler le soir, la nuit ou les fins de semaine.

ENTRETIEN D'ÉQUIPEMENT MOTORISÉ

Le secteur de l'entretien d'équipement motorisé est représenté par deux programmes de formation au collégial : *Entretien d'aéronefs* et *Techniques de génie mécanique de marine*.

Bien que l'aérospatiale soit un créneau d'excellence au Québec, cette industrie a subi plusieurs bouleversements au cours des dernières années. Fortement touchée par les événements terroristes survenus en septembre 2001, elle a dû licencier un grand nombre de ses travailleurs. Cependant, en 2004, le trafic aérien mondial est revenu à un niveau normal pour la première fois depuis les attentats et une croissance est prévue pour les prochaines années. Les techniciens en entretien d'aéronefs figurent parmi les travailleurs recherchés par l'industrie.

Le transport maritime, pour sa part, est avantagé par son faible coût et il offre de bonnes perspectives d'emploi, particulièrement aux techniciens en génie mécanique de marine. Ces diplômés ne suffisent généralement pas à assurer la relève, car le nombre de mécaniciens qui partent à la retraite est plus élevé que le nombre de nouveaux diplômés qui arrivent sur le marché du travail. À l'Institut maritime du Québec, on note aussi que les techniciens en génie mécanique de marine sont polyvalents et ne sont pas confinés à l'entretien des navires. Certains trouvent de l'emploi sur les chantiers maritimes, dans les industries lourdes ou même dans le domaine de la gestion, alors que d'autres poursuivent leur formation à l'université. 03/05

CHAMPS D'INTÉRÊT

- aime la mécanique
- aime le travail physique et manuel
- aime travailler en équipe
- accorde de la valeur à la qualité et à l'efficacité de son travail

APTITUDES

- dextérité et résistance physique
- facilité à communiquer et à travailler en équipe
- sens des responsabilités
- débrouillardise et capacité d'adaptation
- atout : bilinguisme

LE SAVIEZ-VOUS ?

L'industrie de l'aérospatiale québécoise est formée d'un noyau de chefs de file mondiaux, dont Bombardier Aéronautique, Pratt & Whitney et CAE, ainsi que de plus de 240 PME. Le poids de ce bassin industriel permet au Québec de se classer au sixième rang dans le palmarès des plus grands centres aérospatiaux du monde.

Source :
Les carrières d'avenir 2005,
Les Éditions Jobboom.

RESSOURCES INTERNET

MINISTÈRE DE L'ÉDUCATION DU QUÉBEC – SECTEURS DE FORMATION
http://www.meq.gouv.qc.ca/ens-sup/ens-coll/program/ProgEtab.asp?vToken=s100
Vous trouverez sur cette page une description des programmes de ce secteur de formation, comprenant, pour chacun, les exigences d'admission, les objectifs de formation et une liste d'établissements d'enseignement.

ÉCOLE NATIONALE D'AÉROTECHNIQUE – ENTRETIEN D'AÉRONEFS
http://www.collegeem.qc.ca/ena/program/entret.htm
L'École nationale d'aérotechnique est le seul établissement à offrir le programme d'entretien d'aéronefs. Vous trouverez ici des renseignements détaillés sur cette formation.

INSTITUT MARITIME DU QUÉBEC – GÉNIE MÉCANIQUE DE MARINE
http://www.imq.qc.ca/carrieres/mecaniqu.htm
L'Institut maritime du Québec est le seul à offrir le programme *Techniques en génie mécanique de marine.* Son site vous permet d'en savoir plus sur la formation, sur le métier de mécanicien et sur les perspectives d'avenir.

Entretien d'aéronefs

Jean-Sébastien Roy a réussi à assouvir sa passion de la mécanique lorsqu'il a entrepris sa formation en entretien d'aéronefs. Il est aujourd'hui mécanicien pour la compagnie aérienne Air Transat.

PROG. 280.03
PRÉALABLES : 12,40, VOIR P. 20

CHAMPS D'INTÉRÊT
- aime la mécanique et les avions
- aime faire un travail manuel et aime la précision
- aime observer et vérifier
- aime travailler en équipe

APTITUDES
- dextérité et résistance physique
- sens de l'observation, sens des responsabilités et minutie
- facilité à communiquer et à coopérer
- bilinguisme

OFFRE DU PROGRAMME PAR RÉGIONS
Montérégie, Montréal

Pour connaître les établissements qui offrent ce programme : **www.inforoutefpt.org**

RÔLE ET TÂCHES

Les technologues en entretien d'aéronefs peuvent travailler pour de grandes lignes aériennes ou pour de petites compagnies d'aviation. Ils font la maintenance des appareils, généralement dans les aéroports. Ils s'occupent du nettoyage des avions, de leur ravitaillement et de leur entretien en inspectant attentivement tous les éléments mécaniques. «Lorsqu'un avion atterrit, dit Jean-Sébastien, on commence toujours par faire ce qu'on appelle un "walk around", c'est-à-dire un examen visuel de l'extérieur de l'appareil. On s'assure, par exemple, qu'il n'y a pas de bosse sur le revêtement ou de coulées d'huile suspectes. On vérifie également le bon état des pièces mobiles et des joints de portes.» Les technologues entretiennent aussi bien la structure de l'aéronef que ses moteurs et ses différents systèmes. Ainsi, Jean-Sébastien inspecte les commandes, les moteurs, les feux de navigation, les niveaux d'huile. Il contrôle également les freins et graisse les éléments du train d'atterrissage. Chaque type d'appareil nécessite une série d'actions de maintenance spécifiques décrites avec précision dans des guides spécialisés. «Les procédures sont très strictes, affirme Jean-Sébastien. Et même si les avions ne restent parfois qu'une heure au sol, il faut que les résultats de notre inspection soient parfaits avant que l'appareil ne décolle à nouveau.» Régulièrement, les mécaniciens effectuent des opérations de contrôle en profondeur. «Toutes les 5 000 heures de vol, les avions prennent la direction des hangars pour y être presque entièrement démontés, explique le jeune homme. On inspecte chaque pièce en détail. L'opération peut prendre plusieurs semaines.» Le technologue est également compétent pour

	Salaire hebdo moyen	Proportion de dipl. en emploi	Emploi relié	Chômage	Nombre de diplômés
2004	561 $	63,7 %	65,5 %	3,3 %	119
2003	655 $	77,2 %	70,6 %	7,8 %	127
2002	728 $	71,1 %	81,0 %	17,9 %	145

Statistiques tirées de la *Relance* - Ministère de l'Éducation. Voir données complémentaires, page 387.

Comment interpréter l'information, page 19.

intervenir sur des systèmes ou des installations situés dans la cabine de l'appareil. «Certains avions possèdent des ascenseurs intérieurs. En cas de dysfonctionnement, c'est à moi de trouver la cause de la panne et de la réparer.»

QUALITÉS RECHERCHÉES

L'entretien d'aéronefs est un domaine nécessitant une bonne habileté manuelle ainsi que le goût de la mécanique. Le technologue doit également être très consciencieux et pourvu d'un grand sens des responsabilités. «Rien n'est laissé au hasard. Et même si on a 10 ans de métier, il y a toujours quelqu'un qui passe derrière nous pour vérifier si le travail est bien fait. C'est la sécurité des passagers qui est en jeu.» Le secteur aéronautique exige une certaine flexibilité quant aux horaires de travail. Pour sa part, Jean-Sébastien travaille quatre soirs consécutifs suivis de quatre jours de congé. La connaissance de l'anglais est aussi nécessaire pour comprendre les termes des guides de procédures toujours rédigés dans cette langue.

> «Et même si les avions ne restent parfois qu'une heure au sol, il faut que les résultats de notre inspection soient parfaits avant que l'appareil ne décolle à nouveau.»
>
> — Jean-Sébastien Roy

DÉFIS ET PERSPECTIVES

Jacques Jobin enseigne cette technique à l'École nationale d'aérotechnique du Collège Édouard-Montpetit. Il souligne que les perspectives d'emploi des diplômés ne sont pas limitées aux compagnies aériennes. «Les techniciens en entretien d'aéronefs travaillent principalement pour les compagnies aériennes, mais ils sont également sollicités par des constructeurs, comme Bombardier. Sur ces appareils flambant neufs, ils s'occupent moins de la maintenance que de ce qu'on appelle le "préenvol". En fait, il s'agit d'une phase de tests, de vérifications et de contrôle de la qualité.» Les diplômés ont aussi la possibilité de se diriger vers l'entretien d'hélicoptères qui offre des perspectives intéressantes. Il faut toutefois être prêt à faire de la «brousse», car les hélicoptères travaillent souvent dans des endroits isolés. L'enseignant soutient que, peu importe leur milieu de travail, les diplômés devront relever de nombreux défis. «Le travail de maintenance s'effectue, la plupart du temps, la nuit et pas toujours dans des hangars chauffés, dit-il. Les journées les plus chargées sont souvent celles où les conditions météorologiques sont mauvaises. Ça demande une bonne résistance au stress, surtout lorsqu'on a 200 passagers bloqués au sol par une panne mécanique...» 03/01

Photo : Collège Édouard-Montpetit

HORAIRES ET MILIEUX DE TRAVAIL

- Les employeurs de ce secteur sont les compagnies de transport et les constructeurs d'avions ou d'hélicoptères.

- Il est possible pour les diplômés de devoir encadrer du personnel en tant que chefs d'équipe ou responsables de l'inspection.

- Le travail se fait à l'extérieur ou en hangar, parfois sur des échafaudages. C'est un environnement de travail très bruyant.

- Le travail s'effectue de jour, de soir, de nuit ou les fins de semaine. L'horaire est souvent planifié en rotation.

Techniques de génie mécanique de marine

«C'est en parlant avec mon cousin qui est officier que j'ai eu la piqûre. Je ne le regrette pas. Maintenant, je veux devenir chef mécanicien sur un navire.» David Frigon est cadet. Il fait actuellement un stage sur le navire commercial N. M. Cabot, en vue de devenir officier quatrième classe.

PROG. 248.CO
PRÉALABLE : 20, VOIR PAGE 20

CHAMPS D'INTÉRÊT
• aime les sciences, la mécanique et les bateaux
• aime le travail physique et manuel
• aime travailler en équipe
• aime voyager et communiquer

APTITUDES
• polyvalence, sens des responsabilités, méthode
• grande capacité d'adaptation; débrouillardise
• habileté pour le travail manuel et la mécanique
• force et résistance physique
• facilité à communiquer et à travailler en équipe
• grande disponibilité

OFFRE DU PROGRAMME PAR RÉGIONS
Bas-Saint-Laurent

Pour connaître les établissements qui offrent ce programme : www.inforoutefpt.org

RÔLE ET TÂCHES

Claude Jean, chef mécanicien à bord du même bateau que David, est responsable auprès du propriétaire du bateau (l'armateur) du fonctionnement de toute la machinerie et de l'équipement, de l'inspection de la coque et du travail administratif rattaché à ces fonctions. David travaille à la salle des machines, véritablement le cœur du bateau, où se trouvent le moteur, des génératrices, des pompes, des systèmes de réfrigération, de climatisation et de chauffage. Il assiste les officiers dans leur travail. Avec le temps, il deviendra de plus en plus spécialisé en plomberie, en soudure, en réfrigération, en électricité, enfin tout ce qui touche au fonctionnement et à l'entretien des moteurs, des machines et des appareils auxiliaires. «Un navire demande des connaissances mécaniques plus que générales. Lorsqu'on est en mer, on doit être autonome, c'est-à-dire que tout doit pouvoir être réparé», explique Claude. Le mécanicien a des tâches différentes, selon la position du bateau. En mer, il s'occupe de la bonne marche des machines et de tout le navire. Au port, il peut effectuer des réparations et faire l'entretien.

QUALITÉS RECHERCHÉES

Pour David, le travail sur un bateau a une saveur qu'il ne peut retrouver ailleurs. «C'est certain qu'il faut avoir le pied marin, parce que des fois ça brasse pas mal. Mais c'est aussi un très bon sentiment de liberté. Il faut savoir se divertir entre les périodes de travail. La lecture et la musique sont d'excellents passe-temps.»

En mer, les techniciens, ou mécaniciens, doivent être très disciplinés et autonomes. Passer plusieurs jours sur un bateau demande de savoir vivre

	Salaire hebdo moyen	Proportion de dipl. en emploi	Emploi relié	Chômage	Nombre de diplômés
2004	N/D	N/D	N/D	N/D	N/D
2003	N/D	N/D	N/D	N/D	N/D
2002	797 $	75,0 %	100,0 %	10,0 %	20

Statistiques tirées de la *Relance* - Ministère de l'Éducation. Voir données complémentaires, page 387.

Comment interpréter l'information, page 19.

avec les camarades de travail 24 heures sur 24. «Pour l'instant, j'étudie beaucoup parce que je veux obtenir mon brevet. Ici, on forme une bonne équipe. Il faut savoir communiquer facilement parce qu'on peut travailler avec des gens de toutes les nationalités», enchaîne David.

Les mécaniciens devront avoir une bonne dextérité manuelle et une certaine résistance physique. De plus en plus, les bateaux sont munis de systèmes électroniques qui détectent les bris, mais les réparations se font manuellement. La personne qui espère faire carrière dans la marine marchande comme officier de mécanique de marine doit subir un examen médical complet avant de pouvoir effectuer tout stage en mer ou d'obtenir un certificat d'officier. Cet examen médical est renouvelé aux trois ans, tout au long de la carrière en mer. «La mobilité est essentielle, l'anglais aussi, même que l'apprentissage d'une troisième langue, surtout l'espagnol, est fortement recommandé», ajoute Claude.

«Un navire demande des connaissances mécaniques plus que générales. Lorsqu'on est en mer, on doit être autonome, c'est-à-dire que tout doit pouvoir être réparé.»

— Claude Jean

DÉFIS ET PERSPECTIVES

Claude a mis dix ans, en comptant les quatre ans à l'Institut maritime du Québec et les huit mois en mer annuellement, avant de devenir chef mécanicien. Pour obtenir les quatre brevets d'officier mécanicien nécessaires, il a dû passer beaucoup de temps à étudier en mer et durant ses congés. Maintenant, il est le bras droit du capitaine. «En fait, je suis ses deux bras», plaisante-t-il. L'officier qui a travaillé sur différents types de navires développe une polyvalence qui le sert bien.

Le DEC en génie mécanique de marine permet d'avoir des emplois tant à terre qu'à bord de navires. L'officier mécanicien peut être expert maritime pour Transports Canada, représentant technique, contremaître ou gestionnaire dans des compagnies maritimes, dans des chantiers navals ou dans l'industrie lourde, comme des raffineries de pétrole, des usines d'épuration, des entreprises diverses en mécanique. «Les besoins d'officiers mécaniciens, tant au Canada qu'à l'étranger, sont de plus en plus grands et la compétence des diplômés québécois est reconnue mondialement», précise Claude Pagé, aide pédagogique à l'Institut maritime du Québec à Rimouski. 09/99

* Les statistiques de la *Relance* sont colligées en hiver alors que plusieurs des diplômés de l'Institut maritime du Québec à Rimouski (IMQ) attendent le début d'un emploi, souvent saisonnier. Les statistiques de l'IMQ, préparées à l'automne, montrent un taux d'emploi supérieur, selon Claude Pagé.

HORAIRES ET MILIEUX DE TRAVAIL

- Les horaires varient d'une compagnie à l'autre.
- Certaines compagnies planifient trois mois de travail suivis d'un mois de repos, mais d'autres proposent un mois de travail et un mois de repos.
- Il faut savoir se montrer flexible et être prêt à passer beaucoup de temps sur un bateau.

FABRICATION MÉCANIQUE

Les programmes de la formation collégiale technique du domaine de la fabrication mécanique forment des technologues polyvalents pouvant évoluer dans différents secteurs de la production manufacturière.

Les entreprises qui embauchent les diplômés se trouvent principalement dans les secteurs de la plasturgie, de l'aéronautique, de la métallurgie, des télé-communications et de la construction. Les entreprises de transformation alimentaire, les fabricants de pièces automobiles et les usines de textile offrent également des débouchés.

Le contexte de concurrence causé par la mondialisation favorise notamment les technologues du génie industriel. Ces professionnels, qui ont une expertise en gestion de production et en analyse de coûts, contribuent à faire augmenter la production et les profits des entreprises. Les usines recherchent également les diplômés en techniques de production manufacturière, mais elles peinent à les recruter. Mal connu, ce programme attire peu d'élèves et ne forme donc pas assez de travailleurs qualifiés pour répondre à tous les besoins. Enfin, les techniciens de la transformation des matières plastiques figurent aussi parmi les spécialistes demandés.

L'industrie de l'aérospatiale a, de son côté, subi plusieurs bouleversements au cours des dernières années. Fortement touchée par les événements terroristes survenus le 11 septembre 2001, elle a dû mettre à pied un grand nombre de ses travailleurs. Cependant, signe d'une reprise, en 2004, le trafic aérien mondial est revenu à un niveau normal pour la première fois depuis les attentats et une croissance est prévue pour les prochaines années. Cela pourrait favoriser les diplômés en techniques de construction aéronautique. 03/05

CHAMPS D'INTÉRÊT

- aime la technologie,
  la mécanique et l'électronique
- aime travailler avec des
  machines automatisées
  ou informatisées
- aime analyser et résoudre
  des problèmes
- accorde de la valeur
  à la précision, à l'efficacité et
  à la qualité du travail

APTITUDES

- sens de l'observation et grande
  facilité d'apprentissage technique
- esprit logique,
  méthodique et analytique
- dextérité, rapidité et
  précision d'exécution
- curiosité, mémoire,
  discernement et ingéniosité
- autonomie, minutie et
  sens des responsabilités

RESSOURCES INTERNET

MINISTÈRE DE L'ÉDUCATION DU QUÉBEC – SECTEURS DE FORMATION
http://www.meq.gouv.qc.ca/ens-sup/ens-coll/program/ProgEtab.asp?vToken=s110
Vous trouverez sur cette page une description des programmes de ce secteur de formation, comprenant, pour chacun, les exigences d'admission, les objectifs de formation et une liste d'établissements d'enseignement.

ÉCOLE NATIONALE D'AÉROTECHNIQUE (ENA)
http://www.collegeem.qc.ca
Les programmes de techniques de construction aéronautique et d'avionique sont offerts à l'École nationale d'aérotechnique seulement. Vous pourrez accéder à leur description à partir du site de l'ENA.

COMITÉ SECTORIEL DE MAIN-D'ŒUVRE DE LA FABRICATION MÉTALLIQUE INDUSTRIELLE
www.csmofmi.qc.ca
Ce site propose une foule de renseignements sur l'industrie de la fabrication métallique industrielle, la formation et les métiers qui y sont liés.

Techniques d'architecture navale

«Chaque bateau qu'on construit est un défi, comme une petite ville. C'est toute une satisfaction de faire un navire qui flotte bien et qui atteint la vitesse prévue.» Manon Lavoie est technicienne en architecture navale pour Industrie Océan, à l'Île-aux-Coudres.

PROG. 248.01
PRÉALABLES : 11, 20, VOIR P. 20

CHAMPS D'INTÉRÊT

- aime les sciences
- aime faire un travail méthodique et de précision
- aime travailler avec l'informatique
- aime communiquer et travailler en équipe

APTITUDES

- bonne perception spatiale
- être consciencieux, minutieux et méthodique
- polyvalence et initiative
- facilité à communiquer et à vulgariser

OFFRE DU PROGRAMME PAR RÉGIONS
Bas-Saint-Laurent

Pour connaître les établissements qui offrent ce programme : www.inforoutefpt.org

RÔLE ET TÂCHES

L'objectif du programme est de former des personnes capables de participer aux différentes étapes de conception, de modification ou de réparation de divers types de structures flottantes fixes ou mobiles (navires, bateaux, plates-formes de forage, etc.).

Manon a gravi un à un les échelons qui l'ont menée à devenir responsable du service technique dans un chantier naval. C'est elle qui supervise les plus jeunes techniciens.

«Ici, on construit des bateaux de 24 et 30 mètres, des remorqueurs entre autres. J'adore travailler sur le chantier avec les contremaîtres. Je suis une spécialiste technique et j'aide les architectes navals. Je corrige les plans préparés par les techniciens que je supervise et je coordonne leur travail. Je prépare aussi les commandes.

«On travaille avec la Garde côtière ou une société de classification pour que le bateau respecte les normes de construction et de sécurité. On touche aussi à la stabilité des bateaux. Finalement, on doit voir à ce que les différents systèmes fonctionnent ensemble.

«On ne va en mer que pour les essais. Même si le bateau est opérationnel, il arrive à ce moment-là qu'on décèle des défauts de construction et ça fait partie de mes responsabilités de voir à ce qu'ils soient corrigés. Certaines choses seront transformées ou ajustées au besoin, jusqu'à la livraison du bateau au client.»

	Salaire hebdo moyen	Proportion de dipl. en emploi	Emploi relié	Chômage	Nombre de diplômés
2004	648 $	66,7 %	60,0 %	14,3 %	12
2003	524 $	42,9 %	100,0 %	25,0 %	8
2002	N/D	N/D	N/D	N/D	5

Statistiques tirées de la *Relance* - Ministère de l'Éducation. Voir données complémentaires, page 387.

Comment interpréter l'information, page 19.

Le technicien en architecture navale utilise les technologies de la conception et du dessin assistés par ordinateur.

QUALITÉS RECHERCHÉES

Manon considère qu'il faut beaucoup de caractère pour travailler sur un chantier. «Patience, leadership, précision, minutie, énumère-t-elle. Je ne pense pas que ce soit plus difficile pour les femmes, mais il faut prendre sa place, comme ailleurs.»

Le marché exige une certaine mobilité parce que les chantiers maritimes se trouvent en général hors des grands centres. Il faut aussi être capable de travailler en équipe parce que la construction d'un navire est une affaire d'équipe où l'apport de chacun des membres est important.

> «Il y a de plus en plus de petits chantiers qui offrent des possibilités d'emploi aux techniciens d'architecture navale.»
>
> — Claude Pagé

DÉFIS ET PERSPECTIVES

Manon tient ses connaissances à jour en lisant des revues spécialisées. Elle doit aussi suivre une formation chaque année sur les nouveaux logiciels. «Il y a de plus en plus de petits chantiers qui offrent des possibilités d'emploi aux techniciens d'architecture navale, mentionne Claude Pagé, aide pédagogique à l'Institut maritime du Québec à Rimouski (IMQ). Le domaine de la construction navale a toujours été cyclique et il le sera encore longtemps, affirme-t-il. Par contre, les compétences des techniciens formés au Québec sont reconnues mondialement, alors il y a beaucoup d'offres de l'étranger. C'est même plus facile de trouver du travail ailleurs que par ici.»

Photo : Institut maritime du Québec · Industries Océan inc.

La formation reçue à l'IMQ permet la poursuite d'études universitaires pour l'obtention du titre d'ingénieur maritime ou d'architecte naval. Les diplômés peuvent s'inscrire à certaines universités étrangères, en Écosse et en Angleterre, par exemple. Ces universités reconnaissent la qualité de la formation des diplômés de l'IMQ et elles leur accordent des crédits dans certains cours d'architecture navale. 09/99

HORAIRES ET MILIEUX DE TRAVAIL

• Le technicien peut travailler dans des chantiers navals, l'industrie lourde, les bureaux de conception et de production, les bureaux de dessin, la fonction publique fédérale ou provinciale dans des ministères tels que Transports Canada, Pêches et Océans Canada, la Défense nationale et Forces canadiennes, les services des traversiers et des pêcheries des provinces et la Garde côtière.

• Le technicien pourra également œuvrer pour des sociétés de classification internationales et les services techniques des entreprises maritimes. Le secteur de la construction de bateaux de plaisance est aussi accessible en Amérique du Nord.

• Les horaires sont en général réguliers.

DEC

Techniques de construction aéronautique

Passionné par les avions depuis sa plus tendre enfance, Mario Sevigny ne s'est pas posé beaucoup de questions quand est venu le moment de choisir quelles études il ferait : la formation en techniques de construction aéronautique semblait toute indiquée.

PROG. 280.B0
PRÉALABLES : 12, 40, VOIR P. 20

CHAMPS D'INTÉRÊT

• aime la mécanique et la technologie
• aime se sentir utile et responsable
• accorde de la valeur à la qualité et à la productivité
• aime communiquer, expliquer et rédiger
• aime travailler sur ordinateur
• aime le travail en usine

APTITUDES

• grande curiosité et grande capacité à apprendre
• sens des responsabilités et de l'initiative
• excellentes capacités d'adaptation
• bilinguisme et habileté à communiquer et à vulgariser
• facilité pour les sciences et la mécanique

OFFRE DU PROGRAMME PAR RÉGIONS
Montérégie

Pour connaître les établissements qui offrent ce programme : **www.inforoutefpt.org**

RÔLE ET TÂCHES

Mario a obtenu son diplôme d'études collégiales (DEC) en techniques de construction aéronautique en 1993. Il a d'abord travaillé pour deux petites entreprises liées à l'aéronautique avant d'être embauché comme machiniste chez Pratt & Whitney, un leader mondial parmi les constructeurs de moteurs équipant les hélicoptères et les avions d'affaires. «Ensuite, j'ai été engagé par Inter Canadien, une compagnie aérienne. Mon rôle était de planifier la maintenance des avions : déterminer le type d'entretien, estimer le temps à y consacrer et gérer le stock de pièces de rechange.» Aujourd'hui, Mario travaille chez Bombardier au centre de finition des avions d'affaires. «J'ai la responsabilité d'implanter un nouveau logiciel de dessin, Catia V5, pour effectuer la modélisation de pièces en 3D. Ces dernières sont destinées à l'ameublement intérieur des avions, les tables et les sièges par exemple.»

Actuellement, Mario continue de peaufiner la méthodologie d'utilisation de Catia V5 pour obtenir des modèles en 3D très détaillés. Ensuite, il formera 43 employés à l'utilisation de ce logiciel.

QUALITÉS RECHERCHÉES

«Dans le domaine de la construction aéronautique, il faut être soucieux du détail et perfectionniste, affirme Mario. Ce sont des avions, on ne peut prendre ça à la légère!» En effet, les techniciens en construction aéronautique ont à assembler ou à fabriquer des composantes de haute

	Salaire hebdo moyen	Proportion de dipl. en emploi	Emploi relié	Chômage	Nombre de diplômés
2004	550 $	36,3 %	43,3 %	13,2 %	122
2003	610 $	50,6 %	67,6 %	4,9 %	115
2002	714 $	50,0 %	83,0 %	11,3 %	132

Statistiques tirées de la *Relance* - Ministère de l'Éducation. Voir données complémentaires, page 387.

Comment interpréter l'information, page 19.

précision et le moindre défaut sur une pièce, la moindre erreur dans un assemblage, peuvent être lourds de conséquences pour la sécurité des passagers.

Il faut donc avoir un sens des responsabilités aigu et rester vigilant, même lorsqu'il faut travailler sous pression afin de respecter les échéanciers. Une bonne dextérité manuelle est également de mise pour l'assemblage de pièces, ainsi qu'une excellente acuité visuelle.

Le diplômé doit aussi avoir l'esprit d'équipe, car il aura à collaborer avec d'autres personnes dans son travail, notamment les assembleurs-mécaniciens, les mécaniciens d'aéronefs, les ingénieurs.

De bonnes aptitudes à la communication sont donc indispensables, ainsi que la maîtrise de l'anglais, nécessaire pour lire les manuels d'assemblage.

Dans un contexte où la production doit se conformer à des normes sévères, où les règles de sécurité sont draconiennes et la concurrence féroce, le souci de la qualité et du travail bien fait est extrêmement important.

DÉFIS ET PERSPECTIVES

«L'aéronautique est un secteur de haute technologie très concurrentiel, affirme Jean Comeau, professeur à l'École nationale d'aérotechnique au Collège Édouard-Montpetit. Il faut constamment améliorer le produit tout en optimisant les méthodes de production pour diminuer les coûts.»

Dans un contexte où la production doit se conformer à des normes sévères, où les règles de sécurité sont draconiennes et la concurrence féroce, le souci de la qualité et du travail bien fait est extrêmement important. Il est également essentiel de maintenir à jour ses connaissances et de savoir s'adapter aux nombreux changements technologiques.

«Il y a énormément de défis à relever en aéronautique, poursuit M. Comeau. Les compagnies rivalisent entre elles pour construire des aéronefs plus rapides, plus gros, moins bruyants et consommant moins de carburant.» 02/05

HORAIRES ET MILIEUX DE TRAVAIL

• Les diplômés qui travaillent dans les bureaux ont généralement des horaires réguliers de jour. Par contre, ceux qui œuvrent en atelier à la construction ou à l'entretien des avions doivent s'attendre à travailler en rotation, soit de jour, de soir, de nuit ou durant les fins de semaine.

• Le milieu de travail est calme au bureau, mais peut être bruyant en milieu de production (atelier).

• Les diplômés sont embauchés par les grands fabricants de l'aérospatiale et leurs sous-traitants, soit les entreprises d'assemblage de composantes aéronautiques. Ils peuvent également être employés par les compagnies aériennes et certains organismes gouvernementaux (ministères des Transports, forces armées).

Techniques de génie mécanique

Tommy Châteauneuf a décroché un emploi chez Marmen avant même d'avoir terminé sa formation en techniques de génie mécanique. Sa volonté de réussir conjuguée au souci du travail bien fait ont compensé son manque d'expérience. Des qualités qui lui ont permis de se démarquer et d'attirer l'attention des dirigeants de cette entreprise où il effectuait son stage final.

PROG. 241.A0
PRÉALABLES : 12, 40, VOIR P. 20

CHAMPS D'INTÉRÊT

- aime le dessin, le travail avec les ordinateurs
- aime la mécanique
- aime le travail de bureau, la recherche et le développement
- aime les applications mathématiques et physiques
- aime le travail varié et en équipe

APTITUDES

- autonomie, persévérance, minutie, polyvalence, débrouillardise
- faculté d'adaptation face aux changements
- habileté pour la gestion des ressources humaines et la communication
- habileté pour le calcul, la géométrie et la résolution de problèmes
- bon sens de l'observation et de l'organisation spatiale

OFFRE DU PROGRAMME PAR RÉGIONS
Bas-Saint-Laurent, Capitale-Nationale, Centre-du-Québec, Chaudière-Appalaches, Estrie, Laurentides, Mauricie, Montérégie, Montréal, Outaouais, Saguenay–Lac-Saint-Jean
Pour connaître les établissements qui offrent ce programme : **www.inforoutefpt.org**

RÔLE ET TÂCHES

Après avoir fait une session en techniques policières et une autre en sciences pures, Tommy désirait s'attaquer à une formation pratique. Le génie mécanique semblait être la solution idéale, puisqu'il possédait déjà une expérience dans l'industrie de la fabrication, ayant travaillé comme machiniste à l'Aluminerie de Bécancourt durant ses études secondaires.

Depuis près d'un an, Tommy est chargé de projet chez Marmen inc., une entreprise spécialisée dans l'usinage de haute précision, la fabrication et l'assemblage mécanique de pièces de toutes dimensions. «Mon patron semble satisfait de moi, car il me donne toujours plus de responsabilités», raconte le diplômé qui poursuit à temps partiel des études universitaires en génie mécanique, afin d'avoir plus de possibilités d'avancement.

Une des principales fonctions du technicien en génie mécanique consiste à faire du dessin technique assisté par ordinateur. «Aujourd'hui, on embauche des dessinateurs dans toutes les sphères industrielles pour qu'ils dessinent toutes sortes de structures et de pièces, pour qu'ils améliorent les chaînes de montage et automatisent des industries», affirme Tommy.

Il a successivement occupé les fonctions de dessinateur et d'inspecteur du contrôle de la qualité. Des postes qu'on retrouve dans de nombreux domaines et dans toute entreprise de production. Maintenant qu'il est chargé de projet, il inspecte des pièces dimensionnelles, c'est-à-dire des morceaux de pièces qui entrent dans la fabrication des pièces pour leur

	Salaire hebdo moyen	Proportion de dipl. en emploi	Emploi relié	Chômage	Nombre de diplômés
2004	574 $	50,9 %	82,5 %	6,6 %	436
2003	562 $	56,6 %	76,3 %	6,4 %	439
2002	598 $	57,0 %	85,3 %	5,1 %	470

Statistiques tirées de la *Relance* - Ministère de l'Éducation. Voir données complémentaires, page 387.

Comment interpréter l'information, page 19.

client manufacturier, fait des rapports d'inspection et voit à ce que les pièces soient conformes à la commande.

QUALITÉS RECHERCHÉES

Le technicien en génie mécanique doit absolument aimer le travail manuel, être débrouillard, autonome et travailleur. Il faut aussi être ordonné et minutieux, posséder un bon sens de l'observation et le souci du détail. La dextérité manuelle est également un atout, puisque le travailleur doit régulièrement manipuler des pièces et des équipements.

«Être polyvalent et chercher à se dépasser est un bon moyen de se faire remarquer par le patron et d'amorcer son ascension dans l'entreprise. Il faut aussi savoir être à l'écoute des besoins du client et être capable de s'adapter facilement aux changements de technologies et de produits à concevoir. Mais au-delà des compétences techniques, il faut avoir confiance en soi, être tenace, rigoureux et persévérant parce qu'on doit souvent faire des ajustements et des modifications au dessin lorsqu'on tente de concevoir une pièce. Une besogne qui peut parfois sembler longue, mais qui n'est jamais ennuyeuse», dit Tommy.

> «La tendance actuelle est d'en faire des gérants de projet pour qu'ils implantent les normes de contrôle de qualité ISO 9000, conjointement avec les ingénieurs.»
>
> — Jocelyn Grenier

DÉFIS ET PERSPECTIVES

«Si la plupart des diplômés font du dessin, ils sont également formés pour réaliser la robotisation, l'automatisation et la modernisation des chaînes de production dans les entreprises manufacturières ou les compagnies d'alimentation, par exemple. La tendance actuelle est d'en faire des gérants de projet pour qu'ils implantent les normes de contrôle de qualité ISO 9000, conjointement avec les ingénieurs, indique Jocelyn Grenier, professeur et responsable du Département de génie mécanique, option dessin assisté par ordinateur, au Collège de la Région de l'Amiante. Ce sont des travailleurs polyvalents, et plusieurs entreprises n'hésiteront pas à payer une formation universitaire en génie à leurs employés afin de les rendre encore plus performants et compétents, soutient M. Grenier. Les défis sont nombreux, poursuit-il. Particulièrement en ce qui a trait à la formation continue. Il faut demeurer à la fine pointe de la technologie, pour voir venir les changements et être capable de s'y adapter.» 03/03

Photo : Cégep de Jonquière - Carol Boily

HORAIRES ET MILIEUX DE TRAVAIL

- Le dessinateur, ou technicien, en génie mécanique qui travaille dans de grandes entreprises telles que Bombardier, Culinar, CAE, Général Électrique, etc., ou dans les services de recherche et développement, a des horaires réguliers, soit de 9 h à 17 h, et parfois de soir.

- Lorsque la rentabilité de l'entreprise dépend d'un projet ou d'un contrat, il arrive qu'on doive travailler beaucoup plus qu'on ne le voudrait et qu'on doive faire des heures supplémentaires.

- Lorsqu'on travaille en automatisation ou sur des chaînes de montage, il arrive qu'on doive être de garde la fin de semaine afin que la production ou l'expédition de pièces ne soient pas retardées advenant un problème.

Techniques de production manufacturière

Gabrielle Bienvenue a connu l'existence du programme de techniques de production manufacturière grâce à une conseillère d'orientation. Emballée par la description de la formation, elle s'est inscrite et s'est aussitôt sentie bien à sa place. Elle est aujourd'hui assistante-contremaître chez Beaulieu Canada, une entreprise de fabrication de tapis.

PROG. 235.A0
PRÉALABLES : 11, 20, VOIR P. 20

CHAMPS D'INTÉRÊT
- aime coordonner, planifier et gérer des activités de production
- aime analyser et résoudre des problèmes
- aime travailler en usine
- aime travailler en équipe

APTITUDES
- leadership
- facilité d'apprentissage et d'adaptation
- habileté de communication
- bonne résistance au stress
- sens de l'organisation

OFFRE DU PROGRAMME PAR RÉGIONS
Chaudière-Appalaches, Laurentides, Montérégie, Montréal

Pour connaître les établissements qui offrent ce programme : **www.inforoutefpt.org**

RÔLE ET TÂCHES

Dans le bruit assourdissant des machines de l'usine de Beaulieu Canada, à Farnham, en Montérégie, Gabrielle s'assure du bon fonctionnement du processus de production des tapis. Dès son arrivée au travail, que ce soit de jour, de soir ou de nuit, la jeune femme vérifie que tous les employés sont présents avant d'assigner chacun à son poste. «Quand un employé est absent, je vois si une autre personne peut le remplacer. Sinon, je tente de déterminer quel poste de travail peut demeurer inoccupé», précise la diplômée.

Puis, elle fait une tournée de l'usine. «Des imprévus se présentent constamment. Je deviens alors la personne-ressource à qui tous se réfèrent. Je ne peux régler les pépins techniques, mais je vais chercher l'aide nécessaire. Par exemple, si du matériel vient à manquer, je demande à l'opérateur de chariot élévateur d'en apporter. Si une machine arrête de fonctionner, je fais venir le mécanicien ou encore l'électricien.» Entre-temps, elle remplit les fiches de présence des employés et les envoie au service de la paie. À la fin de sa journée de travail, Gabrielle rencontre le contremaître qui vient la remplacer pour lui faire un compte-rendu des différents problèmes survenus.

La technicienne de production manufacturière adore la polyvalence que lui offre sa formation. «Les possibilités sont quasi illimitées. Je peux toucher autant à la gestion du personnel, au contrôle de la qualité, à la planification qu'à l'amélioration des conditions de travail dans des entreprises œuvrant

	Salaire hebdo moyen	Proportion de dipl. en emploi	Emploi relié	Chômage	Nombre de diplômés
2004	717 $	81,8 %	88,9 %	10,0 %	14
2003	523 $	70,6 %	75,0 %	7,7 %	20
2002	644 $	65,0 %	92,3 %	7,1 %	24

Statistiques tirées de la *Relance* - Ministère de l'Éducation. Voir données complémentaires, page 387.

Comment interpréter l'information, page 19.

dans divers secteurs d'emploi. Mon travail chez Beaulieu Canada est d'ailleurs très diversifié. Je travaille à toute heure de la journée, les jours de semaine et même le week-end. Les problèmes à régler sont variés. Aucune journée ne ressemble aux autres et jamais la routine ne s'installe!»

QUALITÉS RECHERCHÉES

Comme Gabrielle gère des équipes composées d'une vingtaine de personnes, il est essentiel d'avoir du leadership et d'établir de bonnes relations avec les employés. «C'est important de se faire respecter. Je tente toujours aussi d'installer une bonne atmosphère de travail dans l'usine et je ne me gêne donc pas pour blaguer avec le personnel. Il semble que ma méthode fonctionne! Je me sens appréciée des employés, qui me font part de leur plaisir à travailler avec moi. Par contre, il faut savoir faire preuve de patience et de tact lorsque surviennent des conflits entre travailleurs», explique la jeune femme.

Aimer gérer des situations problématiques et avoir une bonne endurance au stress sont d'autres atouts à posséder. «Ma fonction comporte de grandes responsabilités et il m'incombe de résoudre les problèmes. C'est un défi chaque fois renouvelé de trouver la solution et c'est aussi très valorisant.»

«Je peux toucher autant à la gestion du personnel, au contrôle de la qualité, à la planification qu'à l'amélioration des conditions de travail dans des entreprises provenant de divers secteurs d'emploi.»

— Gabrielle Bienvenue

DÉFIS ET PERSPECTIVES

Avec la mondialisation, les entreprises doivent innover pour demeurer compétitives, explique Jean-Pierre Beauregard, coordonnateur du programme *Techniques de production manufacturière* au Cégep André-Laurendeau. «Les entreprises doivent produire plus à des coûts moindres. Elles doivent donc soutenir la production en intégrant de nouvelles méthodes de gestion. Parmi celles-ci, on retrouve le travail en cellule, qui consiste à engager des employés plus spécialisés capables de travailler sur plusieurs articles à la fois. Cette méthode diffère beaucoup du travail en atelier où la chaîne de production ne se concentre que sur un seul produit.»

Les diplômés sont aussi appelés à prendre en charge des unités de production dès leur entrée sur le marché du travail. «Ils progressent rapidement dans les entreprises. Ils doivent, dès le début, être préparés à assumer de lourdes responsabilités», conclut M. Beauregard. 03/03

HORAIRES ET MILIEUX DE TRAVAIL

• Les techniciens peuvent œuvrer dans des usines de production de diverses industries telles que les secteurs bioalimentaire, technologique, manufacturier, etc.

• Les techniciens doivent s'attendre à travailler selon un horaire rotatif le jour, le soir ou la nuit. Le travail se fait également le week-end.

• L'environnement de travail en usine est souvent bruyant et poussiéreux.

DEC

Techniques de transformation des matériaux composites

Les matériaux composites sont des matériaux de pointe généralement utilisés dans la fabrication de véhicules variés. En usine, les tâches du technicien concernent surtout la recherche et le développement de nouveaux produits. Pour sa part, Frédéric Lucas a choisi d'être représentant technique dans la vente de matières premières.

PROG. 241.CO
PRÉALABLE : 10, VOIR PAGE 20

CHAMPS D'INTÉRÊT
- aime la précision et l'efficacité
- aime utiliser une méthode rigoureuse et suivre des normes
- aime travailler en laboratoire
- aime observer, manipuler, calculer et analyser
- aime communiquer et travailler en équipe

APTITUDES
- sens de l'ordre et respect des normes et des règles
- être consciencieux, rigoureux et méthodique
- facilité pour les sciences (math, physique, chimie)
- dextérité et sens de l'observation
- facilité à communiquer et bilinguisme

OFFRE DU PROGRAMME PAR RÉGIONS
Laurentides

Pour connaître les établissements qui offrent ce programme : **www.inforoutefpt.org**

RÔLE ET TÂCHES

C'est durant sa formation en techniques de génie mécanique que Frédéric Lucas a découvert les matériaux composites. Dès lors, il a souhaité en apprendre davantage et, une fois son diplôme en poche, il s'est inscrit au programme *Techniques de transformation des matériaux composites*. Après son DEC, il a ensuite été embauché comme représentant technique par Amisol, à Toronto, une compagnie qui distribue les matières premières pour la fabrication de pièces en matériaux composites.

Frédéric offre principalement des adhésifs et des agents de démoulage aux entreprises qui œuvrent dans ce domaine. «Je présente aux clients ma gamme de produits et je les conseille dans leurs achats, en fonction des procédés de fabrication qu'ils utilisent.»

Mais son travail ne se limite pas à la vente. Frédéric doit également assurer le soutien technique. «J'aide les clients à tirer le meilleur parti des produits, explique-t-il. Je fais avec eux des essais, des démonstrations, et si cela ne fonctionne pas comme il le faudrait, j'effectue de la recherche de données techniques pour trouver la solution. Mon travail comporte donc un volet vente et un volet technique.»

Frédéric passe la moitié de son temps sur la route pour aller rencontrer ses clients disséminés sur le territoire qu'il couvre (l'est de l'Ontario, le Québec et les provinces maritimes). L'autre moitié est consacrée au travail de bureau, chez lui. «Je rends les appels téléphoniques et je réponds

	Salaire hebdo moyen	Proportion de dipl. en emploi	Emploi relié	Chômage	Nombre de diplômés
2004	456 $	60,0 %	62,5 %	10,0 %	18
2003	584 $	50,0 %	75,0 %	28,6 %	11
2002*	N/D	N/D	N/D	N/D	N/D

Statistiques tirées de la *Relance* - Ministère de l'Éducation. Voir données complémentaires, page 387.

* Données du programme *Techniques de transformation des matériaux*

Comment interpréter l'information, page 19.

à mes courriels. Je fais aussi de la traduction de fiches techniques pour ma clientèle francophone.»

QUALITÉS RECHERCHÉES

Frédéric doit posséder de bonnes aptitudes à communiquer pour expliquer les propriétés des produits à ses clients. Les techniciens en transformation des matériaux composites doivent aussi avoir des connaissances très poussées en physique et des habiletés pour la lecture de plans et de dessins techniques.

Il leur faut faire preuve d'un esprit logique, méthodique et analytique et savoir faire face aux imprévus dans le déroulement des opérations de transformation des matériaux composites.

Ils doivent aussi rester à l'affût de tous les nouveaux produits qui arrivent sur le marché, les essayer et en évaluer le potentiel.

> **Les techniciens en transformation des matériaux composites doivent faire preuve d'un esprit logique, méthodique et analytique et savoir faire face aux imprévus.**

DÉFIS ET PERSPECTIVES

Les résines utilisées dans les matériaux composites sont des produits dérivés du pétrole qui génèrent des vapeurs toxiques. Le technicien sera donc amené à développer des procédés de transformation à la fois plus performants et plus respectueux de la santé et de l'environnement.

«L'un des défis de cette profession est de recréer en composites une pièce habituellement faite en métal. La pièce en composites ne rouillera pas et durera plus longtemps. Beaucoup de nos diplômés sortent de l'école avec l'intention de lancer leur propre compagnie, en créant la pièce qui leur permettra de percer le marché industriel», souligne Tina Joubert, professeure au Cégep de Saint-Jérôme. 03/05

HORAIRES ET MILIEUX DE TRAVAIL

- La plupart des diplômés trouvent de l'emploi dans l'industrie de la transformation manufacturière.

- Les techniciens ont un horaire régulier, généralement de jour. Mais il n'est pas exclu de devoir travailler les soirs et les fins de semaine dans certaines entreprises qui sont en activité 24 heures sur 24.

- En atelier, les techniciens sont exposés à la poussière et aux odeurs dégagées par les procédés chimiques de transformation des matériaux composites. Le port d'un masque et de gants en latex est généralement obligatoire.

Techniques de transformation des matières plastiques

Alain Gouin travaille chez Ipex, une compagnie spécialisée dans la fabrication de tuyaux en plastique. «C'est un secteur vraiment intéressant. Les avancées technologiques dans le domaine des résines et de l'outillage m'obligent à améliorer sans cesse la production. Mon but est d'avoir le meilleur rendement et la meilleure qualité au prix le plus avantageux.»

PROG. 241.12
PRÉALABLES : 12, 20, VOIR P. 20

CHAMPS D'INTÉRÊT

- accorde de la valeur à la qualité et à l'efficacité
- aime manipuler et comprendre les mécanismes
- aime calculer, mesurer, vérifier, faire des tests
- aime analyser et résoudre des problèmes pratiques
- aime apprendre et innover

APTITUDES

- polyvalence, sens de l'observation, de l'innovation et pragmatisme
- facilité pour les mathématiques et la mécanique
- assimile rapidement des connaissances technologiques
- facilité à communiquer

OFFRE DU PROGRAMME PAR RÉGIONS
Chaudière-Appalaches, Montréal

Pour connaître les établissements qui offrent ce programme : www.inforoutefpt.org

RÔLE ET TÂCHES

Ipex est une compagnie fabriquant des tuyaux et des raccords en plastique pour les canalisations résidentielles et industrielles. Alain y a débuté comme dessinateur à la conception des moules à l'intérieur desquels on injecte le plastique. Le service de l'ingénierie lui fournissait alors les travaux à accomplir. Il en faisait l'étude et dessinait, par ordinateur, les moules qui étaient ensuite réalisés à l'extérieur par un sous-traitant. «Maintenant, j'occupe un poste différent, dit Alain. Je travaille à la gestion de la production. En tant qu'adjoint au gérant, mon rôle est d'optimiser les cycles de production. Pour cela, je règle les machines, j'apporte des modifications aux moules, je contrôle la vitesse d'injection du plastique et l'efficacité de refroidissement du démoulage. C'est un jeu très subtil où il faut gagner du temps sans nuire à la qualité du produit et sans risquer d'endommager les moules. Il s'agit de trouver le juste équilibre. Quelques dixièmes de seconde gagnés sur la réalisation d'une pièce peuvent faire une grosse différence sur la production annuelle. Surtout si l'on pense que certains de nos raccords de plomberie en ABS sont produits à plus de deux millions d'exemplaires par an.»

Alain Gouin apprécie que son métier lui permette de toucher à la conception, à la fabrication, à la gestion de la production et à la supervision des opérateurs de machines. «C'est assez rare d'avoir autant de responsabilités après seulement quelques années», dit-il.

	Salaire hebdo moyen	Proportion de dipl. en emploi	Emploi relié	Chômage	Nombre de diplômés
2004	609 $	50,0 %	83,3 %	25,0 %	15
2003	558 $	70,6 %	91,7 %	7,7 %	21
2002	637 $	68,8 %	90,9 %	0,0 %	21

Statistiques tirées de la *Relance* - Ministère de l'Éducation. Voir données complémentaires, page 387.

Comment interpréter l'information, page 19.

QUALITÉS RECHERCHÉES

Les techniciens sont en contact direct avec le secteur de la production. Ils interviennent sur les machines pour effectuer différents réglages et participent parfois à la conception des moules qui les équipent. Ils doivent donc être dotés d'un bon sens de la mécanique. «Si tu veux optimiser tous les paramètres, tu as plutôt intérêt à savoir comment cela fonctionne», considère Alain. À son avis, ceux qui désirent travailler dans ce domaine doivent avoir de bonnes connaissances en informatique, être observateurs et être des communicateurs efficaces. «C'est un métier où l'on n'arrête pas de communiquer. On communique avec les ingénieurs sur le plan de la conception, avec les opérateurs dans la chaîne ou avec la direction pour analyser les résultats et choisir de nouvelles directives.»

DÉFIS ET PERSPECTIVES

Le secteur de la plasturgie est en pleine effervescence. C'est un domaine qui ne cesse de croître et les entreprises qui en font partie ont beaucoup de difficultés à recruter suffisamment de techniciens qualifiés. «Le manque de main-d'œuvre dans l'industrie des plastiques n'est pas un mythe. Les besoins de personnel sont croissants et le nombre de diplômés est toujours relativement faible», confirme Marquis Lambert, coordonnateur du programme des techniques de transformation des matières plastiques au Cégep de la Région de l'Amiante. Selon M. Lambert, les compétences multiples de ces techniciens leur ouvrent des perspectives dans tous les champs de l'industrie des plastiques. «On compte environ 450 entreprises au Québec qui sont directement liées à ce secteur, dit-il. Les diplômés peuvent aussi bien concevoir ou fabriquer des moules pour l'injection de thermoplastique que travailler au contrôle de la qualité de pièces en caoutchouc pour l'automobile ou encore faire de la recherche dans le domaine des composites. C'est un domaine intéressant à la condition de savoir s'adapter rapidement aux changements.»

Marquis Lambert croit que les jeunes sont peu motivés en raison des salaires à l'embauche qui ne correspondent pas à leurs attentes. «Or, ils ignorent que dès les premières années, les salaires sont bien meilleurs et le niveau de responsabilité qui leur est confié est incomparable, affirme le coordonnateur. Certains jeunes ont moins de 20 ans et sont déjà contremaîtres, alors que d'autres sont devenus directeurs de production avec ce DEC.» 02/01

> C'est un domaine qui ne cesse de croître et les entreprises qui en font partie ont beaucoup de difficultés à recruter suffisamment de techniciens qualifiés.

Photo : Plasticompétences

HORAIRES ET MILIEUX DE TRAVAIL

- Les diplômés sont embauchés par les compagnies du secteur du plastique, le plus souvent des PME.

- Ils font de la mise en œuvre, du contrôle de la qualité, de la conception ou de la fabrication de moules ou d'outillage, de la recherche et du développement.

- Leur environnement de travail peut être bruyant, car ils œuvrent en usine, à proximité des chaînes de production.

- Ils travaillent le jour, selon des horaires réguliers.

- Il est possible, pour les contremaîtres et les inspecteurs au contrôle de la qualité, de travailler en rotation, le soir ou la nuit.

Technologie du génie industriel

Martine Lefrançois travaille chez Bombardier Aéronautique. Sa formation en technologie du génie industriel lui a ouvert les portes du service Planification, matières et travaux du grand constructeur. «J'ai toujours été attirée par le défi consistant à optimiser le rendement et la qualité. Chez Bombardier, c'est une mission qui prend tout son sens.»

PROG. 235.01
PRÉALABLES : 12, 20, 40, VOIR P. 20

CHAMPS D'INTÉRÊT

- aime prendre des décisions et assumer des responsabilités
- aime communiquer, persuader et superviser
- aime observer, calculer, analyser, contrôler et organiser
- aime les mathématiques et la technologie
- aime résoudre des problèmes pratiques

APTITUDES

- autonomie, polyvalence, créativité et pragmatisme
- doué pour les chiffres, la géométrie et la mécanique
- méthodique, habile à la planification et à l'organisation
- habileté à convaincre et à communiquer

OFFRE DU PROGRAMME PAR RÉGIONS

Bas-Saint-Laurent, Capitale-Nationale, Mauricie, Montérégie, Montréal, Saguenay—Lac-Saint-Jean

Pour connaître les établissements qui offrent ce programme : www.inforoutefpt.org

RÔLE ET TÂCHES

«Dans une compagnie aussi importante que Bombardier, les tâches de chacun sont bien définies, explique Martine. Mon rôle est d'apporter un soutien à la production en veillant à l'approvisionnement en matières premières. Je fournis les pièces nécessaires au bon fonctionnement de différents postes de travail. Il peut s'agir de petites pièces ou d'éléments plus importants tels que des trains d'atterrissage ou des pare-brise d'avions. Ce n'est pas un travail routinier. Je peux aussi bien collaborer avec les chaînes de montage s'occupant de la structure des appareils qu'avec celles effectuant les finitions.» Martine considère que le poste qu'elle occupe exige une grande facilité à communiquer. «Je fais le relais entre le plan de production mis en place par la direction et les postes de travail, explique-t-elle. Les contremaîtres et les chefs d'équipe m'indiquent si les délais sont raisonnables ou s'il faut revoir les cadences. Je fais part de cette information à la direction et je contacte les acheteurs afin qu'ils me fournissent la quantité exacte de pièces qui est nécessaire pour obtenir le meilleur rendement.» Un certain nombre de tâches administratives s'ajoutent aux responsabilités de Martine. Elle fait le suivi de tout le matériel qui va en production grâce à un système de codes à barres qui lui indique précisément où se trouvent les pièces. Si l'une d'entre elles n'est pas conforme aux normes, la production en avise la technologue et lui retourne la pièce en question pour qu'elle soit inspectée, mise en quarantaine puis jetée au rebut ou envoyée en réparation. C'est Martine qui gère ces étapes grâce à des logiciels spécialement adaptés et qui émet les rapports de non-conformité.

	Salaire hebdo moyen	Proportion de dipl. en emploi	Emploi relié	Chômage	Nombre de diplômés
2004	548 $	51,1 %	81,0 %	0,0 %	60
2003	553 $	73,8 %	74,2 %	6,1 %	57
2002	593 $	50,0 %	80,0 %	0,0 %	58

Statistiques tirées de la *Relance* - Ministère de l'Éducation. Voir données complémentaires, page 387.

Comment interpréter l'information, page 19.

QUALITÉS RECHERCHÉES

«Le technologue en génie industriel doit procéder de façon très rigoureuse, affirme Martine. Ses choix et ses recommandations influencent directement la production; il faut donc être méthodique et savoir anticiper les problèmes. Il faut aussi être en mesure de garder la tête froide lorsqu'on apprend que la production va passer d'un avion aux quatorze jours à un avion aux six jours...» La jeune femme considère qu'il faut être capable de communiquer avec de nombreux intervenants. «Un bon sens de la diplomatie est nécessaire pour expliquer à un chef de service que son équipe va devoir travailler plus vite ou pour dire à la direction que ses objectifs sont vraiment hors d'atteinte.» Les diplômés doivent maîtriser l'anglais, être réceptifs aux nouvelles technologies, aimer l'informatique et les mathématiques. Ces deux derniers points sont essentiels pour gérer les stocks, planifier la production, faire des statistiques ou calculer des coûts.

> «Il faut être en mesure de garder la tête froide lorsqu'on apprend que la production va passer d'un avion aux quatorze jours à un avion aux six jours...»
>
> — Martine Lefrançois

DÉFIS ET PERSPECTIVES

«Toutes les entreprises désirant améliorer leur productivité, leurs délais de livraison ou la qualité de leurs produits sont susceptibles d'engager nos diplômés», dit Marie-Claude Belhumeur, qui coordonne les stages de la formation en technologie du génie industriel au Collège de Valleyfield. «Le domaine manufacturier est évidemment celui qui demande ce type de compétences, mais il se trouve aussi des technologues dans de grandes entreprises de services telles que Bell Canada ou Hydro-Québec.»

La mondialisation des marchés ouvre grandes les portes de la concurrence. Les compagnies n'ont d'autre choix que d'accroître leur compétitivité. «Cela signifie de nombreux défis pour ces diplômés qui doivent planifier la production avec le souci constant de diminuer les coûts, dit Mme Belhumeur. Il faut des gens réfléchis, capables d'analyser les projets dans leur ensemble et qui aiment autant travailler dans les bureaux qu'en usine. Leurs champs d'action sont très étendus. Ils doivent repenser l'aménagement des postes de travail ou même d'usines entières, simplifier les méthodes et les procédés tout en respectant les normes de santé et de sécurité. C'est un secteur où la veille technologique est également fort importante.» 03/01

HORAIRES ET MILIEUX DE TRAVAIL

- Les diplômés de ce programme peuvent trouver du travail auprès des entreprises manufacturières ou de services ayant besoin de planifier et d'organiser leur production.

- Il y a de l'emploi possible dans certains bureaux de consultants.

- L'environnement de travail est très informatisé.

- Ils travaillent selon des horaires de bureau réguliers.

- Dans ce domaine, il est possible de travailler le soir ou les fins de semaine, là où la production se fait jour et nuit.

FORESTERIE ET PAPIER

La moitié du territoire de la province est peuplée d'arbres et 2 % du patrimoine forestier mondial se trouve au Québec. L'industrie forestière occupe donc une place importante au sein de l'économie québécoise. Elle regroupe les trois grands secteurs suivants : l'aménagement forestier (plantation, entretien, récolte d'arbres), le bois de sciage et les pâtes et papiers. De façon directe et indirecte, plus de 150 000 Québécois y travaillent.

En plus d'être vulnérable aux fluctuations économiques, l'industrie forestière a perdu plusieurs milliers d'emplois depuis le début du litige du bois d'œuvre qui oppose le Canada aux États-Unis. La taxe imposée par les Américains sur le bois provenant d'arbres résineux qui traverse leur frontière coûte cher aux entreprises d'ici.

Par ailleurs, les mesures prises par le gouvernement du Québec pour réduire les coupes de bois afin de mieux gérer les ressources forestières risquent de faire reculer l'emploi dans les trois sous-secteurs de l'industrie au cours des prochaines années. Les nombreux départs à la retraite qui y sont envisagés contribueront néanmoins à créer certains débouchés. Les diplômés de la formation technique, appelés à jouer un rôle crucial dans le renouveau de l'industrie forestière, devraient en outre voir leurs compétences recherchées.

Au Cégep de Trois-Rivières, seul établissement à offrir le programme *Technologies des pâtes et papiers au Québec*, on affirmait en 2004 que le placement des diplômés tournait autour de 90 %. Les entreprises de pâtes et papiers, maintenant dotées d'équipements à la fine pointe de la technologie, offrent aux diplômés dûment formés des emplois bien rémunérés.

La demande est également forte pour les diplômés du programme *Technologie de la transformation des produits forestiers*. La formation ouvre la voie à de belles carrières. Les diplômés sont engagés à titre de contrôleurs de la qualité ou de contremaîtres de la production et ils gravissent rapidement les échelons des entreprises. 03/05

CHAMPS D'INTÉRÊT

- aime le travail manuel, en usine ou à l'extérieur
- aime régler et manœuvrer de la machinerie
- aime observer, calculer, analyser, planifier
- aime faire un travail manuel minutieux
- aime le travail en équipe

APTITUDES

- habiletés pour le calcul, l'analyse et les sciences
- dextérité, habileté en mécanique et efficacité d'exécution
- sens de l'observation, logique et discernement
- résistance au bruit et à la poussière
- rigueur et minutie
- autonomie et débrouillardise
- bonne condition physique
- esprit de collaboration

LE SAVIEZ-VOUS ?

Selon le Comité sectoriel de main-d'œuvre des industries du bois de sciage, les entreprises qui utilisent les arbres feuillus et qui se spécialisent dans la deuxième transformation sont épargnées par la surtaxe de plus de 27 % imposée par les Américains sur le bois qui traverse leur frontière.

Source :
Les carrières d'avenir 2005,
Les Éditions Jobboom.

RESSOURCES INTERNET

MINISTÈRE DE L'ÉDUCATION DU QUÉBEC – SECTEURS DE FORMATION
http://www.meq.gouv.qc.ca/ens-sup/ens-coll/program/ProgEtab.asp?vToken=s120
Vous trouverez sur cette page une description des programmes de ce secteur de formation, comprenant, pour chacun, les exigences d'admission, les objectifs de formation et une liste d'établissements d'enseignement.

COMITÉ SECTORIEL DE MAIN-D'ŒUVRE DES INDUSTRIES DU BOIS DE SCIAGE
http://www.boisdesciage.qc.ca
Ce site est tout indiqué pour en savoir plus sur l'industrie de la transformation du bois. Vous y trouverez notamment des renseignements sur les programmes de formation offerts à chacun des ordres d'enseignement.

COMITÉ SECTORIEL DE MAIN-D'ŒUVRE EN AMÉNAGEMENT FORESTIER
http://www.csmoaf.com
Un site qui ouvre une fenêtre sur le dynamisme de ce secteur d'activité et de sa main-d'œuvre. Au menu : de l'information sur les métiers, les dernières nouvelles de l'industrie et des rapports d'études.

CONSEIL DE L'INDUSTRIE FORESTIÈRE
http://www.cifq.qc.ca
Un site qui présente une description détaillée des industries de la forêt, du bois de sciage et des pâtes et papiers au Québec.

Technologie de la transformation des produits forestiers

«J'ai choisi cette profession, car elle me permet d'exercer des tâches aussi bien manuelles qu'intellectuelles et de travailler autant dans une usine que dans un bureau», précise Richard Therriault. Contrôleur de la qualité chez Bois BSL, une entreprise de transformation de planchers de bois franc, il se dit comblé par la diversité de son travail.

PROG. 190.A0
PRÉALABLE : 0, VOIR PAGE 20

CHAMPS D'INTÉRÊT
• aime superviser et coordonner des activités de production
• aime résoudre des problèmes
• aime travailler en usine
• aime travailler en équipe

APTITUDES
• polyvalence
• leadership
• sens des responsabilités et de l'organisation
• habileté en informatique

RÔLE ET TÂCHES

Dans le bruit et la poussière des usines de Bois BSL, à Mont-Joli, dans le Bas-Saint-Laurent, Richard s'assure de la qualité des produits à toutes les étapes de la production. Pour cela, le diplômé en transformation des produits forestiers voit à ce que la réglementation de l'entreprise soit bien respectée et qu'il y ait le moins de perte de bois possible. Casque protecteur sur la tête, bottes de sécurité aux pieds, son travail l'amène à se déplacer à travers les cinq usines juxtaposées de la compagnie afin d'être présent à chacune des étapes du processus de transformation.

La première étape est la vérification du délignage du bois, qui consiste à scier des planches selon une largeur et une épaisseur préétablies. À partir d'un échantillonnage, Richard s'assure que les dimensions ont été respectées. Puis, il voit à ce que les employés fassent une utilisation optimale du bois afin qu'il y ait le moins de résidus possible. Il en profite pour répondre à leurs questions et n'hésite pas à leur prodiguer des conseils. Il fait aussi une évaluation de leur travail en remplissant des fiches prévues à cet effet.

La deuxième étape de sa tournée l'amène à voir le processus de fabrication des planches de bois. Richard veille alors à ce que tous les paramètres de fabrication soient respectés. Il évalue aussi le travail des employés. «C'est essentiel, car un employé qui ne fait pas son travail correctement peut facilement entraîner des pertes de 250 $ l'heure pour l'entreprise.»

OFFRE DU PROGRAMME PAR RÉGIONS
Bas-Saint-Laurent, Capitale-Nationale, Laurentides, Saguenay–Lac-Saint-Jean

Pour connaître les établissements qui offrent ce programme : **www.inforoutefpt.org**

	Salaire hebdo moyen	Proportion de dipl. en emploi	Emploi relié	Chômage	Nombre de diplômés
2004	714 $	79,2 %	76,5 %	0,0 %	31
2003	725 $	81,8 %	83,3 %	10,0 %	28
2002	645 $	100,0 %	62,5 %	0,0 %	9

Statistiques tirées de la *Relance - Ministère de l'Éducation.* Voir données complémentaires, page 387.

Comment interpréter l'information, page 19.

Le dernier point de contrôle se trouve au moment du vernissage des planches. Là, Richard s'assure que les travailleurs vernissent les planches selon les normes de l'entreprise et il évalue encore une fois leur travail.

En plus des tâches en usine qui occupent 70 % de son temps, Richard donne de la formation aux nouveaux employés. Il les renseigne sur la transformation du bois ainsi que sur les normes à respecter. Dans son bureau, il compile et analyse les résultats obtenus en usine sur le pourcentage de bois récupéré.

QUALITÉS RECHERCHÉES

Pour mener à bien ses fonctions et diriger des dizaines d'employés, il est nécessaire selon Richard de posséder des qualités de leadership et d'aimer travailler en équipe. De plus, il est essentiel d'être responsable et débrouillard. «Personne ne me donne de directives. Je dois donc prendre l'initiative lorsque les problèmes se présentent», précise le technicien.

> La mission première du technicien de la transformation des produits forestiers est de faire une utilisation optimale du bois transformé en entreprise.

La mission première du technicien de la transformation des produits forestiers est de faire une utilisation optimale du bois transformé en entreprise. Être minutieux et avoir toujours en tête le souci de la récupération sont donc des qualités à posséder.

DÉFIS ET PERSPECTIVES

Isabelle Frigon, enseignante au Cégep de Saint-Félicien, estime que les diplômés auront le défi de faire participer activement tous les travailleurs à l'amélioration des performances de l'usine. «De plus en plus, on assiste à l'implantation d'une gestion participative dans les entreprises; tous les employés sont appelés à trouver des solutions aux problèmes liés à la qualité et à la production.» Les diplômés auront donc à intégrer ce nouveau style de gestion et à l'appliquer.

Selon l'enseignante, l'utilisation maximale des matières premières devrait se complexifier davantage dans l'avenir. Cela amènera les techniciens à devoir innover. «Les matières premières sont de plus en plus coûteuses, notamment par l'augmentation du coût des droits de coupe. Comme la marge de profit s'amincit, il revient au technicien d'optimiser le rendement du bois lors de la production.» 03/03

HORAIRES ET MILIEUX DE TRAVAIL

- Les techniciens exercent leur métier dans des entreprises de première et deuxième transformation du bois telles que les usines de sciage, de traitement de bois, de fabrication de panneaux et de fabrication de composantes de meubles.

- Les techniciens peuvent être appelés à travailler de jour, de soir ou de nuit dans les usines qui fonctionnent 24 heures par jour.

- Les techniciens partagent leur temps entre l'usine, le bureau ou le laboratoire.

DEC

Technologie forestière

Mario Cousineau considère la forêt comme sa deuxième maison. Enfant, il adorait l'explorer, et la chasse et la pêche le passionnaient. Aujourd'hui, même si son travail actuel le confine dans un bureau – il est responsable de la mise en marché au Syndicat des producteurs de bois de l'Abitibi-Témiscamingue –, la forêt a toujours une place dans son cœur.

PROG. 190.B0
PRÉALABLE : 0, VOIR PAGE 20

CHAMPS D'INTÉRÊT

- aime le travail en forêt
- aime faire un travail saisonnier et à horaire irrégulier
- aime observer, calculer et dessiner
- aime lire et analyser des cartes et des données
- aime communiquer, coordonner, superviser

APTITUDES

- bonne condition physique
- excellente faculté d'adaptation et débrouillardise
- bonne perception spatiale et facilité à calculer
- initiative et facilité à communiquer
- aisance avec l'informatique

OFFRE DU PROGRAMME PAR RÉGIONS
Abitibi-Témiscamingue, Bas-Saint-Laurent, Capitale-Nationale, Côte-Nord, Gaspésie–Îles-de-la-Madeleine, Saguenay–Lac-Saint-Jean

Pour connaître les établissements qui offrent ce programme : www.inforoutefpt.org

RÔLE ET TÂCHES

Tout particulier propriétaire d'un boisé et qui désire l'exploiter doit contacter le Syndicat des producteurs de bois de sa région pour obtenir un certificat d'autorisation de coupe et de récolte de son lot, dont le bois sera vendu en usine. «On sert d'intermédiaire entre le producteur privé et l'usine de sciage ou de transformation du bois», explique Mario.

Dans ses fonctions, le responsable de la mise en marché rencontre les producteurs, les informe des procédures et négocie les ententes avec les usines quant aux volumes à produire et aux prix du bois.

«Je reçois environ 70 appels téléphoniques par jour, précise Mario. La majeure partie de mon travail concerne le règlement des conflits entre les producteurs et les transporteurs de bois ou l'usine. J'ai deux inspecteurs qui sont en quelque sorte mes yeux sur le terrain : ils vont sur place constater les faits et m'en informent.»

En début de carrière, la formation conduit habituellement au métier de technologue forestier. De concert avec l'ingénieur forestier, son patron, il travaille à maximiser le rendement à long terme des forêts, en respectant des critères et des normes d'exploitation forestière et de conservation des ressources. La plantation, l'entretien, les traitements sylvicoles – comme le reboisement ou le dégagement d'une plantation – et la coupe, incluant la construction de chemins, le choix des méthodes de récolte et de transport du bois, constituent l'essentiel de ses responsabilités.

	Salaire hebdo moyen	Proportion de dipl. en emploi	Emploi relié	Chômage	Nombre de diplômés
2004	599 $	47,3 %	73,2 %	27,1 %	121
2003	519 $	43,3 %	69,2 %	27,8 %	145
2002	562 $	50,5 %	78,4 %	24,6 %	147

Statistiques tirées de la *Relance* - Ministère de l'Éducation. Voir données complémentaires, page 387.

Comment interpréter l'information, page 19.

Le technologue forestier doit planifier, organiser et diriger les opérations – lesquelles sont effectuées par une équipe d'ouvriers forestiers spécialisés – et s'assurer que le travail respecte les normes de qualité préétablies. Son intervention prend fin lorsque le bois entre à l'usine.

QUALITÉS RECHERCHÉES

Le sens de l'organisation est l'une des qualités premières des diplômés dans ce domaine. «Le sens de l'initiative et la débrouillardise sont également essentiels, fait valoir Mario, car on est confronté à toutes sortes d'imprévus qui demandent de prendre des décisions rapidement. Il faut être fonceur, tenace et ne pas se laisser marcher sur les pieds, tout en faisant preuve de diplomatie.» Un bon esprit d'équipe facilite également les relations avec les autres travailleurs.

> Le travail du technologue s'effectue souvent en forêt dans des conditions climatiques qui peuvent être difficiles, en régions éloignées et pendant plusieurs heures d'affilée.

Douillets s'abstenir! Le travail du technologue s'effectue souvent en forêt dans des conditions climatiques qui peuvent être difficiles, en régions éloignées et pendant plusieurs heures d'affilée. Cela nécessite une excellente forme physique et une capacité à supporter l'isolement. Enfin, un bon sens de l'orientation est indispensable pour ne pas se perdre en forêt.

DÉFIS ET PERSPECTIVES

Selon Pierre Brochu, coordonnateur du programme *Technologie forestière* au Cégep de Sainte-Foy, le secteur connaît depuis quelques années un important virage technologique. Ainsi, aujourd'hui, les travailleurs utilisent couramment des logiciels de cartographie et des systèmes mondiaux de positionnement (GPS).

Par ailleurs, la tendance au développement durable et à la préservation des écosystèmes est à la hausse, souligne le responsable. Il cite en exemples les positions du chanteur Richard Desjardins et le rapport de la commission Coulombe déposé en décembre 2004, sur la gestion de la forêt. «Pour éviter les ruptures de stock, il faut bien gérer la ressource et penser aux conséquences à long terme.»

L'industrie a aussi comme défi de redorer son blason, croit Pierre Brochu. «Nous sommes parfois perçus comme les méchants qui coupent les arbres... En outre, les conditions de travail des travailleurs gagnent à être améliorées.» 02/05

HORAIRES ET MILIEUX DE TRAVAIL

- Les principaux employeurs sont le ministère des Ressources naturelles, de la Faune et des Parcs du Canada, les organismes de gestion en commun (OGC), les scieries, les papetières et les usines de transformation des produits forestiers.

- L'hiver, le travail se fait généralement à l'intérieur, pour la rédaction des rapports ou l'interprétation des photos aériennes par exemple, et les horaires sont réguliers, soit de 9 h à 17 h, cinq jours par semaine.

- L'été, pendant les périodes de pointe (de mai à décembre), le technicien peut travailler de 50 à 60 heures par semaine. Le travail en forêt se fait du lever au coucher du soleil. En région éloignée, le travailleur peut être en service neuf jours consécutifs, suivis de cinq jours de congé.

Technologies des pâtes et papiers

«C'est un stage dans l'industrie des pâtes et papiers qui m'a donné le goût de travailler dans ce domaine», explique Yannick Dubois, diplômé en techniques papetières. Aujourd'hui, il travaille pour EKA Chimie Canada, un fabricant de produits chimiques qui vend notamment des produits développés spécifiquement pour les usines de désencrage.

PROG. 232.AO
PRÉALABLES : 12, 30, 40, VOIR P. 20

CHAMPS D'INTÉRÊT
- aime observer, calculer, vérifier et manipuler
- aime analyser et résoudre des problèmes concrets
- aime la chimie et le travail en laboratoire
- aime le travail manuel en usine et la technologie (opérateur)
- aime la vente et le public (représentant)

APTITUDES
- facilité pour les sciences (chimie, physique, math)
- habileté à utiliser l'informatique
- sens de l'observation, minutie et débrouillardise
- initiative et jugement
- facilité à communiquer et bilinguisme

OFFRE DU PROGRAMME PAR RÉGIONS
Mauricie

Pour connaître les établissements qui offrent ce programme : www.inforoutefpt.org

RÔLE ET TÂCHES

En tant que technologue chargé du service à la clientèle, Yannick Dubois cumule différentes responsabilités, tant techniques que commerciales. «L'entreprise pour laquelle je travaille est spécialisée dans les savons servant à éliminer l'encre du papier recyclé, dit-il. Mon rôle auprès des clients est d'effectuer le suivi de la qualité et des procédés. Je m'assure que le désencrage est optimal, qu'il ne subsiste pas de matières collantes et que la blancheur et la brillance de la pâte sont conformes aux normes de qualité.» Le jeune homme doit également veiller à l'entretien des équipements, car la compagnie loue à ses clients des systèmes de pompes utilisés lors du traitement. «Je collabore aussi bien avec les opérateurs de production qu'avec les directeurs d'usine, dit-il. Ma double qualité de technicien et de représentant m'amène à dispenser des programmes de formation aux opérateurs, mais aussi à informer nos clients des nouvelles technologies développées par la compagnie.» Yannick considère que lorsqu'on travaille pour les papetières, il est aussi important de se spécialiser dans un secteur précis que de connaître tous les domaines de la filière. Dans les produits recyclés, par exemple, il faut savoir que l'on distingue la période estivale de la période hivernale. En été, à cause de la chaleur, l'encre s'incruste dans les fibres et il est plus difficile de l'en extraire. Il faut donc tenir compte de ces détails dans la recette de produits chimiques utilisée. Yannick apprécie également la partie de son travail lui permettant de faire de la représentation. «J'ai la chance d'avoir un mandat commercial en plus de mes tâches techniques, dit-il. La représentation me

	Salaire hebdo moyen	Proportion de dipl. en emploi	Emploi relié	Chômage	Nombre de diplômés
2004	840 $	75,0 %	88,9 %	10,0 %	16
2003	787 $	75,0 %	88,2 %	10,0 %	30
2002	714 $	85,0 %	68,8 %	5,6 %	24

Statistiques tirées de la *Relance* - Ministère de l'Éducation. Voir données complémentaires, page 387.

Comment interpréter l'information, page 19.

permet de voyager à travers le Canada et les États-Unis et de faire des rencontres professionnelles très enrichissantes sur le plan humain.»

QUALITÉS RECHERCHÉES

Le technologue en pâtes et papiers travaille constamment en équipe. Il lui faut s'adapter aux personnes qu'il rencontre. «C'est encore plus vrai dans mon cas, affirme Yannick. Je suis en contact avec les représentants, la direction, la production, les techniciens de laboratoire. Des gens tous aussi différents les uns que les autres.» La complexité du contrôle de la qualité exige rigueur et minutie. La disponibilité fait également partie des qualités nécessaires à l'exercice du métier. «Dans le domaine de la production, les usines tournent 24 heures sur 24. Il m'arrive de travailler parfois très tard pour régler un problème sur la qualité de la pâte. Il faut être flexible et disponible.» La maîtrise de l'anglais est un bon atout pour ceux qui se destinent au soutien technique ou à la représentation pour les fournisseurs des papetières.

> «Je m'assure que le désencrage est optimal, qu'il ne subsiste pas de matières collantes et que la blancheur et la brillance de la pâte sont conformes aux normes de qualité.»
>
> — Yannick Dubois

DÉFIS ET PERSPECTIVES

«La polyvalence et la compétence de nos diplômés en techniques papetières en font des recrues de choix pour l'industrie des pâtes et papiers, soutient Jean Leclerc, coordonnateur du programme au Cégep de Trois-Rivières. Certaines usines exigent même ce DEC pour leurs postes d'opérateurs.» Selon lui, il existe actuellement des besoins de main-d'œuvre dans le domaine des pâtes et papiers. De nombreux travailleurs du secteur partent à la retraite et le renouvellement pourrait être insuffisant. C'est un constat qui est malgré tout tempéré par les rachats et les fusions qui touchent le secteur et modifient le tableau à court terme. À la suite de ces restructurations, certaines compagnies ont en effet gelé l'embauche de nouveaux employés. «Mais le développement des techniques de recyclage, de désencrage et de blanchiment exige l'embauche de techniciens très qualifiés», tient à souligner M. Leclerc.

Photo : Cégep de Trois-Rivières

Même si le secteur a longtemps véhiculé l'image d'une industrie traditionnelle un peu vieillotte, Jean Leclerc affirme qu'il n'en est rien. «C'est un domaine de technologie de pointe, très dynamique, où il faut sans cesse se tenir au courant des innovations. Avec une formation en techniques papetières, les diplômés peuvent aussi bien travailler en production qu'au contrôle de la qualité ou comme représentants pour les fournisseurs des papetières.» 02/01

HORAIRES ET MILIEUX DE TRAVAIL

- Les diplômés peuvent travailler pour les compagnies papetières et leurs fournisseurs.
- Ils travaillent en usine, à la production ou au contrôle de la qualité.
- Ils peuvent aussi faire du soutien technique auprès des fournisseurs de biens et de services ou travailler en recherche et en développement.
- C'est un milieu de travail bruyant, en usine.
- Les horaires de travail peuvent s'établir de jour, de soir et de nuit, parfois par tranches de 12 heures.

COMMUNICATION ET DOCUMENTATION

Selon le ministère de la Culture et des Communications, le domaine des communications, qui comprend les médias écrits, la publicité, la radio, la télévision et la postproduction, génère un chiffre d'affaires de 5,4 milliards de dollars et rassemble quelque 67 000 travailleurs au Québec.

Le secteur des communications graphiques, qui englobe l'imprimerie, l'emballage, la reliure, l'édition et le design graphique, n'est pas en reste. Selon le Comité sectoriel de main-d'œuvre des communications graphiques du Québec, il occupe 58 100 travailleurs dans plus de 2 400 entreprises.

Fortement touchée par le développement des technologies et par le vieillissement de sa main-d'œuvre, l'industrie des communications graphiques a un besoin urgent de relève. Les perspectives d'emploi sont donc intéressantes, autant dans le secteur de la prépresse que dans celui de l'imprimerie et de la finition de reliure. La formation collégiale technique prépare bien les diplômés aux métiers du secteur, qui exigent des connaissances approfondies en informatique ou en électronique. On note une demande de techniciens en infographie, en préimpression, en gestion de l'imprimerie et en impression, entre autres.

Dans le domaine de la radiodiffusion, de la presse écrite et de la production télévisuelle, les besoins sont moins pressants. Selon la Fédération nationale des communications, la concentration des médias encourage une utilisation plus rationnelle de la main-d'œuvre. Certains propriétaires de médias procèdent, par exemple, à la fermeture de certains services comme les salles de nouvelles, ce qui entraîne des pertes d'emplois pour des journalistes et des techniciens. Toutefois, le développement d'Internet favorise les diplômés de ce secteur. Les entreprises québécoises sont de plus en plus présentes dans le Web et produisent régulièrement différents documents numériques. 03/05

CHAMPS D'INTÉRÊT

- aime le travail en équipe
- aime la lecture et les arts en général
- aime imaginer et innover en fonction d'un besoin précis
- aime le travail de précision
- aime manipuler de l'équipement électronique ou informatique

APTITUDES

- acuité (visuelle ou auditive) et dextérité manuelle
- créativité, précision et minutie
- grande faculté de concentration
- sens esthétique
- maîtrise de la langue parlée et écrite

RESSOURCES INTERNET

DEC

Dessin animé

Si vous avez un talent manifeste pour le dessin et que vous aimeriez voir bouger les personnages que vous griffonnez, vous auriez avantage à considérer la formation collégiale en dessin animé. À ne pas confondre avec l'animation 3D par ordinateur, dont sont issues des productions comme *Shrek* et autres *Némo*, le dessin animé doit plutôt être associé à des films comme *Bambi* ou *Le Roi Lion*, qui sont l'œuvre d'artistes de la planche à dessin.

PROG. 574.A0
PRÉALABLE : 0, VOIR PAGE 20

CHAMPS D'INTÉRÊT

- se passionne pour les arts et le secteur culturel en général
- aime les jeux vidéo
- aime dessiner au crayon et à l'ordinateur
- aime faire un travail de précision
- aime travailler dans un milieu hautement informatisé et créatif

APTITUDES

- créativité, grand talent en dessin et bonne connaissance des arts en général
- facilité à communiquer et à travailler en équipe
- facilité d'adaptation aux horaires variables
- curiosité intellectuelle

OFFRE DU PROGRAMME PAR RÉGIONS
Montréal

Pour connaître les établissements qui offrent ce programme : **www.inforoutefpt.org**

RÔLE ET TÂCHES

«Une journée type? Il n'y en a pas!» s'exclame Marie-Ève Chartrand, diplômée du DEC en dessin animé du Cégep du Vieux Montréal. Le travail étant presque exclusivement à forfait, les tâches varient en effet constamment. Actuellement, elle est artiste-démo chez ToonBoom Animation; elle forme des animateurs afin qu'ils puissent travailler avec de nouveaux logiciels de traitement de dessin animé. À la base, un diplômé peut concevoir des personnages, des lieux ou des accessoires pour un long métrage, une série télévisée ou des publicités. Les artistes en dessin animé sont également sollicités pour l'animation de sites Web. Plusieurs se dirigent vers l'illustration, qui consiste à dessiner pour illustrer des ouvrages généralement imprimés.

Le processus d'animation comporte plusieurs étapes. Le dessinateur principal prépare des croquis, des ébauches. Ceux-ci sont ensuite numérisés pour être traités à l'ordinateur par d'autres artistes, qui feront ce qu'on appelle la mise au net, afin d'ajouter la couleur, les mouvements de caméra, etc. La plupart des artistes en dessin animé font d'ailleurs leur entrée dans le domaine comme artistes de mise au net. C'est toutefois le réalisateur qui leur dicte les effets voulus, les couleurs et les mouvements de caméra recherchés.

Marie-Ève, elle, est tombée dans l'univers du dessin quand elle était petite! «J'ai toujours adoré dessiner; quand je faisais un dessin, j'aurais voulu le voir bouger. Je suis arrivée au cégep au moment où la formation commençait et j'ai sauté dedans à pieds joints!»

	Salaire hebdo moyen	Proportion de dipl. en emploi	Emploi relié	Chômage	Nombre de diplômés
2004	369 $	61,5 %	42,9 %	20,0 %	19
2003	415 $	46,2 %	80,0 %	14,3 %	16
2002	N/D	N/D	N/D	N/D	N/D

Statistiques tirées de la *Relance* - Ministère de l'Éducation. Voir données complémentaires, page 387.

Comment interpréter l'information, page 19.

QUALITÉS RECHERCHÉES

Une maîtrise parfaite du dessin est évidemment un préalable. Mais il faut aussi savoir se vendre et être persévérant. «Après chaque contrat, tout est à recommencer en ce qui concerne la recherche d'emploi», souligne Marie-Ève.

Une bonne résistance au stress est souhaitable, car les heures de travail s'allongent à l'approche des dates de tombée des productions.

De plus, il faut apprendre à mettre sa propre créativité de côté quand on travaille aux projets d'autres créateurs. Il est également nécessaire de maintenir à jour sa connaissance des nouveaux logiciels.

Une maîtrise parfaite du dessin est évidemment un préalable. Mais il faut aussi savoir se vendre et être persévérant.

DÉFIS ET PERSPECTIVES

Selon Pierre Grenier, coordonnateur du Département de cinéma d'animation au Cégep du Vieux Montréal, «les diplômés doivent éviter de tout faire à la dernière minute et être conscients de l'importance des dates de tombée. S'ils ne livrent pas le travail à temps, c'est catastrophique à la fois pour le client et pour leur propre réputation.» Or, se faire connaître et respecter dans le milieu représente justement un autre défi de taille.

Dans un monde idéal, tous les diplômés pourraient aspirer au rôle de dessinateur principal mais, dans les faits, les artistes d'ici œuvrent surtout à la postproduction (coloration, assemblage, etc.). Les grandes séries télévisées sont animées en Chine ou au Chili, notamment. Caillou, par exemple, est chinois! Quant aux longs métrages, ils sont généralement faits aux États-Unis et en Angleterre. Cependant, une personne qui parvient à établir sa réputation peut rapidement devenir superviseur d'une équipe d'artistes de mise au net, chef de service ou même réalisateur.

Photo : Marie-Claude Martineau, diplômée en photographie, Cégep du Vieux Montréal

À la base, le dessin animé provient et proviendra toujours d'une planche à dessin. Son traitement, cependant, est en évolution, souligne Pierre Grenier. «Le dessin animé utilise de plus en plus le 3D pour réaliser certaines choses très difficiles à faire à la main, des véhicules par exemple, ou encore des mouvements de caméra très compliqués. Ces temps-ci, le dessin animé se cherche un peu, mais il ne risque pas de disparaître.» 03/05

HORAIRES ET MILIEUX DE TRAVAIL

- Les milieux de travail varient énormément, de l'atelier à dessin où les ordinateurs sont installés les uns à côté des autres et les artistes payés au dessin, au studio où les artistes ont de l'espace, du temps et des moyens considérables.

- Les horaires sont irréguliers et dépendent entièrement de la nature du contrat.

- L'attribution du travail fonctionne par contrats, dont la durée peut varier de quelques jours à quelques mois ou davantage.

- L'ambiance de travail est habituellement très conviviale.

Graphisme

«Je suis tombé amoureux du graphisme, déclare tout de go Martin Dubois. Avant le cégep, je ne savais même pas de quoi il s'agissait. J'aimais le dessin, et mon conseiller d'orientation m'avait inscrit à un stage d'une journée en graphisme. Ç'a été une révélation!»

PROG. 570.A0
PRÉALABLE : 0, VOIR PAGE 20

CHAMPS D'INTÉRÊT
• aime communiquer et traduire un message en images
• aime le dessin, les formes et les images
• aime le travail sur ordinateur
• aime imaginer et créer à partir d'un besoin précis

APTITUDES
• grande acuité de perception visuelle et de discrimination des formes
• sens esthétique et de la créativité
• être consciencieux et très minutieux
• grande facilité à utiliser l'informatique
• résistance au stress

OFFRE DU PROGRAMME PAR RÉGIONS
Bas-Saint-Laurent, Capitale-Nationale, Estrie, Montréal

Pour connaître les établissements qui offrent ce programme : www.inforoutefpt.org

RÔLE ET TÂCHES

Martin travaille aux Ateliers graphiques de Saint-Jean-sur-Richelieu. Il conçoit et met en pages des publicités. «Mon rôle est de faire le montage des publicités qui sont insérées dans les différentes publications. À la demande du client, je scanne les photos, je choisis les typographies et les couleurs, puis je dispose tous ces éléments le plus efficacement possible. En fonction de l'emplacement qui a été acheté par le client, les contraintes peuvent être différentes. Je travaille en couleurs ou en noir et blanc, sur des pleines pages ou des formats plus petits. C'est toujours un défi d'obtenir le meilleur résultat malgré toutes les contraintes.» Dans le domaine de la presse et de l'édition, le graphiste doit souvent composer avec des délais serrés.

Martin travaille exclusivement pour des hebdomadaires qui bouclent leurs pages lors de la fin de semaine. Sa journée commence à 16 heures et s'achève vers minuit et demi. Il s'occupe parfois de cahiers spéciaux. Ce sont des projets particuliers qui demandent plus de temps et de recherches. Dans ces cahiers, les annonceurs se regroupent pour présenter leurs produits ou leurs services sur plusieurs pages. C'est un travail de conception beaucoup plus créatif, qu'il adore. «Lorsqu'on travaille en graphisme, il faut s'attendre à passer environ 80 % de son temps devant un ordinateur, dit Martin. Tout le processus est informatisé. Je reçois les pages des journaux dans lesquelles le texte est déjà monté. J'y ajoute mes publicités, qui vont ensuite en correction et sont validées par le vendeur. Il ne reste plus qu'à envoyer le tout chez l'imprimeur. Même si l'on fait quelques croquis à la main, il est impératif de maîtriser les trois logiciels

	Salaire hebdo moyen	Proportion de dipl. en emploi	Emploi relié	Chômage	Nombre de diplômés
2004	424 $	59,9 %	65,3 %	10,1 %	286
2003	412 $	67,4 %	67,6 %	4,5 %	264
2002	417 $	64,3 %	67,6 %	11,8 %	283

Statistiques tirées de la *Relance* - Ministère de l'Éducation. Voir données complémentaires, page 387.

Comment interpréter l'information, page 19.

de mise en pages, de retouche d'image et d'illustration qui sont devenus des références dans le domaine.»

QUALITÉS RECHERCHÉES

Le graphisme est une discipline où la créativité tient une place importante. «Le client n'a bien souvent qu'un vague concept en tête, raconte Martin. Il faut pouvoir imaginer le visuel qui correspond le mieux à ses attentes.»

À son avis, la rigueur est aussi essentielle. En effet, une erreur dans le texte ou dans la mise en pages d'une publicité implique des frais et des délais supplémentaires. Le stress fait partie intégrante du métier. «C'est sûr que ce n'est pas facile de travailler sous pression, mais on finit par s'y faire. Il ne faut pas avoir peur de passer des heures à l'ordinateur tout en étant un peu bousculé.»

Dans le domaine de la presse et de l'édition, le graphiste doit souvent composer avec des délais serrés.

DÉFIS ET PERSPECTIVES

«Les diplômés en graphisme sont des gens foncièrement motivés, dit Michel Godin, coordonnateur du programme au Collège Marie-Victorin. C'est un domaine qui demande de la passion et de la persévérance. Munis de ces deux qualités, les graphistes peuvent intégrer des agences de publicité, des bureaux de graphisme, des maisons d'édition ou toute entreprise qui aurait besoin de leurs talents de conception et de réalisation.»

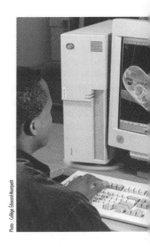

Dans ce domaine, la capacité d'adaptation et l'ouverture d'esprit l'emportent sur la technique, selon M. Godin. «On cherche des gens qui ont un esprit créatif et une certaine curiosité, dit-il. On leur enseigne des méthodes de travail et c'est ensuite à eux de s'adapter aux besoins de leurs clients ou de leurs employeurs. Cela nécessite beaucoup d'autonomie et de disponibilité, surtout dans un milieu où la plupart des travaux sont à terminer pour hier...» M. Godin explique que le multimédia emploie de plus en plus de graphistes, qui sont appelés à concevoir des pages Web ou des documents interactifs. «Quasiment toutes les entreprises possèdent leur site Internet, dit-il. Ça prend des gens qui ont le sens de la mise en pages et qui savent manipuler les images. Si les graphistes ne sont pas des programmeurs, ils peuvent malgré tout avoir à réaliser des sites complets. Les logiciels qu'ils utilisent s'intègrent en effet très bien à la technologie d'Internet.» 03/01

HORAIRES ET MILIEUX DE TRAVAIL

• Les diplômés sont embauchés par les grandes compagnies, les agences de publicité, les bureaux de graphisme, les maisons d'édition, les imprimeries ou les compagnies qui conçoivent des sites Internet.

• Ils travaillent presque exclusivement avec l'informatique et passent de nombreuses heures devant leur écran.

• Les graphistes travaillent selon des horaires de bureau réguliers.

• Les heures supplémentaires sont possibles, selon les activités qu'accomplissent les graphistes.

Infographie en préimpression

Réjean Boyer travaille à l'Institut des communications graphiques du Québec. Les documents et les rapports de l'Institut passent entre ses mains pour être mis en pages avant leur impression. «C'est un travail très technique, mais qui demande aussi un certain sens créatif», dit-il.

PROG. 581.A0
PRÉALABLE : 0, VOIR PAGE 20

CHAMPS D'INTÉRÊT

- aime la technologie et les images
- aime travailler sur ordinateur
- aime observer, manipuler, faire des essais
- aime faire un travail de précision

APTITUDES

- grande acuité de perception et de discrimination visuelle (formes et couleurs) et faculté de concentration
- sens esthétique et excellente faculté d'adaptation aux technologies
- débrouillardise et sens de l'organisation
- sens des responsabilités, minutie et résistance au stress

OFFRE DU PROGRAMME PAR RÉGIONS
Montréal

Pour connaître les établissements qui offrent ce programme : **www.inforoutefpt.org**

RÔLE ET TÂCHES

«J'ai la chance de travailler à des projets dont le volume est assez restreint, dit-il. Cela me donne l'occasion de toucher à presque toutes les phases de la production d'un document imprimé. On me fournit généralement le texte à mettre en pages et les éléments visuels qui illustrent le document. Je dois en faire le montage, c'est-à-dire assembler textes, images et tableaux. Dans le cas des photographies, il faut numériser les diapositives avant de pouvoir les travailler à l'informatique.» La nature des documents dont il s'occupe est assez variée. Il peut s'agir de rapports annuels, de brochures de cours, d'affiches ou de dépliants. Les contraintes de mise en pages ou de format sont donc très différentes. «J'ai malgré tout une certaine autonomie sur le plan créatif pour réaliser des photomontages, retoucher les images ou choisir les typographies qui me paraissent les plus adaptées», dit-il. Après avoir vérifié et corrigé le document, c'est l'étape des films. Il faut sortir les plaques qui seront utilisées pour l'impression. Pour un document en couleurs, on utilisera quatre films photographiques, soit un pour chacune des couleurs de base : noir, cyan, jaune et magenta. «Aujourd'hui, dit Réjean, il est possible d'éliminer l'étape du pelliculage grâce aux presses numériques. Le document passe alors directement de l'ordinateur à l'impression. Je travaille à la fois avec ce type de presse et avec des machines plus classiques qui sont mises en œuvre par un pressier dont c'est le métier. Dans tous les cas, mes outils de base restent l'ordinateur et les logiciels de mise en pages ou de traitement de l'image. En graphisme et en infographie, on travaille davantage avec l'environnement Macintosh.

	Salaire hebdo moyen	Proportion de dipl. en emploi	Emploi relié	Chômage	Nombre de diplômés
2004	502 $	78,2 %	64,1 %	8,5 %	73
2003	464 $	77,9 %	65,0 %	7,0 %	93
2002	456 $	80,6 %	76,0 %	3,8 %	82

Statistiques tirées de la *Relance* - Ministère de l'Éducation. Voir données complémentaires, page 387.

Comment interpréter l'information, page 19.

On doit cependant maîtriser l'univers du PC, car certains clients n'ont leurs documents que dans ce format.»

QUALITÉS RECHERCHÉES

Réjean considère que son métier exige beaucoup de minutie. «Les logiciels ont beau offrir une grande précision, encore faut-il savoir les utiliser au maximum de leurs capacités», dit-il. Il ajoute que la débrouillardise est une qualité essentielle si l'on ne veut pas rester coincé avec un problème... Comme l'infographiste travaille souvent seul, c'est aussi seul qu'il lui faut trouver les solutions. Il doit également être en mesure de gérer son stress, car il est souvent bousculé par le temps. Une bonne capacité de concentration est nécessaire, parce que certains travaux peuvent le tenir plusieurs heures devant son écran. «Finalement, il faut faire preuve de patience lorsque ça ne fonctionne pas comme prévu.»

«Les développements informatiques ont énormément modifié le travail de ces techniciens.»

— Jean Lemaire

DÉFIS ET PERSPECTIVES

«Le métier est en pleine évolution», dit d'emblée Jean Lemaire, responsable du département au Collège Ahuntsic, le seul cégep à proposer cette formation. «Les développements informatiques ont énormément modifié le travail de ces techniciens. De nouveaux procédés, telle la plaque sur la presse, ne cessent d'apparaître; ils permettent, par exemple, de passer directement de l'ordinateur à la presse en éliminant l'étape des films. Ces progrès technologiques constituent un véritable défi pour les diplômés qui doivent toujours renouveler leurs connaissances et se tenir au courant des nouveautés.» L'imprimerie reste le débouché numéro un pour les infographistes en impression. Pour les plus créatifs d'entre eux, il existe également des possibilités intéressantes au sein des agences de publicité ou dans les services de communication des grosses entreprises publiques ou privées. «De nombreux documents ne sont plus destinés à l'impression papier, mais sont directement publiés sous forme électronique dans les pages Web des sites Internet, observe toutefois Jean Lemaire. Ce domaine propose des défis intéressants aux techniciens, qui doivent adapter leurs compétences à ce nouveau média. Leur travail sur l'image et le texte n'est alors plus seulement une étape du processus, mais un produit fini en soi.» 03/01

HORAIRES ET MILIEUX DE TRAVAIL

- Les diplômés peuvent travailler dans les imprimeries, les ateliers de préimpression, les agences de publicité, les services de communication, les maisons d'édition.

- L'environnement de travail est entièrement informatisé.

- Le technicien travaille souvent seul.

- Le travail s'effectue selon des horaires de bureau réguliers.

- Les heures supplémentaires sont fréquentes dans ce domaine.

DEC

Techniques de communication dans les médias (Journalisme)*

Plus jeune, Serge Boire était partagé entre deux choix de carrière : comédien et journaliste. Il a finalement penché pour la deuxième option. Il est aujourd'hui journaliste pour *J.E.*, une émission d'enquête portant sur la consommation présentée au réseau TVA.

PROG. 589.BC
PRÉALABLE : 0, VOIR PAGE 20

CHAMPS D'INTÉRÊT

- aime le travail d'équipe et les contacts humains
- aime les médias et la communication
- aime lire et écrire, écouter, parler, apprendre, analyser et critiquer (journalisme)
- aime manipuler des appareils (son ou image)
- aime imaginer et innover (publicité)

APTITUDES

- esprit vif, méthodique et critique
- esprit d'équipe et de coopération
- grande acuité de perception (visuelle et auditive) et dextérité (technique)
- grande faculté de concentration

OFFRE DU PROGRAMME PAR RÉGIONS
Saguenay—Lac-Saint-Jean

Pour connaître les établissements qui offrent
ce programme : **www.inforoutefpt.org**

RÔLE ET TÂCHES

Au huitième étage de l'édifice qui abrite les locaux de TVA à Montréal se trouve la salle de rédaction de l'équipe de *J.E.*, où s'affairent journalistes, recherchistes et réalisateurs. Chaque semaine, l'équipe reçoit plus de 200 appels téléphoniques de gens aux prises avec des problèmes de consommation. Une personne est chargée de retranscrire chaque message dans un logiciel. C'est en consultant ces messages que Serge décide du sujet de son prochain reportage, dont la préparation lui demandera 15 jours de travail.

Tout d'abord, Serge contacte la personne qui a téléphoné pour qu'elle lui raconte son histoire. «Je vérifie sa crédibilité en confirmant son histoire auprès d'autres intervenants», précise Serge. Commence alors le processus de recherche durant lequel le journaliste contacte les différentes personnes qu'il souhaite interroger (témoins, experts, etc.). Puis, avec le réalisateur, Serge décide de la scénarisation du reportage (plans à tourner, images à montrer, etc.).

Pendant deux ou trois jours, Serge part ensuite en tournage avec un cadreur. De retour à TVA, il visionne les cassettes de tournage et retranscrit les extraits pertinents. «Par la suite, je m'enferme chez moi pour trouver l'angle que je souhaite donner au récit et j'écris la narration de mon reportage», raconte Serge. Finalement, il rencontre son supérieur, le rédacteur en chef et le réalisateur et leur explique de quelle façon il désire présenter son reportage. Il enregistre la narration pendant que le réalisateur procède au montage. Le reportage est alors prêt à être diffusé.

	Salaire hebdo moyen	Proportion de dipl. en emploi	Emploi relié	Chômage	Nombre de diplômés
2004	437 $	50,0 %	46,2 %	0,0 %	42
2003	522 $	40,0 %	72,7 %	6,7 %	48
2002	N/D	N/D	N/D	N/D	N/D

Statistiques tirées de la *Relance* - Ministère de l'Éducation. Voir données complémentaires, page 387.

Comment interpréter l'information, page 19.

Une fois son diplôme en poche, Serge a occupé un poste de journaliste à CKRS Télévision (aujourd'hui CKTV) et à CJPM Chicoutimi. Puis, pendant cinq ans, il a été correspondant dans l'Ouest canadien avant de revenir à Montréal pour y être journaliste à l'information à Radio-Canada. Depuis février 2003, il travaille pour l'émission *J.E.* à TVA.

QUALITÉS RECHERCHÉES

En journalisme, il faut s'intéresser à tout et désirer aller au fond des choses. Cette curiosité saura également mettre sur la piste de bons sujets de reportages. Le journaliste doit aimer le contact avec les gens et savoir établir rapidement un rapport avec eux. «Il faut respecter les personnes que l'on rencontre et avoir de la compassion pour ce qu'elles vivent. Lorsqu'elles se sentent en confiance, elles se confient aussi plus facilement», explique Serge. Honnêteté et intégrité constituent la base du professionnalisme du journaliste. Il doit rapporter la nouvelle telle qu'elle est, et non pas comme il voudrait qu'elle soit.

> **Honnêteté et intégrité constituent la base du professionnalisme du journaliste. Il doit rapporter la nouvelle telle qu'elle est, et non pas comme il voudrait qu'elle soit.**

DÉFIS ET PERSPECTIVES

Selon André Brassard-Aubin, professeur de journalisme au Cégep de Jonquière, les politiciens et les administrateurs parlent de plus en plus «la langue de bois». «Ils sont conseillés par des spécialistes en relations publiques et font preuve de moins de transparence. Le journaliste doit pouvoir dépasser cette difficulté et aller chercher l'information pertinente.»

Photo : Jean Bérard, Cégep de Jonquière

Si Internet est une source inépuisable d'information, il faut tout de même rester prudent face à son contenu et distinguer le bon grain de l'ivraie. «Internet, c'est génial et fou à la fois... Génial parce que le journaliste a un accès facile à de l'information, et fou parce que celle-ci peut être erronée. Le diplômé doit donc toujours vérifier ses sources et avoir le souci de la véracité de l'information qu'il rapporte», explique M. Brassard-Aubin.

Pour bien pratiquer son métier, le journaliste doit aussi posséder une bonne culture générale afin de saisir tous les enjeux d'un dossier. 02/05

* Ce programme offre aussi les options *Animation et production radiophoniques* ainsi que *Conseil et coordination publicitaires.*

HORAIRES ET MILIEUX DE TRAVAIL

- Le journaliste peut œuvrer pour des stations de radio, des stations de télévision, des quotidiens, des hebdomadaires et des magazines.

- Il peut travailler dans la salle de rédaction d'un média ou comme recherchiste pour des émissions d'information. Plusieurs journalistes exercent à leur compte.

- Le journaliste peut être appelé à travailler sur le terrain, lors de reportages.

- L'horaire varie selon le poste occupé : horaire stable en semaine de 9 h à 17 h; travail le soir ou les fins de semaine. Les heures supplémentaires sont courantes.

Techniques de gestion de l'imprimerie

C'est un pur hasard qui a amené Annie Boucher vers des études en gestion de l'imprimerie. «J'ai voulu essayer, j'ai adoré et j'y suis restée!» lance la diplômée qui travaille aujourd'hui chez Graphiscan, à Québec, une entreprise spécialisée en impression.

PROG. 581.08
PRÉALABLE : 10, VOIR PAGE 20

CHAMPS D'INTÉRÊT
• aime coordonner et superviser des projets
• aime travailler en équipe
• aime travailler sous pression
• aime exploiter les nouvelles technologies

APTITUDES
• facilité à résoudre des problèmes
• sens des responsabilités et de l'éthique
• sens de l'organisation
• bilinguisme

OFFRE DU PROGRAMME PAR RÉGIONS
Chaudière-Appalaches, Montréal

Pour connaître les établissements qui offrent ce programme : **www.inforoutefpt.org**

RÔLE ET TÂCHES

Annie a eu la piqûre du métier au cours des stages en milieu de travail qu'elle a effectués lors de ses études au Cégep Beauce-Appalaches. «J'ai fait mon dernier stage chez Graphiscan et j'y suis restée», raconte la jeune femme. Engagée comme estimatrice, son rôle consiste à évaluer le coût de production de chacune des étapes du processus d'impression. Quel que soit le produit demandé – affiches, dépliants, brochures, cartes professionnelles –, Annie évalue les coûts de préimpression (infographie, numérisation d'images), d'impression et de finition (pliage, assemblage des documents) afin d'offrir aux clients les meilleurs prix.

Tout d'abord, le représentant des ventes de l'entreprise lui transmet la commande du client. Cela la renseigne sur le produit demandé, le genre de papier désiré, le format, la quantité, le nombre de couleurs, etc. Une fois l'information en main, Annie estime à l'aide d'un logiciel maison le coût lié à chacune des étapes de l'impression. Pour obtenir certains prix, elle s'informe auprès de sous-traitants et consulte les catalogues des fournisseurs. Il lui arrive aussi de se renseigner auprès des employés de la production afin de connaître le meilleur procédé technique pour atteindre le résultat d'impression voulu. Finalement, elle donne son estimation au représentant, qui la présentera au client.

Les diplômés en gestion de l'imprimerie ne deviennent pas tous estimateurs comme Annie. Certains optent pour la vente, d'autres pour la production. Les premiers négocient et concluent les ventes de produits

	Salaire hebdo moyen	Proportion de dipl. en emploi	Emploi relié	Chômage	Nombre de diplômés
2004	528 $	100,0 %	62,5 %	0,0 %	11
2003	494 $	77,8 %	85,7 %	0,0 %	10
2002	478 $	75,0 %	50,0 %	0,0 %	8

Statistiques tirées de la *Relance* - Ministère de l'Éducation. Voir données complémentaires, page 387.

Comment interpréter l'information, page 19.

imprimés avec des compagnies ou des particuliers. Quant aux seconds, ils supervisent et coordonnent les activités d'employés chargés de la fabrication des produits imprimés.

QUALITÉS RECHERCHÉES

Selon Annie, l'esprit d'analyse se révèle essentiel pour arriver à de justes estimations. «On doit avoir une vision globale des différentes étapes par lesquelles va passer le produit. Il est important de connaître toute la chaîne de production, des matières premières aux équipements.» Comme l'estimatrice travaille à la fois avec les clients, les représentants et les responsables de la production, il faut aimer travailler en équipe et savoir établir de bonnes relations avec les autres. Avoir une bonne résistance au stress et le sens de l'organisation sont des atouts pour pouvoir gérer plusieurs commandes à la fois et résoudre les problèmes qui surgissent régulièrement en cours de production. La diplômée qui jongle quotidiennement avec les chiffres doit également avoir une certaine facilité avec les mathématiques. La rigueur et la précision aident aussi à réaliser les meilleures estimations.

> «On doit avoir la vision globale des différentes étapes par lesquelles va passer le produit. Il est important de connaître toute la chaîne de production, des matières premières aux équipements.»
>
> — Annie Boucher

Finalement, le technicien de gestion de l'imprimerie est appelé à prendre des décisions qui vont entraîner des coûts de production importants pour l'entreprise pour laquelle il travaille. Il lui faut donc avoir le sens des responsabilités et une bonne éthique.

DÉFIS ET PERSPECTIVES

Pour être compétitif dans ce milieu, le diplômé doit maintenir à jour ses connaissances des dernières technologies et des méthodes de production utilisées dans les autres entreprises, estime Jean-Philippe Aubé, coordonnateur du programme de techniques de gestion de l'imprimerie au Cégep Beauce-Appalaches. «Le technicien devra régulièrement mettre à jour ses connaissances en ce qui a trait aux nouveaux procédés et aux nouveaux équipements de production, qui continueront d'évoluer considérablement au cours des prochaines années. Il devra également connaître les caractéristiques techniques d'outils plus informatisés et automatisés.» Posséder une excellente maîtrise de l'anglais permet de décrocher un emploi plus rapidement, ajoute Jean-Philippe Aubé. 03/03

HORAIRES ET MILIEUX DE TRAVAIL

• Les diplômés peuvent travailler dans les imprimeries, les ateliers de préimpression et de reliure et les maisons d'édition.

• L'horaire de travail des techniciens est généralement de 9 h à 17 h, mais peut aussi être de soir et de nuit chez certains imprimeurs.

Techniques de l'impression

Diplômé depuis peu, Sylvain Lécuyer est intarissable lorsqu'il s'agit de décrire le rôle du pressier. «J'adore ce métier! J'ai la chance de travailler pour l'imprimerie Quebecor de Sherbrooke, qui est spécialisée dans les impressions de haute qualité. C'est extrêmement valorisant d'achever une commande qui se rapproche de la perfection...»

PROG. 581.B0
PRÉALABLE : 0, VOIR PAGE 20

CHAMPS D'INTÉRÊT

- aime travailler avec des machines
- aime le travail technique et routinier
- aime manipuler, observer, vérifier
- aime le travail d'équipe
- accorde de la valeur à l'efficacité et à la qualité

APTITUDES

- habileté manuelle et rapidité
- sens des responsabilités, minutie et autonomie
- résistance au stress
- capacité à supporter facilement le bruit et les odeurs
- bon sens de l'observation

OFFRE DU PROGRAMME PAR RÉGIONS
Montréal

Pour connaître les établissements qui offrent ce programme : www.inforoutefpt.org

RÔLE ET TÂCHES

Sylvain Lécuyer raconte qu'il a fait ses études au cégep tout en travaillant dans une imprimerie 40 heures par semaine. Pour lui, c'était une chance. «Mon rythme de vie était plutôt soutenu, mais je ne le regrette pas, car ça m'a permis d'acquérir beaucoup d'expérience et d'être aujourd'hui deuxième pressier chez Quebecor, un poste convoité lorsqu'on sait que le grade le plus élevé est celui de premier pressier.»

Sur la presse à feuilles, son rôle est d'alimenter la machine en encres et de calibrer la position de la presse pour que les couleurs s'agencent parfaitement les unes par rapport aux autres. «Pour effectuer ce travail, il faut être à la fois minutieux et rapide, dit Sylvain. Les presses que j'utilise fournissent des produits de très grande qualité. On s'en sert notamment pour imprimer des affiches, des jeux de cartes ainsi que des documents qui possèdent une valeur monétaire comme les chèques ou les chèques-cadeaux. Je ne peux pas me permettre d'être approximatif, il faut toujours viser la perfection.» Pour atteindre ce but, le jeune homme examine attentivement les feuilles à la loupe. L'opération lui permet de traquer le moindre défaut de calibrage. Sur les grosses presses, Sylvain travaille au sein d'une équipe où les mandats sont bien définis. «Je supervise la personne chargée d'alimenter la presse en papier, explique-t-il. Il faut veiller à ne pas manquer de papier au beau milieu d'une impression. Je collabore également avec le premier pressier, dont le rôle est d'obtenir les teintes idéales pour le document. Nous devons tous être parfaitement synchronisés afin d'obtenir le meilleur rendement de la presse.» Avec les machines

	Salaire hebdo moyen	Proportion de dipl. en emploi	Emploi relié	Chômage	Nombre de diplômés
2004	482 $	85,7 %	83,3 %	14,3 %	9
2003	465 $	80,0 %	75,0 %	20,0 %	7
2002*	494 $	90,9 %	100,0 %	0,0 %	13

Statistiques tirées de la *Relance* - Ministère de l'Éducation. Voir données complémentaires, page 387.
* Données de l'ancien programme *Techniques d'impression* (581.04)

Comment interpréter l'information, page 19.

modernes commandées numériquement, de 50 à 60 % de son travail se fait à distance. C'est ainsi qu'il gère le positionnement des couleurs par ordinateur. Dans le métier, ce type de presse remplace progressivement les modèles entièrement manuels.

QUALITÉS RECHERCHÉES

Le travail du pressier exige une grande minutie dans son exécution. «Je suis un incorrigible perfectionniste, avoue Sylvain. Même si je sais que l'impression parfaite n'existe pas, je tente toujours de m'en rapprocher le plus possible.» Pour lui, rigueur n'est pas synonyme de lenteur dans ce métier. La rapidité est tout aussi importante, car elle permet de répondre aux impératifs de la production. «Ça prend des gens vifs et adroits pour travailler sur une presse qui passe 13 000 feuilles de 28 pouces sur 40 en une heure.» Le milieu de l'imprimerie exige aussi disponibilité et endurance.

Si les presses numériques n'ont pas encore supplanté les presses manuelles, elles se sont malgré tout beaucoup développées durant ces dernières années.

DÉFIS ET PERSPECTIVES

Si les presses numériques n'ont pas encore supplanté les presses manuelles, elles se sont malgré tout beaucoup développées durant ces dernières années. C'est ce qu'a constaté Benoît Pothier, coordonnateur du Département des technologies de l'impression au Collège Ahuntsic, le seul cégep à offrir le programme. Il ajoute qu'en revanche, les équipements traditionnels offset se sont de plus en plus automatisés. On y a ajouté des commandes numériques perfectionnées et performantes. Ces nouvelles technologies demandent évidemment des compétences accrues que doivent posséder les jeunes diplômés. «Grâce à notre partenariat avec l'Institut des communications graphiques du Québec, nos élèves ont accès à ces machines et arrivent encore mieux préparés sur le marché du travail.» Benoît Pothier souligne que les pressiers doivent aujourd'hui être en mesure de faire leurs ajustements à distance au moyen de l'ordinateur. Leur travail n'en est pas pour autant facilité, selon lui, puisqu'il leur faut sans cesse mettre à jour leurs connaissances et s'adapter aux changements qui touchent les logiciels. Pour sa part, Jean-François Desjardins, enseignant au Collège Ahuntsic, estime qu'il y a de la place sur le marché pour les deux technologies (offset et numérique), car chacune possède ses avantages. «De plus, l'impression offset mise beaucoup sur l'informatisation et la qualité d'impression de ses machines pour garder sa place.» 03/01 (mise à jour partielle 06/05)

Photo : Québecor Magog

HORAIRES ET MILIEUX DE TRAVAIL

- Les diplômés sont généralement embauchés comme pressiers.

- Ils peuvent aussi travailler comme représentants pour des imprimeurs ou des entreprises qui vendent des fournitures et des encres, être employés dans des services techniques pour diagnostiquer les pannes ou devenir estimateurs de devis.

- L'environnement de travail est difficile en raison du bruit, de la poussière, des odeurs d'encre ou de solvant.

- Le travail s'organise en rotation de jour ou de nuit et les travailleurs effectuent habituellement 12 heures consécutives.

Techniques de la documentation

C'est au comptoir de prêts de la bibliothèque de l'École secondaire Marcellin-Champagnat, à Saint-Athanase, que l'on peut rencontrer Marc Antoine Sauvé. Technicien en documentation, il oriente les élèves dans leurs recherches comme dans leur choix de livres.

PROG. 393.A0
PRÉALABLE : 0, VOIR PAGE 20

CHAMPS D'INTÉRÊT
• aime travailler avec le public
• aime travailler en équipe
• aime faire de l'animation auprès de clientèles variées
• aime la recherche, l'analyse et la synthèse de l'information

APTITUDES
• esprit méthodique et sens de l'organisation
• sens des responsabilités
• aisance avec les outils informatiques
• débrouillardise, polyvalence et autonomie
• habileté à communiquer

OFFRE DU PROGRAMME PAR RÉGIONS
Capitale-Nationale, Laurentides, Mauricie, Montréal, Outaouais

Pour connaître les établissements qui offrent ce programme : www.inforoutefpt.org

RÔLE ET TÂCHES

Rédaction sur la mondialisation, projet d'études sur le tigre du Bengale ou exposé oral sur la Seconde Guerre mondiale? Peu importe le sujet, Marc Antoine se fera un plaisir de guider l'élève dans sa recherche parmi les 13 000 livres et les 60 titres de revues que compte la bibliothèque scolaire. «J'assiste l'élève dans ses méthodes de recherche. Je lui propose, en premier lieu, de consulter notre banque de livres, ensuite les magazines, les encyclopédies, puis Internet.»

L'animation d'ateliers et la formation font aussi partie des activités que Marc Antoine met en place pour informer les élèves et les intéresser à la lecture. «Il peut s'agir de concevoir des ateliers expliquant le fonctionnement de la bibliothèque, par exemple, ou d'organiser des rencontres avec des conteurs et des écrivains.»

Si l'aide aux élèves demeure sa mission première, Marc Antoine s'assure aussi du bon fonctionnement de la bibliothèque avec l'aide d'une collègue, elle aussi technicienne en documentation. «Nous partageons cette responsabilité. Elle veille aux budgets et à l'achat des livres, pendant que je m'occupe principalement des magazines.»

En effet, lors de la réception des revues, le technicien s'assure que la commande est complète. Si ce n'est pas le cas, il procède à des réclamations auprès des différents distributeurs. Puis, il prépare les magazines à l'utilisation publique. C'est-à-dire qu'il les recouvre, les renforce et leur

	Salaire hebdo moyen	Proportion de dipl. en emploi	Emploi relié	Chômage	Nombre de diplômés
2004	534 $	85,3 %	79,6 %	6,5 %	90
2003	510 $	82,6 %	95,7 %	8,1 %	94
2002	497 $	79,7 %	78,8 %	15,7 %	97

Statistiques tirées de la *Relance* - Ministère de l'Éducation. Voir données complémentaires, page 387.

Comment interpréter l'information, page 19.

appose une étiquette de date de retour. Il s'occupe aussi de réparer les manuels, d'enregistrer les prêts et les retours de documents dans un système informatisé, d'informer les élèves de leurs retards et de remettre les livres empruntés sur les rayons.

QUALITÉS RECHERCHÉES

Le travail de Marc Antoine requiert une bonne dose d'organisation et de la rigueur. «C'est essentiel pour mener à bien les recherches, la classification des livres de la bibliothèque et par conséquent son bon fonctionnement.» L'accueil des usagers et l'écoute de leurs besoins sont aussi indispensables pour bien les diriger. «Il est important d'aimer travailler avec le public et de savoir établir de bonnes relations avec lui. La patience s'impose parfois auprès de certains élèves, mais aussi dans la recherche en elle-même, précise Marc Antoine. On peut facilement passer plusieurs heures avant de trouver une information.» La curiosité et la débrouillardise sont d'autres qualités essentielles au bon technicien en documentation.

> «Il est important d'aimer travailler avec le public et de savoir établir de bonnes relations avec lui.»
>
> — Marc Antoine Sauvé

DÉFIS ET PERSPECTIVES

Œuvrer activement au développement de bibliothèques scolaires et publiques afin d'améliorer l'offre de documentation, voilà un des défis qui attendent les techniciens. «On constate un manque important de ressources dans les bibliothèques, explique Mario Goupil, responsable du programme de techniques de la documentation au Collège François-Xavier-Garneau de Québec. Le technicien doit s'impliquer pour tenter de trouver des subventions et développer des activités d'animation afin d'amener les gens à lire et à utiliser davantage les bibliothèques.»

Photo : Collège François-Xavier-Garneau

Avec l'avènement de l'informatique, les techniciens doivent également développer des méthodes de travail adaptées à la gestion des documents électroniques, note M. Goupil. Pour les techniciens intéressés par la gestion de documents administratifs, un certificat universitaire en archivistique peut se révéler un complément de formation intéressant, ajoute le responsable du programme. «Certains diplômés le font après s'être trouvé un emploi dans ce secteur afin d'améliorer leurs chances de promotion. Un technicien responsable d'un centre de documentation peut également s'inscrire à un certificat en gestion des ressources humaines.» 03/03

HORAIRES ET MILIEUX DE TRAVAIL

• Les diplômés peuvent travailler auprès des bibliothèques, des centres de documentation d'entreprises et d'associations, des centres d'archives, des librairies et des photothèques.

• En général, les techniciens travaillent de jour, 40 heures par semaine. Cependant, certains sont appelés à travailler le soir et la fin de semaine selon les besoins de la clientèle desservie, comme dans les bibliothèques municipales, collégiales et universitaires.

Techniques de muséologie

C'est le hasard qui a amené Marie-Ève Bertrand en techniques de muséologie. Le côté artistique de la profession, ajouté à son penchant pour les tâches manuelles, ont fait le reste. Depuis l'obtention de son diplôme en 1998, elle travaille au prestigieux Centre canadien d'architecture (CCA) de Montréal.

PROG. 570.B0
PRÉALABLE : 0, VOIR PAGE 20

CHAMPS D'INTÉRÊT
• pour les arts et le secteur culturel
• aime travailler avec des matériaux (bois, carton, plastique, etc.)
• aime manipuler et conserver des articles de collection
• aime fabriquer (supports, boîtes, emballages, etc.) et se servir d'outils

APTITUDES
• polyvalence
• grande dextérité manuelle
• sens du respect et de la protection des articles de collection
• flexibilité et capacité de travailler en équipe
• minutie et créativité

OFFRE DU PROGRAMME PAR RÉGIONS
Laval

Pour connaître les établissements qui offrent ce programme : **www.inforoutefpt.org**

RÔLE ET TÂCHES

Lors de son stage au service des archives de collections du CCA, Marie-Ève s'est retrouvée sous la supervision d'un technicien. «On s'occupait de l'emballage et du déballage d'œuvres d'art. Dans une base de données, on inscrivait la description de chacune des œuvres qui passaient entre nos mains», dit la jeune femme. Ils étaient aussi chargés du déplacement des œuvres dans le CCA ou de leur encaissage, si elles étaient entreposées à l'extérieur du centre. Les deux collègues manipulaient autant les œuvres des quatre différentes collections du CCA que celles des expositions qui s'y tenaient. Après son stage, Marie-Ève s'est frayé un chemin dans les dédales du CCA jusqu'au poste qu'elle occupe au service des archives, soit celui d'adjointe à l'enregistrement de la collection. Un poste pour lequel elle vient d'obtenir sa permanence. «Nous sommes peu de diplômés à bénéficier d'un emploi stable. Ce n'est facile pour personne dans ce domaine. Au moins 75 % des gens travaillent à forfait», déplore la jeune femme. Des maquettes, des photographies, des dessins et des documents textuels sont entreposés à son service. «Mon rôle est de protéger matériellement les œuvres qui sont sous ma responsabilité, explique-t-elle. Je mets à plat les dessins qui arrivent en rouleaux, je place les photos dans des pochettes de plastique, je range les maquettes et documents textuels dans des contenants non acides afin de bien les conserver.»

Marie-Ève s'occupe également d'aller cueillir des archives chez les architectes donataires. Parallèlement à tout ça, elle est chargée de

	Salaire hebdo moyen	Proportion de dipl. en emploi	Emploi relié	Chômage	Nombre de diplômés
2004	356 $	54,5 %	40,0 %	14,3 %	15
2003	491 $	68,8 %	90,0 %	15,4 %	23
2002	N/D	N/D	N/D	N/D	1

Statistiques tirées de la *Relance* - Ministère de l'Éducation. Voir données complémentaires, page 387.

Comment interpréter l'information, page 19.

numéroter les documents d'archives, d'en faire une description et d'entrer le tout dans une base de données. Elle s'assure ensuite d'être en mesure de les localiser dans les trois entrepôts réservés à cette fin, car lorsque des chercheurs demandent à consulter ces documents, c'est elle qui doit les leur procurer. «Je suis comme la mémoire du service, dit-elle. Je dois savoir où est chaque œuvre.» Grande responsabilité si l'on considère que le service compte 500 000 dessins, 50 000 documents photographiques, 300 maquettes et 700 mètres linéaires de documents textuels!

QUALITÉS RECHERCHÉES

Le travail de Mariè-Ève requiert une bonne dose d'autonomie et un sens aigu des responsabilités. «Si tu as un Rodin entre les mains, tu ne niaises pas avec ça!» dit Marie-Ève en riant. Le diplômé doit aussi s'intéresser de près aux biens culturels, à leur conservation et à leur mise en valeur dans le respect de leur intégrité. Il est également utile d'avoir le souci du travail bien fait et de posséder une excellente dextérité, car les tâches à exécuter exigent minutie et précision. Michel Huard, coordonnateur du programme de techniques de muséologie, estime que la polyvalence est essentielle lorsqu'on travaille dans ce domaine. «Le diplômé assume plusieurs tâches, explique-t-il. Il peut participer à un montage d'exposition, faire du catalogage, prendre la photo d'un objet de collection, faire un devis ou, même, couper du bois sur un "banc de scie"…» Des aptitudes pour l'analyse et la synthèse ainsi qu'une certaine facilité à résoudre les problèmes sont d'autres talents recherchés. La créativité et l'imagination sont aussi demandées.

DÉFIS ET PERSPECTIVES

Le Collège Montmorency est le seul établissement à donner le programme de techniques de muséologie. Deux voies s'offrent aux personnes qui sortent de ce programme : travailler dans les institutions ou pour leur propre compte. «On va de plus en plus vers la numérisation des collections, dit Michel Huard. Cela va prendre davantage d'importance au cours des prochaines années.» Voilà un défi que les diplômés auront à relever. 03/01

> «Si tu as un Rodin entre les mains, tu ne niaises pas avec ça!»
>
> — Marie-Ève Bertrand

HORAIRES ET MILIEUX DE TRAVAIL

• Les employeurs principaux sont les musées, les centres d'exposition, les sites ou parcs historiques, les centres d'interprétation, les centres d'archives, les galeries d'art, les entreprises privées et les centres de documentation.

• Dans ce milieu, les employés travaillent généralement de 9 h à 17 h et sont embauchés sous contrat.

DEC

Techniques de production télévisuelle et de postproduction (Production télévisuelle)*

Maxime Théorêt porte plusieurs chapeaux. Il est réalisateur, cadreur et monteur pour l'émission *Évasion quotidienne*, au canal Évasion. «C'est pour moi une passion. J'ai eu la piqûre très jeune. Mon père était réalisateur. Son métier et le monde du spectacle me fascinaient. En première année, caméra à la main, je tournais déjà des films avec mes amis.»

PROG. 589.AO
PRÉALABLE : 0, VOIR PAGE 20

CHAMPS D'INTÉRÊT
• aime la télévision et les médias
• aime manipuler des appareils (son ou image)
• aime les contacts humains et le travail d'équipe

APTITUDES
• esprit vif et méthodique
• bonne faculté de concentration
• capacité de gérer une équipe de travail
• vitesse d'exécution
• bonne condition physique

OFFRE DU PROGRAMME PAR RÉGIONS
Saguenay–Lac-Saint-Jean

RÔLE ET TÂCHES

Le réalisateur est en quelque sorte le directeur de l'équipe de production. Il est responsable de la conception d'une émission, de sa structuration (choix du type de tournage, décors, angles, présence ou non de figurants, etc.) et de la production proprement dite. Un vrai chef d'orchestre!

Maxime est réalisateur, cadreur et monteur pour les tournages extérieurs de l'émission *Évasion quotidienne*, qui fait découvrir aux téléspectateurs des lieux où l'on peut s'adonner à des loisirs. «De concert avec le chroniqueur, nous décidons du contenu de la capsule à partir des résumés fournis par les recherchistes. Une fois sur place, je dois faire un choix des lieux et des angles de tournage. En plus de filmer, je dois m'assurer qu'à la fin du tournage, j'ai en main tout le matériel nécessaire [images, renseignements, etc.] pour le montage du topo. Ensuite, je fais le tri et je garde ce qui est le plus pertinent.»

La formation qu'a suivie Maxime mène à des emplois relatifs à la coordination et à l'encadrement d'une émission (directeur de production, coordonnateur de production, assistant à la réalisation, assistant de production, régisseur) ou à des postes liés à la production proprement dite (cadreur, éclairagiste, preneur de son, perchiste, aiguilleur, technicien de production). Maxime, lui, a d'abord fait ses armes comme monteur, puis cadreur, avant de décrocher son emploi actuel.

Pour connaître les établissements qui offrent ce programme : **www.inforoutefpt.org**

	Salaire hebdo moyen	Proportion de dipl. en emploi	Emploi relié	Chômage	Nombre de diplômés
2004	496 $	84,0 %	61,4 %	8,7 %	103
2003	553 $	81,0 %	80,0 %	8,9 %	98
2002	N/D	N/D	N/D	N/D	N/D

Statistiques tirées de la *Relance* - Ministère de l'Éducation. Voir données complémentaires, page 387.

Comment interpréter l'information, page 19.

QUALITÉS RECHERCHÉES

Une main de fer dans un gant de velours : voilà qui résume le travail du réalisateur. «Il faut savoir gérer et diriger le travail de plusieurs personnes, avoir du leadership et mettre de l'avant ses idées, tout en restant ouvert à celles d'autrui. C'est un travail d'équipe avec les chroniqueurs, recherchistes, monteurs, cadreurs et tous les assistants. Il faut faire preuve de diplomatie, mais en bout de ligne, la décision finale me revient.»

Par ailleurs, la créativité et l'originalité sont des qualités essentielles pour traiter un sujet sous un angle nouveau. La vivacité d'esprit, la vitesse d'exécution et une saine gestion du stress demeurent également indispensables. Une bonne condition physique est de mise, puisque le travail s'effectue souvent debout et peut nécessiter le transport d'équipements de tournage. La dextérité manuelle est importante, en particulier si l'on occupe des fonctions techniques (cadreur, monteur).

> «Travailleurs autonomes, les diplômés doivent apprendre à planifier, et mettre de l'argent de côté pour les périodes moins occupées, les impôts et leur retraite.»
>
> — Jean Fortin

DÉFIS ET PERSPECTIVES

Les diffuseurs produisent de moins en moins d'émissions, car il est plus économique de confier cette tâche à des maisons de production, affirme Jean Fortin, coordonnateur du Département de techniques de production télévisuelle et de postproduction, au Cégep de Jonquière.

Cela a pour conséquence de favoriser le travail à la pige – la norme dans les maisons de production –, au détriment de postes salariés et d'horaires réguliers. «Les diplômés doivent être capables de s'adapter à ce rythme de vie. Il n'est pas rare que l'on ne travaille que 30 semaines par an, mais à raison de 80 heures hebdomadaires...» Dans ce contexte, l'un des principaux défis est la gestion des finances personnelles, met en garde Jean Fortin. «Travailleurs autonomes, les diplômés doivent apprendre à planifier, et mettre de l'argent de côté pour les périodes moins occupées, les impôts et leur retraite.»

Enfin, M. Fortin remarque qu'il faut maintenir ses connaissances à jour, car les progrès technologiques font évoluer les équipements (caméras, tables de montage, etc.). 02/05

* Ce programme offre aussi l'option *Postproduction télévisuelle.*

HORAIRES ET MILIEUX DE TRAVAIL

- En début de carrière, il faut être prêt à travailler en tout temps. Dans les maisons de production indépendantes, on embauche des pigistes à forfait. Les diplômés peuvent être en disponibilité et travailler les jours, soirs et week-ends, voire la nuit. Les emplois de jour, suivant un horaire régulier, sont plus courants chez les grands diffuseurs généralistes. Certains travailleurs des chaînes spécialisées sont en rotation (ils travaillent trois journées de 12 heures par semaine, suivies de quatre jours de congé).

- Les diplômés travaillent pour les grands diffuseurs, généralistes et spécialisés, mais surtout pour les maisons de production indépendantes et les maisons de postproduction.

- Les tournages extérieurs s'effectuent parfois dans des conditions difficiles (froid, canicule, etc.).

Techniques d'animation 3D et de synthèse d'images

Au cinéma, il y a de la fumée sans feu. Ou du feu sans fumée. Tout ça, grâce aux diplômés en techniques d'animation 3D et de synthèse d'images.

PROG. 574.B0
PRÉALABLE : 0, VOIR PAGE 20

RÔLE ET TÂCHES

Selon Pierre Grenier, coordonnateur du Département d'animation au Cégep du Vieux Montréal, presque tous les films intègrent maintenant des effets quasi indétectables. «Il suffit que le réalisateur n'ait pas trouvé le reflet dans la bouilloire assez convaincant pour qu'il en fasse générer un par ordinateur.»

Véritables artistes, les diplômés de ce programme ont pour rôle de produire des séquences animées d'après une commande précise. «On peut prendre un film normal et y ajouter un personnage, une créature, un effet, de la fumée ou des flammes. À l'inverse, on peut aussi incruster des personnages réels dans un décor généré par ordinateur», explique Pierre Grenier.

Une semaine de travail typique commence par une réunion durant laquelle un réalisateur explique à une équipe d'animateurs ce qu'il recherche pour une scène en particulier. Les membres de l'équipe se partageront ensuite les éléments d'animation à produire, puis le fruit du travail de chacun sera graduellement intégré dans un tout.

DÉFIS ET PERSPECTIVES

Le principal défi? «Respecter les délais de production, déclare Pierre Grenier. Les dates de livraison sont toujours un cauchemar dans ce domaine.» Par ailleurs, s'il faut constamment suivre l'évolution des outils informatiques, il faut aussi composer avec les limites des ordinateurs qui, contrairement à ce que l'on a tendance à croire, ne peuvent pas encore tout faire.

À court terme, le mariage animation 3D et prises de vues réelles devrait devenir la norme. À plus long terme, le domaine de la simulation (de vols, de combats, de situations d'urgence, etc.) devrait connaître une évolution. 05/03

HORAIRES ET MILIEUX DE TRAVAIL

• Les productions qui requièrent les services des animateurs sont les films, les téléfilms, les séries télé, les documentaires, les sites Internet, les cédéroms, les jeux vidéo.

• Le milieu de travail est souvent un studio à aires ouvertes, où les employés sont assez jeunes et où règne un climat de création stimulant.

• Le respect des échéanciers exige souvent des heures supplémentaires.

OFFRE DU PROGRAMME PAR RÉGIONS : Montréal
Pour connaître les établissements qui offrent ce programme : **www.inforoutefpt.org**

	Salaire hebdo moyen	Proportion de dipl. en emploi	Emploi relié	Chômage	Nombre de diplômés
2004	N/D	N/D	N/D	N/D	N/D
2003	N/D	N/D	N/D	N/D	N/D
2002	N/D	N/D	N/D	N/D	N/D

Statistiques tirées de la *Relance* - Ministère de l'Éducation. Voir données complémentaires, page 387.

Comment interpréter l'information, page 19.

Animation 3D

À la fin de ce programme, l'étudiant sera en mesure d'accomplir toutes les tâches liées au métier d'animateur 3D. En plus de développer des habiletés pour le travail d'équipe et la communication, il sera en mesure d'animer les personnages et les objets compris dans un jeu, en tenant compte des contraintes de temps réel. L'étudiant réalisera des séquences animées dans le respect des principes d'animation et avec la préoccupation de créer des animations vivantes et crédibles.

Modélisation 3D

À la fin de ce programme, l'étudiant sera en mesure d'accomplir toutes les tâches liées au métier de modeleur 3D. En plus de développer des habiletés pour le travail d'équipe et la communication, il sera en mesure de modéliser les différents objets, personnages, lieux et environnements compris dans un jeu, en tenant compte des contraintes de temps réel propres au genre.

Conception et réalisation de niveaux de jeux

À la fin de ce programme, l'étudiant sera en mesure d'accomplir toutes les tâches liées au métier de designer de niveaux de jeux (level designer). Il sera en mesure de concevoir les différents éléments du gameplay en conformité avec les indications fournies par le design de jeu (game design) et le scénario du jeu.

Techniques d'intégration multimédia

Dès qu'il a décroché son diplôme d'études collégiales (DEC) en techniques d'intégration multimédia, Jean-Michel Cotton a été engagé chez Azentic Communication, une entreprise spécialisée en production multimédia située à Gaspé. Comblé, il adore son travail, surtout pour la diversité des tâches qu'il doit accomplir.

PROG. 582.A1
PRÉALABLE : 0, VOIR PAGE 20

CHAMPS D'INTÉRÊT
• aime créer à partir d'un besoin précis
• aime imaginer et innover
• aime travailler en équipe, dans un milieu hautement informatisé et créatif
• s'intéresse au développement de la technologie dans le domaine du multimédia

APTITUDES
• facilité à visualiser les concepts abstraits; créativité
• débrouillardise, polyvalence et autonomie
• grande aisance avec les outils informatiques (dont Internet)
• facilité à communiquer et à travailler en équipe

OFFRE DU PROGRAMME PAR RÉGIONS
Bas-Saint-Laurent, Capitale-Nationale, Laurentides, Mauricie, Montérégie, Montréal, Outaouais, Saguenay—Lac-Saint-Jean

Pour connaître les établissements qui offrent ce programme : **www.inforoutefpt.org**

RÔLE ET TÂCHES

Jean-Michel a eu la piqûre pour l'intégration multimédia alors qu'il était inscrit au programme collégial en art et technologie des médias (aujourd'hui *Techniques de communication dans les médias*). «En créant quelques produits médiatiques sur ordinateur [pages Web, publicités], j'ai compris que c'était ça qui m'attirait», explique-t-il. Il a donc par la suite suivi le DEC en techniques d'intégration multimédia. Aujourd'hui programmeur et intégrateur de sites Internet, le jeune diplômé participe aussi à la production de cédéroms.

Concrètement, son travail consiste à réunir plusieurs éléments médias (vidéo, son, photo, animation) et à les combiner pour en faire une application multimédia. Il peut, par exemple, construire une animation Flash, créer un cédérom ou un site Web en fonction d'objectifs précis, comme la diffusion d'information sur un événement ou une entreprise. Ses outils de travail sont des logiciels spécialisés, comme Dreamweaver, Flash et Director.

L'emploi du temps de Jean-Michel est très varié. «Au cours de la journée, je procède à l'intégration des différents éléments multimédias et je fais de la programmation pour rendre le résultat interactif, mais il faut aussi répondre aux exigences des clients qui appellent pour demander qu'on apporte une modification à leur produit ou pour signaler un problème [une image qui ne s'affiche pas correctement dans une animation, par exemple]», précise-t-il.

QUALITÉS RECHERCHÉES

À cheval entre le graphisme (la création visuelle) et l'informatique (la programmation), l'intégration multimédia requiert une grande polyvalence

	Salaire hebdo moyen	Proportion de dipl. en emploi	Emploi relié	Chômage	Nombre de diplômés
2004	494 $	60,6 %	77,4 %	4,8 %	132
2003	469 $	62,3 %	67,6 %	8,5 %	86
2002	617 $	68,8 %	100,0 %	15,4 %	19

Statistiques tirées de la *Relance* - Ministère de l'Éducation. Voir données complémentaires, page 387.

Comment interpréter l'information, page 19.

et la capacité d'œuvrer au sein d'une équipe multidisciplinaire. «Nous travaillons en étroite collaboration avec les directeurs artistiques et les graphistes. Ils conçoivent le visuel, moi je m'occupe de l'aspect technique», souligne Jean-Michel.

Le souci du détail et la minutie sont indispensables, car on doit offrir aux clients un produit de qualité. La capacité de gérer son stress est également un atout lorsque les échéanciers sont serrés.

Les diplômés en techniques d'intégration multimédia sont recherchés par les employeurs, qui apprécient leur autonomie et leur excellente connaissance du processus de production.

DÉFIS ET PERSPECTIVES

«Les techniques et les outils utilisés sont en constante évolution, ce qui demande aux intégrateurs d'être toujours à l'affût des changements et de constamment tenir leurs connaissances à jour», souligne Sylvain Lamoureux, coordonnateur du programme *Techniques d'intégration multimédia* au Cégep de Sainte-Foy. Trouver rapidement des solutions à des problèmes complexes se révèle parfois ardu, étant donné les nombreux paramètres techniques dont il faut tenir compte. «Satisfaire les clients est un autre défi, poursuit le coordonnateur. Les intégrateurs doivent répondre à une commande et se détacher de leurs goûts personnels.»

Les perspectives s'annoncent favorables, souligne Sylvain Lamoureux. «Actuellement et pour les prochaines années, les sites Web des organismes gouvernementaux auront un grand besoin d'uniformisation parce qu'ils devront se conformer aux standards Web mondiaux en matière d'accessibilité.»

Photo : Cégep de Sainte-Foy

Par ailleurs, les diplômés en techniques d'intégration multimédia sont recherchés par les employeurs, qui apprécient leur autonomie et leur excellente connaissance du processus de production (planification, réalisation et test des produits). «Les employeurs sont souvent étonnés de voir tout ce que les jeunes sont en mesure de faire après trois années d'études au cégep», précise le coordonnateur. L'expérience aidant, les diplômés peuvent aussi aspirer à devenir directeurs artistiques ou chargés de projets en programmation. 02/05

HORAIRES ET MILIEUX DE TRAVAIL

- Les intégrateurs multimédias travaillent généralement le jour, dans un bureau, mais les heures supplémentaires le soir et la fin de semaine sont à prévoir lorsque les échéanciers sont serrés.
- Les entreprises de production multimédia de toutes tailles embauchent ces spécialistes.
- Les intégrateurs multimédias trouvent aussi des emplois à temps partiel ou à temps plein dans de grandes entreprises œuvrant dans différents domaines. Ils y assurent notamment la mise à jour de sites Internet.
- L'entrepreneuriat et le travail à la pige sont répandus.

MÉCANIQUE D'ENTRETIEN

Le ministère de l'Éducation du Québec (MEQ) classe dans cette catégorie un seul programme de la formation collégiale technique, soit *Technologie de maintenance industrielle*. Selon la Direction générale des programmes et du développement du MEQ, ce programme faisait partie du Top 50 des formations offrant les meilleures perspectives d'emploi en 2004. L'enquête *La Relance au collégial en formation technique*, publiée par le MEQ la même année, révélait d'ailleurs qu'au-delà de 80 % des diplômés de 2002-2003 étaient en emploi et que 98 % d'entre eux occupaient des postes à temps plein.

Sur le marché du travail, les technologues de maintenance industrielle se distinguent par la polyvalence de leur formation. Ils ont des connaissances en mécanique, en électricité et en électronique de même qu'en pneumatique et en systèmes automatisés. Cela leur permet d'évoluer dans diverses entreprises du secteur manufacturier. Les principales industries qui les recrutent sont la plasturgie, l'aérospatiale, la métallurgie, les télécommunications et la construction. Les entreprises de transformation alimentaire et les usines de textile offrent aussi des débouchés. Fortement tributaires de la conjoncture économique nationale ou internationale, ces industries ne sont toutefois jamais à l'abri d'un ralentissement.

Enfin, les possibilités d'avancement sont nombreuses pour les diplômés. Lorsqu'ils acquièrent de l'expérience, ils peuvent devenir responsables de projet ou contremaîtres de l'entretien de la machinerie. 03/05

CHAMPS D'INTÉRÊT

- aime observer, analyser et résoudre des problèmes pratiques
- aime démonter, réparer et remonter des objets, des mécanismes et des appareils
- aime le travail manuel
- accorde de la valeur à la qualité et à l'efficacité de son travail

APTITUDES

- dextérité, acuité et mémoire visuelles
- sens de l'observation et concentration
- facilité d'apprentissage intellectuel et technique
- faculté d'analyse et esprit logique
- discernement et ingéniosité
- esprit rigoureux et méthodique

LE SAVIEZ-VOUS ————— ?

C'est en Montérégie que se trouve la plus forte proportion de technologues de maintenance industrielle de la province, soit 23,5 %. Montréal figure au deuxième rang, avec 11 % de ces travailleurs.

Source :
Site Emploi-Avenir Québec de Ressources humaines et Développement des compétences Canada.

RESSOURCES INTERNET

MINISTÈRE DE L'ÉDUCATION DU QUÉBEC – SECTEURS DE FORMATION
http://www.meq.gouv.qc.ca/ens-sup/ens-coll/program/ProgEtab.asp?vToken=s140
Vous trouverez sur cette page une description des programmes de ce secteur de formation, comprenant, pour chacun, les exigences d'admission, les objectifs de formation et une liste d'établissements d'enseignement.

ORDRE DES TECHNOLOGUES PROFESSIONNELS DU QUÉBEC
http://www.otpq.qc.ca
Ce site vous permet de mieux comprendre le rôle que jouent les technologues dans les industries québécoises.

TECHNOLOGIE DE MAINTENANCE INDUSTRIELLE
http://www.meq.gouv.qc.ca/ens-sup/ens-coll/cahiers/program/241D0.asp
Un aperçu du programme comprenant les objectifs de la formation, la liste des cours offerts et les perspectives professionnelles.

Technologie de maintenance industrielle

«Mon métier, c'est l'assistance et le conseil. Lorsqu'une machine fonctionne mal, c'est moi qu'on appelle.» C'est ainsi que Robert Leclerc définit son travail. Diplômé en maintenance industrielle, l'homme a mis son expérience au service d'Engrenage provincial, une compagnie qui distribue des produits hydrauliques.

PROG. 241.DO
PRÉALABLES : 12, 40, VOIR P. 20

CHAMPS D'INTÉRÊT
- aime travailler sur de la machinerie
- aime la physique (mécanique, électricité)
- aime le travail manuel et le travail d'équipe
- aime résoudre des problèmes concrets et innover

APTITUDES
- curiosité, polyvalence et débrouillardise
- habileté manuelle et facilité pour les sciences (physique, math)
- excellent sens de l'observation et bonne mémoire visuelle
- sens de la méthode et minutie

OFFRE DU PROGRAMME PAR RÉGIONS
Abitibi-Témiscamingue, Bas-Saint-Laurent, Chaudière-Appalaches, Côte-Nord, Estrie, Gaspésie–Îles-de-la-Madeleine, Mauricie, Montréal

Pour connaître les établissements qui offrent ce programme : **www.inforoutefpt.org**

RÔLE ET TÂCHES

Les technologues en maintenance industrielle travaillent à l'entretien et à la réparation de la machinerie spécialisée, principalement utilisée dans les usines et les manufactures. «Mais mon rôle est encore plus large que cela, explique Robert. En plus de l'assistance technique, je fournis des conseils à nos clients et je leur vends des produits. Nous distribuons des composants de systèmes hydrauliques, comme des valves ou des pompes, qui servent à fabriquer ou à réparer de nombreuses machines.»

Lorsqu'il vend de nouveaux produits à ses clients et que ceux-ci les utilisent pour la première fois, Robert fait ce que l'on appelle de l'assistance au démarrage. C'est-à-dire qu'il va rencontrer le client avec la documentation adéquate pour lui expliquer comment cela fonctionne. Il donne alors une formation de base au mécanicien ou à l'opérateur qui utilise et entretient la machine. Les compétences de Robert sont également mises à contribution lorsqu'une machine est en panne ou ne fonctionne pas correctement. «Je reçois une vingtaine d'appels par jour concernant ce type de problème. La plupart du temps, je connais bien le client et ses équipements, alors je suis en mesure de le guider par téléphone dans les étapes du dépannage.» Si le problème se révèle trop complexe, Robert se rend lui-même chez le client. «J'étudie le schéma hydraulique et, avec mon équipement, je vérifie la pression et le débit. Il me faut être à l'aise dans plusieurs domaines pour poser le bon diagnostic, car je dois aussi bien vérifier l'aspect hydraulique que les systèmes mécanique, électrique ou pneumatique.

	Salaire hebdo moyen	Proportion de dipl. en emploi	Emploi relié	Chômage	Nombre de diplômés
2004	687 $	80,3 %	75,0 %	8,1 %	93
2003	771 $	71,4 %	93,8 %	12,3 %	101
2002	687 $	71,9 %	84,1 %	13,2 %	84

Statistiques tirées de la *Relance* - Ministère de l'Éducation. Voir données complémentaires, page 387.

Comment interpréter l'information, page 19.

Une fois que j'ai isolé la composante défectueuse, il ne reste plus qu'à la remplacer ou à la réparer.»

QUALITÉS RECHERCHÉES

Robert Leclerc insiste sur l'importance de la polyvalence lorsqu'on exerce ce métier. «Les machines sont de plus en plus sophistiquées et nécessitent un large champ de compétences dans tous les domaines de la mécanique, dit-il. Il faut aussi être très curieux et vouloir sans cesse apprendre.» Le sens des responsabilités est, à son avis, une des qualités appréciées. «Lorsqu'une panne paralyse toute la production, c'est sur toi que l'on compte pour la faire démarrer à nouveau.» L'habileté manuelle est aussi bien utile. Elle doit s'accompagner d'un bon sens de l'observation, permettant de détecter rapidement les problèmes. «On finit par avoir le coup d'œil pour repérer les mécanismes anormaux. Tous les sens travaillent et sont en alerte. Une pièce plus chaude que la normale, c'est déjà un indice.»

Les technologues en maintenance industrielle travaillent à l'entretien et à la réparation de la machinerie spécialisée, principalement utilisée dans les usines et les manufactures.

DÉFIS ET PERSPECTIVES

«La maintenance industrielle est un secteur très prometteur, affirme Daniel Légaré, coordonnateur du Département de mécanique au Cégep de Lévis-Lauzon. Toutes les usines, toutes les compagnies manufacturières, tous les sites où l'on transforme des produits utilisent des machines. Plus la conjoncture économique est bonne, plus nous produisons et avons besoin de machines. Plus nous avons de machines, plus elles tombent en panne et requièrent des gens qualifiés pour les réparer.» La pénurie de technologues incite ceux-ci à se diriger en priorité vers les grandes entreprises qui offrent souvent les meilleurs salaires. «Le vrai défi de ces jeunes consiste à aller plutôt du côté des moyennes entreprises. Malgré qu'elles offrent des salaires moindres, elles donnent beaucoup de responsabilités à leurs technologues. On leur propose des tâches variées qui mettent à profit leur grande polyvalence plutôt que de les garder cantonnés dans des tâches très spécialisées et plus routinières.» M. Légaré poursuit en faisant remarquer que les possibilités d'avancement sont également plus rapides dans les petites structures, où les diplômés peuvent très vite avoir la charge d'une équipe de travail, devenir contremaîtres ou faire de la planification d'entretien. 03/01

HORAIRES ET MILIEUX DE TRAVAIL

- Les diplômés peuvent trouver du travail auprès des compagnies qui fabriquent, distribuent ou utilisent des machines industrielles.

- Ils travaillent à la gestion de l'entretien, à la planification ou font du travail de bureau.

- L'environnement de travail, en exploitation, est souvent bruyant.

- Le travail se fait généralement de jour, selon des horaires réguliers.

- En dépannage d'urgence, il est possible de travailler sur appel 24 heures sur 24.

MINES ET TRAVAUX DE CHANTIER

Propulsée par l'augmentation du prix des minéraux, l'exploration minière en territoire québécois a connu une croissance exceptionnelle de 52 % en 2004 par rapport à 2003. Cette progression devrait se poursuivre dans les années à venir. Le secteur du diamant, en particulier, vit une effervescence sans précédent : en 2004, les investissements pour l'exploration s'y sont élevés à 27 millions de dollars.

En raison de ce nouvel engouement, mais aussi à cause du vieillissement de sa main-d'œuvre, l'industrie minière fait face à un problème de recrutement. L'Association minière du Québec estime que dans certaines régions minières, plus de 40 % des travailleurs prendront leur retraite d'ici à 2009. Par ailleurs, engagé sur la voie de la modernisation des équipements, ce secteur sollicitera de plus en plus de travailleurs spécialisés, capables de suivre l'évolution technologique. Une situation qui favorise les diplômés des programmes de formation collégiale technique *Exploitation, Géologie appliquée* et *Minéralurgie*.

Les entreprises minières du Québec se concentrent principalement dans les activités d'exploration et de production de substances métalliques (or, cuivre, diamant, zinc, minerai de fer), de minéraux industriels (amiante, sel) et de matériaux de construction (ciment, produits d'argile, pierre). Elles sont présentes un peu partout dans la province, mais principalement dans le nord (Abitibi-Témiscamingue, Côte-Nord et Nord-du-Québec). Le travail dans les mines réclame donc beaucoup de mobilité, d'autant plus que l'exploration s'effectue dans des territoires situés toujours plus au nord. 03/05

CHAMPS D'INTÉRÊT

- aime se dépenser physiquement
- aime faire fonctionner de la machinerie ou des systèmes informatiques
- aime participer à un travail en équipe
- accorde de la valeur à la qualité et à l'efficacité de son travail

APTITUDES

- dextérité, rigueur et précision
- acuité et mémoire visuelles, sens de l'observation
- excellente coordination et excellents réflexes
- vigilance, discernement et capacité à respecter des règlements de sécurité
- grande capacité de travail et de collaboration

LE SAVIEZ-VOUS ?

Outre l'effervescence du domaine du diamant à la Baie-James, on assiste au développement du marché de l'or et du zinc en Abitibi ainsi que du nickel dans la région de l'Ungava.

Source :
Les carrières d'avenir 2005,
Les Éditions Jobboom.

RESSOURCES INTERNET

**MINISTÈRE DE L'ÉDUCATION DU QUÉBEC –
SECTEURS DE FORMATION**
http://www.meq.gouv.qc.ca/ens-sup/ens-coll/program/ProgEtab.asp?vToken=s150
Vous trouverez sur cette page une description des programmes de ce secteur de formation, comprenant, pour chacun, les exigences d'admission, les objectifs de formation et une liste d'établissements d'enseignement.

**CONSEIL CANADIEN D'ADAPTATION ET
DE FORMATION DE L'INDUSTRIE MINIÈRE**
http://www.mitac.ca
Découvrez dans ce site les orientations du Conseil, le profil de l'industrie minière au Canada de même qu'une banque d'emplois.

**MINISTÈRE DES RESSOURCES NATURELLES ET
DE LA FAUNE DU QUÉBEC**
http://www.mrn.gouv.qc.ca
Ce site trace un profil détaillé de l'industrie minière québécoise. Vous y trouverez des dossiers sur le diamant, le potentiel minéral du Québec et les titres miniers.

Exploitation

Depuis sa tendre jeunesse, Nathaniel Chouinard collectionne des roches et des minéraux. Aujourd'hui, il est coordonnateur en fosses et environnement pour Stratmin graphite inc., une entreprise spécialisée dans la production de graphite naturel destiné, en grande partie, au secteur automobile.

PROG. 271.02
PRÉALABLES : 11, 20, VOIR P. 20

CHAMPS D'INTÉRÊT

- aime travailler en équipe
- aime observer, manipuler, analyser, contrôler
- aime utiliser un ordinateur
- aime calculer et dessiner (cartographie)

APTITUDES

- résistance physique et grande faculté d'adaptation (sous terre, bruit, poussière, boue, risques; horaire variable)
- esprit d'équipe
- sens de l'observation, de la précision et de l'analyse
- habileté en mathématiques et avec l'informatique
- bonne perception spatiale

OFFRE DU PROGRAMME PAR RÉGIONS
Abitibi-Témiscamingue, Chaudière-Appalaches

Pour connaître les établissements qui offrent ce programme : www.inforoutefpt.org

RÔLE ET TÂCHES

L'une des tâches de Nathaniel consiste à évaluer minutieusement l'environnement des sites désignés pour l'exploitation. Par la suite, c'est lui qui doit s'assurer du respect des différentes normes environnementales, soit celles édictées par le gouvernement fédéral et les autres, promulguées par les autorités provinciales. Il collabore activement aux démarches nécessaires à l'obtention de permis d'exploitation. «La roche acheminée à l'usine doit être composée à 5 ou 6 % de graphite, explique-t-il. On doit donc s'assurer que le site pourra répondre aux besoins de l'entreprise.» Après son arrivée à l'usine, le minerai sera réduit en granules de graphite naturel et ensuite exporté vers les États-Unis, ces ventes représentant 65 % des exportations totales. Le reste sera dirigé vers l'Europe et l'Asie. Le travail du technicien en exploitation est très diversifié. Il est en quelque sorte le bras droit de l'ingénieur minier, car il participe à de nombreuses tâches dont celui-ci est responsable. Il doit être en mesure d'effectuer des activités d'arpentage, c'est-à-dire faire des levés de terrain pour ensuite les mettre en plan; assurer la mise en place de l'instrumentation pour détecter les composantes des roches; planifier le dynamitage et le forage sous la supervision de l'ingénieur minier responsable; assurer la ventilation, le contrôle des émanations de gaz et de poussière et la sécurité dans les sites d'exploitation, tout en prenant les moyens nécessaires pour prévenir les risques d'accidents; surveiller les travaux dans les mines, chantiers et carrières, etc. En plus de ces responsabilités, Nathaniel est en charge de la planification minière. À ce titre, il doit élaborer l'ordre des tâches

	Salaire hebdo moyen	Proportion de dipl. en emploi	Emploi relié	Chômage	Nombre de diplômés
2004	749 $	100,0 %	100,0 %	0,0 %	6
2003	756 $	90,9 %	90,0 %	9,1 %	16
2002	646 $	66,7 %	100,0 %	0,0 %	6

Statistiques tirées de la *Relance* · Ministère de l'Éducation. Voir données complémentaires, page 387.

Comment interpréter l'information, page 19.

à accomplir, distribuer et répartir les travaux aux superviseurs et faire le suivi des activités sur le chantier.

QUALITÉS RECHERCHÉES

Nathaniel considère que son travail exige qu'il fasse preuve de leadership. «Il ne faut pas avoir peur de prendre des initiatives, dit-il. On doit être capable de défendre ses idées et ses décisions. Il faut aussi être diplomate. Il y a des façons de s'adresser aux gens et de leur transmettre notre point de vue. Je n'avais pas acquis de notion de supervision de personnel à l'école. L'expérience m'a montré que les messages passent beaucoup mieux si on respecte les employés.» Nathaniel doit aussi faire preuve d'innovation afin d'optimiser la production et de réduire les coûts d'exploitation. «Il faut toujours imaginer de nouvelles façons d'améliorer les techniques de dynamitage et de forage, des manières de bonifier le chargement et le transport des minerais ou les méthodes de concassage», dit-il. De bonnes habiletés physiques et une capacité à s'adapter rapidement aux différentes conditions de travail sont requises. Enfin, un intérêt pour le dessin technique, une bonne capacité à travailler en équipe et des aptitudes en informatique sont également des atouts incontournables pour ceux qui aspirent à travailler dans l'industrie de l'exploitation minière.

«Les diplômés peuvent travailler dans les carrières, les chantiers ou pour des firmes d'ingénieurs-conseils. Le travail dans les mines n'est pas leur seule possibilité d'emploi.»

— Daniel Faucher

DÉFIS ET PERSPECTIVES

Le domaine minier est cyclique; certaines périodes plus creuses sont donc à prévoir. Mais selon Daniel Faucher, responsable de la coordination départementale au Département de technologie minérale du Collège de la Région de l'Amiante, on peut tout de même demeurer optimistes, car les élèves ne sont pas appelés à travailler uniquement dans les mines.

«Les diplômés peuvent aussi travailler dans les carrières, les chantiers ou pour des firmes d'ingénieurs-conseils, dit-il. Le travail dans les mines n'est pas leur seule possibilité d'emploi.» Le coordonnateur tient à souligner le fait que la plus grande partie des tâches d'un technicien dans ce domaine se fait sur le terrain. Un intérêt pour le travail à l'extérieur est l'une des conditions importantes pour pratiquer ce métier. 03/01

HORAIRES ET MILIEUX DE TRAVAIL

- Les principaux employeurs de ce domaine sont les entreprises d'exploitation minière, soit les mines à ciel ouvert et les mines souterraines.
- Les diplômés trouveront aussi de l'emploi dans les carrières, les chantiers et les firmes d'ingénieurs-conseils.
- Le domaine est cyclique.
- Les employés travaillent généralement le jour, selon un horaire de huit heures et plus.
- Le travail s'effectue principalement en plein air et les conditions sont parfois difficiles.

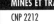
Géologie appliquée

Passionné de nature et amoureux des grands espaces et des bois, Christian Jalbert n'aurait pu trouver meilleur emploi. Technicien principal en exploration minière à la SOQEM (anciennement la Société québécoise d'exploration minière), il adore son métier.

PROG. 271.01
PRÉALABLES : 11, 20, VOIR P. 20

CHAMPS D'INTÉRÊT
- aime travailler en équipe
- aime observer, manipuler, analyser, contrôler
- aime utiliser un ordinateur
- aime calculer et dessiner (cartographie)

APTITUDES
- résistance physique et grande faculté d'adaptation (sous terre, bruit, poussière, boue, risques; horaire variable)
- esprit d'équipe
- sens de l'observation, de la précision et de l'analyse
- habileté en mathématiques et avec l'informatique
- bonne perception spatiale

OFFRE DU PROGRAMME PAR RÉGIONS
Abitibi-Témiscamingue, Chaudière-Appalaches

Pour connaître les établissements qui offrent ce programme : **www.inforoutefpt.org**

RÔLE ET TÂCHES

Christian a obtenu son diplôme du Collège de la Région de l'Amiante. Aujourd'hui, il est un peu l'homme à tout faire de l'entreprise pour laquelle il travaille. Ses tâches sont en effet très diversifiées. «Par exemple, lorsqu'on doit monter un camp pour un projet donné, je m'occupe de la logistique et de la planification afin que tout soit en place à temps, explique-t-il. Ainsi, je veille à ce qu'il y ait assez de bois, que le téléphone et le chauffage fonctionnent et que l'approvisionnement en eau réponde aux besoins.»

En plus de la planification des camps, Christian est aussi responsable des échantillons qui sont prélevés sur le terrain. C'est lui qui en assure la numérotation et la classification. Le tout est par la suite remis au laboratoire à des fins d'analyse. «Ces échantillons sont le fruit de notre travail, explique-t-il. On doit donc s'assurer que leur prélèvement s'effectue d'une façon adéquate parce qu'il est très facile de fausser les résultats d'analyse.» Des compilations, des statistiques et différentes cartes (géologiques, physiques et géographiques) seront réalisées selon les résultats obtenus en laboratoire.

Les tâches du technicien en géologie appliquée sont variées et multiples. Il doit identifier les minéraux et les roches; les inventorier et les classer; planifier et réaliser les levés de terrain; rechercher différents matériaux comme des granulats, de l'eau, des minerais; superviser les travaux de forage; effectuer des dessins techniques assistés par ordinateur, etc.

	Salaire hebdo moyen	Proportion de dipl. en emploi	Emploi relié	Chômage	Nombre de diplômés
2004	N/D	N/D	N/D	N/D	N/D
2003	453 $	60,0 %	80,0 %	0,0 %	11
2002	N/D	28,6 %	50,0 %	50,0 %	10

Statistiques tirées de la *Relance* - Ministère de l'Éducation. Voir données complémentaires, page 387.

Comment interpréter l'information, page 19.

QUALITÉS RECHERCHÉES

La débrouillardise, l'esprit d'initiative et de bonnes habiletés manuelles sont des qualités importantes pour quelqu'un qui fait un travail comme celui de Christian. «Certains des élèves avec lesquels j'ai étudié, et qui ont très bien réussi, n'ont pu se trouver un emploi de technicien, car ils avaient des lacunes du côté des habiletés manuelles, dit Christian. Moi, j'ai une base dans plusieurs domaines et ça me permet de me débrouiller sur le terrain», ajoute-t-il. Pour lui, la polyvalence est indispensable. «Quand on se retrouve sur un site à des kilomètres des principales ressources, on ne peut pas se fier à l'aide extérieure pour régler les problèmes qui surviennent. Il faut être en mesure de les régler soi-même, sur les lieux de travail.»

Le technicien est souvent appelé à se rendre sur les lieux de forage, qui se déroule essentiellement en région éloignée. Celui qui veut travailler dans ce domaine doit donc être prêt à se déplacer pendant quelques semaines, voire quelques mois.

> **La débrouillardise, l'esprit d'initiative et de bonnes habiletés manuelles sont des qualités importantes pour quelqu'un qui fait un travail comme celui de Christian.**

Des notions de gestion sont également très utiles lorsque vient le temps de planifier les coûts de déplacement d'une équipe de travail ou quand on doit prévoir l'achat d'équipements. La capacité de travailler en équipe, un bon sens de l'observation, la minutie ainsi qu'un véritable intérêt pour le travail en plein air s'ajoutent au lot des qualités requises.

DÉFIS ET PERSPECTIVES

Les perspectives d'emploi dans le domaine minier et de l'exploration évoluent selon un cycle de 5 à 10 ans. Il arrive donc que le travail soit plus rare durant certaines périodes. «C'est vraiment un milieu qui bouge beaucoup», affirme Éric Dubois, professeur en géologie au Collège de la Région de l'Amiante.

M. Dubois a toutefois constaté une forte augmentation de la demande dans le secteur de l'hydrogéologie et de la caractérisation de sites contaminés. «La demande est tellement forte que certains futurs diplômés doivent quitter le programme en cours de route», dit-il. 03/01

HORAIRES ET MILIEUX DE TRAVAIL

- Les employeurs dans ce domaine sont les entreprises d'exploitation et de prospection minières, les différents services gouvernementaux en environnement et en ressources naturelles, les firmes d'ingénieurs-conseils en environnement, les entreprises d'hydrogéologie.

- Les diplômés sont également susceptibles de trouver du travail dans les bureaux d'études géotechniques, les sociétés pétrolières et les entrepreneurs de grands travaux de chantier.

- Les diplômés peuvent occuper divers postes : technicien en environnement, technicien en hydrogéologie, technicien en prospection et exploration, technicien en géologie minière, technicien en géotechnique, etc.

- Le travail s'effectue principalement de jour. Le travail de soir et de nuit est plutôt rare dans ce domaine.

- Lors de la préparation des camps, les journées peuvent facilement dépasser les 10 heures de travail.

Minéralurgie

Depuis toujours intéressée par les minéraux et les roches, Alexandra Béland a opté pour le programme en minéralurgie. «Je me passionne pour la profession», affirme la jeune femme, maintenant technicienne en laboratoire pour le ministère des Ressources naturelles à Ottawa.

PROG. 271.03
PRÉALABLES : 11, 20, VOIR P. 20

CHAMPS D'INTÉRÊT
- aime la chimie, les roches et le minerai
- aime travailler dans un laboratoire
- aime le travail méthodique, de précision et de concentration
- aime observer, manipuler et faire des tests
- aime résoudre des problèmes et innover

APTITUDES
- facilité pour la chimie et les mathématiques
- excellent sens de l'observation
- beaucoup de rigueur et de minutie
- initiative et autonomie

OFFRE DU PROGRAMME PAR RÉGIONS
Abitibi-Témiscamingue, Chaudière-Appalaches

Pour connaître les établissements qui offrent ce programme : **www.inforoutefpt.org**

RÔLE ET TÂCHES

Alexandra admet que son travail n'est pas toujours facile, mais elle l'adore. En bref, il consiste à assister les scientifiques dans la poursuite de différents travaux visant à améliorer les procédés de transformation. Occasionnellement, elle travaillera à en développer de nouveaux. Ses tâches sont diversifiées. «Je dois préparer les échantillons en vue d'analyses chimiques et minéralogiques, explique-t-elle. Je fais ensuite les tests en laboratoire et je compile les résultats. Je participe à la rédaction des rapports et à la recherche, tant dans Internet qu'en bibliothèque.» Le technicien en minéralurgie travaille principalement dans les services techniques ou dans le secteur de la production. Il est responsable du traitement et de l'évaluation de différents procédés comme le broyage, le concassage, le tamisage et le séchage des minerais. Il veille à trouver de nouvelles solutions pour séparer le minerai lourd du minerai léger. Ainsi, il peut tenter d'améliorer les opérations de broyage du minerai en changeant la dimension des bouliers. Il peut effectuer des essais sur différents réactifs, etc. Son rôle est important puisqu'il participe activement à l'élaboration de diverses solutions visant, en bout de ligne, à réduire les coûts de production. «Il m'arrive parfois de me déplacer dans certaines régions du Québec, raconte Alexandra. Comme à Val-d'Or, où j'ai dû aller recueillir des échantillons dans le moulin de la mine. Étant donné que tous ces échantillons étaient dans l'eau, j'ai dû les faire sécher, les rendre homogènes et les séparer les uns des autres dans des sacs pour des analyses subséquentes. Parfois, des compagnies nous envoient des échantillons que nous devrons concasser et broyer, selon la

	Salaire hebdo moyen	Proportion de dipl. en emploi	Emploi relié	Chômage	Nombre de diplômés
2004	N/D	N/D	N/D	N/D	N/D
2003	635 $	77,8 %	100,0 %	12,5 %	12
2002	736 $	66,7 %	83,3 %	14,3 %	12

Statistiques tirées de la *Relance* - Ministère de l'Éducation. Voir données complémentaires, page 387.

Comment interpréter l'information, page 19.

condition des minerais à la réception.» Le technicien peut aussi travailler dans le domaine de la géologie appliquée en environnement, pour la gestion de l'eau et des résidus, ainsi que dans le secteur de la décontamination des sols.

QUALITÉS RECHERCHÉES

Pour Alexandra, la capacité de s'adapter rapidement aux différentes tâches de travail est une qualité importante dans ce domaine. «Il faut avoir de la facilité à s'adapter parce que les tâches changent tous les jours, dit-elle. C'est aussi pour cette raison qu'il est difficile pour moi de décrire avec précision mon travail...»

La rigueur et la minutie sont des atouts de taille pour le technicien en minéralurgie. Il doit également se sentir tout aussi à l'aise de travailler au sein d'une équipe que de travailler seul, car il aura à le faire en laboratoire. Ceux qui aspirent à œuvrer dans ce domaine doivent évidemment manifester un intérêt particulier tant pour la chimie et les activités en laboratoire que pour le travail en usine et sur les sites miniers. La débrouillardise, l'autonomie et un bon sens de l'organisation sont aussi de mise à cause des nombreux séjours en régions éloignées. Ces aptitudes sont également bien utiles en raison des tâches multiples et complexes que le technicien doit accomplir dans l'exercice de ses fonctions.

> **«Il faut être mobile et ne pas avoir peur de se déplacer aussi loin que le Nouveau-Québec, l'Abitibi et la Côte-Nord.»**
>
> **— Daniel Pelchat**

DÉFIS ET PERSPECTIVES

«Les diplômés de ce programme peuvent être appelés à travailler dans différents milieux, prévient Daniel Pelchat, professeur de minéralurgie au Collège de la Région de l'Amiante. Sur un site minier, par exemple, ils devront s'attendre à ce que ce soit très bruyant, parfois même sombre et poussiéreux. Bref, ce ne sera sûrement pas sur le bord d'un lac ou près d'une rivière...» Donc, adeptes de confort douillet, s'abstenir. Les déplacements en régions éloignées sont aussi un défi pour les diplômés de ce programme. «Il faut être mobile et ne pas avoir peur de se déplacer aussi loin que le Nouveau-Québec, l'Abitibi et la Côte-Nord», précise M. Pelchat. Quant aux perspectives d'emploi, malgré le fait que le secteur minier soit extrêmement cyclique, alternant les périodes de croissance et de décroissance, M. Pelchat estime que quiconque veut travailler dans le domaine et est prêt à consentir les efforts nécessaires trouvera du travail. 03/01

HORAIRES ET MILIEUX DE TRAVAIL

- Les diplômés de ce programme peuvent travailler en laboratoire, en usine, dans les centres de recherche (COREM – Consortium en recherche minérale), dans les industries de concentration et de transformation des minerais, dans les mines, les carrières ou les fonderies.
- Le travail se fait généralement le jour, de 9 h à 17 h.

- Les employés de ce secteur doivent souvent travailler en régions éloignées. Ces déplacements s'étendent parfois sur de longues périodes.
- Les employés sont embauchés sous contrat ou de façon permanente.
- Le travail s'effectue tant en équipe que de façon solitaire.

MÉTALLURGIE

Les secteurs d'activité de la métallurgie sont répartis en fonction des minerais exploités. Au Québec, on embauche principalement dans les domaines de l'aluminium, de l'acier, du cuivre, du zinc et du magnésium. Chaque domaine regroupe des entreprises de production et de transformation primaire (alumineries, aciéries, affineurs de cuivre, de zinc et de plomb), des fonderies de même que des entreprises de fabrication de fils, de feuilles de métal et de produits métalliques (boulons, écrous, etc.).

L'industrie de la métallurgie emploie 31 200 personnes au Québec. Comme dans bien d'autres secteurs, le vieillissement de la population laisse entrevoir de belles perspectives d'emploi pour la relève. Une étude publiée en 2004 par le Comité sectoriel de main-d'œuvre de la métallurgie du Québec estimait que 44 % des travailleurs de l'industrie avaient plus de 45 ans. Les entreprises auront donc bientôt d'importants besoins de remplacement de main-d'œuvre spécialisée. Pour s'assurer une relève, le secteur devra toutefois déployer des efforts pour changer son image auprès des jeunes. En effet, la métallurgie est toujours perçue, à tort, comme un univers où le travail est peu technologique et assez exigeant physiquement.

Les diplômés du programme *Technologie du génie métallurgique* sont particulièrement recherchés. Ils travaillent notamment au contrôle de la qualité des produits dans les alumineries, les fonderies et les usines de fabrication de pièces métalliques. 03/05

CHAMPS D'INTÉRÊT

- aime les sciences (en particulier la physique et la chimie)
- aime mesurer, calculer, assembler des pièces de métal
- aime le travail manuel, en usine ou sur un chantier
- aime analyser et concrétiser un plan
- aime le travail créatif
- aime le dessin technique

APTITUDES

- facilité en mathématiques et en dessin technique
- faculté d'imagination et de visualisation en trois dimensions
- dextérité, minutie, précision et rapidité d'exécution
- force et résistance physiques
- capacité de travailler sous pression
- discipline et prudence
- esprit logique et méthodique
- acuité visuelle, concentration et sens de l'observation
- esprit de collaboration

RESSOURCES INTERNET

MINISTÈRE DE L'ÉDUCATION DU QUÉBEC – SECTEURS DE FORMATION
http://www.meq.gouv.qc.ca/ens-sup/ens-coll/program/ProgEtab.asp?vToken=s160
Vous trouverez sur cette page une description des programmes de ce secteur de formation, comprenant, pour chacun, les exigences d'admission, les objectifs de formation et une liste d'établissements d'enseignement.

COMITÉ SECTORIEL DE MAIN-D'ŒUVRE DE LA MÉTALLURGIE DU QUÉBEC
http://www.metallurgie.ca
Pour en apprendre davantage sur les travaux de ce comité, sur l'industrie métallurgique et sur le développement de sa main-d'œuvre.

CONSEIL CANADIEN DU COMMERCE ET DE L'EMPLOI DANS LA SIDÉRURGIE
http://www.cstec.ca/French/index.html
Ce site vous renseignera sur les programmes de formation de cet organisme voué au développement de la main-d'œuvre dans le domaine de la sidérurgie au Canada.

MINISTÈRE DU DÉVELOPPEMENT ÉCONOMIQUE, DE L'INNOVATION ET DE L'EXPORTATION DU QUÉBEC
http://www.mderr.gouv.qc.ca/mder/web/portail/entreprises/nav/Secteurs_industriels/44001.html?iddoc=44001
Cette page présente un portrait du secteur métallurgique en plus de donner accès à un répertoire des fonderies québécoises et à une série de liens vers des associations québécoises ayant un rapport avec la métallurgie.

Technologie du génie métallurgique (Contrôle des matériaux)

Éric Trottier travaille à la fonderie Laforo comme technicien de laboratoire de nuit. À son avis, le programme qu'il a suivi au cégep se rapproche d'une formation universitaire, car les diplômés occupent souvent des postes de cadres ou de contremaîtres.

PROG. 270.AC
PRÉALABLES : 12, 40, VOIR P. 20

CHAMPS D'INTÉRÊT

- aime travailler avec les métaux et l'électricité
- aime les sciences (particulièrement : chimie et physique)
- aime faire le travail de précision, sur microscope et avec des appareils de mesure
- aime analyser, contrôler, résoudre des problèmes et innover

APTITUDES

- facilité pour les mathématiques, la chimie et la physique
- rigueur, minutie et méthode
- facilité à communiquer et à coopérer
- initiative
- aisance avec l'informatique

OFFRE DU PROGRAMME PAR RÉGIONS
Mauricie

Pour connaître les établissements qui offrent ce programme : **www.inforoutefpt.org**

RÔLE ET TÂCHES

L'entreprise pour laquelle Éric travaille est située à Sainte-Claire-de-Bellechasse. Elle est spécialisée dans la fabrication de pièces métalliques intermédiaires en fonte (non finies) pour les freins à disque de voitures et pour les composantes mécaniques des autobus, des tracteurs et des machines fixes en usine. À titre de technicien de laboratoire, Éric est responsable de la qualité des produits usinés. Il doit tenir compte des exigences des clients et veiller à ce que les normes de qualité soient respectées.

Les journées d'Éric sont bien remplies. Malgré cela, il doit constamment faire preuve d'une rigueur exemplaire dans son travail. «Comme le métal liquide est coulé dans un moule en sable, je dois effectuer un test de sable une fois l'heure, explique le diplômé du Cégep de Trois-Rivières. Je dois aussi faire des analyses chimiques d'échantillons de fonte à l'aide d'un spectromètre. Je procède à ces tests en étirant les échantillons sur une machine à traction afin de connaître la résistance mécanique du métal.»

Le travail d'un technicien dans le domaine du contrôle des matériaux s'apparente beaucoup à celui d'un analyste scrutant les différentes étapes de procédés métallurgiques. Travaillant principalement dans des laboratoires et des usines, généralement de concert avec des ingénieurs, le technicien doit être en mesure d'effectuer des contrôles de la qualité des produits en utilisant des tests physiques, chimiques (chaleur), mécaniques (résistance) ou non destructifs (radiographie, ultrasons).

	Salaire hebdo moyen	Proportion de dipl. en emploi	Emploi relié	Chômage	Nombre de diplômés
2004	686 $	85,7 %	66,7 %	0,0 %	8
2003	660 $	86,7 %	83,3 %	13,3 %	18
2002	N/D	N/D	N/D	N/D	N/D

Statistiques tirées de la *Relance* - Ministère de l'Éducation. Voir données complémentaires, page 387.

Comment interpréter l'information, page 19.

Le travail du technicien est important, car en plus de l'analyse des produits finis, ou en processus de traitement, il devra veiller à la résistance, à la durabilité et à la conformité des produits aux normes exigées. En fait, il joue un rôle essentiel dans le maintien de la qualité et dans l'amélioration des produits. Il contribue aussi à réduire les coûts inutiles liés à leur production. Au poste qu'il occupe, Éric explique qu'il n'a aucune autorité sur les employés qui travaillent avec lui. «Je ne peux pas commenter la façon dont ils font leur travail ni les avertir si c'est mal fait, dit-il. Je dois simplement surveiller leur façon de faire et faire un rapport au contremaître responsable.»

QUALITÉS RECHERCHÉES

Éric Trottier considère qu'un diplômé espérant occuper un poste comme le sien doit être autonome et responsable. «Il faut prendre en considération le fait qu'on travaille généralement seul en laboratoire, prévient-il. Il faut donc avoir des aptitudes en ce sens.» Il explique que le contremaître intervient très peu dans son travail parce que les tâches à effectuer nécessitent une spécialisation. La minutie et la précision sont également des qualités importantes pour le technicien en laboratoire, car il doit veiller à la conformité des produits aux normes imposées et mener à bien les différents contrôles prévus tout au long du processus de fabrication. La polyvalence, la curiosité, un intérêt pour le travail manuel et pour la science ainsi qu'une bonne gestion du stress et de son temps complètent les atouts nécessaires à un technologue en contrôle des matériaux.

DÉFIS ET PERSPECTIVES

Ce secteur est rempli de défis pour les diplômés. «Pour faire fonctionner une usine ou un service, le technologue joue un rôle fondamental, affirme Claude Lord, coordonnateur du programme au Cégep de Trois-Rivières. Dans bien des cas, l'ingénieur dépend du technicien, car, à l'université, il n'a pas été formé pour faire des tests chimiques, physiques et métallurgiques. Il est bien sûr responsable de la planification à plus long terme, mais, pour prendre ses décisions, il a besoin des résultats d'essais et d'analyses réalisés par le technicien.» Par conséquent, ces spécialistes occupent une place de choix et sont très recherchés sur le marché du travail, précise M. Lord. 03/01

> «Pour faire fonctionner une usine ou un service, le technologue joue un rôle fondamental.»
>
> — Claude Lord

Photo : Claude Rousselle

HORAIRES ET MILIEUX DE TRAVAIL

- Les employeurs se retrouvent dans le secteur de la production primaire de métaux (acier, cuivre, aluminium, etc.).

- Les diplômés travailleront en laboratoire ou en usine. Dans ce dernier cas, ils devront s'attendre à travailler dans un environnement bruyant et poussiéreux.

- Ils peuvent faire de la représentation et de la vente de produits métallurgiques.

- Les diplômés peuvent aussi trouver du travail auprès des centres de recherche universitaires, gouvernementaux ou privés, auprès des centrales nucléaires, des entreprises du secteur aéronautique, etc.

- Les employés sont appelés à travailler le jour, le soir ou la nuit.

- Les journées comptent généralement huit heures, et la semaine, cinq jours.

Technologie du génie métallurgique (Fabrication mécanosoudée)

La technique en fabrication mécanosoudée ne forme pas seulement des soudeurs. Les diplômés peuvent aussi être appelés à travailler en usine et dans les bureaux. Le technicien spécialisé dans ce domaine se situe à mi-chemin entre l'ingénieur et le personnel de production. Il joue un rôle important dans l'inspection des produits finis et le suivi des procédures en usine.

PROG. 270.AB
PRÉALABLES : 12, 40, VOIR P. 20

CHAMPS D'INTÉRÊT
- aime les sciences (chimie, mécanique, math)
- aime le travail manuel
- aime observer, contrôler, manipuler
- aime se déplacer, travailler en usine et sur un chantier
- aime communiquer, conseiller et écrire
- aime utiliser des logiciels

APTITUDES
- facilité pour la physique, la chimie et les maths
- dextérité et excellent sens de l'observation
- sens des responsabilités, rigueur et méthode
- facilité à communiquer, à convaincre et à rédiger
- mobilité

OFFRE DU PROGRAMME PAR RÉGIONS
Mauricie

Pour connaître les établissements qui offrent ce programme : **www.inforoutefpt.org**

RÔLE ET TÂCHES

Sylvain Hubert est inspecteur en assurance qualité pour SABSPEC, une entreprise spécialisée dans la production de vaisseaux pressurisés, de grosses pièces massives en métal comme les plates-formes de forage et dans la fabrication de pièces en métal utilisées dans la construction des barrages. Les tâches sont nombreuses et diversifiées pour le jeune homme qui participe activement à plusieurs étapes de la production.

«Je m'occupe du suivi des contrats avec les clients, du respect des normes, des plans d'inspection, des essais non destructifs et j'assure la communication avec les firmes pour les inspections et la vérification des rapports, explique-t-il. Je dois vérifier tout le matériel qui entre, comme les plaques et les tuyaux. Je dois aussi inspecter visuellement les pièces et m'assurer que les composantes chimiques et les propriétés mécaniques sont conformes aux normes établies.» Le technicien en soudage doit être en mesure de contrôler les soudures par métallographie (structure et propriétés des métaux), par essais mécaniques et non destructifs en plus de collaborer à la conception de différentes pièces soudées. Il sera responsable de l'interprétation des normes et des codes de la profession et veillera au suivi des différentes procédures de soudage.

En plus de toutes ces tâches, Sylvain reçoit les clients qui tiennent à faire un suivi de leur commande et accueille les inspecteurs du gouvernement. La fabrication des vaisseaux pressurisés étant régie par

	Salaire hebdo moyen	Proportion de dipl. en emploi	Emploi relié	Chômage	Nombre de diplômés
2004	N/D	N/D	N/D	N/D	N/D
2003	623 $	75,0 %	83,3 %	0,0 %	8
2002	N/D	N/D	N/D	N/D	N/D

Statistiques tirées de la *Relance* - Ministère de l'Éducation. Voir données complémentaires, page 401.

Comment interpréter l'information, page 19.

des normes gouvernementales, ces inspecteurs font des radiographies et des inspections internes durant toute la durée des contrats.

QUALITÉS RECHERCHÉES

Le technicien en fabrication mécanosoudée doit faire preuve de minutie et de précision, car les erreurs peuvent être coûteuses sur le plan de la production. La résistance au stress est aussi indiquée puisque dans ce domaine, on travaille souvent sous pression. Appelé à collaborer tant avec les soudeurs qu'avec les ingénieurs, le diplômé de ce programme devra être en mesure de travailler en équipe et démontrer de bonnes habiletés à communiquer. La capacité d'adaptation, des aptitudes en informatique, la polyvalence ainsi que le sens des responsabilités sont des qualités fortement recommandées pour ceux qui aspirent à la profession. La connaissance de l'anglais est également un outil précieux. «J'ai dû suivre des cours d'anglais parce que je n'étais pas tellement bon, avoue Sylvain. Les manuels sont tous écrits dans cette langue et les trois quarts de nos clients sont anglophones.»

> «Je m'occupe du suivi des contrats avec les clients, du respect des normes, des plans d'inspection, des essais non destructifs et j'assure la communication avec les firmes pour les inspections et la vérification des rapports.»
>
> — Sylvain Hubert

DÉFIS ET PERSPECTIVES

La perception qu'ont les gens du domaine de la fabrication mécanosoudée est souvent biaisée. On présente le métier comme un travail sale, baignant dans la fumée et dans la poussière. Stéphane Cossette est professeur en fabrication mécanosoudée au Cégep de Trois-Rivières. Il croit qu'on devrait y penser deux fois avant de se laisser influencer par ces mythes. «En réalité, c'est un milieu de technologie de pointe qui peut être très propre et, surtout, très intéressant, affirme-t-il. Les usines ont de plus en plus recours à la robotisation, alors qu'avant, les procédés de soudage se faisaient tous manuellement. Les techniciens s'occupent donc davantage, aujourd'hui, de la programmation des machines et de la mise en œuvre de l'équipement.» Les diplômés ont de belles perspectives professionnelles, mais ils devront rester attentifs au développement des nouvelles technologies. Robotisation, soudage au laser, etc., sont en voie de devenir incontournables. Mentionnons également que deux secteurs sont actuellement avides de ce type de main-d'œuvre : l'enseignement en soudure au niveau professionnel, ainsi que la représentation et le soutien technique pour les distributeurs de matériel de fabrication mécanosoudée. 03/01

HORAIRES ET MILIEUX DE TRAVAIL

- Parmi les employeurs figurent les usines de fabrication de produits soudés et les entreprises de distribution et de vente de produits de soudage.

- Les diplômés de ce programme pourront travailler en usine, en laboratoire ou effectuer du travail de bureau.

- Les diplômés peuvent devenir techniciens en soudage, inspecteurs en qualité, vendeurs ou représentants techniques. Certains peuvent se diriger vers l'enseignement professionnel.

- Le travail et les horaires sont très diversifiés. Les employés doivent s'attendre à travailler le jour, le soir ou la nuit.

Technologie du génie métallurgique (Procédés de transformation)

Après avoir bourlingué au cégep, à l'université et même dans les mines, Patrick Régimbal a décidé de consacrer ses énergies à une passion de jeunesse : le béton! Seulement une journée après avoir obtenu son diplôme en procédés de transformation, il commençait à travailler.

PROG. 270.AA
PRÉALABLES : 12, 40, VOIR P. 20

CHAMPS D'INTÉRÊT

- aime la physique et la chimie
- aime observer, vérifier, organiser et superviser
- accorde de la valeur au résultat, à la qualité (du produit)
- aime communiquer et travailler en équipe
- aime travailler en usine

APTITUDES

- sens de l'observation, débrouillardise et autonomie
- habiletés manuelles
- sens de la communication et de la coopération
- sens de l'organisation et des responsabilités

OFFRE DU PROGRAMME PAR RÉGIONS
Mauricie, Saguenay—Lac-Saint-Jean

Pour connaître les établissements qui offrent ce programme : **www.inforoutefpt.org**

RÔLE ET TÂCHES

Patrick est technicien en contrôle de la qualité chez Corus, une entreprise de Cap-de-la-Madeleine spécialisée dans la fabrication de pièces en aluminium pour l'industrie automobile. On y fabrique entre autres des pièces de radiateurs de voitures, des pièces pour les systèmes de chauffage, des alliages, etc. «Ma responsabilité est de m'assurer de la qualité des produits avant qu'ils soient envoyés aux clients, explique-t-il. Je vérifie les propriétés mécaniques de l'aluminium, comme la traction, et je peux décider de suspendre la production en cas de problème afin que les ingénieurs puissent faire les vérifications nécessaires.» Patrick voit à ce que toutes les procédures soient respectées lors des différentes étapes de la production. Ainsi, dans le cas de la fabrication d'un alliage en aluminium pour un cadre de radiateur, il doit s'assurer que la largeur et l'épaisseur de l'aluminium répondent aux exigences des clients. «Pour certaines pièces conçues pour les systèmes de chauffage ou de climatisation, il faut considérer qu'elles seront exposées à la chaleur ou aux changements de température, dit-il. Il faut donc s'assurer qu'elles pourront résister à ces conditions particulières.» Le technicien en procédés de transformation occupe généralement des postes directement liés à la production. Il est appelé à participer activement à la mise en fabrication, au développement et au contrôle des procédés de production des métaux primaires. Il s'occupe de la préparation d'alliages fins, supervise la fabrication des pièces par moulage, planifie le démoulage, les traitements thermiques et la déformation à chaud ou à froid selon les besoins. Il peut aussi être chargé d'effectuer diverses expériences sur les

	Salaire hebdo moyen	Proportion de dipl. en emploi	Emploi relié	Chômage	Nombre de diplômés
2004	641 $	66,7 %	83,3 %	14,3 %	15
2003	667 $	60,0 %	66,7 %	14,3 %	15
2002	N/D	N/D	N/D	N/D	N/D

Statistiques tirées de la *Relance* - Ministère de l'Éducation. Voir données complémentaires, page 387.

Comment interpréter l'information, page 19.

procédés métallurgiques. En marge de ces tâches, le technicien accomplit également du travail de bureau et de laboratoire. C'est là qu'il préparera les alliages ou qu'il procédera au calcul de la charge en fonction des exigences des clients ou selon des normes comme ISO 9000. Le cycle de travail de Patrick s'échelonne sur neuf jours, soit six journées de travail consécutives suivies d'un congé de trois jours. «Il faut aussi être prêt à travailler le soir, la nuit et la fin de semaine, car les postes de jour sont généralement occupés par des techniciens plus expérimentés.» Le technicien peut travailler dans des centres de recherche et de développement comme le Centre de technologie Noranda.

QUALITÉS RECHERCHÉES

«Pour faire ce métier, il faut être responsable et autonome, explique Patrick, car on travaille souvent seul, surtout le soir et la nuit. La maîtrise de la langue anglaise est aussi importante parce que tous les livres dans le domaine sont en anglais.» Le diplômé insiste également sur la nécessité de bien savoir gérer son temps pour ne pas retarder son travail et, conséquemment, la production en usine. Selon Patrick, la facilité de travailler en équipe, la rigueur, la minutie et une bonne capacité d'adaptation aux situations imprévues sont aussi des habiletés appréciées chez les jeunes diplômés de ce programme.

DÉFIS ET PERSPECTIVES

L'un des défis du secteur est certainement de faire connaître le programme à un plus vaste éventail de personnes. «On a beaucoup de difficultés à recruter des élèves pour le programme, indique Bernard Duchesne, enseignant au Cégep de Trois-Rivières. La métallurgie, tant au collégial qu'à l'université, est un secteur mal connu et, par conséquent, le nombre de diplômés est relativement faible.» M. Duchesne explique que la formation prépare les futurs diplômés pour le marché de l'emploi en leur donnant la base nécessaire leur permettant de répondre immédiatement aux besoins de l'industrie et du marché. Ils sortent du cégep avec une connaissance des métaux et des différents procédés de transformation suffisante pour assister l'ingénieur dans son travail. «Après avoir acquis quelques années d'expérience, si le diplômé a du potentiel, il peut obtenir d'autres responsabilités, par exemple s'occuper des problèmes d'approvisionnement», ajoute l'enseignant. 03/01

«Ma responsabilité est de m'assurer de la qualité des produits avant qu'ils soient envoyés aux clients.»

— Patrick Régimbal

Photo : PPM

HORAIRES ET MILIEUX DE TRAVAIL

• Les principaux employeurs de ce secteur sont les usines de transformation primaire des métaux, les entreprises de production de pièces fabriquées à partir de procédés de fonderie, les entreprises de métaux de toutes sortes (aluminium, zinc, magnésium, cuivre), les aciéries, les centres de recherche en métallurgie.

• Le travail s'effectue principalement le jour et le soir. Il est possible de travailler la nuit, à l'occasion.

• Les journées de travail comptent souvent 12 heures dans les grandes entreprises.

TRANSPORT

La mondialisation de l'économie, le libre-échange et l'essor technologique favorisent l'augmentation du flux de marchandises. Les occasions d'affaires dans le secteur du transport s'en trouvent augmentées et les perspectives d'emploi y sont plus nombreuses que jamais.

Il y a cinq grands modes de transport : routier, maritime, aérien, ferroviaire et intermodal (combinaison de plusieurs modes de transport). Selon Guy Normandeau, directeur général de Camo-Route, le Comité sectoriel de main-d'œuvre de l'industrie du transport routier au Québec, les perspectives d'emploi dans le secteur du camionnage n'ont jamais été aussi importantes.

Le transport maritime suit lui aussi le courant en raison de son faible coût. Les nouvelles technologies l'ont rendu plus rapide, et la capacité maximale des navires a augmenté. Le secteur a notamment besoin de diplômés en navigation pour occuper des postes de premiers lieutenants et de commandants de navire.

De son côté, le secteur du transport aérien se relève, après avoir été instable depuis les événements du 11 septembre 2001 aux États-Unis. En 2004, le trafic aérien mondial est revenu à son niveau d'avant les attentats terroristes. Mais l'incertitude demeure pour cette industrie tributaire de la conjoncture économique nationale et internationale.

Le transport ferroviaire tire avantage, quant à lui, du phénomène d'intermodalité qui prend de l'expansion. Il peut, par exemple, prendre la relève du camionnage pour les longues distances.

Quelle que soit leur spécialité, les entreprises de l'industrie du transport ont besoin de main-d'œuvre qualifiée pour bien gérer la circulation des marchandises. Les diplômés en techniques de la logistique du transport, en particulier, s'en trouvent très prisés. À l'Institut maritime du Québec, par exemple, leur taux de placement atteignait 100 % en 2004. 03/05

CHAMPS D'INTÉRÊT

- aime se déplacer, voyager et se sentir autonome
- aime les véhicules lourds, le domaine de l'aviation ou de la navigation
- aime observer, calculer et planifier
- aime analyser et résoudre des problèmes
- aime prendre des décisions et assumer des responsabilités

APTITUDES

- discernement, initiative et leadership
- excellente coordination et capacité de concentration
- résistance à la fatigue et au stress
- facilité pour le calcul et la résolution de problèmes mathématiques
- aisance avec les équipements électroniques et informatiques
- excellentes facultés d'analyse, de synthèse et de logique
- grande clarté et précision de l'expression verbale

LE SAVIEZ-VOUS ——— ?

Le secteur du transport est présent partout au Québec. Les régions de Montréal et de la Capitale-Nationale présentent une plus grande concentration d'entreprises, car on y trouve les principaux ports et aéroports. Les régions productrices de matières premières, comme la Côte-Nord et le Bas-Saint-Laurent, connaissent aussi une forte activité.

Source :
Les carrières d'avenir 2005,
Les Éditions Jobboom.

RESSOURCES INTERNET

MINISTÈRE DE L'ÉDUCATION DU QUÉBEC – SECTEURS DE FORMATION
http://www.meq.gouv.qc.ca/ens-sup/ens-coll/program/ProgEtab.asp?vToken=s170
Vous trouverez sur cette page une description des programmes de ce secteur de formation, comprenant, pour chacun, les exigences d'admission, les objectifs de formation et une liste d'établissements d'enseignement.

CENTRE QUÉBÉCOIS DE FORMATION AÉRONAUTIQUE
http://www.cqfa.ca
Ce centre, affilié au Cégep de Chicoutimi, est le seul établissement public à offrir le programme *Techniques de pilotage d'aéronefs*. Découvrez dans son site des renseignements sur cette formation et ses débouchés.

INSTITUT MARITIME DU QUÉBEC – NAVIGATION
http://www.imq.qc.ca/carrieres/navigati.htm
L'Institut maritime du Québec forme des commandants de navire. Consultez la description du programme *Navigation* pour en savoir plus sur la formation et les perspectives d'emploi qui attendent les diplômés.

MINISTÈRE DES TRANSPORTS DU QUÉBEC
http://www.mtq.gouv.qc.ca
Le point de départ de toute recherche sur l'industrie québécoise des transports. Ce site propose un tour de piste du secteur avec de l'information sur les modes de transport et la sécurité.

Navigation

«Pour une fille, ça peut paraître difficile de devenir capitaine, mais moi je vois ça comme un rêve et un défi réalisables. Ça prend beaucoup de ténacité et de persévérance, et j'en ai. Je commence à me faire connaître.» Maude Gagnon est troisième officier et aspire à devenir commandant de navire.

PROG. 248.B0
PRÉALABLE : 20, VOIR P. 20

CHAMPS D'INTÉRÊT
• aime bouger, découvrir de nouveaux horizons
• aime la mer et la vie en groupe
• aime observer, calculer, analyser et planifier
• aime assumer des responsabilités

APTITUDES
• bonne condition physique et excellente faculté d'adaptation
• intérêt pour le travail à l'étranger, bilinguisme
• jugement, sens des responsabilités et de l'organisation
• habiletés en calcul et pour l'utilisation d'instruments électroniques

OFFRE DU PROGRAMME PAR RÉGIONS
Bas-Saint-Laurent

Pour connaître les établissements qui offrent ce programme : www.inforoutefpt.org

RÔLE ET TÂCHES

Même s'il peut compter sur l'aide des autres officiers, le capitaine doit être en mesure d'assurer la navigation d'un navire dans les meilleures conditions de sécurité en coordonnant ou en effectuant les manœuvres. Il se préoccupe du bateau dans son ensemble, prend les décisions finales et doit être prêt à en assumer les conséquences. Il doit être capable de résoudre tous les problèmes, autant techniques que logistiques et humains.

Pour accéder au poste de commandant de navire, le cadet devra d'abord obtenir quatre grades, soit ceux de troisième lieutenant, deuxième lieutenant, premier lieutenant, puis capitaine au long cours (commandant). Sur un navire, les fonctions sont différentes suivant le grade : le troisième lieutenant est responsable de la sécurité sur le navire; le deuxième lieutenant s'occupe de la navigation, de l'itinéraire et des routes maritimes; le premier lieutenant est responsable du chargement et de l'entretien du navire; et le capitaine est le grand patron. L'officier de navigation, quel que soit son grade, passe quatre heures à la passerelle deux fois par jour, où se trouvent les équipements de navigation. Il est aussi en lien constant avec les officiers mécaniciens. Pour le moment, Maude voit surtout à ce que toutes les interventions à bord se fassent de façon sécuritaire. «On assure la navigation selon les règlements en vigueur, tant nationaux qu'internationaux. Au port, je participe aux activités de déchargement et de chargement en m'assurant que la stabilité du bateau est maintenue», explique Maude.

	Salaire hebdo moyen	Proportion de dipl. en emploi	Emploi relié	Chômage	Nombre de diplômés
2004	N/D	N/D	N/D	N/D	N/D
2003	N/D	N/D	N/D	N/D	N/D
2002	729 $	66,7 %	91,7 %	29,4 %	30

Statistiques tirées de la *Relance* - Ministère de l'Éducation. Voir données complémentaires, page 387.

Comment interpréter l'information, page 19.

En mer, une autre tâche de l'officier est de calculer la position et de constamment suivre la route choisie. À la passerelle, beaucoup d'instruments sont électroniques, comme les radars, les systèmes de positionnement du navire, les récepteurs, etc., mais la carte et le sextant sont des outils fondamentaux qu'utilisent encore les officiers. Il y a aussi des travaux manuels. «Pour devenir capitaine, je dois toucher à tout sur le navire», ajoute Maude.

QUALITÉS RECHERCHÉES

Michel Duplain navigue depuis 20 ans. Il est capitaine sur le N. M. Cabot. «Le commandant devient le père, l'ami, le psychologue, le confident. Ça prend des qualités humaines, une main de fer dans un gant de velours...» L'officier de navigation doit avoir un bon jugement, le sens des responsabilités et de l'initiative. L'esprit d'équipe et la discipline sont aussi des qualités essentielles. Les officiers qui ne parlent pas anglais l'apprennent par la force des choses, car c'est souvent dans cette langue qu'ils auront à communiquer à bord. L'espagnol est aussi très utile pour qui travaille sur des bateaux étrangers. Le navigateur doit aimer les sciences, car il devra acquérir des connaissances avancées en cartographie, en météorologie, en stabilité et construction des navires, en navigation astronomique et en navigation à l'aide d'appareils électroniques. Il doit aussi bien supporter la solitude, savoir s'adapter aux différents climats et, bien sûr, avoir le pied marin.

«Pour devenir capitaine, je dois toucher à tout sur le navire.»

— Maude Gagnon

Photo : Les Croisières Richelieu inc.

DÉFIS ET PERSPECTIVES

Avec un brevet de capitaine, l'officier de navigation peut être pilote sur le Saint-Laurent ou dans la voie maritime du Saint-Laurent, occuper des postes de gestion dans l'administration portuaire ou dans les compagnies maritimes ou devenir expert maritime auprès d'organismes gouvernementaux tels que Transports Canada. «Le placement de nos diplômés en navigation se fait beaucoup auprès de compagnies étrangères, c'est la tendance du marché actuellement. Même si plusieurs travaillent pour des compagnies canadiennes, le marché n'est pas aussi développé», explique Claude Pagé, aide pédagogique à l'Institut maritime du Québec à Rimouski. 09/99

* Les statistiques de la *Relance* sont colligées en hiver alors que plusieurs des diplômés de l'Institut maritime du Québec à Rimouski (IMQ) attendent le début d'un emploi, souvent saisonnier.

HORAIRES ET MILIEUX DE TRAVAIL

- Les diplômés trouvent du travail auprès de compagnies de navigation.

- Selon les compagnies, l'alternance entre les périodes de travail et de repos se fait à des rythmes différents. La durée de ces périodes peut également varier.

- Certaines compagnies naviguent toute l'année.

- Un exemple d'horaire : deux périodes de quatre heures par jour, sept jours par semaine, soit de 20 h à minuit et de 8 h à midi.

Techniques de la logistique du transport

Travailler dans le domaine des transports, c'est une histoire de famille pour Andréane Fraser! Plusieurs de ses oncles sont camionneurs et son grand-père était propriétaire d'une compagnie de transport. Il n'est donc pas étonnant de la voir aujourd'hui gérer l'acheminement de la marchandise pour une entreprise spécialisée dans la fabrication de mobilier et d'équipement médicaux.

PROG. 410.AO
PRÉALABLE : 11, VOIR PAGE 20

CHAMPS D'INTÉRÊT
• aime gérer des situations problématiques
• aime assumer des responsabilités
• aime travailler en équipe
• aime travailler avec le public

APTITUDES
• sens de l'organisation
• bonne résistance au stress
• facilité à communiquer
• facilité pour les mathématiques
• bilinguisme

OFFRE DU PROGRAMME PAR RÉGIONS
Bas-Saint-Laurent, Capitale-Nationale, Centre-du-Québec, Chaudière-Appalaches, Laurentides, Mauricie, Montérégie, Montréal

Pour connaître les établissements qui offrent ce programme : **www.inforoutefpt.org**

RÔLE ET TÂCHES

Diplômée en techniques de la logistique du transport, Andréane est représentante au service à la clientèle internationale chez Bertec Médical, à l'Islet, dans la région de Chaudière-Appalaches. Dans un bureau ouvert, en constante interaction avec son équipe composée d'un superviseur et d'une collègue attitrée aux commandes, Andréane voit au transport de la marchandise. Elle doit respecter les échéanciers tout en optimisant les coûts de transport. Peu importe que le lieu d'expédition se situe aux États-Unis, en Europe, au Moyen-Orient ou en Russie, Andréane doit déterminer l'itinéraire de la marchandise et les meilleurs modes de transport à utiliser. Son principal outil de travail est le téléphone, mais elle fait aussi grand usage de l'ordinateur, qui lui donne accès à des logiciels de cartographie.

Tout d'abord, elle vérifie les commandes et les exigences des clients qui précisent parfois le nom de la compagnie et le type de transport qu'ils souhaitent voir utilisé. Andréane contacte ensuite les transporteurs pour les informer de la date de cueillette de la marchandise. Elle remplit pour eux une déclaration avec les noms de l'expéditeur et du destinataire ainsi que la quantité et le poids de l'équipement à livrer. C'est également Andréane qui prépare tous les documents pour fins de douane dont auront besoin les transitaires internationaux. Elle se rend enfin sur l'aire d'expédition de la compagnie pour s'assurer que la marchandise sera prête à partir au moment voulu.

Le travail en logistique du transport demeure complexe et il n'est pas rare que des pépins surviennent en cours de route. «Il y a bien des personnes et

	Salaire hebdo moyen	Proportion de dipl. en emploi	Emploi relié	Chômage	Nombre de diplômés
2004	573 $	79,5 %	87,1 %	8,8 %	56
2003	557 $	88,5 %	87,0 %	8,5 %	80
2002	539 $	84,9 %	86,4 %	2,2 %	70

Statistiques tirées de la *Relance* - Ministère de l'Éducation. Voir données complémentaires, page 387.

Comment interpréter l'information, page 19.

des modes de transport impliqués dans une livraison. Les problèmes peuvent donc surgir à tout moment. Par exemple, une livraison destinée à une entreprise située aux États-Unis est arrivée plus tôt que prévu, raconte Andréane. Cette entreprise ne pouvait pas entreposer la marchandise. Grâce à mon réseau de contacts, j'ai pu trouver un entrepôt non loin de là qui a pris l'équipement.»

QUALITÉS RECHERCHÉES

Le travail du technicien en logistique du transport comporte de lourdes responsabilités. «Il y a beaucoup d'argent en jeu, sans compter les difficultés qui surviennent constamment. Le métier exige une bonne résistance au stress en plus d'une certaine maturité», précise Andréane. Le technicien doit pouvoir faire face à un ensemble de problèmes sans paniquer.

Il est essentiel d'aimer travailler en équipe et de savoir établir de bonnes relations avec ses collègues, ses clients et son réseau de contacts, ajoute la diplômée. «Il faut être attentif aux besoins des autres pour maintenir de bons rapports et répondre aux exigences des clients. Selon moi, l'humour demeure l'outil le plus efficace.»

Diplomatie et sang-froid sont d'autres qualités indispensables pour transiger avec des clients mécontents. Mondialisation oblige : une excellente maîtrise de l'anglais et même de l'espagnol est un atout non négligeable.

DÉFIS ET PERSPECTIVES

Avec la mondialisation, les territoires à desservir se sont élargis. Le marché autrefois provincial est maintenant national et international. «Par conséquent, les tâches des techniciens en logistique du transport se sont complexifiées, notamment par l'augmentation des réglementations liées au transport», explique Paul Rouleau, enseignant au Cégep de Lévis-Lauzon.

Les diplômés doivent donc maîtriser tous les aspects de la chaîne logistique de transport des marchandises, qui comprend l'approvisionnement, la gestion des stocks, l'entreposage, la distribution et le transport local, national et international. Ils doivent être à l'aise dans la coordination du transport sous tous ses modes : qu'il soit terrestre, ferroviaire, maritime ou aérien, conclut l'enseignant. 03/03

Peu importe que le lieu d'expédition se situe aux États-Unis, en Europe, au Moyen-Orient ou en Russie, Andréane doit déterminer l'itinéraire de la marchandise et les meilleurs modes de transport à utiliser.

HORAIRES ET MILIEUX DE TRAVAIL

• Les techniciens peuvent travailler pour des centres de distribution, des entrepôts, des compagnies de transport. On les retrouve aussi au service de logistique de diverses entreprises.

• En général, les techniciens travaillent de jour suivant des horaires réguliers. Ils peuvent être appelés à faire des heures supplémentaires.

Techniques de pilotage d'aéronefs

«Quand on pilote en vol à vue et que le soleil brille, c'est exceptionnel. C'est à ces moments que je réalise que je fais le plus beau métier du monde», lance Marie-Josée Boivin, copilote chez Geffair, une entreprise de nolisement et de photographie aérienne.

PROG. 280.AO
PRÉALABLES : 13, 40, VOIR PAGE 20

CHAMPS D'INTÉRÊT
• aime les avions
• aime l'action, l'imprévu
• aime conduire, observer et découvrir
• aime assumer des responsabilités et prendre des décisions

APTITUDES
• confiance en soi et facilité à prendre des décisions
• grand sens des responsabilités et beaucoup de rigueur
• excellent sens de l'observation
• très bonne capacité d'analyse et de synthèse
• sang-froid et excellents réflexes
• bilinguisme

OFFRE DU PROGRAMME PAR RÉGIONS
Saguenay—Lac-Saint-Jean

Pour connaître les établissements qui offrent ce programme : **www.inforoutefpt.org**

RÔLE ET TÂCHES

Marie-Josée est heureuse d'avoir pu se trouver un emploi immédiatement après avoir terminé sa formation au Centre québécois de formation aéronautique (CQFA) du Cégep de Chicoutimi. Son travail l'enchante. «J'assiste le pilote en vol et je m'occupe de toute la planification, dit-elle. J'élabore un plan de vol, je m'assure que le niveau d'essence est bon, que le calcul des distances est exact, j'effectue le dégivrage de l'avion au besoin, je fais réchauffer le moteur, je m'occupe du confort et de la sécurité des passagers. Bref, je vois à ce que tout soit prêt et en bon état de marche pour le vol. C'est beaucoup de petites choses à penser en même temps.»

Marie-Josée travaille avec un Piper Navao 310, un appareil qui peut transporter entre six et huit personnes incluant les pilotes. Les clients faisant appel aux services de l'entreprise sont principalement des gens d'affaires et leurs déplacements par avion durent généralement une ou deux heures, bien que certains s'étirent parfois jusqu'à trois ou quatre heures. Geffair est en quelque sorte une entreprise qui offre un service de taxi aérien.

«Nous faisons effectivement du transport de passagers sur demande, explique Marie-Josée. Les clients peuvent nous demander de les déposer à New York pour une réunion d'affaires et de les ramener à Montréal en fin de journée. Il peut aussi arriver que les vols se fassent sur deux jours et que certains soient consacrés au transport de marchandises.»

Au CQFA, les élèves en techniques de pilotage d'aéronefs doivent en premier lieu suivre une formation sur les fondements du pilotage et peuvent par la

	Salaire hebdo moyen	Proportion de dipl. en emploi	Emploi relié	Chômage	Nombre de diplômés
2004	N/D	N/D	N/D	N/D	N/D
2003	N/D	N/D	N/D	N/D	N/D
2002	N/D	N/D	N/D	N/D	N/D

Statistiques tirées de la *Relance* - Ministère de l'Éducation. Voir données complémentaires, page 387.

Comment interpréter l'information, page 19.

suite choisir entre le pilotage d'hélicoptères à turbines, d'appareils multi-moteurs ou d'hydravions pouvant transporter quatre ou cinq personnes.

QUALITÉS RECHERCHÉES

«La disponibilité est très importante dans ce métier, considère Marie-Josée. Pour ma part, je suis toujours "sur appel". De plus, parce que la sécurité et la vie des gens sont entre mes mains, je dois faire preuve d'un jugement et d'un sens des responsabilités exemplaires.» La jeune femme fait ensuite remarquer combien il est essentiel de bien gérer son stress et de s'adapter facilement et rapidement aux circonstances imprévues. «Les conditions sont parfois difficiles et la visibilité peut être réduite; je dois donc avoir une bonne concentration», ajoute-t-elle.

La facilité à travailler en équipe et la débrouillardise sont aussi des qualités nécessaires dans ce métier. Il est bien utile également de posséder de bonnes capacités physiques pour ceux qui auront à travailler pour des entreprises de brousse exigeant le chargement de marchandises. Enfin, des habiletés manuelles, de l'assurance et un bon sens de l'organisation sont essentiels.

La mobilité des diplômés est exigée pour certains types de pilotage. Ainsi, les pilotes d'hélicoptères, souvent sous contrat, doivent parfois passer quelques mois en région éloignée afin de faire la navette et assurer le déplacement d'une équipe travaillant, par exemple, pour une mine. Leur tâche consistera à amener les employés du camp où ils séjournent à l'emplacement des travaux.

> **«Parce que la sécurité et la vie des gens sont entre mes mains, je dois faire preuve d'un jugement et d'un sens des responsabilités exemplaires.»**
>
> **— Marie-Josée Boivin**

DÉFIS ET PERSPECTIVES

«Certains élèves croient que, sitôt diplômés, ils dégoteront l'emploi à 200 000 $ par année et se promèneront en Porsche, raconte Serge Boucher, directeur de l'enseignement au Centre québécois de formation en aéronautique du Cégep de Chicoutimi. Il faut être honnête avec eux et reconnaître que les deux premières années de travail ne sont pas faciles; ils décrochent souvent des boulots sous contrat et les salaires ne sont pas très élevés. Sans parler qu'après la formation, pour obtenir leur licence, les diplômés doivent effectuer entre 1 000 et 1 500 heures de vol. Acquérir cette expérience peut leur prendre jusqu'à deux ans.» Les licences de pilote sont octroyées et réglementées par le gouvernement fédéral. 03/01

HORAIRES ET MILIEUX DE TRAVAIL

- Les principaux employeurs de ces diplômés sont les entreprises de transport aérien et de nolisement (taxi sur demande), de transport de fret et de courrier, de cartographie et de brousse.

- Les diplômés peuvent aussi piloter des appareils de patrouille de feu, travailler dans des entreprises de sauts en parachute, devenir instructeurs de pilotage, etc.

- Les horaires de travail sont très variés.

- Les pilotes peuvent être appelés à travailler le jour, le soir, la nuit et la fin de semaine. Au Québec, le travail de nuit est toutefois interdit pour les pilotes de brousse.

- Dans ce secteur, le travail est souvent saisonnier, notamment pour les pilotes de brousse.

- Les pilotes de ligne bénéficient d'un horaire plus régulier, et ce milieu offre davantage de postes permanents.

CUIR, TEXTILE ET HABILLEMENT

L'industrie du vêtement vit une profonde transformation. Selon le Conseil des ressources humaines de l'industrie du vêtement, ce secteur a perdu environ 50 000 emplois en raison de la concurrence étrangère entre 2001 et 2005. Et l'abolition des quotas d'importation sur les vêtements, en vigueur depuis janvier 2005, exerce une pression supplémentaire sur les fabricants déjà éprouvés. Cette mesure permet en effet à d'autres pays, notamment ceux dont la main-d'œuvre coûte beaucoup moins cher qu'au Canada, de vendre leur production chez nous sans restriction.

À l'échelle québécoise, l'industrie du vêtement compte 46 000 travailleurs, ce qui représente 55 % des emplois canadiens du secteur. Pour s'adapter à la concurrence, elle mise essentiellement sur les acquis et les compétences des travailleurs d'ici : créativité, souci de la qualité et aptitude pour la commercialisation. Elle tente aussi de se démarquer par sa production haut de gamme et son expertise dans le domaine des tenues de loisirs (vêtements pour l'extérieur). Relever de tels défis suppose toutefois le concours de travailleurs qualifiés, comme les diplômés en commercialisation de la mode, en design de la mode et en gestion de la production de vêtement.

L'industrie du textile subit aussi les effets de la concurrence, en plus d'être vulnérable aux fluctuations des domaines d'activité dont elle est le fournisseur. Selon le Comité sectoriel de main-d'œuvre de l'industrie textile du Québec, ce secteur regroupe tout de même 24 300 travailleurs dans la province. Pour devenir plus concurrentielles et conquérir de nouveaux marchés, les quelque 600 entreprises qui emploient ces travailleurs doivent dorénavant miser sur des produits à valeur ajoutée comme les textiles antimoustiques ou anti-odeurs. C'est pourquoi elles recherchent notamment des diplômés en technologie des matières textiles. 03/05

CHAMPS D'INTÉRÊT

- aime le dessin, les couleurs, les formes, les nouveaux matériaux
- aime les vêtements ou les chaussures
- aime manipuler, couper, assembler les tissus ou le cuir
- aime utiliser des outils, des instruments ou des machines
- accorde de la valeur à la qualité et à l'efficacité de son travail

APTITUDES

- acuité sensorielle (vision et toucher)
- sens de l'observation, de l'analyse et de l'innovation
- grande faculté de concentration
- dextérité, grande précision et rapidité d'exécution
- imagination et sens de l'esthétique
- faculté de visualisation en trois dimensions
- connaissances en informatique

LE SAVIEZ-VOUS ?

Souvent confondu avec le secteur du vêtement, le domaine du textile regroupe toutes les entreprises de première transformation de fibres ou filaments, de fils, d'étoffes tissées, non tissées, tricotées, touffetées, de teinture, d'impression textile et d'apprêt. Leurs produits se trouvent dans des champs aussi variés que l'aérospatiale, la construction, la santé et, bien entendu, le vêtement.

Source :
Les carrières d'avenir 2005,
Les Éditions Jobboom.

RESSOURCES INTERNET

MINISTÈRE DE L'ÉDUCATION DU QUÉBEC – SECTEURS DE FORMATION
http://www.meq.gouv.qc.ca/ens-sup/ens-coll/program/ProgEtab.asp?vToken=s180
Vous trouverez sur cette page une description des programmes de ce secteur de formation, comprenant, pour chacun, les exigences d'admission, les objectifs de formation et une liste d'établissements d'enseignement.

COMITÉ SECTORIEL DE MAIN-D'ŒUVRE DE L'INDUSTRIE TEXTILE DU QUÉBEC
http://www.comitesectorieltextile.qc.ca
Une référence pratique sur l'industrie du textile à l'échelle provinciale.

CONSEIL DES RESSOURCES HUMAINES DE L'INDUSTRIE DU TEXTILE
http://www.thrc-crhit.org
Un site complet qui vous renseignera sur l'industrie du textile au Canada.

CONSEIL DES RESSOURCES HUMAINES DE L'INDUSTRIE DU VÊTEMENT
www.apparel-hrc.org
À consulter pour connaître les besoins de main-d'œuvre des entreprises de l'industrie canadienne de la fabrication du vêtement.

Commercialisation de la mode

«J'ai toujours été passionnée par la mode. Je ne savais pas où ça allait me mener, mais je tenais à travailler dans ce domaine.» Mission accomplie! Nathalie Wilson est aujourd'hui responsable des achats et de la mise en marché des vêtements et des produits des boutiques du Centre de golf UFO.

PROG. 571.CO
PRÉALABLE : 0, VOIR PAGE 20

CHAMPS D'INTÉRÊT
• est passionné par la mode
• aime persuader, négocier, vendre
• aime contrôler, calculer
  et organiser
• a besoin de créer, d'innover
• aime faire un travail varié

APTITUDES
• dynamisme, initiative,
  jugement et autonomie
• créativité et grand
  sens esthétique
• sens de l'observation et intuition
• audace et persévérance
• polyvalence et grand sens
  de l'organisation
• grande facilité à communiquer
  (vente, négociation)

OFFRE DU PROGRAMME PAR RÉGIONS
Capitale-Nationale, Estrie, Mauricie,
Montréal, Outaouais

Pour connaître les établissements qui offrent
ce programme : **www.inforoutefpt.org**

RÔLE ET TÂCHES

Nathalie Wilson est responsable de la mise en marché des vêtements et des articles vendus dans les cinq boutiques du Centre de golf UFO situées au centre-ville de Montréal ainsi que dans la région environnante. Les tâches sont diversifiées pour Nathalie, qui partage son temps entre le bureau et les magasins dont elle a la responsabilité de la mise en marché. Comme elle est chargée notamment de l'approvisionnement des boutiques, ce n'est certes pas le boulot qui manque. «Je dois penser à long terme et m'assurer que l'on ne manque de rien, dit-elle. Je travaille avec près de 40 fournisseurs. Je dois mettre en valeur les produits, gérer les stocks, créer de nouveaux produits, m'occuper des codes à barres, etc.» Afin de mieux saisir les goûts et les demandes des clients, Nathalie se présente régulièrement dans les boutiques et y travaille. Ce contact direct avec la clientèle lui facilite la tâche lorsque vient le temps de choisir les produits et d'orienter les ventes des saisons à venir. Nathalie doit également être bien au fait des stocks afin d'équilibrer les entrées et les sorties des produits dans les magasins. «C'est un emploi qui exige le sens des responsabilités et une bonne autonomie, dit-elle. Il faut bien gérer son temps et ne pas attendre à la dernière minute pour faire son travail, car la saison de golf ne dure que sept mois. Tout doit être prêt à temps.»

Les diplômés en commercialisation de la mode doivent analyser les besoins du marché, évaluer les fournisseurs et leurs différentes gammes de produits, planifier les budgets, les achats et les collections saisonnières,

	Salaire hebdo moyen	Proportion de dipl. en emploi	Emploi relié	Chômage	Nombre de diplômés
2004	435 $	62,3 %	58,2 %	0,0 %	191
2003	418 $	64,1 %	61,8 %	3,5 %	173
2002	423 $	69,3 %	60,7 %	1,6 %	118

Statistiques tirées de la *Relance* - Ministère de l'Éducation. Voir données complémentaires, page 387.

Comment interpréter l'information, page 19.

contrôler la distribution, organiser la présentation visuelle et physique et utiliser des stratégies de marketing visant à rendre les produits plus intéressants.

QUALITÉS RECHERCHÉES

Nathalie Wilson estime que, pour travailler dans ce domaine, il faut d'abord être sociable. «Moi, par exemple, je travaille en équipe et je dois souvent entrer en contact avec les fournisseurs et les clients. Il faut que je sois aussi à l'aise avec un type de personne qu'avec un autre, considère-t-elle. La polyvalence est aussi très importante, surtout lorsqu'on gère plusieurs choses en même temps, comme lors de la planification des collections à venir.» Appelée à travailler avec un ordinateur, notamment pour la gestion des stocks, Nathalie doit maîtriser certains logiciels, dont Word et Excel. Une grande partie du travail des diplômés tournant autour de la planification et de la gestion d'un budget, de bonnes notions en gestion sont très utiles. Le sens de l'organisation, l'esprit d'analyse, la capacité de vendre une idée et des habiletés en communication sont des conditions gagnantes pour les gens qui aspirent à travailler dans le domaine de la commercialisation de la mode.

«Actuellement, le nombre de produits offerts dépasse la demande des clients. C'est là que les diplômés devront concentrer leur énergie : trouver différentes stratégies pour rendre les produits plus attrayants aux yeux des consommateurs.»

— Anita Turano

DÉFIS ET PERSPECTIVES

Le secteur de la commercialisation des produits de la mode propose certains défis stimulants pour les diplômés, particulièrement pour ceux qui ont un esprit créatif. «Actuellement, le nombre de produits offerts dépasse la demande des clients. C'est là que les diplômés devront concentrer leur énergie : trouver différentes stratégies pour rendre les produits plus attrayants aux yeux des consommateurs», explique Anita Turano, directrice du programme de commercialisation de la mode au Collège LaSalle.

Mme Turano insiste sur la nécessité de doter les élèves de bonnes connaissances en gestion et en marketing afin de bien les préparer au marché de l'emploi. À cette fin, les notions enseignées sont souvent accompagnées d'exemples très concrets. «Tous les cours touchant au marketing, comme les achats ou le développement de produits exclusifs, sont appliqués à un produit de la mode», illustre Mme Turano. Un projet final est d'ailleurs prévu; les diplômés auront à démontrer, devant un jury composé de gens de l'industrie de la mode, la pertinence de commercialiser un produit donné. 04/01

HORAIRES ET MILIEUX DE TRAVAIL

• Les principaux employeurs sont les grandes compagnies de vêtements et d'accessoires de mode (bijoux, chaussures, produits de la mode), le secteur des cosmétiques et des produits de beauté, et celui des produits et des accessoires de décoration intérieure.

• Les diplômés peuvent travailler comme acheteurs, responsables des ventes, assistants au directeur du marketing.

• Ils peuvent aussi devenir superviseurs, gérants de boutique ou assister la personne responsable de la présentation visuelle.

• Les horaires sont variés et fluctuent selon les saisons. Les heures de travail sont nombreuses lors des grosses périodes de l'année, soit celles des commandes, des ventes et de la préparation de nouvelles collections saisonnières.

Design de mode

Diplômée en design de mode du Collège LaSalle, Patricia Moreau est maintenant directrice de production chez Souris Mini, une entreprise de Cap-Rouge spécialisée dans la fabrication de vêtements pour enfants. «J'ai fait un stage pour l'entreprise. À la fin, on m'a proposé un poste de production. Je l'ai accepté sans hésiter!»

PROG. 571.A0
PRÉALABLE : 0, VOIR PAGE 20

CHAMPS D'INTÉRÊT
- accorde de la valeur à la beauté et à l'originalité
- aime la mode, les textures, les formes et les couleurs (comme moyens d'expression)
- a un grand besoin de créer, d'innover
- aime communiquer et coopérer

APTITUDES
- créativité, audace et grand talent pour le dessin (organisation picturale)
- grand sens esthétique et beaucoup d'imagination
- facilité à communiquer et à travailler en équipe
- minutie, initiative et débrouillardise
- pragmatisme, polyvalence et persévérance

OFFRE DU PROGRAMME PAR RÉGIONS
Capitale-Nationale, Montréal

Pour connaître les établissements qui offrent ce programme : **www.inforoutefpt.org**

RÔLE ET TÂCHES

Le travail de Patricia débute une fois les vêtements vendus. «Je dois m'assurer du respect des quantités commandées et de la qualité impeccable des vêtements, dit-elle. Je dois aussi vérifier les tailles, la sérigraphie du tissu et m'assurer que le tout soit fait selon les exigences des clients et prêt dans les délais prévus.» Patricia doit également réagir aux nombreux imprévus qui surgissent en cours de route, qu'il s'agisse de problèmes liés au tissu, de défauts dans la broderie, de difficultés dans la fabrication.

En plus de superviser les différentes étapes de la production, Patricia prépare des dossiers pour des échantillons à produire et s'envole vers l'Europe et l'Asie deux fois par année lors de la sélection des tissus et des modèles pour les collections. Des voyages d'affaires bien intéressants. «Après avoir fait le tour des nouvelles tendances et matières, c'est la designer qui sélectionne les tissus qui seront achetés en Europe, explique la jeune femme. Les modèles pour nos collections sont ensuite fabriqués en Inde.» Le designer est responsable de la création et du suivi de la production des vêtements. Son travail est régi par toutes sortes de contraintes. Ainsi, avant de prendre une quelconque décision, il y a de nombreux éléments à considérer : les périodes de l'année, la recherche des nouvelles tendances et des nouvelles matières premières, la création de modèles et de prototypes, le suivi des collections et l'analyse du marché permettant de mieux connaître la clientèle visée, les nouveautés dans les collections à venir, la concurrence, etc.

	Salaire hebdo moyen	Proportion de dipl. en emploi	Emploi relié	Chômage	Nombre de diplômés
2004	403 $	68,1 %	64,9 %	1,1 %	196
2003	417 $	53,3 %	74,1 %	3,0 %	178
2002	355 $	76,7 %	63,8 %	6,7 %	97

Statistiques tirées de la *Relance* - Ministère de l'Éducation. Voir données complémentaires, page 387.

Comment interpréter l'information, page 19.

QUALITÉS RECHERCHÉES

«Quand on travaille dans ce domaine, il faut être polyvalent et avoir un bon sens de l'organisation, car ça bouge beaucoup, dit Patricia. On ne produit pas un vêtement en cinq minutes. Il faut s'assurer que toutes les étapes de la production se déroulent comme prévu. Les clients doivent recevoir les commandes à temps, alors il faut que je veille à ce que tout le processus de production aille bon train.» La débrouillardise et l'esprit d'initiative représentent des qualités importantes pour tout bon designer. «Près de 90 % du travail du designer consiste à solutionner des problèmes, souligne François Bousquet, coordonnateur du programme de design de mode au Collège LaSalle. Il doit être en mesure de faire face aux imprévus et de se retourner rapidement lorsque la situation l'exige.» La minutie et la précision sont des aspects essentiels aux designers, car ils sont appelés à effectuer du travail délicat qui se calcule bien souvent au millimètre près. Enfin, des aptitudes en informatique pour ceux qui auront à dessiner et à faire des patrons par ordinateur, une bonne connaissance de l'anglais et la capacité de travailler en équipe sont des qualités importantes.

Le designer est responsable de la création et du suivi de la production des vêtements.

DÉFIS ET PERSPECTIVES

Le marché des importations et des exportations représente une avenue intéressante pour les diplômés compte tenu que la production de vêtements se fait de plus en plus à l'étranger. «La récession des années 80 a coûté cher au milieu de la mode au Québec. Par contre, avec les importations, on peut dessiner un modèle par ordinateur le lundi matin, l'envoyer par Internet à Hong Kong où il sera réalisé, et recevoir les morceaux complets à Montréal pour le lundi suivant», indique M. Bousquet.

Il insiste sur le fait que les débouchés sont nombreux dans le domaine et que tout le monde peut y trouver sa place. «Certaines entreprises de production de vêtements industriels exigent un niveau de création moins élevé, mais offrent souvent des salaires plus intéressants. La personne qui fait des pyjamas pour les magasins Zellers, par exemple, peut gagner autant d'argent sinon plus que Marie Saint Pierre, une designer québécoise très connue. Chacun peut donc dénicher le créneau qui lui convient et des défis à sa mesure», considère M. Bousquet. 03/01

Photo : Collège LaSalle

HORAIRES ET MILIEUX DE TRAVAIL

- Les principaux employeurs de ce domaine sont les grandes et les petites manufactures, les PME spécialisées dans la production de vêtements, les magazines de mode, les grands magasins.

- Les diplômés peuvent notamment être embauchés comme stylistes pour les grandes chaînes de magasins ou les magazines de mode.

- C'est un domaine cyclique, avec des périodes plus intenses, comme lors de la production. À ces moments, les horaires de travail sont chargés.

- On exige souvent une grande disponibilité de la part des travailleurs.

Gestion de la production du vêtement

Habile avec les chiffres, Danny Corbeil se croyait destiné à une carrière scientifique. C'est cependant dans l'industrie textile qu'il fait aujourd'hui des mathématiques. Commis à la planification pour Christina Amérique, une entreprise de fabrication de maillots de bain, il passe ses journées à faire des calculs!

PROG. 571.B0
PRÉALABLE : 10, VOIR PAGE 20

CHAMPS D'INTÉRÊT
- aime organiser et superviser des activités de production
- aime les mathématiques
- aime résoudre des problèmes
- aime travailler en équipe

APTITUDES
- capacité de communication et d'écoute
- organisation et discipline
- rigueur et concentration
- bonne résistance au stress
- débrouillardise

OFFRE DU PROGRAMME PAR RÉGIONS
Capitale-Nationale, Montréal

Pour connaître les établissements qui offrent ce programme : **www.inforoutefpt.org**

RÔLE ET TÂCHES

Les diplômés en gestion de la production du vêtement deviennent des gestionnaires pour l'industrie manufacturière de l'habillement. Ils apprennent notamment à programmer, contrôler et gérer la production d'une usine de vêtements. Danny, pour sa part, veille sur la production des 16 usines de Christina Amérique qui sont réparties dans la grande région de Montréal et en République Dominicaine. Le diplômé n'a pas le temps de flâner puisqu'en forte période de production, la compagnie confectionne plus de 120 000 maillots par semaine. Afin que toute cette marchandise soit livrée à temps, Danny voit à ce que les délais de production soient respectés. Son outil de travail? Un ordinateur qui lui donne accès à toutes les opérations effectuées dans chacune des usines de l'entreprise.

D'abord, le commis vérifie tous les lots de commandes inscrits au système informatique. Il s'assure qu'ils correspondent bien aux demandes des clients en ce qui concerne la couleur, le style, la taille et la quantité des maillots commandés. Une fois que la production est lancée, il veille à ce que les délais prévus soient respectés grâce à divers rapports générés par ordinateur. «Plusieurs problèmes peuvent se présenter à cette étape, précise Danny. Certains lots sont en retard. Il faut alors trouver des solutions pour qu'ils soient livrés à temps. Parfois, il s'agira d'accélérer la production d'un lot et d'en ralentir d'autres qui sont moins urgents.»

Le commis voit également à ce que la capacité de rendement des usines respecte la production en cours. «Chaque jour, des commandes s'ajoutent,

	Salaire hebdo moyen	Proportion de dipl. en emploi	Emploi relié	Chômage	Nombre de diplômés
2004	N/D	N/D	N/D	N/D	N/D
2003	N/D	N/D	N/D	N/D	N/D
2002	N/D	N/D	N/D	N/D	1

Statistiques tirées de la *Relance* - Ministère de l'Éducation. Voir données complémentaires, page 387.

Comment interpréter l'information, page 19.

d'autres s'annulent. Je dois donc m'organiser pour conserver un équilibre entre la quantité de maillots commandée et la quantité produite.» Finalement, Danny compile sur une base hebdomadaire le nombre de maillots fabriqués durant la semaine afin de s'assurer que les objectifs de production ont été atteints.

QUALITÉS RECHERCHÉES

Pour exercer ce métier, il faut nécessairement aimer les mathématiques. «Je suis constamment en train de jongler avec les chiffres, note Danny. Il faut le faire avec beaucoup de rigueur et de concentration. Une erreur de calcul ou même de frappe peut avoir de graves conséquences.»

Le poste de Danny l'amène à gérer la fabrication de milliers de maillots de bain par semaine. Il est donc primordial qu'il possède le sens de l'organisation, de la discipline et un esprit méthodique. Ses responsabilités exigent aussi une bonne capacité à travailler sous pression et à régler des situations problématiques. La débrouillardise, la créativité et une communication efficace avec les différents services de l'entreprise sont alors de mise pour trouver des solutions.

> «Je suis constamment en train de jongler avec les chiffres. Il faut le faire avec beaucoup de rigueur et de concentration. Une erreur de calcul ou même de frappe peut avoir de graves conséquences.»
>
> — Danny Corbeil

DÉFIS ET PERSPECTIVES

Jocelyne Dubé Lavoie, enseignante au Cégep Marie-Victorin, estimait qu'une éventuelle abolition des barrières tarifaires entre les pays membres de l'Organisation mondiale du commerce amènerait des transformations dans la gestion de la production du vêtement. C'est désormais chose faite. «Il n'y a plus de quotas imposés sur la quantité de vêtements qu'une manufacture désire exporter ici, il faut revoir nos façons de faire. Dans ce contexte, la Chine, qui possède une main-d'œuvre bon marché, exporte de grandes quantités de vêtements à un moindre coût. Afin de rester compétitifs, les diplômés doivent trouver des méthodes leur permettant de fabriquer des produits de haute qualité pour moins cher.» Les diplômés de demain devront également relever le défi de la gestion à distance, ajoute l'enseignante. Beaucoup d'entreprises québécoises produisent leurs vêtements dans des pays où la main-d'œuvre est moins coûteuse. «Les diplômés devront gérer la production à distance et s'assurer de donner les bonnes directives pour que le vêtement reste de qualité.» 03/03

HORAIRES ET MILIEUX DE TRAVAIL

• Les diplômés œuvrent dans des entreprises manufacturières de l'industrie textile. Ils peuvent aussi être engagés par des chaînes de boutiques de vêtements, des fournisseurs de logiciels de gestion manufacturière et des firmes de consultants en gestion de production de vêtements.

• En général, les diplômés travaillent le jour, 40 heures par semaine.

Technologie de la production textile

Jonathan Guay est contremaître d'équipe chez Cavalier textiles, une entreprise de Sherbrooke spécialisée dans la production de fils à valeur ajoutée comme le Gore-Tex, le lycra et le polyester. Son rôle? Faire en sorte que le service dont il a la responsabilité soit plus efficace en tenant compte des moyens disponibles.

PROG. 251.BO
PRÉALABLES : 11, 20, VOIR P. 20

CHAMPS D'INTÉRÊT
• aime résoudre des problèmes
• accorde de la valeur à la qualité et à l'efficacité
• aime assumer des responsabilités et prendre des décisions
• aime observer, vérifier, superviser, organiser
• aime les rapports humains

APTITUDES
• bon jugement et sens des responsabilités
• dynamisme et leadership
• sens de l'analyse et de l'observation
• sens de l'organisation
• grande facilité à communiquer

OFFRE DU PROGRAMME PAR RÉGIONS
Montérégie

Pour connaître les établissements qui offrent ce programme : **www.inforoutefpt.org**

RÔLE ET TÂCHES

Embauché trois semaines après avoir terminé ses cours, Jonathan est maintenant en charge de la supervision de l'équipe de production de nuit au service de filage et renvidage. «Je suis responsable des deux dernières étapes de la production, dit-il. Le filage consiste à ouvrir les fibres d'un ballot de coton compressé, à les étirer plusieurs fois pour en faire des rubans de coton et ensuite à fabriquer le fil à partir du ruban; alors que le renvidage consiste à mettre le fil sur des cônes, à l'épurer pour en extraire les défauts passés inaperçus en cours de production et à faire parvenir le produit à nos clients», explique ce diplômé du Cégep de Saint-Hyacinthe. À titre de contremaître, Jonathan veille à ce que la production aille bon train. Il est responsable de 22 employés. Sa journée de travail débute vers 18 h 30, moment où il vérifie les présences et organise son équipe pour la soirée. C'est lui qui prépare l'assignation des tâches pour l'équipe qui prendra la relève le jour venu. Il effectue ensuite la mise à jour des données de production sur ordinateur et procède, s'il y a lieu, à quelques vérifications visant à s'assurer de la qualité ou de l'efficacité du nettoyage des produits. «Les machines fonctionnent 24 heures sur 24 et ne doivent pas s'arrêter. Je dois donc faire en sorte que le service roule à plein régime», souligne Jonathan. L'entreprise peut produire une vingtaine de fils différents au même moment. Le bris d'une machine ou un autre pépin en cours de route peut avoir des conséquences importantes sur la production.

Le technologue en production textile est appelé à superviser le travail de plusieurs personnes, à établir les priorités selon la demande des clients et à

	Salaire hebdo moyen	Proportion de dipl. en emploi	Emploi relié	Chômage	Nombre de diplômés
2004	N/D	60,0 %	50,0 %	0,0 %	7
2003	584 $	100,0 %	66,7 %	0,0 %	7
2002	768 $	66,7 %	100,0 %	20,0 %	9

Statistiques tirées de la *Relance* - Ministère de l'Éducation. Voir données complémentaires, page 387.

Comment interpréter l'information, page 19.

contrôler les paramètres de production. C'est lui qui s'assure que la température et le taux d'humidité sont adéquats et que les variables, comme la vitesse et les composantes chimiques des solutions de teinture, sont respectées. On le voit, les responsabilités sont grandes pour le technologue, qui doit souvent participer à plusieurs étapes de la production.

QUALITÉS RECHERCHÉES

«Il faut aimer travailler avec les gens et s'assurer d'avoir une belle relation avec les employés. Je supervise le travail de nombreuses personnes et je dois tenir compte des conditions syndicales et les respecter. Je dois aussi régler certains conflits, mais jusqu'à présent ça va bien; je n'ai pas eu de problèmes importants avec les employés», explique Jonathan, qui insiste aussi sur la capacité de gérer son stress et l'importance de ne pas paniquer devant les problèmes qui peuvent survenir en cours de production. Le technologue en production textile doit être en mesure de diriger une équipe de travail et faire preuve de polyvalence. En effet, il arrive souvent qu'il doive s'occuper, de concert avec des planificateurs et des contremaîtres, de la planification et de l'organisation du travail. Le dynamisme et un esprit alerte, qui permettra de repérer rapidement les problèmes et de les résoudre efficacement, sont des atouts importants. À ces qualités s'ajoute une bonne connaissance de l'anglais puisque la plupart de la documentation et des revues dans le domaine sont rédigées essentiellement dans cette langue.

> «Les machines fonctionnent 24 heures sur 24 et ne doivent pas s'arrêter. Je dois donc faire en sorte que le service roule à plein régime.»
>
> — Jonathan Guay

Photo : Dominion Textile inc.

DÉFIS ET PERSPECTIVES

Sophie Dorais, professeure au Département de textiles au Cégep de Saint-Hyacinthe, constate que la plupart des élèves déjà titulaires d'un diplôme de niveau collégial ou universitaire se dirigent généralement vers le programme en production textile; par contre, les diplômés du secondaire optent plutôt pour la formation en matières textiles. Le programme vise notamment à former des futurs contremaîtres d'équipe qui seront en charge de la production. Selon Mme Dorais, ce sont en général de meilleurs candidats pour les entreprises parce qu'ils sont plus mûrs et mieux à même de gérer du personnel. Ce travail comportant d'importantes responsabilités, il est parfois difficile pour un jeune de 18 ans de faire face à la pression que suppose le fait d'être à la tête d'une équipe de travail. 03/01

HORAIRES ET MILIEUX DE TRAVAIL

• Les principaux employeurs de ce secteur sont les usines de textile (tissus, fils, matériaux pour la fabrication de vêtements), les usines de fabrication de carreaux de céramique, l'industrie du tapis (tissus, couleurs), les entreprises de sérigraphie, de peinture ou de teinture et les entreprises spécialisées dans les matériaux servant à la fabrication de vêtements de sport.

• Les horaires sont diversifiés et peuvent s'échelonner sur 24 heures par jour, sept jours par semaine, là où la production l'exige.

• Le travail peut se faire le jour, le soir, la nuit et la fin de semaine.

Technologie des matières textiles

Édith Lajoie travaille pour Les textiles Silver, une entreprise montréalaise spécialisée dans le tricotage circulaire, une étape dans la fabrication de certains vêtements. «C'est le type d'emploi que je cherchais. L'ambiance est super bonne, l'équipe est dynamique et le travail n'est pas répétitif. Quand je me lève le matin, j'ai le goût d'aller travailler!»

PROG. 251.A0
PRÉALABLES : 11, 20, VOIR P. 20

CHAMPS D'INTÉRÊT
- aime résoudre des problèmes
- aime gérer et superviser des activités de production
- aime améliorer le rendement et la qualité de la production
- aime travailler en équipe

APTITUDES
- facilité à communiquer
- tact et diplomatie
- imagination et créativité
- bon sens de l'observation
- connaissances de base en anglais

OFFRE DU PROGRAMME PAR RÉGIONS
Montérégie

Pour connaître les établissements qui offrent ce programme : **www.inforoutefpt.org**

RÔLE ET TÂCHES

Pour Édith, qui possède également un diplôme en design de mode, ce travail se révèle une excellente combinaison de ses deux formations. «Avec ma formation en design de mode, j'ai appris à créer le vêtement, alors que la technique en matières textiles, ajoutée à mon stage au sein de l'entreprise, m'a permis de voir comment se fabriquent les tissus et les tricots.» Les tâches d'Édith sont complexes et diversifiées. De la création à la production, elle est appelée à jouer un rôle important dans toutes les étapes de la fabrication du nouveau produit. «Je touche au design du tricot par ordinateur, je vois aux motifs dans les tissus et aux reliefs dans les tricots, explique-t-elle. Je travaille aussi à la recherche et au développement de nouveaux tissus, de nouveaux fils et de nouvelles idées pour les clients.» La jeune femme s'est déniché un poste à temps plein à peine trois mois après avoir terminé sa formation au Cégep de Saint-Hyacinthe. «Aux Textiles Silver, nos clients sont les grandes chaînes de magasins comme Jacob et San Francisco. Nous sommes en quelque sorte le maillon les reliant aux manufacturiers, dit-elle. La fabrication des tissus varie selon les exigences et les besoins des clients. C'est pourquoi je dois effectuer certains tests de stabilité, de couleur et de poids et faire des rapports aux clients pour m'assurer que le tout répondra à leurs besoins et sera conforme à leur commande.»

Le technicien en matières textiles est appelé à développer des produits en choisissant les matériaux, en établissant certaines recettes de teinture, etc.

	Salaire hebdo moyen	Proportion de dipl. en emploi	Emploi relié	Chômage	Nombre de diplômés
2004	563 $	100,0 %	66,7 %	0,0 %	14
2003	547 $	84,6 %	90,9 %	8,3 %	18
2002	554 $	70,0 %	85,7 %	12,5 %	14

Statistiques tirées de la *Relance* - Ministère de l'Éducation. Voir données complémentaires, page 387.

Comment interpréter l'information, page 19.

Il doit faire un contrôle de la qualité des produits en effectuant des essais et en vérifiant si les procédures en laboratoire ou les normes, comme les programmes d'assurance qualité ISO, sont respectées. Il doit aussi pouvoir résoudre les problèmes de qualité, remédier aux défauts imprévus, ajuster les nuances de couleur, entre autres. En plus de superviser le travail en laboratoire, le technicien veille à améliorer, à adapter et à optimiser le produit afin de le rendre plus efficace et moins coûteux.

QUALITÉS RECHERCHÉES

Le sens de l'initiative et l'esprit créatif sont deux qualités importantes pour quiconque veut travailler dans ce domaine. «Il faut aussi être capable d'accepter la critique, considère Édith. On travaille en équipe et l'on doit être ouvert aux idées des autres. Il arrive que nos idées soient refusées, mais ça ne doit pas nous empêcher de prendre des risques et de tenter de nouvelles choses.» Puisqu'elle participe à plusieurs étapes de la production, Édith doit faire preuve d'autonomie et d'un vigoureux sens de l'organisation. Appelée à toucher au design de tricot par ordinateur, elle a dû aussi maîtriser rapidement certains logiciels comme Illustrator et PhotoShop. Dans ce domaine, on doit être en mesure de bien gérer son temps pour que tout soit prêt dans les délais imposés. La minutie et la précision sont également des atouts. Une connaissance de base de l'anglais est souhaitée, car la plupart des termes employés sont dans cette langue. Finalement, des aptitudes pour la communication et un goût pour le travail en équipe sont également des qualités importantes.

DÉFIS ET PERSPECTIVES

Gérard Lombard, coordonnateur et professeur au Département de textiles du Cégep de Saint-Hyacinthe, estime que les entreprises spécialisées dans des produits textiles performants, comme le lycra et le Gore-Tex, représentent une voie de sortie intéressante pour les diplômés. M. Lombard souligne que les diplômés peuvent également se diriger vers la production de certains produits plus techniques et à valeur ajoutée, ces produits nécessitant des connaissances plus poussées comme dans le cas des pièces destinées au secteur de la construction. 03/01

En plus de superviser le travail en laboratoire, le technicien veille à améliorer, à adapter et à optimiser le produit afin de le rendre plus efficace et moins coûteux.

Photo : Cégep de Saint-Hyacinthe

HORAIRES ET MILIEUX DE TRAVAIL

- Les principaux employeurs de ces diplômés sont les entreprises spécialisées dans la production textile : vêtements, tapis, peinture, teinture; les secteurs de l'environnement, de la construction et de l'architecture, qui nécessitent des connaissances plus pointues, et le secteur manufacturier.

- Le travail se fait principalement en laboratoire et dans un bureau. Les employés peuvent travailler seuls ou en équipe.

- L'horaire est assez conventionnel, le travail se faisant généralement le jour et par périodes de huit heures.

SANTÉ

Le réseau de la santé offre de très bonnes perspectives aux diplômés de la formation collégiale technique. Les nombreuses offres d'emploi proviennent essentiellement des centres de santé et de services sociaux, qui regroupent les hôpitaux, les CLSC et les centres d'hébergement et de soins de longue durée, de même que des centres de réadaptation et des cliniques médicales privées. Selon les estimations d'Emploi-Québec, le secteur des soins de santé et de l'assistance sociale est celui qui créera le plus grand nombre d'emplois d'ici à 2008, avec une croissance moyenne de l'effectif de 2,5 % par année.

Au cours des prochaines années, le vieillissement de la population jouera un rôle important dans la demande de personnel. Selon le ministère de la Santé et des Services sociaux du Québec (MSSS), près de 60 % du personnel du secteur a plus de 40 ans. En 2004, le MSSS estimait que plus de 2 000 travailleurs du réseau avaient pris leur retraite. On prévoit que ce nombre grimpera à 6 000 en 2009 et à 8 000 en 2011. Le vieillissement de la population va également faire augmenter les besoins de personnel dans les services offerts aux personnes âgées ou en perte d'autonomie.

Cette conjoncture favorise notamment l'embauche d'infirmières, de techniciens en réadaptation physique et de techniciens d'orthèses et de prothèses orthopédiques. Les technologues en inhalothérapie, en radiodiagnostic, en médecine nucléaire et en radio-oncologie sont également recherchés. En fait, les employeurs déplorent un manque de diplômés dans tous les programmes de la formation collégiale technique liés à la santé. 03/05

CHAMPS D'INTÉRÊT

- se soucie du bien-être et de la santé
- aime rendre service ou prendre soin des personnes
- aime les sciences : chimie et biologie
- aime transmettre de l'information (éduquer)

APTITUDES

- habileté pour les sciences
- sens des responsabilités et sens de l'organisation développés
- dévouement, respect et capacité d'écoute des personnes
- facilité d'apprentissage intellectuel
- connaissances informatiques
- résistance au stress

RESSOURCES INTERNET

MINISTÈRE DE L'ÉDUCATION DU QUÉBEC – SECTEURS DE FORMATION
http://www.meq.gouv.qc.ca/ens-sup/ens-coll/program/ProgEtab.asp?vToken=s190
Vous trouverez sur cette page une description des programmes de ce secteur de formation, comprenant, pour chacun, les exigences d'admission, les objectifs de formation et une liste d'établissements d'enseignement.

ORDRE DES INFIRMIÈRES ET INFIRMIERS DU QUÉBEC (OIIQ)
http://www.oiiq.org
Ce site explique les procédures d'admission à l'Ordre pour les jeunes diplômés. Il propose aussi de l'information sur la nature du travail d'infirmier.

AVENIR EN SANTÉ
http://www.avenirensante.com
Un site qui explore chacune des professions liées à la santé. Toute l'information dont vous avez besoin pour choisir une carrière dans le domaine!

MINISTÈRE DE LA SANTÉ ET DES SERVICES SOCIAUX DU QUÉBEC
http://www.msss.gouv.qc.ca/index.php
Des renseignements complets sur le réseau québécois de la santé et des services sociaux.

Acupuncture

«L'acupuncture me permet de soulager la souffrance. Je lis beaucoup sur le sujet et je discute régulièrement avec des collègues pour me tenir au courant de tout ce qui peut améliorer ma pratique», explique Zoé Lamothe, diplômée en acupuncture traditionnelle.

PROG. 112.A0
PRÉALABLE : 20, VOIR PAGE 20

CHAMPS D'INTÉRÊT
- aime le domaine de la santé et préfère les médecines «douces»
- aime écouter et aider les personnes
- aime faire un travail autonome
- aime l'observation et les manipulations délicates
- aime apprendre et se perfectionner

APTITUDES
- faculté d'empathie et capacité à créer un lien de confiance
- grande ouverture d'esprit
- grande acuité de perception (visuelle et tactile)
- grande dextérité manuelle
- initiative et persévérance

OFFRE DU PROGRAMME PAR RÉGIONS
Montréal

Pour connaître les établissements qui offrent ce programme : **www.inforoutefpt.org**

RÔLE ET TÂCHES

L'acupuncture est une méthode thérapeutique chinoise qui consiste à rétablir l'équilibre énergétique en implantant de fines aiguilles métalliques à des endroits spécifiques du corps pendant un temps variable. L'état physique et psychologique du patient est attentivement examiné pour poser un diagnostic et déterminer le traitement approprié.

L'acupuncteur évalue d'abord la raison de la consultation et personnalise un plan de traitement. «Le patient veut savoir ce qu'on va faire pour le soulager mais aussi combien de visites seront nécessaires», souligne Zoé.

Plusieurs possibilités de traitement s'offrent à l'acupuncteur, dont la moxibustion, qui consiste à faire brûler de l'armoise (une plante aromatique) pour créer de la chaleur sur l'aiguille, la stimulation laser, les ventouses, etc.

Dans beaucoup de cas, l'acupuncteur travaille en étroite collaboration avec le médecin traitant de son patient. «L'acupuncteur ne prescrit pas de médicaments. Une synergie intéressante est possible avec la médecine traditionnelle en utilisant l'acupuncture comme complément à un traitement», explique Ghyslaine Douville, responsable de la coordination du Département d'acupuncture traditionnelle au Collège de Rosemont.

	Salaire hebdo moyen	Proportion de dipl. en emploi	Emploi relié	Chômage	Nombre de diplômés
2004	N/D	91,7 %	100,0 %	4,3 %	34
2003	629 $	100,0 %	57,1 %	0,0 %	31
2002	990 $	90,0 %	80,0 %	0,0 %	24

Statistiques tirées de la *Relance* - Ministère de l'Éducation. Voir données complémentaires, page 387.

Comment interpréter l'information, page 19.

QUALITÉS RECHERCHÉES

Pour pratiquer le métier d'acupuncteur, il faut aimer aider les gens, être autonome et avoir confiance en soi. La compassion et la patience sont des qualités humaines essentielles. Dans certains cas, l'acupuncture ne peut être d'aucun secours, ce qui fait dire à Zoé qu'il est important d'apprendre à connaître ses limites et à vivre avec.

La précision et la dextérité servent bien l'acupuncteur dans les délicates manœuvres qu'il a à effectuer, par exemple lors de l'utilisation d'aiguilles.

La majorité des diplômés ouvrent une clinique privée, que ce soit à l'extérieur ou à leur domicile. Un bon sens de l'organisation est donc essentiel, car ils doivent bâtir leur clientèle et prendre en charge tous les aspects administratifs relatifs à la gestion d'une entreprise.

«La mise à jour de nos connaissances est très importante.»

— Zoé Lamothe

DÉFIS ET PERSPECTIVES

L'acupuncture est une méthode thérapeutique très stable en elle-même; on y utilise peu de technologies modernes. Toutefois, la formation continue offre aux diplômés divers champs de pratique qui peuvent compléter leur savoir, par exemple la diététique ou le massage tuina, utilisé particulièrement pour traiter les enfants, qui ont souvent peur des aiguilles.

«La mise à jour de nos connaissances est très importante. Avec quelques autres acupuncteurs, explique Zoé, on a formé un genre de comité. Lors de nos rencontres, nous discutons de certains cas, de nouvelles techniques que nous avons essayées ou développées ou encore de livres intéressants qu'on a lus. Il y a de la place pour l'innovation et on doit s'adapter.»

L'acupuncteur peut aussi parfaire sa formation en assistant à des séminaires de médecine. «Il est important qu'il suive les progrès des approches cliniques de la médecine traditionnelle qui peuvent l'aider dans l'exercice de sa profession.» 09/99

HORAIRES ET MILIEUX DE TRAVAIL

- Il y a peu d'ouvertures pour les nouveaux diplômés, car peu de cliniques de médecine traditionnelle les intègrent dans une équipe multidisciplinaire.
- L'acupuncteur doit donc fonder sa propre entreprise ou ouvrir un bureau avec des collègues.
- Les horaires de travail sont variés dans cette profession.
- On peut créer son propre horaire en fonction du genre de pratique que l'on désire.

Archives médicales

«Ce que je préfère dans mon travail, c'est traiter de l'information médicale», raconte Caroline Launière-Chassé, archiviste, qui travaille au Centre hospitalier de Saint-Eustache. «Il faut être un passionné de l'information et ne pas se sentir rebuté par les codes.»

PROG. 411.AO
PRÉALABLE : 0, VOIR PAGE 20

CHAMPS D'INTÉRÊT

- aime la médecine, le domaine de la santé
- aime la lecture, l'analyse et le classement
- aime communiquer, coopérer et travailler avec le public
- aime se sentir utile et responsable

APTITUDES

- bonnes connaissances en anatomie et en physiologie
- sens de l'organisation et esprit méthodique
- sens des responsabilités
- habiletés à la communication verbale et écrite

OFFRE DU PROGRAMME PAR RÉGIONS
Lanaudière, Mauricie, Montréal

Pour connaître les établissements qui offrent ce programme : **www.inforoutefpt.org**

RÔLE ET TÂCHES

L'archiviste médical est un professionnel de l'information. Les méthodes de classement qu'il utilise ont été mises sur pied par l'Organisation mondiale de la santé. C'est lui qui est chargé de traiter le dossier d'un usager, à l'hôpital comme partout où l'on peut trouver de l'information médicale (Régie de l'assurance-médicaments, CLSC, bureaux de coroners, etc.). L'archiviste lit le dossier d'un bout à l'autre et voit à le compléter au besoin. «Tout le dossier du patient vient à nous, que les informations émanent du médecin ou de la radiologie, qu'il s'agisse du protocole opératoire ou d'autre chose, explique Caroline. S'il manque une information, on communique avec le professionnel concerné pour compléter le dossier.»

Après l'analyse, on code les informations pour les entrer dans une banque de données. À chaque maladie correspond un code précis. «On s'en va de plus en plus vers l'informatisation des systèmes d'information», précise Caroline. À partir de ces banques de données, l'archiviste peut produire des rapports statistiques qui serviront à faire des études socio-médico-administratives. Par exemple, on pourra ressortir les données relatives à une maladie quelconque pour fins de recherche médicale. Les observations sont notées sous forme de «registres», comme ceux de traumatologie et d'oncologie.

L'archiviste médical assure aussi la conservation des dossiers : il conçoit et remplit différents formulaires. «On doit traiter les demandes d'information faites par la CSST et la Société de l'assurance automobile du Québec concernant l'état d'un patient, par exemple», ajoute Caroline.

	Salaire hebdo moyen	Proportion de dipl. en emploi	Emploi relié	Chômage	Nombre de diplômés
2004	520 $	100,0 %	88,9 %	0,0 %	52
2003	526 $	100,0 %	100,0 %	0,0 %	26
2002	539 $	100,0 %	100,0 %	0,0 %	36

Statistiques tirées de la *Relance* - Ministère de l'Éducation. Voir données complémentaires, page 387.

Comment interpréter l'information, page 19.

Un autre aspect de son travail : la divulgation des informations. «C'est nous qui sommes chargés du contrôle, qui consiste à vérifier, à gérer et à transmettre des données. Le travail est notamment régi par la Loi sur l'accès à l'information», précise Caroline. «La protection des renseignements personnels est en effet la première responsabilité de l'archiviste», note Céline-Carole Bilodeau, coordonnatrice du programme au Collège Ahuntsic.

QUALITÉS RECHERCHÉES

«Au départ, il faut avoir un intérêt pour la médecine, la biologie, la psychologie et la sociologie, explique Caroline. Il faut aimer manipuler de l'information, la coder, la lire et la rechercher. C'est un travail de précision qui demande un bon sens de l'organisation.» Étant donné qu'il travaille avec le public, l'archiviste doit aussi faire preuve de diplomatie et de tact.

On communique souvent avec des médecins, des chercheurs et des administrateurs; il faut donc posséder une bonne capacité à travailler en équipe. «La polyvalence est un atout dans le domaine des archives médicales, car on est appelé à travailler ailleurs qu'en milieu hospitalier», souligne Caroline. La discrétion et la conscience professionnelle sont de rigueur. Mme Bilodeau précise que le jugement et la minutie sont aussi nécessaires.

DÉFIS ET PERSPECTIVES

Certains diplômés choisissent de se spécialiser en acquérant une attestation d'études collégiales (AEC). Pour sa part, Caroline suit le programme en registre des tumeurs, car elle aimerait travailler en recherche dans ce domaine.

En plus de travailler comme employé, l'archiviste médical a la possibilité d'obtenir des postes supérieurs, en tant qu'archiviste en chef ou archiviste-conseil, par exemple.

Selon Mme Bilodeau, des défis attendent les diplômés. Ils auront notamment à promouvoir les différents registres auxquels ils travaillent et à vendre leurs compétences à l'extérieur de leur service. 09/99

> «La protection des renseignements personnels est la première responsabilité de l'archiviste.»
>
> — Céline-Carole Bilodeau

Photo : Collège Ahuntsic

HORAIRES ET MILIEUX DE TRAVAIL

- Outre les traditionnels établissements de santé, on peut travailler dans des compagnies pharmaceutiques, la Régie de l'assurance-médicaments, les cabinets d'avocats spécialisés en droit médical, les centres de recherche en épidémiologie, les bureaux de coroners et la Croix Rouge.

- Certains offrent leurs services à forfait pour des durées allant de trois à huit mois.

- La plupart des archivistes travaillent de jour, mais il est possible de travailler à temps partiel ou selon une semaine de quatre jours.

Audioprothèse

«Les élèves dans ce domaine ont de très gros défis à relever. Les cours sont extrêmemement exigeants, il faut être tenace pour réussir à obtenir son diplôme, mais croyez-moi, ça vaut la peine!» Gaston Girard a trouvé du travail dans un cabinet privé aussitôt son diplôme en poche.

PROG. 160.BO
PRÉALABLES : 13, 40, VOIR PAGE 20

CHAMPS D'INTÉRÊT

- aime écouter et aider les personnes, expliquer et vulgariser
- aime la médecine, le domaine de la santé
- aime faire un travail autonome
- aime créer (à partir de problèmes concrets)
- aime le travail manuel et les instruments de précision

APTITUDES

- autonomie et initiative
- patience et sensibilité envers les personnes
- facilité à communiquer (écouter et expliquer)
- grande dextérité et grande acuité de perception visuelle
- grand souci du détail et sens des responsabilités

OFFRE DU PROGRAMME PAR RÉGIONS
Montréal

Pour connaître les établissements qui offrent ce programme : **www.inforoutefpt.org**

RÔLE ET TÂCHES

L'audioprothésiste est un professionnel de la santé qui vend, pose, ajuste et répare les prothèses auditives nécessaires aux personnes atteintes d'un problème d'audition. Il détermine la solution prothétique optimale à partir d'une batterie de tests et de l'analyse des problèmes d'écoute et de communication du patient. Les prothèses sont de plus en plus sophistiquées et esthétiques et peuvent être installées dans l'oreille ou derrière le pavillon de l'oreille.

L'audioprothésiste ne peut vendre d'appareil sans une attestation du besoin d'appareillage émise par un médecin, un oto-rhino-laryngologiste ou un audiologiste; il travaille donc en collaboration avec eux.

Il prépare ensuite l'appareil qu'il a sélectionné et préréglé et reçoit le client pour l'installation et les ajustements finaux. «Plus le problème d'audition est lourd, plus la prothèse peut être grosse. C'est parfois difficile à faire accepter aux patients, car c'est souvent un des premiers signes de perte d'autonomie pour eux», explique Gaston.

QUALITÉS RECHERCHÉES

L'audioprothésiste doit posséder un bon esprit d'analyse qui lui permettra de prendre les décisions qui s'imposent selon le cas qui lui est soumis. «Il s'agit d'optimiser le rendement audioprothétique en tenant compte des choix du patient et des limites de la technologie utilisée. On peut donc dire que notre domaine allie la compétence sur le plan de la technologie et au point de vue de la relation d'aide avec les patients, l'une étant tout aussi

	Salaire hebdo moyen	Proportion de dipl. en emploi	Emploi relié	Chômage	Nombre de diplômés
2004	731 $	100,0 %	100,0 %	0,0 %	8
2003	658 $	100,0 %	80,0 %	0,0 %	9
2002	536 $	91,7 %	85,7 %	0,0 %	14

Statistiques tirées de la *Relance* - Ministère de l'Éducation. Voir données complémentaires, page 387.

Comment interpréter l'information, page 19.

importante que l'autre», précise Yves Tougas, responsable de la coordination du programme d'audioprothèse et professeur au Collège de Rosemont.

Aimer travailler avec les personnes âgées et être patient sont de précieux atouts, car l'audioprothésiste doit expliquer le fonctionnement de l'appareil et prodiguer des conseils d'adaptation personnalisés. «Les personnes âgées composent la majeure partie de notre clientèle. Ces personnes ont souvent des troubles de mémoire et le soutien de la famille est souhaitable. Ça prend beaucoup de tact, de diplomatie, d'empathie, mais surtout une bonne capacité d'écoute», ajoute Gaston.

L'audioprothésiste doit être minutieux et habile manuellement, car il est appelé à faire de délicates manipulations sur des prothèses de plus en plus miniaturisées. «Il faut aimer à la fois l'électronique et la technologie», souligne Gaston.

Évidemment, pour le diplômé qui a choisi d'ouvrir son propre cabinet, des qualités de gestionnaire sont essentielles.

> «Notre domaine allie la compétence sur le plan de la technologie et au point de vue de la relation d'aide avec les patients, l'une étant tout aussi importante que l'autre.»
>
> — Yves Tougas

DÉFIS ET PERSPECTIVES

L'audioprothésiste doit se mettre à jour continuellement pour suivre l'évolution de la technologie. L'Ordre des audioprothésistes du Québec organise un congrès annuel et convie les diplômés et les étudiants à y assister. «Les appareils sont de plus en plus performants, dit M. Tougas. L'intégration de la technologie numérique à la microamplification permet un ajustement plus raffiné qui optimise le confort dans différents environnements, par exemple quand on est au restaurant ou à l'extérieur. Deux ou trois programmes d'écoute sont possibles.» Après avoir analysé le son, le microprocesseur effectue automatiquement les adaptations selon l'endroit où se trouve le porteur, et ce, de façon continue.

Photo : PPM

Selon M. Tougas, outre la miniaturisation des appareils, l'évolution la plus constante de la technologie se remarque dans la précision de l'ajustement et la qualité du son. «On a le son d'un disque laser, très pur, presque sans distorsion.»

«La nouvelle ère numérique est prometteuse. Nos limites sont constamment repoussées, ce qui permet de répondre toujours plus efficacement aux besoins des personnes malentendantes. C'est motivant de savoir que l'on peut aider de plus en plus de personnes!» conclut Gaston. 09/99

HORAIRES ET MILIEUX DE TRAVAIL

- L'audioprothésiste travaille toujours en pratique privée, que ce soit pour son compte ou en tant qu'employé.
- Certains diplômés choisissent de devenir représentants pour une compagnie de prothèses auditives.
- Les horaires sont très réguliers : jour, du lundi au vendredi, sauf dans certains cabinets qui ouvrent le soir ou le samedi.

Soins infirmiers

«L'important pour moi est de m'assurer du bien-être des patients, de voir à ce que tout contribue à favoriser leur rétablissement», déclare Véronique Boisvert, infirmière à l'hôpital Pierre-Boucher de Longueuil.

PROG. 180.A0
PRÉALABLE : 20, VOIR PAGE 20

CHAMPS D'INTÉRÊT

- se préoccupe de la santé et du bien-être des personnes
- aime se sentir responsable (des personnes)
- aime écouter, encourager, aider et soigner
- aime le travail en équipe
- aime observer, analyser, évaluer et prendre des décisions

APTITUDES

- empathie et grand sens des responsabilités
- résistance physique et émotionnelle
- bonnes aptitudes aux sciences
- excellents réflexes en situation d'urgence et de stress
- sens de l'organisation, jugement et initiative
- grande disponibilité (horaire)

OFFRE DU PROGRAMME PAR RÉGIONS
Abitibi-Témiscamingue, Bas-Saint-Laurent, Capitale-Nationale, Centre-du-Québec, Chaudière-Appalaches, Côte-Nord, Estrie, Gaspésie–Îles-de-la-Madeleine, Lanaudière, Laurentides, Laval, Mauricie, Montérégie, Montréal, Outaouais, Saguenay–Lac-Saint-Jean

Pour connaître les établissements qui offrent ce programme : www.inforoutefpt.org

RÔLE ET TÂCHES

«J'étais fascinée par les hôpitaux depuis mon enfance, poursuit Véronique, et je suis bien heureuse d'être rendue là où je suis. En arrivant au travail, je prends connaissance des rapports sur la situation des patients au poste d'étage et je fais la tournée des patients dont j'ai la charge. J'évalue leur condition, je vérifie les solutés, je vois à ce que les patients soient à l'aise, je veille à ce qu'ils prennent les médicaments qui leur sont prescrits.

«Certains doivent être préparés pour une intervention chirurgicale, et il y a tout un protocole à suivre selon le genre d'opération. Même chose quand ils reviennent de la salle de réveil : je dois les réinstaller aussi confortablement que possible, je surveille les signes vitaux et je donne les soins particuliers à l'intervention. Ce que j'aime le plus, c'est travailler à l'urgence. L'infirmière est en première ligne, c'est elle qui fait la première évaluation du patient : il faut savoir poser les bonnes questions. J'aime la dimension médicale de ce travail, l'observation, la déduction, l'interprétation des symptômes. C'est sûr qu'il n'y a que le médecin qui puisse poser un diagnostic, mais l'infirmière doit en avoir une bonne idée, savoir déduire les probabilités les plus grandes pour prendre les bonnes décisions dès le début. Elle doit savoir évaluer la gravité de la situation.

«J'aime aussi la dimension technique de mon travail : les prélèvements, la manipulation des appareils, l'installation de sondes ou de perfusions. Et puis les contacts humains, les rapports qu'on établit avec les patients; c'est souvent très gratifiant de pouvoir donner du réconfort.»

	Salaire hebdo moyen	Proportion de dipl. en emploi	Emploi relié	Chômage	Nombre de diplômés
2004	648 $	79,5 %	97,7 %	0,7 %	2 325
2003	633 $	78,1 %	97,7 %	0,6 %	1 662
2002	630 $	80,1 %	98,3 %	0,5 %	992

Statistiques tirées de la *Relance* - Ministère de l'Éducation. Voir données complémentaires, page 387.

Comment interpréter l'information, page 19.

QUALITÉS RECHERCHÉES

«Pour être infirmière, il faut aimer les gens, vouloir les aider en les soutenant dans leur recherche d'autonomie, insiste Francine Demers, coordonnatrice du programme de soins infirmiers au Collège de Sherbrooke. Une infirmière doit avoir un excellent sens de l'observation et un bon jugement. Elle ne fait pas qu'exécuter, elle doit être capable de prendre des décisions rapidement dans des situations critiques en faisant appel à ses connaissances. Elle doit aussi avoir le sens de l'initiative, un esprit critique doté de curiosité intellectuelle pour poser des questions, remettre et se remettre en question, ajoute Mme Demers. Il est évident qu'une bonne santé physique et l'équilibre émotionnel sont des atouts, ainsi qu'une aptitude pour les sciences et la capacité de travailler en équipe.» Aisance dans la communication, sens des responsabilités, faculté d'adaptation à des situations diverses, capacité de gérer le stress ainsi qu'une bonne dextérité manuelle sont aussi essentiels. «Ce qui me sert beaucoup, souligne Véronique, c'est la facilité que j'ai à établir rapidement un climat de confiance avec les patients, mon attitude accueillante, humaine je crois.»

> «Le plus grand défi, pour moi, est d'offrir la meilleure qualité de soins dans le temps limité que nous impose la conjoncture actuelle.»
>
> — Véronique Boisvert

DÉFIS ET PERSPECTIVES

«Le plus grand défi, pour moi, est d'offrir la meilleure qualité de soins dans le temps limité que nous impose la conjoncture actuelle. Il faut être à la fois plus efficace et davantage humain, soutient Véronique. La relation de confiance est d'autant plus importante que les séjours à l'hôpital sont de moins en moins longs.

«Une des plus intéressantes perspectives qui s'offrent aux infirmières est l'importance accrue de la prévention. Nous sommes maintenant appelées à sortir de plus en plus du contexte hospitalier pour aller dans le milieu, chez les gens, et travailler davantage sur la santé que sur la maladie. Je trouve que c'est une excellente initiative, avec le virage ambulatoire : il faut informer les gens sur les choses à faire pour rester en santé. C'est un très beau rôle pour les infirmières», conclut Véronique, qui ne cache pas son intention de se perfectionner davantage à l'université. 09/99

HORAIRES ET MILIEUX DE TRAVAIL

• Les infirmières peuvent œuvrer dans les centres de soins de courte et de longue durée, les résidences pour personnes âgées, les CLSC et les cliniques privées ou pour Info-santé.

• Les soins à domicile sont en progression et peuvent constituer un débouché intéressant.

• Les heures sont généralement longues et exigeantes. Les infirmières nouvellement diplômées doivent s'attendre à travailler en rotation ou sur appel.

Techniques de denturologie

«Je cherchais un métier dans le domaine de la santé, avec un aspect manuel et qui me permettrait à la fois d'être autonome et de travailler avec le public.» Manon Boily a donc choisi la denturologie. Elle travaille à la clinique Sourire Art'dent à Beauport.

PROG. 110.BO
PRÉALABLE : 40, VOIR PAGE 20

CHAMPS D'INTÉRÊT
- aime écouter et aider les personnes, expliquer et vulgariser
- aime la médecine, le domaine de la santé
- aime faire un travail autonome
- aime créer (à partir de problèmes concrets)
- aime le travail manuel et les instruments de précision

APTITUDES
- autonomie et initiative
- patience et sensibilité envers les personnes
- facilité à communiquer (écouter et expliquer)
- grande dextérité et grande acuité de perception visuelle
- grand souci du détail et sens des responsabilités

OFFRE DU PROGRAMME PAR RÉGIONS
Montérégie

Pour connaître les établissements qui offrent ce programme : www.inforoutefpt.org

RÔLE ET TÂCHES

Le denturologiste conçoit et fabrique des prothèses dentaires amovibles, complètes ou partielles. «Mon rôle consiste à rétablir la fonction de mastication et à veiller à l'esthétique de la prothèse en bouche, explique Manon. Je reçois les gens sur rendez-vous pour faire ce qu'on appelle le travail à la chaise. J'analyse et j'évalue les besoins du patient avec lui. Je prends des empreintes et je mesure l'ouverture de sa bouche. Ensuite je coule des modèles et je procède à la fabrication de la prothèse.»

«La denturologie est intéressante parce qu'elle comporte deux volets, ajoute Patrice Deschamps, professeur en techniques de denturologie au Collège Édouard-Montpetit. Il y a un volet public, c'est-à-dire tout le travail d'empreintes, de mesures et d'ajustements avec le client, et un volet solo, qui est la fabrication de la prothèse en laboratoire. Quand le denturologiste n'a pas de client ou qu'un client ne se présente pas à son rendez-vous, il peut travailler en laboratoire.»

Aujourd'hui, il existe une très grande variété de matériaux pour la fabrication de prothèses de meilleure qualité qui reproduisent plus fidèlement les dents originales et le sourire du patient.

«L'esthétique est un critère fort important dans notre travail, souligne Manon. Il y a certaines règles de base à suivre. Par exemple, si quelqu'un a les cheveux noirs ou la peau très foncée, je ne lui suggérerai pas des dents très blanches parce qu'elles vont être trop apparentes. Il y a d'autres règles à respecter selon la forme du visage et la couleur des yeux du client.»

	Salaire hebdo moyen	Proportion de dipl. en emploi	Emploi relié	Chômage	Nombre de diplômés
2004	483 $	100,0 %	100,0 %	0,0 %	16
2003	562 $	83,3 %	100,0 %	0,0 %	16
2002	415 $	92,3 %	100,0 %	0,0 %	16

Statistiques tirées de la *Relance* - Ministère de l'Éducation. Voir données complémentaires, page 387.

Comment interpréter l'information, page 19.

QUALITÉS RECHERCHÉES

«Il faut être bon communicateur, affirme Manon. On parle beaucoup pendant les rendez-vous. Pour prendre les mesures et pendant les ajustements, je dois faire sourire les gens, les faire parler, les mettre à l'aise. C'est important aussi d'être clair dans nos explications. Les clients ont de grandes attentes. Je dois leur faire comprendre qu'une prothèse ne remplacera jamais des dents naturelles. L'acuité visuelle est également nécessaire pour bien choisir la couleur des dents. Il faut aussi avoir une bonne dextérité manuelle et de la facilité à imaginer les objets en trois dimensions.»

«Il faut aimer travailler avec les gens et avoir une bonne santé physique et mentale, ajoute Patrice Deschamps. Le confort buccal est une chose très difficile à expliquer, à mettre en mots. Parfois, il peut y avoir de l'incompréhension ou des malentendus entre le denturologiste et son client. Il faut être patient et essayer de répondre aux besoins du client sans se remettre toujours en cause. Généralement, les gens sont très satisfaits de leur prothèse, mais il y aura toujours des clients qu'il est impossible de contenter.»

«Mon rôle consiste à rétablir la fonction de mastication et à veiller à l'esthétique de la prothèse en bouche.»

— Manon Boily

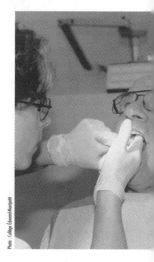

DÉFIS ET PERSPECTIVES

Les perspectives d'emploi sont bonnes. «Dans les grands centres, ça commence à être saturé, mais il y a beaucoup de possibilités dans les régions plus à l'est et au nord de Montréal», poursuit M. Deschamps.

Les denturologistes ne craignent pas de voir leur clientèle diminuer même si les valeurs sociales incitent davantage les gens à conserver leurs dents. «Plusieurs personnes n'ont pas d'assurances et n'ont pas les moyens de payer les coûts de certains traitements dentaires. Ils choisissent une solution moins coûteuse : l'extraction, explique M. Deschamps. Notre clientèle est composée bien sûr de la population du troisième âge, mais surtout de *baby-boomers*. Ce sont des gens qui, pour la plupart, ont de bons régimes d'assurances, sont bien nantis et sont habitués à avoir ce qu'il y a de mieux dans la vie. Certains sont partiellement édentés et veulent des prothèses de qualité.» 09/99

HORAIRES ET MILIEUX DE TRAVAIL

• Plusieurs diplômés choisissent de travailler à pourcentage dans des cliniques de denturologistes ou louent une salle dans un cabinet de dentiste.

• Les horaires sont très variables. Plusieurs denturologistes travaillent le jour et le soir, et même le samedi pour atteindre une plus grande clientèle.

• C'est un emploi qui permet de travailler à temps plein ou à temps partiel.

DEC

Techniques de diététique

Lorsque vous mangez un plat que vous avez vous-même cuisiné, vous savez ce qu'il contient et vous êtes certain de la fraîcheur des ingrédients. Mais pourquoi faites-vous confiance aux plats préparés ou offerts dans les cafétérias? Parce que vous pensez que leur qualité a certainement été contrôlée. Et vous avez raison, car il y a de fortes chances qu'un technicien en diététique ait tout inspecté!

PROG. 120.01
PRÉALABLE : 20, VOIR PAGE 20

CHAMPS D'INTÉRÊT

- accorde de l'importance à la santé et à l'alimentation
- aime travailler pour et avec les personnes
- aime observer, vérifier, contrôler la qualité
- aime respecter des règles
- aime le travail en équipe

APTITUDES

- leadership et facilité à communiquer (écouter, motiver)
- souci de la qualité et sens des responsabilités
- jugement et créativité
- minutie et sens de l'observation
- sens de l'organisation et du travail en équipe (gestion)

OFFRE DU PROGRAMME PAR RÉGIONS
Bas-Saint-Laurent, Capitale-Nationale, Laval, Mauricie, Montérégie, Montréal, Saguenay—Lac-Saint-Jean

Pour connaître les établissements qui offrent ce programme : www.inforoutefpt.org

RÔLE ET TÂCHES

Après avoir étudié puis travaillé en soins infirmiers, Andrée-Anne Boudreault a opté pour le diplôme d'études collégiales (DEC) en techniques de diététique. «Le programme touche à de nombreux secteurs, comme la technologie alimentaire, la gestion, la salubrité, etc. C'est très intéressant», explique la diplômée du Cégep de Limoilou. Elle œuvre aujourd'hui en recherche à l'Université Laval, où elle est responsable du contrôle et de l'analyse du régime alimentaire de participants à des projets de recherche en nutrition.

Beaucoup de diplômés en techniques de diététique travaillent dans le domaine de la santé – dans les hôpitaux et les centres hospitaliers de soins de longue durée (CHSLD) – où ils sont appelés à ajuster les menus aux besoins des patients. On les voit également au sein du service alimentaire de ces établissements où ils peuvent occuper des postes de gestion ou contrôler la qualité des aliments. Ils sont aussi présents dans les abattoirs, les cafétérias de grandes entreprises, le milieu hôtelier, les garderies, les établissements scolaires et carcéraux. La polyvalence de la formation permet toutefois aux techniciens d'assumer un large éventail de responsabilités dans le secteur bioalimentaire. Ils peuvent ainsi trouver de l'emploi dans l'industrie alimentaire et travailler en usine au contrôle de la qualité, lors de la réception des ingrédients et de la préparation des aliments. Les questions d'hygiène, de salubrité, sont au cœur de leurs préoccupations, leur mission première étant de veiller à la sécurité alimentaire. Mais ils sont aussi les gardiens des normes en matière de goût, de poids, de texture et d'apparence des produits fabriqués sur une base industrielle.

	Salaire hebdo moyen	Proportion de dipl. en emploi	Emploi relié	Chômage	Nombre de diplômés
2004	492 $	87,8 %	67,8 %	3,7 %	128
2003	531 $	78,6 %	70,6 %	5,7 %	127
2002	464 $	78,0 %	78,5 %	3,4 %	141

Statistiques tirées de la *Relance* - Ministère de l'Éducation. Voir données complémentaires, page 387.

Comment interpréter l'information, page 19.

QUALITÉS RECHERCHÉES

L'autonomie est indispensable au technicien, car il doit souvent décider seul si un aliment devra être rejeté, selon des critères de salubrité ou de qualité. Mais autonomie ne signifie pas isolement, souligne Andrée-Anne : «Il faut aimer le contact avec les gens et avoir du plaisir à travailler avec eux.» Dans le domaine de la recherche, où travaille Andrée-Anne, la rigueur et la minutie sont des qualités essentielles.

Par ailleurs, une personne œuvrant en nutrition devra évidemment apprécier la nourriture, éprouver du plaisir à s'alimenter et ne pas avoir d'aversions alimentaires. Il faut également veiller à maintenir ses connaissances à jour, surtout en ce qui concerne les allergies alimentaires et les réglementations fédérales et provinciales (transport des aliments, normes de réfrigération, de qualité, etc.).

DÉFIS ET PERSPECTIVES

Selon France St-Yves, coordonnatrice du Département de technique de diététique au Collège Montmorency, dans ce métier, le principal défi est d'offrir un produit de qualité. «La qualité des aliments est souvent critiquée par les consommateurs dans le secteur industriel et institutionnel.» Il faut donc se montrer créatif et demeurer à l'écoute du consommateur.

Sur le plan professionnel, le diplôme d'études collégiales offre également la possibilité de devenir adjoint du gérant puis gérant d'une concession alimentaire (cafétéria exploitée par un sous-traitant en milieu hospitalier, scolaire, etc.). En industrie, plusieurs deviennent avec l'expérience directeurs du contrôle de la qualité ou directeurs de la production.

Les compléments de formation constituent des atouts. «On conseille de suivre une certification en science et technologie des aliments à ceux qui veulent travailler en industrie ou qui envisagent de devenir inspecteurs pour le gouvernement», explique France St-Yves. Certains techniciens se tournent plutôt vers la gestion de services alimentaires, ou encore vers un certificat en gérontologie pour œuvrer en CHSLD. Avec le vieillissement de la population et l'augmentation du nombre d'enfants aux prises avec des allergies alimentaires, le souci de la sécurité alimentaire devient omniprésent. Les connaissances des techniciens sont donc de plus en plus sollicitées. 02/05

> **L'autonomie est indispensable au technicien, car il doit souvent décider seul si un aliment devra être rejeté, selon des critères de salubrité ou de qualité.**

HORAIRES ET MILIEUX DE TRAVAIL

- En milieu hospitalier, particulièrement en début de carrière, on travaille surtout sur appel, durant les week-ends, et pour des remplacements.

- Dans le secteur industriel, les horaires suivent la production. Il est donc possible de travailler le soir ou la nuit, si l'usine est en activité 24 heures sur 24.

- En garderie et dans les établissements scolaires, le travail commence tôt le matin mais finit également tôt l'après-midi.

- Les environnements de travail sont très variés. Les espaces réfrigérés sont monnaie courante (abattoirs, cafétérias, etc.). Les cuisines peuvent être très petites (garderie) ou immenses (centre de détention).

Techniques d'électrophysiologie médicale

«Le domaine de la santé m'a toujours intéressée. J'ai rencontré par hasard une diplômée en techniques d'électrophysiologie médicale. Je lui ai posé des questions, j'ai lu de la documentation sur le sujet, j'ai rencontré des professeurs et des élèves, et je me suis inscrite!» raconte Nellie Pelletier.

PROG. 140.A0
PRÉALABLES : 11, 40, VOIR P. 20

CHAMPS D'INTÉRÊT
• aime la médecine, le domaine de la santé
• aime se sentir utile
• aime avoir de l'autonomie et de l'initiative dans son travail
• aime chercher en observant et en analysant
• aime les contacts humains

APTITUDES
• facilité pour les sciences de la médecine
• facilité à communiquer (expliquer et rassurer)
• dextérité et grand sens de l'observation
• résistance au stress

OFFRE DU PROGRAMME PAR RÉGIONS
Montréal

Pour connaître les établissements qui offrent ce programme : **www.inforoutefpt.org**

RÔLE ET TÂCHES

Nellie travaille à l'Institut de neurologie de Montréal. «C'est un milieu très stimulant, indique-t-elle. Il y a une bonne collaboration avec les médecins. On sent qu'ils ont besoin de nous et qu'ils nous apprécient.»

Le rôle du technicien (aussi appelé technologue) en électrophysiologie médicale consiste à procéder à différents types d'examens, tels que des électroencéphalogrammes, des électrocardiogrammes et des électromyogrammes, à la suite d'une requête médicale. Lors de ces examens, le technicien enregistre l'activité bioélectrique des organes du corps humain.

«Quand le patient arrive à l'Institut de neurologie, il est vu par un neurologue pour un examen clinique, dit Nellie. Par la suite, je reçois le patient et je lui explique en quoi consiste l'examen. Si c'est une personne qui souffre d'épilepsie et qui doit passer un électroencéphalogramme, j'effectue plusieurs mesures pour bien placer les électrodes. Ces électrodes sont reliées à un appareil qui mesure l'activité électrique de son cerveau. Ensuite je rédige un rapport technique au médecin et dans lequel je décris l'activité électrique enregistrée pendant l'examen.»

La plupart du temps, le technicien travaille seul avec un patient, mais certains tests requièrent la présence du médecin. «Pour plusieurs tests, le technicien a un bon degré d'autonomie, explique Marie Laverdière, professeure en techniques d'électrophysiologie médicale au Collège Ahuntsic. Par exemple, si le technicien note une anomalie de l'activité

	Salaire hebdo moyen	Proportion de dipl. en emploi	Emploi relié	Chômage	Nombre de diplômés
2004	604 $	100,0 %	100,0 %	0,0 %	24
2003	579 $	88,9 %	100,0 %	0,0 %	11
2002	570 $	90,9 %	100,0 %	0,0 %	13

Statistiques tirées de la *Relance* - Ministère de l'Éducation. Voir données complémentaires, page 387.

Comment interpréter l'information, page 19.

électrique lors d'un test avec un patient, il peut adapter le déroulement de son examen pour mieux révéler cette anomalie.»

QUALITÉS RECHERCHÉES

Le technicien en électrophysiologie médicale doit posséder une bonne vision et un sens auditif développé afin de bien distinguer les signaux visuels et sonores captés lors des examens. Il doit avoir le sens de l'observation et le souci du détail. L'habileté manuelle est aussi nécessaire. «Les tests exigent des mesures très précises, faites au millimètre près, indique Nellie. Si l'électrode n'est pas posée au bon endroit, les résultats ne seront pas justes. Il faut aussi être patient. De temps en temps, le test ne fonctionne pas. Parfois, c'est simplement à cause d'un peu de sueur sur le front du patient. Il faut trouver l'erreur et recommencer le test.» Le technicien doit veiller à la sécurité des patients pendant les examens, avoir une personnalité calme et pouvoir réagir rapidement lors de situations d'urgence ou d'imprévus : crise d'épilepsie, arrêt cardiaque, agression verbale ou physique par un patient confus ou violent. Évidemment, il doit aimer travailler avec les gens de tous les âges et de tous les milieux. «La plupart du temps, les gens sont aimables, mais ça m'arrive de rencontrer des patients peu collaborateurs, souligne Nellie. Certains ont des problèmes de comportement ou ne comprennent pas bien les consignes. Les examens sont alors plus longs et plus difficiles. On rencontre aussi des patients qui ont de gros problèmes de santé. Au début, il m'était difficile, sur le plan émotif, de travailler avec des personnes gravement malades. J'avais parfois les larmes aux yeux, mais on s'habitue.»

> «La grande polyvalence des diplômés est un avantage; ils peuvent travailler une ou deux journées en cardiologie, puis deux jours à faire des tests de conduction nerveuse ou enregistrer l'activité électrique du cerveau.»
>
> — Marie Laverdière

DÉFIS ET PERSPECTIVES

Les perspectives d'emploi sont bonnes. «Je reçois des demandes de plusieurs hôpitaux d'un peu partout au Québec et même des autres provinces canadiennes, souligne Mme Laverdière. La grande polyvalence des diplômés est un avantage; ils peuvent travailler une ou deux journées en cardiologie, puis deux jours à faire des tests de conduction nerveuse ou enregistrer l'activité électrique du cerveau. Cette polyvalence est utile pour les employeurs et elle est intéressante aussi pour les diplômés. Elle rend leur travail beaucoup moins routinier.» 09/99

HORAIRES ET MILIEUX DE TRAVAIL

- La majorité des diplômés travaillent dans les différentes unités des centres hospitaliers.

- Des emplois sont aussi disponibles dans des laboratoires de recherche et chez des fabricants d'appareils ou d'accessoires d'électrophysiologie médicale.

- En général, les techniciens travaillent de jour, 35 heures par semaine.

- Ils peuvent être appelés à travailler le soir, la nuit ou la fin de semaine selon les cliniques et les centres hospitaliers.

Techniques de réadaptation physique

«J'étais entraîneur pour des équipes féminines de volley-ball, raconte Éric Côté, thérapeute en réadaptation physique chez Physio Optima. Ça me décourageait de les voir se blesser et rester sur le banc pendant des semaines. J'étudiais alors en génie civil. J'ai tout lâché et je suis retourné au cégep.»

PROG. 144.A0
PRÉALABLES : 11, 40, VOIR P. 20

CHAMPS D'INTÉRÊT

- aime la biologie (humaine)
- aime se sentir utile aux personnes
- aime faire un travail physique et manuel
- aime communiquer : écouter, expliquer, encourager
- aime analyser, évaluer et prendre des décisions

APTITUDES

- facilité pour les sciences (physiologie, neurologie, biomécanique)
- résistance émotionnelle et physique
- aisance dans le contact physique avec les personnes
- bonnes capacités d'observation et d'analyse
- grande curiosité et capacité d'adaptation

OFFRE DU PROGRAMME PAR RÉGIONS
Capitale-Nationale, Estrie, Laval, Montréal, Saguenay—Lac-Saint-Jean

Pour connaître les établissements qui offrent ce programme : **www.inforoutefpt.org**

RÔLE ET TÂCHES

Le thérapeute en réadaptation physique œuvre généralement en étroite collaboration avec les physiothérapeutes et autres spécialistes dans trois principaux champs d'activité : la gériatrie, où il s'efforce de maintenir et de maximiser les fonctions déclinantes des bénéficiaires dans les centres de jour, d'accueil ou de soins prolongés; la neurologie, où il travaille à la rééducation des victimes de traumatismes graves du système neuromoteur, au niveau de la colonne vertébrale ou du cerveau; et l'orthopédie, où il soigne la perte ou l'affaiblissement de fonctions du système musculaire et squelettique, incluant les articulations et les ligaments, à la suite de traumatismes tels que des accidents de la route, de travail ou sportifs. C'est ce dernier champ d'activité qu'a choisi Éric Côté, qui est associé avec un physiothérapeute dans une clinique privée de Sherbrooke. «On travaille beaucoup en équipe, car bien des techniques exigent la présence de deux intervenants. D'abord, on évalue la condition du patient, à partir du rapport du médecin qui l'envoie et de nos propres observations et questions. Puis on fait quelques tests de force, de souplesse et de motricité générale. Ensuite on applique le traitement approprié.»

Celui-ci commence souvent par des séances d'électrothérapie pour combattre l'inflammation et éliminer les spasmes musculaires : diverses stimulations microélectriques, au laser ou aux ultrasons, sont appliquées pour diminuer la douleur, réduire l'enflure ou promouvoir le renforcement. Puis viennent les manipulations thérapeutiques et les exercices spécifiques d'assouplissement et de renforcement, soit sur lit de mobilisation, soit dans

	Salaire hebdo moyen	Proportion de dipl. en emploi	Emploi relié	Chômage	Nombre de diplômés
2004	539 $	83,5 %	91,4 %	1,1 %	136
2003	516 $	84,4 %	95,2 %	1,2 %	123
2002	514 $	80,0 %	95,7 %	1,5 %	106

Statistiques tirées de la *Relance* - Ministère de l'Éducation. Voir données complémentaires, page 387.

Comment interpréter l'information, page 19.

une sorte de gymnase équipé d'appareils comme des bicyclettes station-naires, des poids et des appareils de résistance à l'effort, des tapis et des ballons d'exercice.

QUALITÉS RECHERCHÉES

«Il faut aimer les gens, non seulement pour communiquer avec eux, mais pour les toucher. C'est un travail où il y a beaucoup de contacts physiques, explique France Rochette, coordonnatrice du programme de techniques de réadaptation physique au Collège de Sherbrooke. Ça prend beaucoup d'em-pathie et de maturité pour être thérapeute, ainsi qu'une bonne dextérité manuelle et, surtout, de l'endurance, d'excellentes capacités physiques, car cela exige des efforts soutenus.» «J'ajouterais à cela un bon esprit de synthèse, renchérit Éric. On reçoit des informations de plusieurs sources et il faut être en mesure de les analyser logiquement pour arriver au bon traitement. L'autonomie est aussi un atout quand il s'agit de prendre en charge un patient et de le faire progresser pendant plusieurs semaines. C'est utile aussi pour obtenir l'information; il faut oser demander, fouiller. Et je crois que la mémoire est très importante : je dois constamment avoir en tête tout le système musculaire et squelettique, avec les articulations, les points d'attache, etc.»

> «Il faut aimer les gens, non seulement pour communiquer avec eux, mais pour les toucher. C'est un travail où il y a beaucoup de contacts physiques.»
>
> — France Rochette

DÉFIS ET PERSPECTIVES

«La réadaptation physique est un secteur de formation continue, insiste Mme Rochette. De nouvelles méthodes sont constamment mises au point, les techniques de thérapie et les technologies de traitement évoluent, au même titre que les connaissances, d'ailleurs. Non seulement le thérapeute peut-il poursuivre ses études à l'université, mais l'Ordre des thérapeutes en réadaptation physique du Québec offre également des cours de perfection-nement à ses membres.» Avec le virage ambulatoire pris il y a quelques années et l'importance croissante qu'acquièrent les CLSC et les cliniques privées, la gamme des choix qui s'offrent aux thérapeutes va en s'élargissant. «On est même appelé à faire de la consultation auprès d'entreprises qui veulent réduire les risques d'accidents au travail, conclut Éric. Pour ma part, j'insiste beaucoup sur la prévention dans mes rapports avec les patients. Je leur donne toujours des trucs, des exercices à faire chez eux, des façons de travailler ou de faire du sport pour éviter de se blesser à nouveau.» 09/99

HORAIRES ET MILIEUX DE TRAVAIL

- Bien que le thérapeute soit souvent à la merci des horaires choisis par le médecin qui l'emploie, les horaires sont assez souples dans les cliniques privées.

- Nombre de cliniques sont ouvertes le soir pour recevoir les gens après leur travail.

- En milieu hospitalier, les jeunes diplômés ont généralement moins d'heures régulières et travaillent souvent sur appel, mais l'horaire quotidien correspond la plupart du temps aux heures de consultation.

- Il en va de même en gériatrie, dans les centres où sont offerts des traitements de réadaptation physique.

Techniques de thanatologie

«Dans ce domaine, on nous forme pour effectuer plusieurs tâches, mais les grosses entreprises nous assignent une tâche spécifique. Dans les petites villes, la multidisciplinarité est plus répandue, et on peut avoir un rôle plus élargi qui reflète mieux la diversité de la formation que nous avons reçue», souligne Nicolas Blain, employé d'une grosse entreprise funéraire de Montréal.

PROG. 171.A0
PRÉALABLE : 20, VOIR PAGE 20

CHAMPS D'INTÉRÊT

- s'intéresse à l'anatomie et à la physiologie
- aime l'observation et le travail de précision
- aime analyser et comprendre un problème
- aime écouter, expliquer, réconforter
- aime le travail en équipe
- aime la vente (produits et services)

APTITUDES

- habileté pour la médecine
- dextérité et grand sens de l'observation
- sens esthétique
- sens des responsabilités, tact et facilité à communiquer
- résistance émotionnelle et physique

OFFRE DU PROGRAMME PAR RÉGIONS
Montréal

Pour connaître les établissements qui offrent ce programme : **www.inforoutefpt.org**

RÔLE ET TÂCHES

«Le diplômé en techniques de thanatologie peut faire beaucoup plus que seulement de l'embaumement, comme bien des gens le perçoivent. Sa formation lui permet de prendre en charge tous les aspects de l'administration d'une entreprise funéraire. Les techniques d'embaumement, de restauration et de transport des corps des défunts, tout comme l'organisation et la direction de funérailles, sont des domaines qui lui sont familiers.» André Lépine, professeur et coordonnateur en techniques de thanatologie au Collège de Rosemont, décrit ainsi cette profession en pleine transformation.

Cependant, la réalité est différente pour les diplômés travaillant à Montréal et pour ceux qui exercent en région. Nicolas, par exemple, est au service d'une grosse entreprise funéraire et ne fait que de l'embaumement. «Je reçois le corps, le lave et l'embaume. L'embaumement consiste à injecter un fluide dans les vaisseaux sanguins du cou afin de favoriser la conservation du corps», précise-t-il.

Les détails de finition consistent à habiller, à maquiller et à coiffer la personne. Le thanatologue utilise peu d'instruments, mais il se sert de plusieurs produits cosmétiques, comme de la cire pour cacher les plaies ou les cicatrices. «Quand on a une photo du défunt, ça nous aide, souligne Nicolas. Les gens ont parfois été malades ou ont eu un accident. Il est important de bien réparer les détériorations ainsi causées, surtout au visage, afin de laisser un bon souvenir aux proches.»

	Salaire hebdo moyen	Proportion de dipl. en emploi	Emploi relié	Chômage	Nombre de diplômés
2004	524 $	88,9 %	93,8 %	0,0 %	24
2003	556 $	86,4 %	100,0 %	0,0 %	28
2002	501 $	90,9 %	94,1 %	4,8 %	33

Statistiques tirées de la *Relance* - Ministère de l'Éducation. Voir données complémentaires, page 387.

Comment interpréter l'information, page 19.

QUALITÉS RECHERCHÉES

Le diplômé doit posséder une sensibilité qui lui permet de comprendre le chagrin humain, selon M. Lépine. «Le deuil cause une perturbation intense des proches, il faut savoir les écouter et les aider à exprimer leurs sentiments afin d'être en mesure d'offrir le service le plus personnalisé possible.»

Selon Nicolas, un grand détachement est essentiel dans cette profession. «Si on se laisse aller à être triste chaque fois qu'on est en contact avec une personne décédée, notre moral ne tiendra pas le coup.» Il faut aussi être minutieux et avoir un bon sens de l'esthétique pour les détails de finition de l'embaumement. Le diplômé doit aussi démontrer beaucoup de délicatesse et une grande capacité à communiquer avec les personnes qui font appel à ses services. Bien sûr, les aptitudes en gestion et la polyvalence sont des qualités importantes s'il lui faut prendre en charge l'administration d'une entreprise funéraire.

«Les techniques d'embaumement, de restauration et de transport des corps des défunts, tout comme l'organisation et la direction de funérailles, sont des domaines qui sont familiers au diplômé.»

— André Lépine

DÉFIS ET PERSPECTIVES

Le programme de techniques de thanatologie est axé sur la qualité du service et son interrelation avec les familles. Des cours de gestion informatique et de mise en marché font partie du programme, mais aussi des cours d'éthique et de communications. «Il faut démythifier le rôle du technicien en thanatologie. Il est beaucoup plus multidimensionnel et complet qu'on ne le croit, confie M. Lépine. Peu de diplômés ouvrent des petites entreprises dans ce domaine, pourtant il y a de la place pour de nouveaux concepts, de nouvelles façons de procéder», ajoute-t-il.

Représenter les entreprises funéraires avec une information de qualité, être plus présent au sein de la population et procurer aux Québécois des services plus personnalisés sont des défis intéressants pour le diplômé. Dans les prochaines années, une nouvelle génération de techniciens, formés à la gestion mais aussi plus sensibilisés au facteur humain de leur profession, apportera sans contredit une autre façon de concevoir les services funéraires.

«Le temps des vendeurs de cercueils à commission est révolu, conclut M. Lépine. La venue d'un spécialiste des services funéraires est plus que souhaitable afin de favoriser le respect des familles en deuil. C'est la place que doit occuper le diplômé en thanatologie.» 09/99

HORAIRES ET MILIEUX DE TRAVAIL

- Les diplômés en thanatologie peuvent occuper un poste de thanatologue, de thanatopracteur, de directeur de funérailles, d'administrateur ou de directeur de salon funéraire.

- Les fournisseurs de matériel et d'équipement spécialisés font aussi appel à leurs compétences.

- Les entreprises funéraires, les cimetières, les crématoriums et les columbariums sont autant de milieux de travail accessibles.

- Le technicien en thanatologie doit être disponible en tout temps. Il faut oublier la semaine de 40 h.

DEC

Techniques dentaires

Émilie Brulé est technicienne dentaire et propriétaire du laboratoire dentaire Brulé et Associés. «J'ai toujours baigné dans ce milieu. Mon père exerçait ce métier et il m'emmenait dans son laboratoire quand j'étais petite. Je le regardais travailler sans dire un mot. Il faisait ramollir des feuilles de cire dans l'eau bouillante et prenait les empreintes de mes dents. J'étais fascinée et ça m'amusait beaucoup!»

PROG. 110.A0
PRÉALABLE : 0, VOIR PAGE 20

CHAMPS D'INTÉRÊT

- aime se sentir utile aux personnes
- accorde de la valeur à un travail très fignolé
- aime faire un travail autonome
- aime travailler en laboratoire
- aime créer à partir d'un besoin précis

APTITUDES

- excellente dextérité
- grande acuité de perception visuelle
- grande capacité de concentration et de précision
- créativité et sens de l'esthétique
- sens de la responsabilité

OFFRE DU PROGRAMME PAR RÉGIONS
Montérégie

Pour connaître les établissements qui offrent ce programme : www.inforoutefpt.org

RÔLE ET TÂCHES

Plus tard, Émilie a vite compris que cette profession rejoignait plusieurs aspects de sa personnalité : son côté artistique, son sens de l'esthétique, mais aussi sa passion pour le domaine de la santé et des sciences pures et appliquées. «Dans mon travail, je participe à toutes les étapes de conception, de fabrication et de réparation des prothèses dentaires complètes ou partielles, fixes ou amovibles (dentiers, couronnes, ponts, partiels et prothèses sur implants), et des appareils orthodontiques. C'est le dentiste ou le denturologiste qui me passe la commande et me fournit l'empreinte dentaire du patient.»

Émilie procède d'abord au modelage en cire de l'empreinte. Les étapes de conception varient ensuite selon le type de prothèse (par exemple : réalisation d'une maquette en cire, coulée d'alliages métalliques, cuisson de céramique, polissage, travail de finition, etc.). Le modèle est finalement mis sur un articulateur, appareil qui reproduit les mouvements de la mâchoire. «La prothèse ne doit pas seulement reproduire la position exacte des dents dans la bouche, mais aussi suivre les mouvements de la mâchoire : ouverture, fermeture et déplacements latéraux», précise Émilie. Parfois, la technicienne dentaire rencontre elle-même le patient, lorsqu'une dent est particulièrement difficile à réaliser ou pour faciliter le choix de sa couleur et de sa forme.

Elle doit également s'assurer de respecter des normes en matière de santé et sécurité au travail. «Les techniciens dentaires doivent utiliser des produits biocompatibles, c'est-à-dire qui ne seront pas rejetés par le corps humain. Par ailleurs, certains acides sentent très fort et nécessitent l'utilisation d'une ventilation adéquate.»

	Salaire hebdo moyen	Proportion de dipl. en emploi	Emploi relié	Chômage	Nombre de diplômés
2004	427 $	100,0 %	90,9 %	0,0 %	17
2003	467 $	100,0 %	100,0 %	0,0 %	13
2002	441 $	100,0 %	100,0 %	0,0 %	22

Statistiques tirées de la *Relance* - Ministère de l'Éducation. Voir données complémentaires, page 387.

Comment interpréter l'information, page 19.

Comme elle possède son propre laboratoire, Émilie s'occupe aussi des achats – notamment des matériaux nécessaires à la fabrication et à la réparation de prothèses dentaires – en plus d'assurer la réception des marchandises, la livraison des prothèses, la comptabilité et la publicité.

QUALITÉS RECHERCHÉES

Minutie, dextérité manuelle, souci du détail, patience et capacité de concentration : voilà des qualités incontournables pour exercer le métier de technicien dentaire. En effet, les prothèses remplacent en partie ou en totalité la dentition naturelle et elles doivent être à la fois fonctionnelles, confortables et esthétiques. Un travail bâclé peut entraîner des douleurs chez le patient, mener à l'extraction d'une dent ou nécessiter une chirurgie.

Le sens de l'esthétique est important, car la dent remplacée doit ressembler le plus possible à la dentition naturelle, en ce qui a trait à la couleur et à la forme.

Les gens croient à tort que le métier de technicien dentaire est exclusivement manuel, constate Émilie. «Ça demande pourtant un grand sens de l'analyse. Ce n'est pas du travail à la chaîne, car chaque bouche est différente. Il faut anticiper et résoudre les problèmes. De plus, nous n'avons pas toujours le client devant nous et travaillons à partir des données fournies par le dentiste, qui sont parfois incomplètes.» Enfin, avoir le sens de l'esthétique est important, car la dent remplacée doit ressembler le plus possible à la dentition naturelle, en ce qui a trait à la couleur et à la forme.

DÉFIS ET PERSPECTIVES

Après sa formation, le diplômé peut suivre des cours de perfectionnement offerts par l'Ordre des techniciens dentaires du Québec ou par les manufacturiers, notamment ceux qui œuvrent dans le domaine de la conception et de la fabrication assistées par ordinateur. Depuis 2000, ce secteur a pris un essor fulgurant, pour les prothèses fixes ou sur implants. «La profession devra s'adapter à ce nouvel outil aux dépens des méthodes plus traditionnelles», souligne Robert Haché, coordonnateur du Département de techniques dentaires au Collège Édouard-Montpetit. Tout ce qui touche à l'esthétique est également prometteur, dit-il. «L'implantologie est un marché en plein essor.» Cela consiste à mettre en place une racine artificielle dans l'os de la mâchoire et à y fixer une prothèse. Cette dernière peut être amovible ou fixe. C'est plus joli parce que plus discret, et c'est plus durable. 02/05

HORAIRES ET MILIEUX DE TRAVAIL

• La majorité des diplômés sont au service de laboratoires de fabrication de prothèses dentaires privés. Certains travaillent dans les cabinets de dentistes, les hôpitaux, les universités et même les pénitenciers.

• Le technicien dentaire travaille généralement de 9 h à 17 h.

Techniques d'hygiène dentaire

«C'est une très belle profession pour s'épanouir, on ne s'ennuie pas et ce n'est pas monotone!» Isabelle Archambault ne tarit pas d'éloges sur sa profession. Elle travaille à temps plein et, hormis les horaires de soir, elle ne changerait absolument rien à sa situation.

PROG. 111.A0
PRÉALABLES : 30, 40, VOIR PAGE 20

CHAMPS D'INTÉRÊT

- se soucie de la santé et de l'hygiène
- aime se sentir utile aux personnes
- aime transmettre de l'information (éduquer)
- aime le travail d'observation et la manipulation d'instruments

APTITUDES

- facilité à communiquer (écouter, expliquer et convaincre)
- esprit d'équipe et autonomie
- grande dextérité et faculté de concentration
- sens des responsabilités et minutie
- précision et rapidité d'exécution

OFFRE DU PROGRAMME PAR RÉGIONS
Capitale-Nationale, Mauricie, Montérégie, Montréal, Outaouais, Saguenay–Lac-Saint-Jean

Pour connaître les établissements qui offrent ce programme : www.inforoutefpt.org

RÔLE ET TÂCHES

L'hygiéniste dentaire dépiste les maladies des dents et de la bouche, en promeut la prévention en inculquant aux gens de bonnes habitudes d'hygiène buccale et applique certains traitements de contrôle et de prophylaxie (prévention). L'hygiéniste peut poser certains actes intrabuccaux sous la direction ou la supervision du dentiste, dans le cas du détartrage par exemple, ou pour l'application de scellant sur une dent ou la gencive. L'orthodontie (traitement des anomalies de la position des dents) et la parodontie (traitement des gencives) font aussi partie des connaissances qu'il doit posséder.

Des notions de gestion sont un atout, car l'hygiéniste doit souvent voir à l'achat de son matériel, comme les brosses à dents, la soie dentaire, etc. En effet, plusieurs cabinets privés lui laissent le choix des produits qu'il utilise ou qu'il recommande. Il doit alors être en mesure de négocier avec les représentants et gérer son stock. De plus, l'informatisation des dossiers demande à l'hygiéniste dentaire d'effectuer certaines tâches de secrétariat. «Ça prend de l'organisation, sinon c'est le contact humain qui sera négligé», selon Isabelle.

Le rôle le moins connu de l'hygiéniste dentaire est d'enseigner les principes d'une bonne hygiène buccale, que ce soit en expliquant les techniques de brossage des dents ou d'utilisation de la soie dentaire ou encore en conseillant sur le choix des produits appropriés.

	Salaire hebdo moyen	Proportion de dipl. en emploi	Emploi relié	Chômage	Nombre de diplômés
2004	635 $	94,8 %	95,9 %	0,0 %	157
2003	606 $	93,3 %	96,1 %	2,3 %	193
2002	533 $	88,8 %	97,0 %	0,8 %	196

Statistiques tirées de la *Relance* - Ministère de l'Éducation. Voir données complémentaires, page 387.

Comment interpréter l'information, page 19.

QUALITÉS RECHERCHÉES

Les tâches étant variées, l'hygiéniste dentaire doit être polyvalent et ouvert à un apprentissage constant. Les progrès continuels des techniques d'hygiène dentaire l'obligent à se perfectionner sans relâche.

Il doit être à l'aise avec les gens et savoir être rassurant. «En orthodontie, quand un enfant apprend qu'il aura à porter des broches pendant quelques années, il faut trouver les mots pour l'encourager», dit Isabelle. Évidemment, la délicatesse et la précision des gestes sont des qualités essentielles, la bouche étant un endroit particulièrement sensible.

Un bon esprit d'équipe sert aussi l'hygiéniste dentaire, car il travaille en étroite collaboration avec le dentiste et son assistant.

DÉFIS ET PERSPECTIVES

Selon Marie-Josée Chagnon, responsable du Département des techniques d'hygiène dentaire au Collège de Maisonneuve, les prochaines années verront apparaître sur le marché des techniciens en hygiène dentaire mieux formés aux nouvelles technologies. «Le programme répond aux besoins créés par l'essor technologique. Les diplômés ont des connaissances sur les technologies de pointe, par exemple la radiologie numérique ou les caméras intrabuccales. Cette réorganisation constitue un grand pas dans l'adaptation de la formation aux besoins réels de la profession.»

Afin d'assurer la mise à jour des connaissances des diplômés sur les nouveaux traitements ou les nouvelles technologies, l'Ordre des hygiénistes dentaires du Québec offre de la formation continue. Selon Mme Chagnon, «si l'on ne se renouvelle pas de cette manière, on est rapidement dépassé».

Pour Isabelle, faire connaître la facette humaine du rôle de l'hygiéniste dentaire demeure une priorité. «Parler aux gens, les conseiller et parfaire leurs connaissances en matière d'hygiène buccale leur fait prendre conscience de la variété des services et de l'aide que nous sommes en mesure d'offrir, outre les traitements comme tels.» 09/99

> «Parler aux gens, les conseiller et parfaire leurs connaissances en matière d'hygiène buccale leur fait prendre conscience de la variété des services et de l'aide que nous sommes en mesure d'offrir, outre les traitements comme tels.»
>
> — **Isabelle Archambault**

Photo: PPM

HORAIRES ET MILIEUX DE TRAVAIL

- L'hygiéniste dentaire est recruté surtout par les cabinets privés et les cliniques d'orthodontie ou de parodontie. Les hôpitaux et les centres locaux de services communautaires (CLSC) font aussi appel à lui.

- Certains diplômés optent pour une carrière de représentant commercial pour des entreprises de produits liés à la dentisterie.

- Les horaires sont très chargés. Travailler le soir et les fins de semaine est monnaie courante dans cette profession.

- De plus en plus de cabinets ouvrent même le dimanche.

Techniques d'inhalothérapie

«Je crois que je m'intéresse au domaine de la santé parce que ma mère est infirmière, raconte Annie Quenneville, inhalothérapeute au Centre universitaire de santé de l'Estrie. Mais dès le début, je voulais faire quelque chose de différent : avoir un contact avec les patients, mais dans les situations d'urgence par exemple.»

PROG. 141.AO
PRÉALABLES : 11, 20, 30, VOIR P. 20

CHAMPS D'INTÉRÊT
- aime la médecine et le travail en milieu hospitalier
- aime se sentir utile et responsable du bien-être des personnes
- aime manipuler des appareils de précision
- aime observer, évaluer et prendre des décisions
- aime assister et coopérer

APTITUDES
- habileté pour les sciences de la santé
- résistance physique et émotionnelle
- facilité à établir des contacts humains et à rassurer les gens
- initiative, jugement et bons réflexes
- aisance avec les appareils de technologie de pointe

OFFRE DU PROGRAMME PAR RÉGIONS
Capitale-Nationale, Estrie, Montréal, Saguenay–Lac-Saint-Jean

Pour connaître les établissements qui offrent ce programme : **www.inforoutefpt.org**

RÔLE ET TÂCHES

L'inhalothérapeute est un spécialiste du système cardiorespiratoire. «Je touche pas mal à tout ce qui s'appelle inhalothérapie en milieu hospitalier : je m'assure de la bonne ventilation des patients aux soins intensifs, où je vérifie leurs appareils et veille à ce qu'ils soient bien, que leurs poumons soient suffisamment alimentés en oxygène. Je prépare aussi le matériel au bloc opératoire, j'assiste l'anesthésiste et je surveille tous les signes vitaux des opérés durant l'intervention : respiration, battements cardiaques, pression sanguine, solutés, etc. J'installe les électrodes, les canules artérielles et autres sondes servant au monitorage, explique Annie.

«Je peux aussi être appelée à participer à une équipe multidisciplinaire de réanimation à l'urgence, où chaque seconde est comptée et où chacun doit effectuer des gestes bien précis, en parfaite coordination. Il y a aussi la néopédiatrie, où on veille sur des bébés nés avant terme ou qui ont des problèmes respiratoires, pour s'assurer que leur développement ne sera pas entravé par un manque d'oxygène, au cerveau notamment. Il m'arrive d'effectuer des tests des fonctions respiratoires en laboratoire, pour aider les médecins à poser leur diagnostic et suivre l'évolution de l'état des bénéficiaires. Et puis, je vais faire des tournées sur les étages, pour visiter les patients sous ventilation et voir à l'administration des traitements respiratoires qui leur sont prescrits. Bref, je touche un peu à tout.»

	Salaire hebdo moyen	Proportion de dipl. en emploi	Emploi relié	Chômage	Nombre de diplômés
2004	583 $	93,7 %	98,3 %	0,0 %	119
2003	621 $	96,8 %	97,6 %	0,0 %	123
2002	600 $	97,9 %	100,0 %	0,0 %	73

Statistiques tirées de la *Relance* - Ministère de l'Éducation. Voir données complémentaires, page 387.

Comment interpréter l'information, page 19.

QUALITÉS RECHERCHÉES

«À mon avis, l'inhalothérapeute doit avoir un excellent esprit d'initiative, avoir les gestes sûrs et savoir prendre des décisions rapidement, estime Diane Bernard-Cusson, coordonnatrice du programme des techniques d'inhalothérapie au Collège de Sherbrooke. Il doit savoir gérer le stress, en situation d'urgence tout particulièrement, et être capable de travailler en équipe. Cela demande de l'entregent et de l'empathie pour les patients. La curiosité, le goût d'apprendre et de toujours se perfectionner sont aussi importants, car c'est une profession en constante évolution et les exigences sont énormes.»

Annie insiste pour sa part sur la polyvalence et l'énergie nécessaires pour accomplir ses multiples tâches : «Une journée de travail ne se termine jamais comme elle avait commencé; je ne sais pas d'avance où je vais me retrouver, en salle d'opération ou à l'urgence... Je cours beaucoup pour avoir le temps de respirer! Ça prend également beaucoup de débrouillardise : il n'y a pas toujours quelqu'un à côté pour nous aider. Dans le travail en équipe, il faut savoir prendre sa place aussi, faire valoir son point de vue et les solutions qu'on propose, tout en respectant les directives du médecin, évidemment.»

DÉFIS ET PERSPECTIVES

«On assiste actuellement à une réorganisation de bien des services dans le domaine de la santé, et les programmes d'enseignement sont orientés en fonction des nouvelles structures, souligne Diane Bernard-Cusson. Par exemple, les inhalothérapeutes s'occupent de plus en plus de la surveillance des fonctions cardiaques et de l'électrocardiographie. Par ailleurs, pour le maintien à domicile, les médecins font davantage d'ordonnances permanentes et délèguent aux inhalothérapeutes le mandat d'assurer le suivi du traitement auprès des patients.»

«J'aurai sans doute un choix à faire, un jour ou l'autre, entre tel ou tel champ d'activité, avoue Annie, mais pour l'instant, je compte continuer de me perfectionner. Suivre des cours plus poussés, profiter des programmes de formation continue offerts par l'Ordre professionnel des inhalothérapeutes du Québec. Je ne veux pas arrêter d'évoluer.» 09/99

«Une journée de travail ne se termine jamais comme elle avait commencé; je ne sais pas d'avance où je vais me retrouver, en salle d'opération ou à l'urgence...»

— Annie Quenneville

Photo : Collège Vanier

HORAIRES ET MILIEUX DE TRAVAIL

- On retrouve les inhalothérapeutes dans les centres hospitaliers. Avec le virage ambulatoire d'il y a quelques années, les CLSC et les services de maintien à domicile font de plus en plus appel à eux.

- Dans les grands centres hospitaliers, l'inhalothérapeute est appelé à travailler selon un horaire variable.

- Dans le secteur des entreprises de soins à domicile, les horaires sont plus réguliers que dans les hôpitaux.

DEC

Techniques d'orthèses et de prothèses orthopédiques

Valérie Ryan a choisi la carrière d'orthésiste-prothésiste après avoir visité un centre de réadaptation. Spécialisée en orthèse plantaire, elle rencontre des patients très différents les uns des autres, du sportif à la personne âgée en passant par le diabétique. «L'orthèse, c'est un peu comme un traitement de médecine alternative qui remplace les médicaments, les injections de cortisone et les anti-inflammatoires», explique-t-elle.

PROG. 144.B0
PRÉALABLE : 0, VOIR PAGE 20

CHAMPS D'INTÉRÊT
- aime la biologie, l'anatomie et la biomécanique
- aime concevoir, fabriquer et entretenir du matériel
- aime résoudre des problèmes
- aime le contact avec les patients

APTITUDES
- précision et dextérité manuelle
- bonne capacité de communication et d'écoute
- patience et empathie
- débrouillardise et créativité

OFFRE DU PROGRAMME PAR RÉGIONS
Capitale-Nationale, Laval

Pour connaître les établissements qui offrent ce programme : www.inforoutefpt.org

RÔLE ET TÂCHES

L'orthésiste-prothésiste conçoit et fabrique de l'appareillage orthopédique, soit des orthèses (appareils conçus pour un membre ayant besoin d'être redressé ou solidifié) ou des prothèses (appareils destinés à remplacer un segment de membre).

Employée par le Laboratoire Pouliot, spécialisé en orthèses du pied et du membre inférieur, à Gatineau, Valérie fait uniquement de la clinique, c'est-à-dire qu'elle procède à l'évaluation des patients et conçoit les prothèses. La fabrication est confiée au siège social de l'entreprise, à Québec.

Envoyés par leur médecin, la plupart des patients se présentent avec une ordonnance. Durant l'évaluation, Valérie palpe et examine les pieds, détermine les zones douloureuses, observe l'alignement du corps lorsque la personne est en position stationnaire ou en mouvement. «Les problèmes de genoux, de chevilles, de hanches et de dos sont souvent causés par les pieds, dit-elle. Je vérifie si la personne a des pieds plats ou creux, etc.» Valérie effectue ensuite la prise de mesures et d'empreintes qui serviront à la fabrication de l'appareil. Une fois l'orthèse fabriquée et livrée, l'orthésiste-prothésiste rencontre le patient pour procéder aux ajustements nécessaires et effectue le suivi.

QUALITÉS RECHERCHÉES

«Certains patients traînent un problème, une blessure, depuis très longtemps, souligne Valérie. Ils veulent une solution rapide. Écoute attentive, empathie

	Salaire hebdo moyen	Proportion de dipl. en emploi	Emploi relié	Chômage	Nombre de diplômés
2004	497 $	92,3 %	100,0 %	7,7 %	15
2003	453 $	100,0 %	100,0 %	0,0 %	18
2002	561 $	88,2 %	100,0 %	0,0 %	21

Statistiques tirées de la *Relance* - Ministère de l'Éducation. Voir données complémentaires, page 387.

Comment interpréter l'information, page 19.

et patience sont donc de mise. Il faut aussi savoir conseiller et éduquer, par exemple en ce qui concerne l'utilisation de la chaleur, du froid pour traiter la douleur, et les exercices physiques.»

L'orthésiste-prothésiste doit faire preuve d'un bon sens de l'analyse. En effet, chaque cas est différent, et la conception des appareils et les ajustements doivent être mûrement réfléchis. Si le professionnel commet une erreur, il peut créer des problèmes à une autre partie du corps, au dos par exemple.

Par ailleurs, la fabrication d'orthèses et de prothèses exige une bonne dextérité manuelle.

DÉFIS ET PERSPECTIVES

Les nouvelles technologies sont très présentes dans ce secteur, souligne Bernard Boivin, coordonnateur du Département d'orthèses et de prothèses orthopédiques au Cégep Montmorency. «Les nouveaux matériaux [plastiques, fibres de carbone, alliages et composites] se multiplient. Ils offrent la possibilité de développer des appareils de plus en plus sophistiqués, par exemple la toute dernière prothèse avec propulsion qui permet de monter aisément les marches d'un escalier.»

Les nouvelles technologies permettent aussi de mieux analyser les problèmes présentés par le patient, ajoute le coordonnateur. C'est le cas des caméras haute vitesse qui, pendant que le patient est en mouvement, génèrent chaque seconde 250 images du membre à appareiller. «On ne peut obtenir une telle précision à l'œil nu», souligne-t-il.

Par ailleurs, la fabrication et la conception assistées par ordinateur métamorphosent le travail de l'orthésiste-prothésiste. «La prise d'empreintes se fait surtout en utilisant du plâtre. Mais avec un ordinateur et un lecteur laser, on peut aujourd'hui faire la lecture du segment d'un membre à appareiller. À partir de ces informations, un robot fabrique l'appareil orthopédique.» 02/05

La fabrication et la conception assistées par ordinateur métamorphosent le travail de l'orthésiste-prothésiste.

HORAIRES ET MILIEUX DE TRAVAIL

- Les techniciens peuvent œuvrer dans les centres de réadaptation privés ou publics et les laboratoires privés d'orthèses et de prothèses.
- Pour devenir propriétaire de son propre laboratoire, un diplômé doit d'abord travailler cinq ans comme employé de laboratoire, avant de faire une demande de permis.
- Les diplômés peuvent faire de la clinique ou de la fabrication ou les deux.
- Les horaires sont généralement réguliers, soit de 9 h à 17 h, ou suivent les heures d'ouverture des commerces.
- En fabrication, en période de production intensive, on peut travailler sur appel, le soir et les week-ends. Cela vaut aussi pour les techniciens attachés aux urgences des hôpitaux.

Techniques d'orthèses visuelles

«C'est un très beau métier! Il y a toujours des nouveautés, il faut constamment se tenir à jour et aimer en apprendre plus. Par exemple, on a sorti sur le marché des verres de contact avec double foyer», explique Pascale Pieraut, opticienne chez Iris.

PROG. 160.A0
PRÉALABLES : 11, 20, 30, VOIR P. 20

CHAMPS D'INTÉRÊT

- aime le domaine de la santé
- aime le contact avec le public : service et vente
- aime apprendre et se perfectionner
- aime calculer, mesurer et manipuler des appareils électroniques
- aime faire un travail de précision

APTITUDES

- habileté pour les sciences de la santé
- capacité d'écoute (compréhension des besoins)
- savoir expliquer et convaincre
- dextérité et acuité visuelle
- sens esthétique

OFFRE DU PROGRAMME PAR RÉGIONS
Montérégie

Pour connaître les établissements qui offrent ce programme : **www.inforoutefpt.org**

RÔLE ET TÂCHES

Le diplômé en techniques d'orthèses visuelles travaille à titre d'opticien. C'est lui qui reçoit le client et l'aide à faire un choix entre des verres de contact et des lunettes, selon ses besoins. C'est aussi lui qui commande les lentilles auprès des laboratoires de fabrication d'après l'ordonnance de l'optométriste. Cependant, tout le travail de taillage des verres, qui est fait selon la monture choisie par le client, lui revient. Il fait aussi les derniers ajustements (coussinets, angles des lunettes, courbures des branches). De plus, il veille à ce que le taillage des verres respecte ce qu'on appelle la «charte de tolérance», qui indique le niveau de perfection qui doit être atteint. Dans le cas de verres de contact, l'opticien mesure la courbure de l'œil à l'aide d'appareils spécialisés pour assurer aux clients le maximum de confort.

«Ce qui est important pour moi, dit Pascale, c'est que mon client soit satisfait du service qu'il a reçu, que j'aie répondu à ses besoins. Il faut aimer travailler avec le public. J'ai terminé il y a deux ans, mais j'avais travaillé comme réceptionniste dans le même domaine pendant trois ans. Un conseil à ceux qui veulent se diriger vers le métier d'opticien : bien s'informer sur tous les aspects du métier.» Notamment sur celui de la vente, qui semble moins connu chez les élèves, selon elle.

Pierre Trahan, responsable du programme au Collège Édouard-Montpetit, estime que même si le travail premier d'un opticien est d'exécuter les ordonnances des ophtalmologistes et des optométristes, il joue un rôle essentiel envers la clientèle qu'il dessert : celui d'éducateur. Il doit

	Salaire hebdo moyen	Proportion de dipl. en emploi	Emploi relié	Chômage	Nombre de diplômés
2004	549 $	91,9 %	100,0 %	0,0 %	56
2003	566 $	89,7 %	100,0 %	0,0 %	59
2002	579 $	100,0 %	97,7 %	0,0 %	59

Statistiques tirées de la *Relance* - Ministère de l'Éducation. Voir données complémentaires, page 387.

Comment interpréter l'information, page 19.

déterminer avec précision les besoins de chaque personne qui vient consulter. Par exemple, une personne qui travaille dans le domaine du transport et un travailleur en ébénisterie n'ont pas nécessairement des besoins identiques, même si leurs carences visuelles sont semblables. En plus de répondre aux questions de ses clients, l'opticien cherchera des informations complémentaires afin de bien les diriger.

QUALITÉS RECHERCHÉES

L'opticien d'ordonnances doit allier de solides connaissances techniques à de bonnes qualités humaines. «Les relations interpersonnelles avec les clients étant omniprésentes dans son métier, il doit être capable de vulgariser des concepts très abstraits, selon M. Trahan. La minutie et la dextérité manuelle sont essentielles dans la mesure où on travaille avec des objets fragiles et d'une extrême précision.» Le sens de l'observation et la capacité d'écoute permettront à l'opticien de répondre le plus efficacement possible aux besoins de son client.

> «La minutie et la dextérité manuelle sont essentielles dans la mesure où on travaille avec des objets fragiles et d'une extrême précision.»
>
> — Pierre Trahan

Et lorsqu'on parle de montures, on touche aussi à la mode. C'est pourquoi des aptitudes dans ce domaine et en design sont importantes. «Les lunettes sont aujourd'hui une façon d'afficher sa personnalité. Certaines personnes optent même pour des lunettes plutôt que pour des verres de contact pour cette raison», fait remarquer Pascale. Un opticien doit donc faire preuve d'un minimum de sens critique pour bien conseiller son client à ce sujet. Finalement, l'opticien qui espère ouvrir son propre bureau doit développer des qualités d'entrepreneur, ne pas avoir peur de faire de l'administration et… de la paperasse!

Photo : Collège Édouard-Montpetit

DÉFIS ET PERSPECTIVES

La clientèle d'un opticien est assez variée et, selon les secteurs, on est appelé à travailler avec différents groupes d'âge. Les barrières inter-professionnelles qui avaient cours dans le domaine entre opticiens, optométristes et ophtalmologistes tendent à s'amenuiser. «La profession d'opticien est à la hausse. De plus en plus, on s'allie aux optométristes», explique Renaud Loisel, opticien d'ordonnances. «De nouveaux produits, envahissent le marché et il faut vite s'adapter pour rester compétitifs», conclut Pascale. 09/99

HORAIRES ET MILIEUX DE TRAVAIL

- Un diplômé a le choix d'aller travailler comme opticien dans les grosses chaînes de lunetteries ou de se lancer en affaires.

- Il peut aussi travailler en étroite collaboration avec des optométristes pour offrir un service plus complet à ses clients.

- Il est également possible de devenir représentant chez les différents fournisseurs qui ont comme clients des bureaux d'opticiens, ou encore de travailler dans les gros laboratoires, où l'on effectuera du taillage de lentilles et de verres de contact.

- Dans ce domaine, on doit s'attendre à travailler le jour, le soir et les fins de semaine.

Technologie d'analyses biomédicales

«Avant, je travaillais dans une pharmacie», raconte Francis Shaunt, technologue d'analyses biomédicales et instituteur clinique auprès des stagiaires au Centre universitaire de santé de l'Estrie (CUSE). «C'est là que j'ai commencé à m'intéresser au lien entre le diagnostic et le traitement, à l'importance des dosages. Ma curiosité, ma dextérité manuelle et mon acuité visuelle ont fait le reste...»

PROG. 140.B0
PRÉALABLES : 12, 30, 40, VOIR P. 20

CHAMPS D'INTÉRÊT

- s'intéresse à la santé et au bien-être des personnes
- aime les sciences et la recherche
- aime travailler dans un laboratoire
- aime observer, analyser, chercher, calculer
- aime manipuler des appareils de précision

APTITUDES

- facilité pour les sciences (chimie, biologie, physique, math)
- grandes capacités de concentration et d'analyse
- forte curiosité, rigueur et méthode
- sens aigu des responsabilités
- dextérité et acuité visuelle

OFFRE DU PROGRAMME PAR RÉGIONS
Bas-Saint-Laurent, Capitale-Nationale, Estrie, Laurentides, Mauricie, Montérégie, Montréal, Saguenay—Lac-Saint-Jean

Pour connaître les établissements qui offrent ce programme : **www.inforoutefpt.org**

RÔLE ET TÂCHES

«J'étais aussi fascinée par la médecine, mais surtout par le rapport entre le cerveau et la main, la logique et la manipulation d'éléments concrets, précise Julie Gingras, conjointe de Francis et également technologue d'analyses biomédicales. Et vous pouvez me croire, on en manipule des éprouvettes, des lamelles et des tubes! Et on se fait aller les méninges, aussi!»

«Le rôle du technologue est d'effectuer des analyses d'échantillons biologiques divers, soit de sang, de sérum, de plasma, d'urine, de sels et de sucres de provenance humaine, animale, environnementale ou agroalimentaire, selon le secteur choisi, explique Jacques Fortier, coordonnateur de programme en technologies d'analyses biomédicales au Collège de Sherbrooke. Les analyses, effectuées sur demande spécifique, par exemple du médecin, aident ce dernier à établir un diagnostic. Il s'agit donc, par des tests précis en laboratoire, de déterminer la présence, l'absence ou la proportion de certaines substances dans les échantillons.»

«Je travaille sur appel dans trois centres hospitaliers de la région, souligne Julie, et à chaque endroit, c'est différent. À la Providence, à Magog, je fais moi-même les prélèvements auprès des patients, ce qui me permet de mieux assurer la qualité des analyses parce qu'il n'y a pas de retard ni d'intermédiaire, et je contrôle toute la chaîne d'identification des échantillons. Au CUSE, où ce sont les infirmières qui font les prélèvements, j'ai souvent l'horaire de nuit, alors qu'on en profite pour rattraper les retards de la journée et effectuer les analyses plus spécialisées, qui demandent plus de temps, tout en desservant l'urgence.»

	Salaire hebdo moyen	Proportion de dipl. en emploi	Emploi relié	Chômage	Nombre de diplômés
2004	597 $	93,7 %	87,7 %	2,0 %	221
2003	603 $	86,9 %	95,7 %	3,6 %	173
2002	574 $	85,5 %	94,6 %	2,5 %	181

Statistiques tirées de la *Relance* - Ministère de l'Éducation. Voir données complémentaires, page 387.

Comment interpréter l'information, page 19.

QUALITÉS RECHERCHÉES

«La principale qualité d'un bon technologue est la débrouillardise, s'exclame Julie. Quand on commence, on est souvent seul, de nuit, et on doit se démêler sans l'aide de personne. Il faut donc être bien organisé et avoir le sens des responsabilités, être très rigoureux et savoir se remettre en question, vérifier de nouveau ses résultats, car le diagnostic du médecin dépend de ceux-ci. C'est sérieux!»

Dextérité manuelle, acuité visuelle et bonne perception des couleurs pour détecter les nuances – ce n'est pas la place des daltoniens –, curiosité intellectuelle, ouverture d'esprit, aptitude au changement et au travail d'équipe, capacité de résoudre des problèmes, humanisme et compassion, sens de l'organisation et bonne planification des tâches, facilité à communiquer les résultats, sont autant de qualités sur lesquelles insiste M. Fortier. «Il faut être extrêmement rigoureux, ajoute-t-il, et savoir faire preuve d'initiative tout en respectant scrupuleusement les protocoles, qui sont les étapes et les règles à suivre dans un processus d'analyse. L'éthique professionnelle est aussi importante : le technologiste doit savoir respecter la confidentialité.»

> «Notre formation s'oriente davantage vers la biologie moléculaire, pour que les diplômés puissent effectuer des tests d'ADN, de plus en plus utilisés pour le dépistage des maladies ou conditions héréditaires, des déficiences du système immunitaire, de certains cancers.»
>
> — Jacques Fortier

DÉFIS ET PERSPECTIVES

«Nos diplômés sont de plus en plus formés pour analyser les résultats en plus de les produire, affirme M. Fortier. Ils sont ainsi en mesure de les évaluer, de les contrôler avant de les soumettre. C'est la tendance actuelle dans les hôpitaux. Notre formation s'oriente aussi davantage vers la biologie moléculaire, pour que les diplômés puissent effectuer des tests d'ADN, de plus en plus utilisés pour le dépistage des maladies ou conditions héréditaires, des déficiences du système immunitaire, de certains cancers.»

Le boum des biotechnologies ouvre des avenues intéressantes aux technologues d'analyses biomédicales, que ce soit immédiatement après l'obtention de leur diplôme ou à la suite d'études plus poussées à l'université. Tout aussi prometteuses sont la privatisation de certains services de santé, la relance de la recherche universitaire, la protection de l'environnement et l'application des normes gouvernementales dans l'industrie agroalimentaire en pleine croissance. 09/99

HORAIRES ET MILIEUX DE TRAVAIL

• C'est le secteur hospitalier qui embauche le plus, mais le diplômé peut aussi exercer son métier dans le domaine environnemental et dans les laboratoires privés qui font de la sous-traitance.

• Dans les grands laboratoires de recherche universitaires ou privés, comme en biotechnologie, dans l'industrie pharmaceutique ou agroalimentaire, les horaires sont beaucoup plus réguliers que dans le domaine hospitalier.

Technologie de médecine nucléaire

«Je crois que le terme "médecine nucléaire" peut faire peur. Pourtant, on peut aider beaucoup de gens et le développement des technologies nous permet d'y parvenir de mieux en mieux.» Geneviève Lapointe est technologue en médecine nucléaire à la Cité de la Santé de Laval.

PROG. 142.BO
PRÉALABLES : 12, 30, VOIR PAGE 20

CHAMPS D'INTÉRÊT

- aime apprendre et se perfectionner
- aime le domaine médical et les sciences en général
- aime la technologie
- aime faire un travail précis et minutieux
- aime être utile aux personnes et assumer des responsabilités

APTITUDES

- facilité pour les sciences (math, chimie, physique et biologie) et bonne dextérité
- grande capacité d'apprentissage et d'adaptation
- grande faculté de concentration
- prudence, minutie et sens des responsabilités
- facilité à établir des contacts humains

OFFRE DU PROGRAMME PAR RÉGIONS
Montréal

Pour connaître les établissements qui offrent ce programme : **www.inforoutefpt.org**

RÔLE ET TÂCHES

Le technologue en médecine nucléaire reçoit les patients envoyés par les médecins traitants qui ont prescrit l'examen. Après analyse de l'ordonnance, le technologue prépare le produit radiopharmaceutique nécessaire à la réalisation de l'examen et l'administre, le plus souvent par injection intraveineuse ou par voie orale. Le produit radiopharmaceutique administré est choisi selon l'organe ou le système qu'on veut examiner. Les rayonnements émis par le produit sont captés par une caméra à scintillation afin de produire des images (des scintigraphies) dont se servira le médecin nucléiste pour poser un diagnostic.

Lors de la préparation de l'injection, le technologue doit calculer la dose administrée pour chaque patient. Le produit pharmaceutique est rendu radioactif par l'ajout lors de sa préparation d'une substance radioactive, c'est-à-dire émettrice de rayonnement. En médecine nucléaire, la substance radioactive la plus utilisée est le technicium-99 m.

«La dose est déterminée en fonction du poids du patient, autant que possible. C'est un produit qui a une durée de vie très courte et qui s'élimine bien par les reins. Le technologue doit donner quelques consignes à ses patients, dont celle de boire beaucoup d'eau pour accélérer l'élimination. La personne est radioactive pendant un court laps de temps, mais il n'y a aucun danger pour elle ou son entourage», explique Chantal Asselin, responsable de la coordination du programme de technologie de médecine nucléaire au Collège Ahuntsic.

	Salaire hebdo moyen	Proportion de dipl. en emploi	Emploi relié	Chômage	Nombre de diplômés
2004	604 $	100,0 %	100,0 %	0,0 %	16
2003	563 $	100,0 %	100,0 %	0,0 %	7
2002	660 $	100,0 %	100,0 %	0,0 %	12

Statistiques tirées de la *Relance* - Ministère de l'Éducation. Voir données complémentaires, page 387.

Comment interpréter l'information, page 19.

QUALITÉS RECHERCHÉES

Beaucoup d'aisance avec les gens touchés par la maladie et un sens du détail marqué sont des qualités indispensables pour le technologue. Il faut de la patience, de l'empathie et de la compassion. «Le patient est souvent angoissé. Il faut lui expliquer la nature de l'examen, ce qu'on va faire, quel produit on va utiliser et pourquoi. On doit l'amener à se détendre et à nous faire confiance», explique Geneviève. Des aptitudes en biologie et en sciences sont aussi importantes.

La justesse du dosage et le choix du produit à administrer déterminent la qualité de la scintigraphie et sont primordiaux aussi bien pour le patient que pour le technologue. En effet, la minutie et une bonne concentration lui permettent d'effectuer son travail en toute sécurité. «On n'est pas en danger, on a tout ce qu'il faut pour se protéger : tabliers, gaines en plomb, etc.», souligne Geneviève.

> «Le patient est souvent angoissé. Il faut lui expliquer la nature de l'examen, ce qu'on va faire, quel produit on va utiliser et pourquoi. On doit l'amener à se détendre et à nous faire confiance.»
>
> — Geneviève Lapointe

DÉFIS ET PERSPECTIVES

Le technologue en médecine nucléaire doit parfaire sa formation de façon constante. «Au cours des dix dernières années, explique Mme Asselin, un essor considérable des technologies a obligé le technologue à se tenir au courant des nouveautés. Ça change beaucoup et très rapidement, qu'on parle des appareils ou des produits utilisés. Le diplômé doit être alerte et prêt à découvrir lui-même les nouveautés qui lui seront utiles dans sa pratique.»

La médecine nucléaire repose exclusivement sur les nouvelles technologies. «C'est motivant de constater les progrès. Par exemple, la scintimammographie permet de détecter des tumeurs au sein. Quand il y a un doute, c'est là un outil de plus dans le dépistage du cancer du sein. Nous n'avions pas ce recours il y a quelques années», explique Mme Asselin.

Le technologue en médecine nucléaire continue son apprentissage avec la collaboration du chef du département et du chef technologue, qui reçoivent l'information sur les nouvelles technologies et la partagent avec les technologues. «Le milieu demande une grande capacité d'adaptation, mais il est très stimulant, justement parce qu'il évolue continuellement», conclut Geneviève. 09/99

HORAIRES ET MILIEUX DE TRAVAIL

• Le technologue en médecine nucléaire travaille strictement en milieu hospitalier.

• Un département de médecine nucléaire fonctionne surtout de jour.

• Le technologue peut être de garde les fins de semaine ou travailler le soir.

Technologie de radiodiagnostic

«Je n'ai jamais manqué de travail depuis que je suis diplômé. Même en début de carrière, je travaillais à trois endroits et je cumulais plus de 60 heures par semaine!» Alain Fortier est au service du centre hospitalier Angrignon-Pavillon Verdun, ainsi que de l'hôpital Charles-Lemoyne sur la Rive-Sud de Montréal.

PROG. 142.AO
PRÉALABLES : 11, 20, VOIR P. 20

CHAMPS D'INTÉRÊT

- aime se sentir utile et responsable
- aime chercher et détecter la source d'un problème (diagnostic)
- aime observer et analyser des données et des images
- aime communiquer : écouter, expliquer, encourager
- aime calculer et utiliser des appareils sophistiqués

APTITUDES

- précision, minutie et dextérité
- sens des responsabilités très développé
- habileté à communiquer
- habileté pour les sciences (chimie, physique, anatomie)
- excellent sens de l'observation et de l'analyse

OFFRE DU PROGRAMME PAR RÉGIONS
Bas-Saint-Laurent, Capitale-Nationale, Montréal

Pour connaître les établissements qui offrent ce programme : **www.inforoutefpt.org**

RÔLE ET TÂCHES

«La situation est différente d'un patient à l'autre, et c'est parfois difficile. À mes débuts, par exemple, j'étais très impressionné quand je recevais des victimes d'accidents de moto ou d'auto. Il ne faut pas avoir peur des os ni du sang», raconte Alain. À titre de technologue en radiodiagnostic, Alain est appelé à travailler sur prescription médicale, parfois en salle d'urgence et même en salle d'opération.

Le technologue peut travailler dans différentes spécialités : radiologie conventionnelle; ultrasonographie (échographie); tomodensitométrie (scanner), imagerie par résonance magnétique et radiologie d'intervention. Il travaille avec des appareils sophistiqués qui demandent de la précision. Quelle que soit sa spécialité, le technologue doit d'abord lire et évaluer les renseignements inscrits sur l'ordonnance médicale, expliquer l'examen au patient et le positionner. Ensuite, il choisit les accessoires nécessaires à la réalisation de l'examen demandé, il sélectionne les paramètres d'exposition, puis actionne l'appareil à rayons X.

Le technologue doit respecter les normes de sécurité concernant l'exposition aux radiations, tant pour le patient que pour lui-même. Il évalue ensuite la qualité des radiographies et en produit d'autres, au besoin. «J'adore travailler en salle d'opération, où mon rôle est de guider le chirurgien. Par exemple dans un cas de fracture, on fait de la radioscopie pour localiser la fracture, ce qui permettra au chirurgien orthopédiste de la réduire adéquatement. Les médecins se fient à notre travail parce que nous sommes un peu leurs yeux», poursuit Alain.

	Salaire hebdo moyen	Proportion de dipl. en emploi	Emploi relié	Chômage	Nombre de diplômés
2004	604 $	95,2 %	100,0 %	1,3 %	111
2003	655 $	95,1 %	100,0 %	1,7 %	77
2002	620 $	95,5 %	100,0 %	0,0 %	68

Statistiques tirées de la *Relance* - Ministère de l'Éducation. Voir données complémentaires, page 387.

Comment interpréter l'information, page 19.

QUALITÉS RECHERCHÉES

Le technologue en radiodiagnostic doit être à l'aise dans les relations humaines. Il fait partie, avec d'autres spécialistes (médecins, infirmières, etc.), de l'équipe multidisciplinaire qui entoure le patient. «Le contact est important avec les autres membres de l'équipe, qui savent que le technologue est un professionnel à part entière. Il doit faire preuve d'un esprit de synthèse et d'analyse pour assurer les meilleurs services aux patients», explique Jean-Yves Giguère, co-coordonnateur du programme au Collège Ahuntsic.

Le technologue doit agir avec une grande précision, selon l'exigence de l'examen, de sorte que le médecin ait une bonne vision de la maladie. Cela demande de la dextérité et parfois de la force physique et de l'endurance, mais aussi une préparation efficace. La troisième et dernière année du DEC se fait sous forme de stage non rémunéré en milieu hospitalier. Elle sert à préparer le futur technologue à toutes les situations possibles. «Après notre DEC, nous sommes très bien préparés à affronter les défis qui se présentent. Disons que le stage nous confirme qu'on est bien à notre place», mentionne Alain.

DÉFIS ET PERSPECTIVES

«Le technologue formé ici peut travailler partout au Canada et même ailleurs dans le monde. Toutefois, au Québec, depuis quelques années, les centres hospitaliers ont des postes à pourvoir et les technologues sont demandés», ajoute M. Giguère. En ce qui concerne la formation pratique, les collèges offrent des stages couvrant plus d'une année de formation, ce qui prépare très bien le futur technologue au milieu professionnel. À son arrivée sur le marché du travail, il possède déjà les habiletés requises pour répondre aux exigences du milieu et il développera de la rapidité d'exécution avec le temps.

Il est toujours possible de se spécialiser en radiodiagnostic. L'Ordre des technologues en radiologie du Québec et les collèges offrent plusieurs cours de spécialisation qui permettent aux intéressés d'occuper d'autres fonctions dans le département de radiologie. 09/99

> «La situation est différente d'un patient à l'autre, et c'est parfois difficile. À mes débuts, par exemple, j'étais très impressionné quand je recevais des victimes d'accidents de moto ou d'auto. Il ne faut pas avoir peur des os ni du sang.»
>
> — Alain Fortier

HORAIRES ET MILIEUX DE TRAVAIL

• Le technologue exerce en CLSC, dans un hôpital, en clinique privée, etc.

• Il peut travailler la nuit et les fins de semaine, puisque habituellement les services du technologue en radiodiagnostic sont demandés dans des établissements où l'on prodigue des soins sept jours sur sept, 24 heures sur 24.

• Le technologue doit avoir la capacité de s'adapter aux changements d'horaire.

Technologie de radio-oncologie

Lorsqu'elle fréquentait encore l'école secondaire, Sylvie Poirier adorait la physique. Sa passion pour les sciences l'a conduite en radio-oncologie au Collège Ahuntsic. Aujourd'hui, elle est coordonnatrice technique du département de radio-oncologie à l'hôpital Notre-Dame.

PROG. 142.CO
PRÉALABLES : 12, 20, VOIR P. 20

CHAMPS D'INTÉRÊT
- aime se sentir utile et responsable
- aime chercher et détecter la source d'un problème
- aime observer et analyser des données et des images
- aime écouter, parler, expliquer et réconforter les personnes
- aime calculer et utiliser des appareils sophistiqués

APTITUDES
- précision, minutie et dextérité
- sens des responsabilités très développé
- habileté à communiquer
- habileté pour les sciences (chimie, physique, anatomie)
- excellent sens de l'observation et de l'analyse

OFFRE DU PROGRAMME PAR RÉGIONS
Capitale-Nationale, Montréal

RÔLE ET TÂCHES

À l'aide de radiations, le technologue en radiologie – radio-oncologie fait le traitement des maladies connues, principalement le cancer. En collaboration avec le médecin radio-oncologue, il planifie pour l'usager le meilleur traitement possible en tenant compte de plusieurs variables : dose de radiations à donner et situation de la tumeur.

«Je manipule les appareils, j'effectue les calculs pour donner la bonne dose de radiations à l'usager. Je m'occupe de lui autant au point de vue physique qu'au point de vue psychique», explique Sylvie.

Le technologue en radiologie – radio-oncologie suit attentivement l'évolution de l'usager au moyen de son dossier médical. Il est investi de responsabilités importantes : si un usager n'est pas convenablement traité, les conséquences sur sa santé seront majeures, d'autant plus qu'il est exposé à des radiations qui peuvent devenir nocives si elles sont mal administrées.

Pour prévenir les incidents fâcheux, le technologue en radiologie – radio-oncologie fabrique des accessoires de protection, comme des blocs en plomb, pour protéger les parties saines du corps. Il peut aussi concevoir un moule en plâtre pour aider l'usager à maintenir une position sans bouger.

Pour connaître les établissements qui offrent ce programme : **www.inforoutefpt.org**

	Salaire hebdo moyen	Proportion de dipl. en emploi	Emploi relié	Chômage	Nombre de diplômés
2004	627 $	91,2 %	96,7 %	0,0 %	53
2003	652 $	100,0 %	92,6 %	0,0 %	40
2002	589 $	100,0 %	100,0 %	0,0 %	38

Statistiques tirées de la *Relance* - Ministère de l'Éducation. Voir données complémentaires, page 387.

Comment interpréter l'information, page 19.

QUALITÉS RECHERCHÉES

Le technologue en radiologie – radio-oncologie travaille auprès des usagers qui se battent pour leur vie. Il doit faire preuve de dévouement et de compassion, question d'apporter un peu de soutien moral à ces personnes.

Il doit stimuler les usagers et tenter de les réconforter. Cela demande aussi beaucoup d'entregent. «Il faut faire preuve d'empathie et aimer les contacts humains. On travaille avec des gens qui sont parfois dans un état dépressif. Nous sommes leur bouée de sauvetage», confie Sylvie.

L'élève qui envisage de devenir un jour technologue dans cette discipline doit s'intéresser à la biologie et à la physique dès l'école secondaire.

> «Je manipule les appareils, j'effectue les calculs pour donner la bonne dose de radiations à l'usager. Je m'occupe de lui autant au point de vue physique qu'au point de vue psychique.»
>
> **— Sylvie Poirier**

Une connaissance précise de l'anatomie humaine aide à bien positionner l'usager pour le traitement au moment de prendre la radiographie.

«La précision est l'une des qualités les plus importantes. Il faut aimer la minutie, on travaille au millimètre près», lance Sylvie.

DÉFIS ET PERSPECTIVES

Sylvie Poirier a des sentiments partagés. Elle envisage l'avenir des technologues dans cette discipline avec optimisme, mais elle dresse un sombre portrait de la santé des Québécois.

«Si je me fie au rythme de vie que l'on mène, il va y avoir de plus en plus d'usagers atteints de cancer à un âge toujours plus jeune, parce qu'on mène une vie de fous! Les gens s'alimentent mal, il y a plus de pollution et de stress», estime-t-elle. 09/99

HORAIRES ET MILIEUX DE TRAVAIL

• Seuls les hôpitaux embauchent les technologues en radiologie – radio-oncologie.

• L'horaire de travail du technologue est plutôt stable. De 8 h à 16 h du lundi au vendredi, quelquefois le soir, mais jamais les fins de semaine.

SECTEUR **20**

SERVICES SOCIAUX, ÉDUCATIFS ET JURIDIQUES

Dans le domaine des services sociaux, les techniciens en éducation spécialisée sont particulièrement recherchés. Les maisons de jeunes, les centres d'accueil pour adolescents et les commissions scolaires recrutent ces travailleurs. Les emplois à temps plein s'y font toutefois rares pour les nouveaux diplômés. Les perspectives sont également bonnes pour les sortants en *Techniques de recherche sociale*. Il semble que ce nouveau programme implanté en 2003 réponde adéquatement aux besoins des entreprises de recherche en sciences humaines.

Du côté des services éducatifs, les diplômés du programme *Technique d'éducation à l'enfance* sont particulièrement recherchés. En 2005, Emploi-Québec estimait que la profession d'éducateur à la petite enfance était parmi les plus demandées au Québec. On prévoyait aussi que les perspectives professionnelles demeureraient favorables pour ces travailleurs jusqu'en 2008.

Enfin, en ce qui concerne les services juridiques, Ressources humaines et Développement des compétences Canada estime que l'évolution constante et rapide de la législation devrait engendrer une augmentation de la demande de techniciens juridiques. Ces derniers sont recherchés par les cabinets d'avocats, les études notariales, les bureaux d'huissiers et les entreprises dotées d'un service d'affaires juridiques. 03/05

CHAMPS D'INTÉRÊT

- aime se sentir utile
  et responsable
- aime faire un travail diversifié
- aime communiquer et
  travailler en équipe
- aime les relations humaines
- s'intéresse aux phénomènes et
  à l'actualité à caractère social

APTITUDES

- grande facilité à communiquer
  et à coopérer
- sens du devoir et
  des responsabilités
- ouverture d'esprit,
  faculté d'adaptation
- sens de l'observation et
  de l'analyse

RESSOURCES INTERNET

**MINISTÈRE DE L'ÉDUCATION DU QUÉBEC –
SECTEURS DE FORMATION**
**http://www.meq.gouv.qc.ca/ens-sup/ens-coll/program/
ProgEtab.asp?vToken=s200**
Vous trouverez sur cette page une description des programmes de ce
secteur de formation, comprenant, pour chacun, les exigences d'admission,
les objectifs de formation et une liste d'établissements d'enseignement.

**CENTRE INTERNATIONAL POUR LA PRÉVENTION
DE LA CRIMINALITÉ**
http://www.crime-prevention-intl.org/francais
Ce site pourra intéresser ceux qui se destinent aux techniques d'intervention en délinquance, d'éducation spécialisée ou de travail social. On y
trouve entre autres des renseignements sur la prévention du crime.

**COMITÉ SECTORIEL DE MAIN-D'ŒUVRE DE L'ÉCONOMIE
SOCIALE ET DE L'ACTION COMMUNAUTAIRE**
http://www.csmoesac.qc.ca/qui/mission.html
Un site qui permet d'explorer le domaine, souvent mal connu, de
l'économie sociale. On y trouve notamment de l'information sur les
besoins de main-d'œuvre du secteur.

Techniques d'éducation à l'enfance

David Proteau travaille comme éducateur en services de garde à l'École de la Clairière à Boisbriand. Chaque jour, il doit préparer et organiser différentes activités pour les enfants, entre leurs périodes de classe.

PROG. 322.A0
PRÉALABLE : 0, VOIR PAGE 20

CHAMPS D'INTÉRÊT
- aime les enfants et le jeu
- aime captiver l'attention, animer et enseigner
- aime imaginer et planifier des activités et des jeux
- aime se sentir utile et assumer des responsabilités

APTITUDES
- dynamisme, humour, autonomie et leadership
- ouverture d'esprit et empathie envers les enfants
- grande facilité à communiquer verbalement
- polyvalence, sens de l'organisation et créativité
- sens des responsabilités et patience
- résistance physique et émotionnelle

OFFRE DU PROGRAMME PAR RÉGIONS
Abitibi-Témiscamingue, Bas-Saint-Laurent, Capitale-Nationale, Chaudière-Appalaches, Côte-Nord, Estrie, Gaspésie–Îles-de-la-Madeleine, Lanaudière, Laurentides, Laval, Mauricie, Montérégie, Montréal, Outaouais, Saguenay—Lac-Saint-Jean

Pour connaître les établissements qui offrent ce programme : **www.inforoutefpt.org**

RÔLE ET TÂCHES

Pour ce diplômé du Collège de Sherbrooke, le choix du programme en techniques d'éducation à l'enfance a été une bonne décision. «Le programme est vraiment complet et les notions apprises lors de ma formation me sont utiles tous les jours», explique-t-il.

L'éducateur intervient auprès d'enfants âgés de 12 ans et moins. Son rôle consiste à organiser, à planifier et à animer des activités sportives, culturelles et artistiques. «Je dois encadrer les enfants et les aider à régler les conflits entre eux. Je suis aussi un confident pour certains. Je dois donc non seulement être créatif dans l'organisation des activités, mais également dans la façon dont j'aborde l'enfant pour discuter d'un problème», souligne David.

Il arrive à l'école à 6 h 45 le matin et quitte généralement autour de 18 h. Il travaille avec les enfants avant les classes, le midi ainsi que durant les journées pédagogiques pour les jeunes qui y sont inscrits.

David profite des périodes où les enfants sont en classe pour préparer des jeux, des activités de bricolage ou d'arts plastiques, des ateliers scientifiques ainsi que des activités à caractère plus culturel comme l'art dramatique, les chansons, etc.

Dans l'exercice de ses fonctions, l'éducateur peut également être appelé à déceler certains problèmes chez les enfants dont il est responsable. Il signalera les conclusions de ses observations aux parents de l'enfant

	Salaire hebdo moyen	Proportion de dipl. en emploi	Emploi relié	Chômage	Nombre de diplômés
2004	480 $	83,5 %	96,7 %	1,3 %	744
2003	486 $	87,8 %	97,4 %	1,2 %	612
2002	475 $	90,7 %	97,6 %	1,6 %	438

Statistiques tirées de la *Relance* - Ministère de l'Éducation. Voir données complémentaires, page 387.

Comment interpréter l'information, page 19.

concerné et enverra celui-ci à un spécialiste ou à un psychoéducateur qui pourra élaborer un plan d'intervention approprié.

QUALITÉS RECHERCHÉES

Chargé de la planification des activités pour les enfants, David doit être créatif et imaginatif. Il estime que la polyvalence et la facilité d'adaptation sont aussi des qualités à posséder. L'éducateur doit être en mesure de travailler en équipe, être à l'écoute des enfants et faire preuve d'autonomie. Appelé à côtoyer des gens de différents groupes d'âges, des enfants aux parents en passant par les autres membres du personnel, l'éducateur doit avoir une facilité à communiquer avec tout ce beau monde. Enfin, une bonne santé psychologique et physique ainsi qu'une certaine maturité affective s'ajoutent aux caractéristiques recherchées pour la profession.

L'éducateur doit être en mesure de travailler en équipe, être à l'écoute des enfants et faire preuve d'autonomie.

David s'implique activement à l'école où il travaille. Ça lui a permis de devenir au fil des mois une personne-ressource importante. «Je fais maintenant partie de la vie étudiante et l'on me donne plus de responsabilités. Par exemple, l'année prochaine, je serai en charge de l'inscription des enfants à la maternelle, indique-t-il. J'en fais plus que ce qui est exigé, mais ça m'est bénéfique, car mon salaire est ajusté en conséquence.»

DÉFIS ET PERSPECTIVES

«Depuis la mise en application de la politique familiale en 1997, mieux connue aujourd'hui sous le nom de politique des "garderies à sept dollars", on exige que deux employés sur trois possèdent un DEC. D'ici à quelques années, tout le personnel devra être formé, tant en milieu institutionnel que familial», explique Richard Moisan, coordonnateur du programme en techniques d'éducation à l'enfance au Collège de Sherbrooke. Cet état de fait ouvre donc de belles perspectives aux diplômés. Gaétan Létourneau, enseignant au Cégep Beauce-Appalaches, abonde dans ce sens et souligne qu'à moyen terme, 15 000 places pour les enfants devront être créées en garderie. «Le taux de placement de nos élèves est de 100 %. Ils n'ont aucune difficulté à trouver du travail.» 03/01 (mise à jour partielle 06/05)

Photo : Bibliothèque Montarville, Boucher-de-la-Bruère

HORAIRES ET MILIEUX DE TRAVAIL

- Les employeurs de ces diplômés sont les centres de la petite enfance, les services de garde en milieu scolaire et les jardins d'enfants.

- Les diplômés peuvent aussi travailler à titre de conseillers pédagogiques auprès des centres de la petite enfance ou en milieu familial.

- L'horaire est régulier.

- Les techniciens travaillent le jour, sur des périodes s'étalant de 8 à 10 heures.

- Ceux qui travaillent en milieu scolaire ont un horaire entrecoupé de périodes d'arrêt. Ainsi, ils peuvent travailler en début de journée, pendant l'heure du dîner et à la fin des classes, mais être libres lors des périodes de classe.

Techniques d'éducation spécialisée

«J'adore ça!» C'est la première chose qui vient à l'esprit de Dominique Decelles lorsqu'elle parle de son travail. La jeune femme est éducatrice au centre de jour de l'Hôtel-Dieu à Saint-Jérôme. Elle remplace une employée en congé de maternité. «Ça répond à mes goûts, ajoute-t-elle. J'aime aider les gens et j'ai toujours voulu travailler avec des enfants.»

PROG. 351.A0
PRÉALABLE : 0, VOIR PAGE 20

CHAMPS D'INTÉRÊT
- aime la psychologie et l'enseignement
- aime comprendre et aider les personnes en difficulté
- aime animer, imaginer et organiser des activités
- aime assumer des responsabilités et coopérer

APTITUDES
- grande faculté d'adaptation et grande ouverture d'esprit
- forte habileté à la communication verbale
- grande capacité d'écoute et d'empathie
- sens des responsabilités (à l'égard des personnes)
- dynamisme et leadership
- autonomie, sens de l'organisation et créativité

OFFRE DU PROGRAMME PAR RÉGIONS
Abitibi-Témiscamingue, Bas-Saint-Laurent, Capitale-Nationale, Centre-du-Québec, Chaudière-Appalaches, Côte-Nord, Estrie, Gaspésie–Îles-de-la-Madeleine, Lanaudière, Laurentides, Mauricie, Montérégie, Montréal, Outaouais, Saguenay–Lac-Saint-Jean

Pour connaître les établissements qui offrent ce programme : **www.inforoutefpt.org**

RÔLE ET TÂCHES

Dominique travaille en psychiatrie infantile auprès d'enfants âgés de quatre à sept ans. Ces enfants souffrent de troubles affectifs et sociaux rendant difficile leur intégration à la société. «Mon rôle est de leur donner des outils pour les aider à fonctionner dans la société, dit-elle. Je suis en quelque sorte un lien entre eux et le monde extérieur», explique la jeune diplômée du Cégep de Saint-Jérôme.

Les journées de travail de Dominique débutent autour de 8 h, avec l'arrivée des enfants, et se terminent vers 16 h. La journée est divisée en périodes de classe et en périodes de vie de groupe auxquelles doivent obligatoirement assister les enfants. Dominique est chargée de planifier, d'animer et d'élaborer différentes activités comme le bricolage, les jeux de société, la lecture de contes, les jeux en gymnase, etc. Elle travaille de concert avec des infirmières, des psychoéducateurs, des éducateurs et des enseignants.

Les enfants partis, Dominique discute de la journée avec les autres membres du personnel afin d'apporter, au besoin, certains ajustements aux plans d'intervention préparés par un psychoéducateur. «Il ne s'agit pas de regarder passivement les enfants à longueur de journée, explique-t-elle. Il faut bien observer leur comportement pour évaluer les progrès réalisés. Il faut aussi les aider. Par exemple, on va inciter les enfants qui ont de la difficulté à entrer en contact avec les autres, ceux qui jouent généralement seuls dans leur coin, à jouer avec d'autres enfants en les jumelant à des équipes ou en leur assignant des partenaires.»

	Salaire hebdo moyen	Proportion de dipl. en emploi	Emploi relié	Chômage	Nombre de diplômés
2004	553 $	82,6 %	89,7 %	1,9 %	831
2003	540 $	83,4 %	91,1 %	1,2 %	853
2002	522 $	82,8 %	90,8 %	2,4 %	711

Statistiques tirées de la *Relance* - Ministère de l'Éducation. Voir données complémentaires, page 387.

Comment interpréter l'information, page 19.

Les diplômés en techniques d'éducation spécialisée sont appelés à travailler quotidiennement avec des gens de tous âges aux prises avec des difficultés d'adaptation généralement liées à des désordres affectifs, physiques, intellectuels ou sociaux.

QUALITÉS RECHERCHÉES

«Il faut être souple et avoir l'esprit ouvert, affirme Dominique. Il y a des enfants avec lesquels ce n'est pas évident de travailler. Il arrive aussi que certains d'entre eux ne soient pas toujours propres. Il faut être capable d'imposer ses limites, car si on ne le fait pas, ils vont prendre avantage de notre faiblesse, et ce n'est pas bon pour eux non plus.»

Puisque Dominique forme un «couple thérapeutique» avec un autre éducateur, elle doit évidemment être en mesure de s'ajuster à l'autre et ne pas démontrer de rigidité dans sa façon de penser ou de gérer différentes situations. Elle doit également faire preuve de créativité en planifiant des activités de toutes sortes pour occuper les enfants chaque jour.

> «Mon rôle est de leur donner des outils pour les aider à fonctionner dans la société.»
>
> — Dominique Decelles

Le diplômé en techniques d'éducation spécialisée doit posséder une excellente capacité d'adaptation, une bonne rigueur intellectuelle, une certaine maturité et de l'autonomie, car il doit souvent travailler seul avec les clients.

DÉFIS ET PERSPECTIVES

«Le principal défi que doivent relever les diplômés est d'acquérir rapidement autonomie et maturité», souligne Lise Boivin, coordonnatrice du programme au Cégep de Saint-Jérôme. En effet, les techniciens travaillent avec des clientèles difficiles et doivent être en mesure d'assumer psychologiquement cet aspect du métier.

Mme Boivin ajoute que ces spécialistes devraient avoir de belles années devant eux, étant donné le phénomène de désinstitutionnalisation qui implique le recours de plus en plus fréquent à leurs services.

Enfin, elle constate que la demande d'éducateurs de sexe masculin est en croissance au sein de la profession. Ceux-ci reçoivent des offres d'emploi avant même d'avoir fini leurs études. Avis aux intéressés! 03/01

Photo : Centre d'accueil Jeanne-Crevier

HORAIRES ET MILIEUX DE TRAVAIL

- Les diplômés de ce programme sont appelés à travailler avec des enfants, des adolescents et des adultes.

- Ils peuvent trouver de l'emploi dans le réseau scolaire (écoles primaires et secondaires), dans le secteur des services sociaux et de santé mentale, auprès des organismes publics et parapublics et au sein du milieu communautaire.

- Plus spécifiquement, ils peuvent travailler pour les centres de réadaptation ou d'hébergement, les centres jeunesse, les services de protection de la jeunesse, les foyers de groupe, les CLSC ou CHSLD (centre hospitalier de soins de longue durée), les maisons de jeunes.

- Le travail se fait le jour, le soir et la fin de semaine.

- L'horaire est souvent diversifié.

Techniques de recherche sociale

«C'est un programme intéressant offrant plusieurs possibilités de travail, dit Francis Pelletier. On me demande souvent si je connais des diplômés parce qu'on aimerait leur offrir un emploi...» Le jeune homme occupe un poste contractuel au ministère de l'Éducation du Québec. Il travaille à titre de technicien en statistiques.

PROG. 384.AO
PRÉALABLE : 0, VOIR PAGE 20

CHAMPS D'INTÉRÊT

- aime chercher et traiter de l'information
- aime analyser et classer des données numériques
- aime travailler sur ordinateur
- aime travailler avec le public, parler et écouter

APTITUDES

- esprit d'analyse et de synthèse
- curiosité, autonomie et sens de l'organisation
- minutie et méthode
- aisance avec les outils informatiques
- facilité pour les mathématiques (calcul et statistiques)
- dynamisme et facilité à communiquer verbalement

OFFRE DU PROGRAMME PAR RÉGIONS
Capitale-Nationale, Montréal, Outaouais

Pour connaître les établissements qui offrent ce programme : **www.inforoutefpt.org**

RÔLE ET TÂCHES

Le technicien en recherche sociale est en fait un spécialiste de la recherche, de la cueillette de données et de la rédaction technique. Il élabore des questionnaires pour des entrevues individuelles ou de groupe, prépare des programmes et des tableaux de saisie de données, traite ces mêmes données et rédige des rapports statistiques.

Francis veille à la préparation et à la supervision de collectes de données. «Je dois préparer la recherche, dit-il. J'élabore des questionnaires ainsi que des guides pour les superviseurs de la recherche ou du sondage. Je fais ensuite un suivi en plus de la préparation et de la supervision de la collecte de données.» Les questionnaires préparés par Francis s'adressent aux anciens élèves en formation professionnelle et les résultats obtenus permettent de dresser un portrait du marché du travail des jeunes diplômés.

«Je dois assurer le traitement informatique des données recueillies et en faire une analyse descriptive seulement. Mon rôle n'est pas d'interpréter les données, mais plutôt de créer une base de données avec l'aide de logiciels comme SPSS, Word et Excel», poursuit le diplômé du Cégep de Rimouski.

Contrairement à une idée répandue, son travail ne consiste pas à mener des entrevues téléphoniques, un mythe tenace souvent associé au programme de techniques de recherche sociale. «C'est un programme mal connu; je n'ai pas à faire d'entrevues téléphoniques, tient à préciser Francis. Peut-être en ai-je fait seulement un peu au début, se reprend-il. Mais après, on ne touche plus à cela.»

	Salaire hebdo moyen	Proportion de dipl. en emploi	Emploi relié	Chômage	Nombre de diplômés
2004	531 $	87,5 %	91,7 %	0,07 %	19
2003	592 $	84,6 %	100,0 %	8,3 %	15
2002*	477 $	76,0 %	58,8 %	13,6 %	33

Statistiques tirées de la *Relance* - Ministère de l'Éducation. Voir données complémentaires, page 387.

* Données de l'ancien programme *Technique de recherche, enquête et sondage* (384.01) Comment interpréter l'information, page 19.

QUALITÉS RECHERCHÉES

Une bonne capacité de concentration est requise pour exercer ce type de métier parce que la qualité des résultats dépend largement du travail du technicien en statistiques. «Ça demande beaucoup de minutie et de précision, surtout dans la vérification des données, dit Francis. La marge d'erreur est mince. En fait, on doit limiter les erreurs le plus possible.»

Appelé à travailler en équipe, le technicien doit également posséder de bonnes habiletés en communication. De plus, la majeure partie du travail étant effectuée par ordinateur, il est important pour les diplômés de ce programme de maîtriser l'utilisation de certains logiciels en traitement statistique et en présentation graphique. «Je conseille aux élèves d'acquérir des notions de base en informatique, dit Francis. Plus ils en sauront, mieux ça ira dans leur travail. L'utilisation de l'informatique permet de gagner beaucoup de temps.»

> Contrairement à une idée répandue, son travail ne consiste pas à mener des entrevues téléphoniques, un mythe tenace souvent associé au programme de techniques de recherche sociale.

DÉFIS ET PERSPECTIVES

Les emplois pour les diplômés sont particulièrement concentrés au sein des firmes de sondage, des instituts de la statistique, de même que dans certains ministères comme celui de l'Éducation. «Des entreprises sont spécialisées dans certaines étapes et tâches spécifiques de la recherche, comme la cueillette des données ou l'analyse, et elles font de la sous-traitance pour des firmes de sondage, par exemple, indique Louis Benoit, coordonnateur du programme de techniques de recherche sociale au Cégep de Rimouski. Par contre, il ne s'agit pas du principal type d'employeur pour les diplômés.»

M. Benoit insiste, lui aussi, sur le fait que le programme ne vise pas à former des techniciens qui auront à mener des entrevues téléphoniques, la proportion de ceux-ci oscillant autour de seulement 10 % des diplômés. Il préfère plutôt mettre l'accent sur le fait qu'après quelques années d'expérience, ces diplômés occupent généralement des postes de supervision, que ce soit pour la cueillette des données téléphoniques, l'organisation du travail, les protocoles à suivre, etc. «Il faut qu'ils apprennent à développer leurs compétences en communication, mais c'est parce qu'ils pourront avoir à mener des entrevues en personne, individuellement ou en groupe», ajoute-t-il. 03/01

HORAIRES ET MILIEUX DE TRAVAIL

- Les principaux employeurs de ces diplômés sont le ministère de l'Éducation, de même que les autres ministères, Statistique Canada, l'Institut de la statistique du Québec et les firmes de sondage.

- Ces techniciens peuvent aussi trouver de l'emploi auprès des entreprises de sous-traitance en enquête et sondage, spécialisées dans la cueillette de données et d'information ou en analyse.

- Le travail s'effectue selon un horaire régulier, généralement le jour entre 9 h et 17 h.

Techniques de travail social

Intervenante auprès des femmes en difficulté à l'Auberge Madeleine, à Montréal, Marie Huard ne regrette certainement pas d'avoir opté pour le programme de techniques de travail social. «Le domaine est tellement intéressant que je reprendrais des cours simplement pour me revitaliser», lance la diplômée du Cégep du Vieux Montréal.

PROG. 388.A0
PRÉALABLE : 0, VOIR PAGE 20

CHAMPS D'INTÉRÊT

- aime se sentir utile aux personnes
- aime écouter, comprendre et aider les personnes en difficulté
- aime communiquer et coopérer

APTITUDES

- bon équilibre psychique et émotionnel
- polyvalence et capacité d'adaptation
- ouverture d'esprit et grande faculté d'empathie
- grande capacité d'écoute et d'analyse
- facilité à communiquer et à coopérer

OFFRE DU PROGRAMME PAR RÉGIONS
Abitibi-Témiscamingue, Bas-Saint-Laurent, Capitale-Nationale, Chaudière-Appalaches, Estrie, Gaspésie—Îles-de-la-Madeleine, Lanaudière, Laurentides, Mauricie, Montérégie, Montréal, Saguenay—Lac-Saint-Jean

Pour connaître les établissements qui offrent ce programme : www.inforoutefpt.org

RÔLE ET TÂCHES

L'Auberge Madeleine peut accueillir jusqu'à 19 femmes de 18 ans et plus. «Nous intervenons auprès de femmes qui sont victimes de violence, qui ont des problèmes de toxicomanie, de prostitution, des problèmes sociaux, des difficultés à se loger, etc., explique Marie. Ces femmes viennent à l'Auberge pour des périodes de quelques jours ou de quelques semaines. Nous intervenons de façon ponctuelle pour les aider à combler certains besoins fondamentaux comme le logement, les vêtements, la nourriture.»

En plus d'offrir du soutien et de veiller à la sécurité des femmes, l'Auberge Madeleine tente de les aider à se prendre en main. C'est d'ailleurs le premier but visé. «Les démarches doivent être faites par elles et non par nous, précise Marie. On aide les femmes à se responsabiliser. On est là pour les écouter, discuter avec elles et les soutenir dans la poursuite de leur cheminement.»

Le technicien en travail social intervient auprès des personnes, familles, groupes ou communautés de tous âges aux prises avec des problèmes sociaux liés à leurs conditions de vie, leurs difficultés d'adaptation et les inégalités sociales dont elles sont victimes. Il les aidera à répondre à leurs besoins et à défendre leurs droits. Les problématiques sont multiples. Il peut s'agir de personnes vivant des difficultés liées au vieillissement, à la perte d'autonomie, à l'isolement, au suicide, ou vivant des problèmes de violence conjugale, de santé mentale, etc. Le travailleur social doit être en mesure d'accueillir ces gens, de les diriger vers les ressources susceptibles de leur venir en aide et d'amorcer un processus d'intégration sociale.

	Salaire hebdo moyen	Proportion de dipl. en emploi	Emploi relié	Chômage	Nombre de diplômés
2004	471 $	69,5 %	81,0 %	5,8 %	314
2003	478 $	70,7 %	81,3 %	2,4 %	304
2002	473 $	74,3 %	84,6 %	3,5 %	299

Statistiques tirées de la *Relance* - Ministère de l'Éducation. Voir données complémentaires, page 387.

Comment interpréter l'information, page 19.

QUALITÉS RECHERCHÉES

L'écoute et l'ouverture d'esprit sont des qualités importantes de la profession. «Dans le travail que je fais, il ne faut pas avoir de préjugés et bien connaître les différentes problématiques des sans-abri afin de répondre aux besoins des femmes, dit Marie. Il faut aussi être sociable et ne pas avoir peur d'aller vers les gens.»

Marie doit faire preuve de polyvalence et être en mesure de gérer certaines situations particulièrement difficiles, surtout lorsque des problèmes surgissent en cours de route. «C'est très stressant, dit-elle. Il se produit parfois des situations difficiles à vivre, comme lorsqu'on doit appeler les policiers pour une femme très violente qui ne peut pas se maîtriser.»

La capacité de remettre en question ses préjugés et ses perceptions, un bon sens de l'organisation et de la planification, la débrouillardise et un esprit critique sont des atouts. Pour les diplômés de ce programme qui auront à travailler dans la région de Montréal, le bilinguisme est également conseillé.

«Nous intervenons auprès de femmes qui sont victimes de violence, qui ont des problèmes de toxicomanie, de prostitution, des problèmes sociaux, des difficultés à se loger, etc.»

— Marie Huard

DÉFIS ET PERSPECTIVES

Murielle Lanciault, coordonnatrice du programme en techniques de travail social au Cégep du Vieux Montréal, estime que le secteur communautaire se développe bien actuellement et génère plusieurs emplois pour les diplômés. «Nous recevons beaucoup de demandes de la part de maisons de la famille, de maisons pour les femmes, de centres pour immigrants, etc. Des perspectives intéressantes attendent donc nos élèves.»

Toutefois, il faut savoir que les techniciens sont appelés à changer souvent de milieu de travail; la stabilité des emplois est assez rare dans ce domaine. Ils doivent donc faire preuve d'une bonne polyvalence et d'une grande capacité d'adaptation. Personnes âgées, personnes aux prises avec des problèmes de pauvreté, de maladie ou d'intégration... autant de problématiques pour lesquelles les intervenants devront chaque fois jouer un rôle actif et différent. 03/01

HORAIRES ET MILIEUX DE TRAVAIL

• Les diplômés trouveront de l'emploi au sein du milieu communautaire comme dans les centres pour personnes âgées, les maisons pour femmes victimes de violence, les centres d'accueil pour immigrants, les maisons d'hébergement et les centres de la famille.

• Les organismes publics administrant des programmes sociaux et le milieu institutionnel offrent aussi du travail à ces techniciens, qui pourront être embauchés, par exemple, par un centre de protection de l'enfance et de la jeunesse, un CLSC, le réseau scolaire ou un hôpital.

• La semaine de travail dure normalement 35 heures.

• Certains employeurs permettent aux techniciens de planifier eux-mêmes leur horaire de travail.

• Il est possible de travailler le jour, le soir, la nuit et la fin de semaine.

Techniques d'intervention en délinquance

«J'adore mon travail, lance Isabelle Kanash, éducatrice au Centre jeunesse de la Montérégie à Chambly. C'est stimulant. Et si j'avais à recommencer, je suivrais ce programme sans hésiter!» Il faut dire que, lorsqu'on a toujours été porté à aider les gens, ce type de travail répond à nos aspirations...

PROG. 310.B0
PRÉALABLE : 0, VOIR PAGE 20

CHAMPS D'INTÉRÊT
- s'intéresse à la psychologie et à la sociologie
- aime analyser et trouver des solutions aux problèmes des personnes (surtout des jeunes)
- aime écouter, analyser et comprendre
- aime expliquer, conseiller et coopérer

APTITUDES
- équilibre psychique et émotionnel, patience
- doué de psychologie et capable de fermeté
- grande ouverture d'esprit et forte faculté d'adaptation aux personnes
- sens des responsabilités et de la justice sociale
- habileté pour l'analyse et la communication

OFFRE DU PROGRAMME PAR RÉGIONS
Capitale-Nationale, Montréal

Pour connaître les établissements qui offrent ce programme : www.inforoutefpt.org

RÔLE ET TÂCHES

«Je travaille auprès de jeunes placés sous la Loi de la protection de la jeunesse ou sous la Loi des jeunes contrevenants, précise Isabelle. Ce sont des jeunes présentant des troubles de comportement et de délinquance; des enfants ayant souffert de problèmes familiaux, scolaires, de toxicomanie ou qui sont en situation d'abandon.»

Le premier mandat d'Isabelle est de protéger la société. Elle doit donc s'assurer de limiter les risques de récidive des jeunes, particulièrement en ce qui a trait à la toxicomanie, problème à l'origine de plusieurs délits. «On doit structurer la journée des jeunes de façon qu'ils aient toujours quelque chose à faire, explique-t-elle. On prépare des activités pour les conscientiser aux torts faits à leurs victimes, aux implications et aux conséquences de leurs gestes par rapport à leur entourage, etc. À cette fin, on peut organiser, par exemple, des discussions à la suite de l'écoute d'émissions de télévision.»

La plupart des activités sont réalisées en groupe, mais des interventions individuelles, appelées tutorat, sont également menées. Lors de ces interventions, Isabelle doit prendre en charge deux jeunes et suivre leur cheminement personnel en accentuant l'intervention sur les délits commis. «Ce sont des interventions quotidiennes qui tiennent compte de la façon de se parler, des notions de civisme, d'hygiène, etc. Les jeunes participent aussi à des activités de groupe intégrant des programmes axés sur la sexualité et sur la violence.»

	Salaire hebdo moyen	Proportion de dipl. en emploi	Emploi relié	Chômage	Nombre de diplômés
2004	527 $	62,7 %	78,2 %	4,5 %	156
2003	503 $	76,2 %	88,5 %	1,5 %	120
2002*	503 $	73,8 %	90,4 %	0,0 %	162

Statistiques tirées de la *Relance* - Ministère de l'Éducation. Voir données complémentaires, page 387.

* Données de l'ancien programme *Technique d'intervention en délinquance* (310.02)

Comment interpréter l'information, page 19.

Les diplômés en techniques d'intervention en délinquance gèrent et encadrent la vie quotidienne des personnes placées sous leur responsabilité afin de les sensibiliser à leurs comportements et aux gestes inadéquats qu'ils ont posés.

QUALITÉS RECHERCHÉES

Isabelle considère que pour travailler dans ce domaine, on doit faire preuve d'un bon sens de l'humour. «C'est important, car c'est une bonne façon d'entrer en contact avec les jeunes, dit-elle. Il faut aussi être ouvert d'esprit puisqu'il arrive des moments où nos propres valeurs sont confrontées au comportement des jeunes, comme dans les cas de délits sexuels.»

Une qualité également très importante pour exercer ce métier est la connaissance des différentes lois auxquelles sont assujettis les jeunes. Les interventions dépendent largement des raisons, parfois des délits, pour lesquels ces jeunes ont été admis dans les centres de réadaptation ou les centres jeunesse; les diplômés doivent donc bien maîtriser les lois régissant les délits commis. Puisque les jeunes ne choisissent pas volontairement d'être en centre de réadaptation ou en centre jeunesse, il faut démontrer de la fermeté auprès de ces derniers et être en mesure de composer avec différents problèmes, tels la toxicomanie, les troubles de comportement, etc. «Mais attention! Fermeté ne veut pas dire absence de souplesse, tient à préciser Isabelle. En fait, il faut s'ajuster à chaque jeune...»

DÉFIS ET PERSPECTIVES

Diane Valcourt, responsable des stages et professeure en techniques d'intervention en délinquance au Collège de Maisonneuve, constate que la réalité du milieu exige de plus en plus des notions en santé mentale, en toxicomanie et en droit de la part des diplômés. «La clientèle est plus jeune et plus mal en point, particulièrement en toxicomanie et en santé mentale, dit-elle. Les lois changent et il faut s'ajuster afin de répondre aux nouvelles réalités sociales.» À son avis, les diplômés doivent être dotés d'une bonne force de caractère et ne pas entretenir de préjugés. C'est le principal défi qu'ils ont à relever puisqu'ils ont à composer avec une large clientèle affectée par toutes sortes de problématiques. Ils peuvent ainsi être appelés à intervenir auprès de toxicomanes, de personnes coupables de délits de toutes sortes, de jeunes de la rue, de femmes victimes de violence, etc. 03/01

«La réalité du milieu exige de plus en plus des notions en santé mentale, en toxicomanie et en droit de la part des diplômés.»

— Diane Valcourt

Photo : Courrier du Sud

HORAIRES ET MILIEUX DE TRAVAIL

- Les principaux employeurs de ces diplômés sont les centres jeunesse et les centres de réadaptation, les centres pour femmes victimes de violence, les centres d'accueil, les foyers de groupe et différents autres organismes communautaires.

- Le réseau scolaire emploie aussi ces techniciens pour travailler auprès des élèves présentant des troubles de comportement.

- Les diplômés peuvent également travailler comme agents de correction dans les pénitenciers.

- Ces techniciens travaillent en collaboration avec diverses personnes : intervenants, psychologues, parents, jeunes, travailleurs sociaux, etc. Leur clientèle est principalement composée d'enfants et d'adolescents.

- Le travail s'étend généralement sur 40 heures par semaine.

- Il est possible d'occuper des postes de jour, de soir ou de fin de semaine. Le travail de nuit est plutôt rare.

Techniques d'intervention en loisir

«J'adore mon travail, c'est le plus beau défi du monde», affirme Carol Gilbert, directeur général de la Corporation secondaire en spectacle, un organisme sans but lucratif visant à promouvoir les arts de la scène et la culture en général auprès des jeunes des écoles secondaires du Québec.

PROG. 391.A0
PRÉALABLE : 0, VOIR PAGE 20

CHAMPS D'INTÉRÊT
- aime l'action, «faire bouger les choses»
- aime les relations humaines et les activités en groupe
- aime l'organisation et la planification
- aime s'exprimer, créer au moyen du jeu, de l'animation
- aime se sentir utile et assumer des responsabilités

APTITUDES
- beaucoup de dynamisme et de leadership
- imagination et créativité
- sens de l'organisation et de la coopération
- grande facilité pour les relations humaines

OFFRE DU PROGRAMME PAR RÉGIONS
Bas-Saint-Laurent, Mauricie, Montréal

Pour connaître les établissements qui offrent ce programme : www.inforoutefpt.org

RÔLE ET TÂCHES

À titre de directeur général de la Corporation, Carol supervise une quinzaine de personnes. Il voit au développement de l'organisme à l'échelle de la province. «Au début, j'étais tout seul et l'organisme comptait seulement 14 écoles parmi ses membres. Maintenant, on se retrouve dans toutes les régions du Québec et l'on compte environ 250 écoles membres», énumère-t-il fièrement, histoire de démontrer la vitesse avec laquelle l'organisme s'est développé au cours des dernières années.

Responsable des ressources humaines, Carol est également en charge de la gestion financière de l'organisme, de la recherche de subventions et de commandites auprès des entreprises, de la planification des budgets, de la gestion du plan d'intervention annuel et du développement. «En plus d'amasser et d'organiser la documentation nécessaire pour obtenir des subventions allant de 2 000 $ à 250 000 $, je dois porter une attention particulière aux conditions des entreprises que je sollicite afin de leur accorder une bonne visibilité, explique-t-il. On offre aussi un soutien aux écoles pour les aider à planifier des stratégies de promotion à la télévision et à la radio.»

Les diplômés de ce programme peuvent travailler autant en animation qu'en gestion dans le secteur des loisirs. Ils peuvent être appelés à animer des activités récréatives, sportives, culturelles, parascolaires et de plein air, pour ne nommer que celles-ci. Ils s'occuperont de recruter et d'encadrer du personnel, de gérer des ressources matérielles. On les verra organiser des

	Salaire hebdo moyen	Proportion de dipl. en emploi	Emploi relié	Chômage	Nombre de diplômés
2004	424 $	59,7 %	87,9 %	0,0 %	112
2003	474 $	72,1 %	80,9 %	3,1 %	121
2002	443 $	71,9 %	81,6 %	0,0 %	140

Statistiques tirées de la *Relance* - Ministère de l'Éducation. Voir données complémentaires, page 387.

Comment interpréter l'information, page 19.

forfaits en tourisme à des fins récréatives, prévoir des activités dans le cadre d'événements comme le carnaval de Québec ou planifier les horaires d'une patinoire municipale.

QUALITÉS RECHERCHÉES

Chargé de la planification à moyen et à long termes, Carol souligne l'importance d'être doté d'une bonne vision d'avenir et d'un sens du développement pour exercer son métier. «Il faut avoir le goût de relever des défis, dit-il. Et l'esprit d'équipe doit être fort lorsque vient le temps de lancer un projet. De plus, la gestion des ressources humaines est un défi constant, car il faut tenir compte des particularités de chacun tout en jouant un rôle de rassembleur. Cet aspect de mon travail est parfois difficile à gérer parce qu'il nécessite une implication émotive», poursuit Carol.

Le leadership, de bonnes habiletés à communiquer et des qualités de rassembleur sont des combinaisons gagnantes pour un diplômé en techniques d'intervention en loisir. Un esprit créatif, l'autonomie, des notions en informatique et une capacité de s'adapter rapidement aux différents types de clientèles et d'activités se révèlent des atouts essentiels.

> «En loisir, il est impossible de tout faire seul. Il faut savoir déléguer certaines tâches et être en mesure d'aider les gens à s'organiser.»
>
> — Carol Gilbert

DÉFIS ET PERSPECTIVES

Le programme permet dorénavant aux élèves de choisir parmi différentes voies. Ainsi, ils peuvent opter pour une spécialisation en milieu scolaire, en milieu institutionnel ou en «récréotourisme»; ils peuvent aussi choisir une formation débouchant sur un emploi dans le secteur municipal ou une autre les amenant au travail autonome (à la pige). Ces subdivisions visent à mieux orienter les élèves dans leur cheminement professionnel parmi les principaux secteurs d'emploi. De plus, des cours ont été ajoutés au programme afin de mettre à jour certaines notions importantes pour le travail, comme l'informatique. «On sait qu'il existe maintenant beaucoup de logiciels pour gérer les locaux, indique Lucie Bernier, responsable du programme en techniques d'intervention en loisir au Cégep de Rivière-du-Loup. Dans les municipalités, par exemple, les horaires des centres sportifs sont gérés par un système informatique. On a donc ajouté des cours mieux adaptés à cette réalité.» 03/01

HORAIRES ET MILIEUX DE TRAVAIL

- Plusieurs voies s'offrent aux diplômés de ce programme. Ils peuvent travailler dans le réseau scolaire, en milieu institutionnel, dans les maisons de jeunes, dans les centres pour personnes âgées.

- Il y a aussi des emplois dans les secteurs récréatif et touristique. On retrouvera donc des techniciens d'intervention en loisir dans les offices de tourisme, les stations de ski et les colonies de vacances pour jeunes et moins jeunes.

- Il est possible de travailler le jour, le soir ou la fin de semaine.

Techniques juridiques

«J'ai toujours aimé les questions juridiques et l'argumentation. Le choix du programme en techniques juridiques a donc été facile», lance Sandra Dubois, maintenant au service de Monti Coulombe, un cabinet d'avocats de Sherbrooke. «Lorsqu'on est capable de gérer son stress et son temps, c'est un travail vraiment intéressant.»

PROG. 310.CO
PRÉALABLE : 0, VOIR PAGE 20

CHAMPS D'INTÉRÊT
- aime coopérer et assister
- aime le droit
- aime la lecture, l'analyse et la recherche
- aime se sentir utile et responsable

APTITUDES
- entregent et initiative
- grande curiosité intellectuelle
- sens de l'analyse
- sens des responsabilités, de la précision et de la coopération
- maîtrise de la communication orale et écrite

OFFRE DU PROGRAMME PAR RÉGIONS
Capitale-Nationale, Centre-du-Québec, Estrie, Lanaudière, Mauricie, Montréal

Pour connaître les établissements qui offrent ce programme : **www.inforoutefpt.org**

RÔLE ET TÂCHES

Le technicien juridique est en quelque sorte le bras droit de juristes tels que les avocats, les notaires et les juges. Il doit, sous leur supervision, préparer et monter des dossiers tout en effectuant les recherches nécessaires. «Par exemple, les avocats me confient des dossiers et c'est moi qui m'occupe de la recherche et de la rédaction des documents pour eux. Dans le cas d'une poursuite, c'est à moi que revient la charge d'effectuer la recherche de jurisprudence, de lois et de règlements. Je peux aussi effectuer de la recherche auprès des bureaux de publicité pour vérifier des informations pertinentes concernant les actes de vente d'un immeuble. Ainsi, je peux découvrir l'identité des anciens ou des nouveaux propriétaires ou déterminer s'il reste encore une hypothèque sur l'immeuble.»

En plus de la recherche, Sandra, qui a obtenu son diplôme au Séminaire de Sherbrooke, doit également s'occuper de la rédaction de documents comme les procédures qui regroupent les griefs des plaignants, les procès-verbaux de l'interrogatoire de l'accusé, les dépositions et les expertises qui seront présentés à la cour de justice, etc.

Sandra joue un rôle très important auprès des avocats et elle doit assumer de nombreuses responsabilités. C'est un travail qui se fait dans l'ombre, mais qui est absolument essentiel, car la préparation des dossiers est une étape fondamentale dans le processus juridique. Après quelques années d'expérience, le technicien peut recevoir les clients pour recueillir des informations, mais il ne peut pas leur donner de conseils, cette tâche incombant aux avocats.

	Salaire hebdo moyen	Proportion de dipl. en emploi	Emploi relié	Chômage	Nombre de diplômés
2004	497 $	73,9 %	83,7 %	1,0 %	200
2003*	496 $	75,3 %	84,6 %	1,8 %	202
2002*	482 $	69,5 %	85,2 %	2,2 %	252

Statistiques tirées de la *Relance* - Ministère de l'Éducation. Voir données complémentaires, page 387.
* Données de l'ancien programme *Techniques juridiques* (310.03).

Comment interpréter l'information, page 19.

QUALITÉS RECHERCHÉES

Le technicien juridique doit posséder une bonne maîtrise de l'anglais et du français, tant à l'oral qu'à l'écrit. «Bien écrire dans les deux langues est essentiel, car les documents présentés à la cour sont à l'image du bureau d'avocats», indique Sandra. La débrouillardise, l'autonomie, la minutie et une bonne capacité d'analyse et de concentration sont également exigées.

Devant toutes ces tâches de travail, Sandra a un conseil à donner aux jeunes aspirants techniciens juridiques : il faut viser la polyvalence. «Les lois sont vastes et complexes et l'on doit être prêt à toucher à différents aspects comme l'immobilier, le droit civil, le droit criminel, etc.» De plus, de bonnes habiletés en informatique sont fortement recommandées puisque, pour la recherche, Internet est un outil indispensable.

Le travail de technicien juridique exigeant beaucoup de recherche, celui-ci doit donc aimer la lecture. Enfin, une grande capacité à gérer son stress et son temps s'ajoute aux nombreuses qualités pour exercer ce métier.

> «Les lois sont vastes et complexes et l'on doit être prêt à toucher à différents aspects comme l'immobilier, le droit civil, le droit criminel, etc.»
>
> — Sandra Dubois

DÉFIS ET PERSPECTIVES

Compte tenu des coûts parfois exorbitants des honoraires professionnels, de plus en plus d'entreprises font maintenant appel à un conseiller juridique pour les guider sur les questions de droit, une tâche que peut assumer un technicien juridique. Cependant, celui-ci ne peut agir en tant que juriste, sa formation ne le lui permettant pas.

«Les bureaux d'avocats et les entreprises commencent à connaître les techniciens juridiques, ce qui augure bien pour nos élèves», explique Françoise Creusot, coordonnatrice du programme au Séminaire de Sherbrooke. Celle-ci estime que le travail des techniciens est très important. «Le plus gros du travail consiste à faire de la recherche de jurisprudence et de la préparation de documents pour les avocats ou les juristes. Le travail de ces derniers dépend beaucoup de celui des techniciens juridiques.» 03/01

Photo : PPM

HORAIRES ET MILIEUX DE TRAVAIL

- Les principaux employeurs de ces diplômés sont les cabinets d'avocats, les bureaux de notaires, les huissiers (qui exigent le DEC), les compagnies qui ont un service d'affaires juridiques, les banques (testaments fiduciaires).

- Les diplômés peuvent aussi trouver du travail dans le secteur public (service de greffier, petites créances, cour municipale, rédaction de jugements), auprès du ministère de la Justice, ou agir comme conseillers juridiques pour certaines entreprises.

- Ils travaillent le jour, selon un horaire régulier. Ceux qui œuvrent pour le secteur public travaillent généralement de 9 h à 16 h.

- Il est possible d'effectuer des heures supplémentaires pour certains dossiers importants qu'il faut compléter.

Techniques policières

Pour Jimmy Bélanger, le choix du programme en techniques policières s'inscrivait dans une tradition familiale. «Mon oncle, mon père, ma sœur et mon beau-frère sont policiers et ma petite sœur est en techniques policières», dit ce policier auxiliaire pour la Sûreté du Québec, diplômé du Collège d'Alma.

PROG. 310.A0
PRÉALABLE : 0, VOIR PAGE 20

CHAMPS D'INTÉRÊT

- aime se sentir responsable et utile aux personnes et à la société
- aime l'action, faire un travail varié, parfois imprévisible
- aime communiquer et travailler en équipe
- aime relever des défis, analyser et résoudre des problèmes

APTITUDES

- équilibre psychique et émotionnel
- bons réflexes et résistance physique
- grande facilité à communiquer et à coopérer
- sens du devoir, de la responsabilité et de la justice
- ouverture d'esprit et grande faculté d'adaptation
- sens de l'observation, de l'analyse et de la synthèse

OFFRE DU PROGRAMME PAR RÉGIONS
Bas-Saint-Laurent, Capitale-Nationale, Centre-du-Québec, Estrie, Mauricie, Montréal, Outaouais, Saguenay–Lac-Saint-Jean

Pour connaître les établissements qui offrent ce programme : www.inforoutefpt.org

RÔLE ET TÂCHES

Jimmy est passionné de son métier. «Mon rôle est de maintenir la paix et d'assurer la sécurité publique. Je fais de la patrouille sur les routes la majeure partie du temps et je participe parfois à des opérations de radar», explique Jimmy, qui cumule également une expérience de près de deux ans à la Sûreté municipale d'Alma.

Ce type de travail n'est pas toujours rose, surtout lorsque le policier doit faire face à des situations où des gens ont perdu la vie. «Il faut se concentrer sur les étapes à suivre comme se présenter sur les lieux, faire un rapport de l'accident et de la situation, appeler une ambulance, faire remorquer les véhicules impliqués, accompagner les familles pour identifier le corps des victimes, etc. Avec le temps, on vient à s'y faire, mais sur le coup, ce n'est pas évident du tout. Voilà pourquoi les nouveaux sont jumelés avec des policiers d'expérience. Ça facilite l'intégration des jeunes.»

Les policiers-patrouilleurs jouent un rôle important dans le maintien de la paix au sein de la société. Ils doivent veiller à la protection de la vie et des biens des citoyens tout en tenant compte du respect des libertés individuelles et collectives.

QUALITÉS RECHERCHÉES

Les règles de conduite et de déontologie sont strictes dans ce métier et Jimmy doit veiller à bien les respecter dans l'exercice de son travail. Le sens des

	Salaire hebdo moyen	Proportion de dipl. en emploi	Emploi relié	Chômage	Nombre de diplômés
2004	566 $	50,3 %	71,2 %	22,1 %	668
2003	550 $	57,2 %	84,6 %	11,2 %	598
2002	573 $	60,5 %	84,2 %	5,2 %	511

Statistiques tirées de la *Relance* - Ministère de l'Éducation. Voir données complémentaires, page 387.

Comment interpréter l'information, page 19.

responsabilités et beaucoup d'autonomie sont des qualités essentielles pour lui. L'honnêteté, la tolérance, la discipline, le respect, la maîtrise de soi, de solides habiletés physiques ainsi qu'une bonne capacité de jugement sont aussi des atouts importants pour les futurs patrouilleurs.

«Il faut s'adapter rapidement aux différents types de clients et de situations. L'attitude est aussi très importante. On doit porter une attention particulière à nos gestes et à notre façon d'interpeller les gens.» De bonnes habiletés en communication sont donc recommandées, le policier étant appelé à interagir avec des citoyens et à témoigner en cour en plus d'être responsable de la rédaction de rapports écrits.

Conscient des préjugés envers les policiers, Jimmy ne s'en formalise pas outre mesure. «J'ai un tempérament très patient, dit-il. Au début, il n'est pas évident d'accepter les insultes, mais on finit par se bâtir une carapace. Après un certain temps, ça ne nous affecte plus.»

> «Le DEC en techniques policières est le strict minimum requis pour être policier. Il faut vraiment s'assurer de poursuivre une formation continue.»
>
> — Sylvie Savard

DÉFIS ET PERSPECTIVES

Sylvie Savard, responsable du programme en techniques policières au Cégep d'Alma, insiste sur la nécessité pour les policiers de suivre des programmes de formation continue. À son avis, ils doivent acquérir une expertise plus poussée dans différents domaines, par exemple la psychologie, la criminologie ou les techniques d'enquête. Ça leur permettra d'être à la fine pointe des connaissances compte tenu de l'évolution rapide des lois et du droit criminel en regard, notamment, de la Charte des droits et libertés, des droits des citoyens et des procédures d'arrestation. «Le DEC en techniques policières est le strict minimum requis pour être policier. Il faut vraiment s'assurer de poursuivre une formation continue», affirme-t-elle.

Photo : PPM

En ce qui concerne les perspectives d'emploi, Mme Savard précise que le milieu évolue généralement par cycles de sept ans. «Lorsqu'il y a de l'embauche à la Sûreté du Québec et au Service de police de la communauté urbaine de Montréal, cela provoque des ouvertures dans les postes municipaux qui perdent des candidats potentiels et des employés au profit de ces grosses organisations policières», explique Mme Savard.» 03/01

HORAIRES ET MILIEUX DE TRAVAIL

- Les employeurs de ces diplômés sont évidemment les différents corps policiers de la province.

- Le travail se fait le jour, le soir, la nuit, la fin de semaine et pendant les jours fériés.

- Les journées de travail s'étalent sur une période de 9 à 12 heures.

- Le climat de travail est parfois difficile (conditions climatiques, situations de crise, de violence).

PAGES 378

⇓

386

Le grand répertoire des collèges du Québec

Mon choix, ma carrière, mon collège!

Choisir un programme d'études collégiales, c'est faire un pas de plus vers la profession ou la carrière convoitée. Vrai, mais c'est en même temps, et surtout, opter pour un milieu de vie.

Pour vous aider à faire un choix éclairé, nous avons rassemblé les coordonnées complètes de tous les établissements d'enseignement collégial du Québec dans les pages suivantes.

ÉTABLISSEMENTS PUBLICS RELEVANT DU MINISTÈRE DE L'ÉDUCATION DU QUÉBEC

ABITIBI-TÉMISCAMINGUE · RÉGION 08

CÉGEP DE L'ABITIBI-TÉMISCAMINGUE
Campus Rouyn-Noranda
425, boulevard du Collège
Rouyn-Noranda (Québec) J9X 5E5
(866) 234-3728

Campus Amos
341, avenue Principale Nord
Amos (Québec) J6T 2L8
(819) 732-5218

Campus Val-d'Or
675, 1re Avenue Est
Val-d'Or (Québec) J9P 1Y3
(819) 874-3837
www.cegepat.qc.ca

BAS-SAINT-LAURENT · RÉGION 01

CÉGEP DE LA POCATIÈRE
140, 4e Avenue
La Pocatière (Québec) G0R 1Z0
(418) 856-1525
www.cglapocatiere.qc.ca

CÉGEP DE MATANE
616, avenue Saint-Rédempteur
Matane (Québec) G4W 1L1
(418) 562-1240, poste 2186
www.cgmatane.qc.ca
comcegep@cgmatane.qc.ca

CÉGEP DE RIMOUSKI
60, rue de l'Évêché Ouest
Rimouski (Québec) G5L 4H6
(418) 723-1880
www.cegep-rimouski.qc.ca

CÉGEP DE RIVIÈRE-DU-LOUP
80, rue Frontenac
Rivière-du-Loup (Québec) G5R 1R1
(418) 862-6903
www.cegep-rdl.qc.ca

INSTITUT DE TECHNOLOGIE AGROALIMENTAIRE DE LA POCATIÈRE
401, rue Poiré
La Pocatière (Québec) G0R 1Z0
(418) 856-1110
www.ita.qc.ca/Fr/B/CampPocatiere/

INSTITUT MARITIME DU QUÉBEC
53, rue Saint-Germain Ouest
Rimouski (Québec) G5L 4B4
(418) 724-2822
www.imq.qc.ca

CAPITALE-NATIONALE · RÉGION 03

CÉGEP LIMOILOU
Campus de Québec (siège social)
1300, 8e Avenue
Québec (Québec) G1J 5L5
(418) 647-6600
www.climoilou.qc.ca
Infoprogrammes : (418) 647-6612
infolimoilou@climoilou.qc.ca

Campus de Charlesbourg
7600, 3e Avenue Est
Charlesbourg (Québec) G1H 7L4
(418) 647-6600

CÉGEP DE SAINTE-FOY
2410, chemin Sainte-Foy
Sainte-Foy (Québec) G1V 1T3
(418) 659-6600
www.cegep-ste-foy.qc.ca

CENTRE DE FORMATION ET DE CONSULTATION EN MÉTIERS D'ART
Cégep Limoilou
299, 3e Avenue
Québec (Québec) G1L 2V7
(418) 647-0567
www.climoilou.qc.ca
Infoprogrammes : (418) 647-6612
infolimoilou@climoilou.qc.ca

- École de joaillerie de Québec
  (418) 648-8003
- École nationale de lutherie
  (418) 647-0567
- Institut québécois d'ébénisterie
  (418) 525-7060
- Maison des métiers d'art de Québec
  (418) 524-7337

COLLÈGE CHAMPLAIN REGIONAL
Campus St. Lawrence
790, av. Nérée-Tremblay
Sainte-Foy (Québec) G1V 4K2
(418) 656-6921
www.slc.qc.ca

COLLÈGE FRANÇOIS-XAVIER-GARNEAU
1660, boulevard de l'Entente
Québec (Québec) G1S 4S3
(418) 688-8310
www.cegep-fxg.qc.ca
communications@cegep-fxg.qc.ca

CENTRE-DU-QUÉBEC · RÉGION 17

CÉGEP DE DRUMMONDVILLE
960, rue Saint-Georges
Drummondville (Québec) J2C 6A2
Tél. : (819) 478-4671
Téléc. : (819) 474-6859
www.cdrummond.qc.ca

CÉGEP DE VICTORIAVILLE
475, rue Notre-Dame Est
Victoriaville (Québec) G6P 4B3
(819) 758-6401
www.cgpvicto.qc.ca

ÉCOLE QUÉBÉCOISE DU MEUBLE ET DU BOIS OUVRÉ
Campus de Victoriaville
765, rue Notre-Dame Est
Victoriaville (Québec) G6P 4B3
(819) 758-6401

Campus de Montréal
5445, rue De Lorimier
Montréal (Québec) H2H 2S5
(514) 528-8687

CHAUDIÈRE-APPALACHES · RÉGION 12

CÉGEP BEAUCE-APPALACHES
1055, 116e Rue
Ville de Saint-Georges (Québec) G5Y 3G1
(418) 228-8896
www.cegep-beauce-appalaches.qc.ca

CÉGEP DE LÉVIS-LAUZON
205, rue Mgr-Ignace-Bourget
Lévis (Québec) G6V 6Z9
(418) 833-5110
www.clevislauzon.qc.ca

COLLÈGE DE LA RÉGION DE L'AMIANTE
671, boulevard Frontenac Ouest
Thetford Mines (Québec) G6G 1N1
(418) 338-8591
www.cegep-ra.qc.ca

CÔTE-NORD · RÉGION 09

CÉGEP DE BAIE-COMEAU
537, boulevard Blanche
Baie-Comeau (Québec) G5C 2B2
(418) 589-5707
www.cegep-baie-comeau.qc.ca

CÉGEP DE SEPT-ÎLES
175, rue de la Vérendrye
Sept-Îles (Québec) G4R 5B7
(418) 962-9848
www.cegep-sept-iles.qc.ca

ESTRIE · RÉGION 05

COLLÈGE CHAMPLAIN REGIONAL
Siège social
1301, boulevard Portland
Sherbrooke (Québec) J1J 1S2
(819) 564-3636

Campus Saint-Lambert
900, Riverside Drive
Saint-Lambert (Québec) J4P 3P2
(450) 672-7360
www.champlainonline.com

Campus St. Lawrence
790, av. Nérée-Tremblay
Sainte-Foy (Québec) G1V 4K2
(418) 656-6921
www.slc.qc.ca

COLLÈGE DE SHERBROOKE

475, rue du Parc
Sherbrooke (Québec) J1E 4K1
(819) 564-6350
www.collegesherbrooke.qc.ca

GASPÉSIE–ÎLES-DE-LA-MADELEINE RÉGION 11

CÉGEP DE LA GASPÉSIE ET DES ÎLES

96, rue Jacques-Cartier
Gaspé (Québec) G4X 2S8
(418) 368-2201
www.cgaspesie.qc.ca

- **Centre d'études collégiales de Carleton**
  776, boul. Perron, C.P. 1000
  Carleton (Québec)
  G0C 1J0
  (418) 364-3341

- **Centre d'études collégiales
  des Îles-de-la-Madeleine**
  C.P. 238
  Étang-du-Nord (Québec)
  G0B 1E0
  (418) 986-5187

CENTRE SPÉCIALISÉ DES PÊCHES DE GRANDE-RIVIÈRE

167, La Grande-Allée Est, C.P. 220
Grande-Rivière (Québec) G0C 1V0
(418) 385-2241
www.cgaspesie.qc.ca/peches/index.php

LANAUDIÈRE RÉGION 14

CÉGEP RÉGIONAL DE LANAUDIÈRE

Collège constituant de Joliette
20, rue Saint-Charles Sud
Joliette (Québec) J6E 4T1
(450) 759-1661
www.collanaud.qc.ca/joliette

Collège constituant de l'Assomption
180, rue Dorval
L'Assomption (Québec) J5W 6C1
(450) 470-0922
www.collanaud.qc.ca/lassomption

Collège constituant de Terrebonne
2505, boulevard des Entreprises
Terrebonne (Québec) J6X 5S5
(450) 470-0933
www.collanaud.qc.ca/terrebonne

LAURENTIDES RÉGION 15

CÉGEP DE SAINT-JÉRÔME

455, rue Fournier
Saint-Jérôme (Québec) J7Z 4V2
(450) 436-1580
www.cegep-st-jerome.qc.ca

COLLÈGE LIONEL-GROULX

100, rue Duquet
Sainte-Thérèse (Québec) J7E 3G6
(450) 430-3120
www.clg.qc.ca

LAVAL RÉGION 13

COLLÈGE MONTMORENCY

475, boulevard de l'Avenir
Laval (Québec) H7N 5H9
(450) 975-6100
www.cmontmorency.qc.ca

MAURICIE RÉGION 04

CÉGEP DE TROIS-RIVIÈRES

3500, rue de Courval
C.P. 97
Trois-Rivières (Québec) G9A 5E6
(819) 376-1721
www.cegeptr.qc.ca

COLLÈGE SHAWINIGAN

2263, avenue du Collège
Shawinigan (Québec) G9N 6V8
(819) 539-6401
www.collegeshawinigan.qc.ca

MONTÉRÉGIE — RÉGION 16

CÉGEP DE GRANBY–HAUTE-YAMASKA

235, rue Saint-Jacques
C.P. 7000
Granby (Québec) J2G 9H7
(450) 372-6614
www.cegepgranby.qc.ca

CÉGEP DE SAINT-HYACINTHE

3000, avenue Boullé
Saint-Hyacinthe (Québec) J2S 1H9
(450) 773-6800
www.cegepsth.qc.ca

CÉGEP DE SOREL-TRACY

3000, boulevard de Tracy
Sorel-Tracy (Québec) J3R 5B9
(450) 742-6651
www.cegep-sorel-tracy.qc.ca

CÉGEP SAINT-JEAN-SUR-RICHELIEU

30, boulevard du Séminaire
C.P. 1018
Saint-Jean-sur-Richelieu (Québec) J3B 7B1
(450) 347-5301
www.cstjean.qc.ca
communications@cstjean.qc.ca

COLLÈGE CHAMPLAIN REGIONAL

Campus Saint-Lambert
900, Riverside Drive
Saint-Lambert (Québec) J4P 3P2
(450) 672-7360
www.champlainonline.com

COLLÈGE DE VALLEYFIELD

169, rue Champlain
Valleyfield (Québec) J6T 1X6
(450) 373-9441
www.colval.qc.ca

COLLÈGE ÉDOUARD-MONTPETIT

945, chemin de Chambly
Longueuil (Québec) J4H 3M6
(450) 679-2631
www.collegeem.qc.ca

École nationale d'aérotechnique

5555, place de la Savane
Saint-Hubert (Québec) J3Y 8Y9
(450) 678-3560

INSTITUT DE TECHNOLOGIE AGRO-ALIMENTAIRE DE SAINT-HYACINTHE

3230, rue Sicotte
C.P. 70
Saint-Hyacinthe (Québec) J2S 7B3
(450) 778-6504
http://ita.qc.ca

MONTRÉAL — RÉGION 06

CAMPUS MACDONALD

Édifice Harrison House
21111, chemin Lakeshore
Saint-Anne-de-Bellevue (Québec) H9X 3V9
(514) 398-7814
www.mcgill.ca/fmt/

CÉGEP À DISTANCE

7100, rue Jean-Talon Est, 7e étage
Montréal (Québec) H1M 3S3
(514) 864-6464 / 1 800 665-6400
www.ccfd.crosemont.qc.ca

CÉGEP ANDRÉ-LAURENDEAU

1111, rue Lapierre
LaSalle (Québec) H8N 2J4
(514) 364-3320
www.claurendeau.qc.ca

CÉGEP DE SAINT-LAURENT

625, avenue Sainte-Croix
Saint-Laurent (Québec) H4L 3X7
(514) 747-6521
www.cegep-st-laurent.qc.ca

CÉGEP DU VIEUX MONTRÉAL

255, rue Ontario Est
Montréal (Québec) H2X 1X6
(514) 982-3437
www.cvm.qc.ca

• **Institut des métiers d'art**
(514) 982-3408

CÉGEP JOHN ABBOTT

21275, chemin Lakeshore
C.P. 2000
Sainte-Anne-de-Bellevue (Québec) H9X 3L9
(514) 457-6610
www.johnabbott.qc.ca

CÉGEP MARIE-VICTORIN

7000, rue Marie-Victorin
Montréal (Québec) H1G 2J6
(514) 325-0150
www.collegemv.qc.ca

COLLÈGE AHUNTSIC

9155, rue Saint-Hubert
Montréal (Québec) H2M 1Y8
(514) 389-5921
www.collegeahuntsic.qc.ca

COLLÈGE DAWSON

3040, rue Sherbrooke Ouest
Westmount (Québec) H3Z 1A4
(514) 931-8731
www.dawsoncollege.qc.ca

COLLÈGE DE BOIS-DE-BOULOGNE

10555, avenue de Bois-de-Boulogne
Montréal (Québec) H4N 1L4
(514) 332-3000
Admission, renseignements : poste 104
www.bdeb.qc.ca

COLLÈGE DE MAISONNEUVE

Institut des technologies de l'information
3800, rue Sherbrooke Est
Montréal (Québec) H1X 2A2
(514) 254-7131
www.cmaisonneuve.qc.ca

Institut de chimie et de pétrochimie
6220, rue Sherbrooke Est
Montréal (Québec) H1N 1C1
(514) 255-4444

COLLÈGE DE ROSEMONT

6400, 16e Avenue
Montréal (Québec) H1X 2S9
(514) 376-1620
www.crosemont.qc.ca

COLLÈGE GÉRALD-GODIN

15615, boulevard Gouin Ouest
Sainte-Geneviève (Québec) H9H 5K8
(514) 626-2666
www.college-gerald-godin.qc.ca

COLLÈGE VANIER

821, avenue Sainte-Croix
Saint-Laurent (Québec) H4L 3X9
(514) 744-7500
www.vaniercollege.qc.ca

ÉCOLE QUÉBÉCOISE DU MEUBLE ET DU BOIS OUVRÉ

Campus de Montréal
5445, rue De Lorimier
Montréal (Québec) H2H 2S5
(514) 528-8687

INSTITUT DE TOURISME ET D'HÔTELLERIE DU QUÉBEC

401, rue de Rigaud
Montréal (Québec) H2L 4P3
(514) 282-5108
www.ithq.qc.ca

CÉGEP DE L'OUTAOUAIS

Campus Gabrielle-Roy
333, boulevard Cité-des-Jeunes
Hull (Québec) J8Y 6M5
(819) 770-4012

Campus Félix-Leclerc
820, boulevard La Gappe
Gatineau (Québec) J8T 7T7
(819) 243-9000

Campus Louis-Reboul
125, boulevard Sacré-Cœur
Hull (Québec) J8X 1C5
(819) 777-6584
www.coll-outao.qc.ca

CÉGEP HERITAGE

325, boulevard Cité-des-Jeunes
Hull (Québec) J8Y 6T3
(819) 778-2270
www.cegep-heritage.qc.ca

SAGUENAY–LAC-SAINT-JEAN RÉGION 02

CÉGEP DE CHICOUTIMI

534, rue Jacques-Cartier Est
Chicoutimi (Québec) G7H 1Z6
(418) 549-9520
www.cegep-chicoutimi.qc.ca

CÉGEP DE JONQUIÈRE

2505, rue Saint-Hubert
Jonquière (Québec) G7X 7W2
(418) 547-2191
www.cjonquiere.qc.ca

CÉGEP DE SAINT-FÉLICIEN

1105, boulevard Hamel
C.P. 7300
Saint-Félicien (Québec) G8K 2R8
(418) 679-5412
Renseignements et admission : poste 296
www.cstfelicien.qc.ca

COLLÈGE D'ALMA

675, boulevard Auger Ouest
Alma (Québec) G8B 2B7
(418) 668-2387
www.calma.qc.ca

▌ÉTABLISSEMENTS PRIVÉS

CAPITALE-NATIONALE RÉGION 03

CAMPUS NOTRE-DAME-DE-FOY (MULTICOLLÈGE DE L'OUEST)

5000, rue Clément-Lockquell
Saint-Augustin-de-Desmaures (Québec) G3A 1B3
(418) 872-8041 / 1 800 463-8041
www.cndf.qc.ca

COLLÈGE BART

751, côte d'Abraham
Québec (Québec) G1R 1A2
(418) 522-3906
www.bart.qc.ca

COLLÈGE MÉRICI (MULTICOLLÈGE DE L'OUEST)

755, chemin Saint-Louis
Québec (Québec) G1S 1C1
(418) 683-1591 / 1 800 208-1463
www.college-merici.qc.ca

COLLÈGE O'SULLIVAN DE QUÉBEC

840, rue Saint-Jean
Québec (Québec) G1R 1R3
(418) 529-3355
www.osullivan-quebec.qc.ca

INSTITUT QUÉBÉCOIS D'ÉBÉNISTERIE (IQE)

101, rue Arago Est
Québec (Québec) G1K 3T6
(418) 525-7060
www.iqe.edu

CENTRE-DU-QUÉBEC RÉGION 17

COLLÈGE D'AFFAIRES ELLIS

400, rue Heriot
Drummondville (Québec) J2B 1B3
(819) 477-3113 / 1 800 869-3113
www.ellis.qc.ca

ESTRIE RÉGION 05

SÉMINAIRE DE SHERBROOKE

195, rue Marquette
Sherbrooke (Québec) J1H 1L6
(819) 563-2050
www.seminaire-sherbrooke.qc.ca

LAVAL RÉGION 13

COLLÈGE CDI/DELTA

Campus de Laval
3, place Laval
Bureau 400
Laval (Québec) H7N 1A2
(450) 662-9090

MAURICIE RÉGION 04

COLLÈGE LAFLÈCHE

1687, boulevard du Carmel
Trois-Rivières (Québec) G8Z 3R8
(819) 375-7346
www.clafleche.qc.ca

ÉCOLE COMMERCIALE DU CAP

155, rue Latreille
Cap-de-la-Madeleine (Québec) G8T 3E8
(819) 691-2600
www.ecc.qc.ca

MONTÉRÉGIE RÉGION 16

COLLÈGE CDI/DELTA

Campus de Longueuil
1111, rue Saint-Charles Ouest
Bureau 135
Longueuil (Québec) J4K 5G4
(450) 677-9191

MONTRÉAL RÉGION 06

COLLÈGE CDI/DELTA

416, boulevard de Maisonneuve Ouest
Bureau 700
Montréal (Québec) H3A 1L2
(514) 849-4757
www.cdi.ca

COLLÈGE ANDRÉ-GRASSET

1001, boulevard Crémazie Est
Montréal (Québec) H2M 1M3
(514) 381-4293
www.grasset.qc.ca

Institut Grasset
220, rue Fairmount Ouest
Montréal (Québec) H2T 1M7
(514) 277-6053
www.institut-grasset.qc.ca

COLLÈGE LASALLE

2000, rue Sainte-Catherine Ouest
Montréal (Québec) H3T 2T2
(514) 939-2006
www.clasalle.com

COLLÈGE O'SULLIVAN DE MONTRÉAL

1191, rue de la Montagne
Montréal (Québec) H3G 1Z2
(514) 866-4622 / 1 800 621-8055
www.osullivan.edu

ÉCOLE NATIONALE DE CIRQUE

8181, 2e Avenue
Montréal (Québec) H1Z 4N9
(514) 982-0859 / 1 800 267-0859
www.enc.qc.ca

INSTITUT SUPÉRIEUR D'INFORMATIQUE

255, boul. Crémazie Est
Bureau 100
Montréal (Québec) H2M 1M2
(514) 842-2426

INSTITUT TREBAS

550, rue Sherbrooke Ouest
Tour Est, 6e étage
Montréal (Québec) H3A 1B9
(514) 845-4141
www.trebas.com

MUSITECHNIC SERVICES ÉDUCATIFS INC.

888, boul. de Maisonneuve Est
Tour 3, bureau 440
Montréal (Québec) H2L 4S8
(514) 521-2060 / 1 800 824-2060
www.musitechnic.com

OUTAOUAIS RÉGION 07

MULTICOLLÈGE DE L'OUEST DU QUÉBEC

217, rue Montcalm
Hull (Québec) J8Y 6X1
(819) 595-1115
1 877 776-8584
www.multicollege.qc.ca

AUTRES ÉTABLISSEMENTS OFFRANT DE LA FORMATION COLLÉGIALE

Académie de l'entrepreneurship québécois inc. ....(514) 676-5826

Académie du Savoir (1995) inc..(514) 954-9503

Académie internationale du design et de technologie...(514) 875-9777

Ateliers de danse moderne de Montréal inc. (Les)..(514) 866-9814

Campus Ubisoft .... (514) 393-8659

Centennial Academy / L'Académie Centennale .... (514) 486-5533

Centre d'études collégiales de Montmagny .... (418) 248-7164

Centre matapédien d'études collégiales .... (418) 629-4190

Centre national d'animation et de design .... (514) 288-3447

CINAC inc. ....(514) 737-5537

Collège April-Fortier (Centre de formation en tourisme inc.) .... (514) 878-1414

Collège CDI de technologie des affaires .... (450) 662-9090

Collège Crack inc. ....(514) 845-9666

Collège dans la cité (CDC) de la Villa Sainte-Marcelline .... (514) 488-0031

Collège de l'Estrie inc..(819) 346-5000

Collège de l'immobilier du Québec .... (514) 762-1862 / 1 888 762-1862

Collège de photographie Marsan...(514) 525-3030

Collège d'informatique Marsan ....(514) 525-3030

Collège Herzing/Herzing College ....(514) 935-7494

Collège Info-Technique..(514) 685-0126

Collège Inter-Dec .... (514) 939-4444

Collège Jean-de-Brébeuf .... (514) 342-9342

Collège Mother House ....(514) 935-2532

Collège MultiHexa Québec..(418) 682-5717

Collège MultiHexa Trois-Rivières...(819) 697-2828

Collège radio télévision de Québec inc...(418) 647-2095

Collège Salette .... (514) 388-5725

Collège technique de Montréal inc...(514) 932-6444

Conservatoire Lassalle .... (514) 288-4140

Cyclone Arts et Technologies ....(418) 522-3906

École de danse de Québec..(418) 649-4715 ▷

▷ École de musique Vincent-D'Indy .... (514) 735-5261

École du Show-Business ....(514) 271-2244

École nationale de cirque ....(514) 982-0859

École nationale de l'humour ....(514) 849-7876

École supérieure de danse du Québec ....(514) 849-4929

Institut Athéna ....(418) 651-0736

Institut de création artistique et de recherche en infographie ICARI inc. ....(514) 982-0922

Institut Demers inc. ....(514) 383-4336

Institut d'enregistrement du Canada .... (514) 286-4336

Institut Grasset ....(514) 277-6053

Institut Isacsoft ....(514) 285-1720

Institut supérieur de design de mode I.S.D.M. inc. ....(514) 982-0404

Institut supérieur d'électronique ....(514) 527-4147

Institut Teccart (2003) ....(514) 526-2501

Marianopolis .... (514) 931-8792

AUTRES RESSOURCES

Association des collèges privés du Québec .... (514) 381-8891

Association québécoise d'information scolaire et professionnelle .... (418) 847-1781

Conseil interprofessionnel du Québec .... (514) 288-3574

Fédération des cégeps .... (514) 381-8631

Fédération nationale des enseignantes et des enseignants du Québec .... (514) 598-2241

Ministère de l'Éducation (renseignements généraux) .... (418) 643-7095

Ordre des conseillers et conseillères d'orientation et
des psychoéducateurs et psychoéducatrices du Québec .... (514) 737-4717

Ordre des technologues professionnels du Québec .... (514) 845-3247

SRAM (Service régional d'admission du Montréal métropolitain) .... (514) 271-2454

SRAQ (Service régional d'admission au collégial de Québec) .... (418) 659-4873

SRAS (Service régional d'admission des cégeps du Saguenay–Lac-Saint-Jean) .... (418) 548-7191

La Relance au collégial

Cette section présente des données complémentaires extraites de *La Relance au collégial*. Diffusée par le ministère de l'Éducation, cette publication a pour but de faire connaître les résultats d'une enquête sur la situation des sortants diplômés des programmes d'études préuniversitaires et techniques. La période de référence est le 31 mars, soit 10 mois après la fin de leurs études collégiales.

Pour obtenir des renseignements complémentaires sur les programmes cités ou sur les autres programmes non mentionnés dans la liste qui suit, consultez *La Relance au collégial* dans le site du ministère de l'Éducation du Québec à l'adresse suivante : www.meq.gouv.qc.ca/relance/relance.htm.

Notes

L'abréviation n.d. signifie «données non disponibles».

Tous les pourcentages ont été calculés à la seconde décimale et arrondis ensuite à la première décimale supérieure.

Les numéros des programmes correspondent généralement à ceux utilisés dans la plus récente enquête *Relance* figurant ici (2004). Nous avons ajouté (le cas échéant) d'anciens noms et numéros des programmes pour les promotions des années antérieures.

SECTEURS ET DISCIPLINES

		Personnes diplômées	En emploi %	À la recherche d'un emploi %	À temps plein %	Taux de chômage %
ADMINISTRATION, COMMERCE ET INFORMATIQUE						
410.12	Techniques administratives	335	47,0	3,0	83,3	6,1
412.A0	Techniques de bureautique	52	77,1	11,4	88,9	12,9
413.01	Administration et coopération	25	25,0	0,0	100,0	0,0
415.11	Techniques administratives : marketing	n.d.	n.d.	n.d.	n.d.	n.d.
415.12	Techniques administratives : personnel	n.d.	n.d.	n.d.	n.d.	n.d.
415.13	Techniques administratives : finance	n.d.	n.d.	n.d.	n.d.	n.d.
415.14	Techniques administratives : gestion industrielle	n.d.	n.d.	n.d.	n.d.	n.d.
415.15	Techniques administratives : assurances	n.d.	n.d.	n.d.	n.d.	n.d.
415.16	Techniques administratives : gestion	n.d.	n.d.	n.d.	n.d.	n.d.
415.17	Techniques administratives : transport (voir secteur Transport)	n.d.	n.d.	n.d.	n.d.	n.d.
420.A0	Techniques de l'informatique	516	48,9	7,0	93,4	12,5
420.AA	Techniques de l'informatique : informatique de gestion	1 044	52,3	6,7	89,7	11,4
420.AB	Techniques de l'informatique : informatique industrielle	26	57,1	9,5	91,7	14,3
AGRICULTURE ET PÊCHES						
145.A0	Techniques de santé animale	236	87,0	1,1	90,3	1,3
152.03	Gestion et exploitation d'entreprise agricole					
152.AA	Gestion et exploitation d'entreprise agricole : spécialisation en productions animales	134	78,2	4,0	97,5	4,8
152.AB	Gestion et exploitation d'entreprise agricole : spécialisation en productions végétales	29	65,0	10,0	100,0	13,3
153.A0	Technologie des productions animales	46	72,2	11,1	96,2	13,3
153.B0	Technologie de la production horticole et de l'environnement					
153.BA	- Cultures légumières, fruitières et industrielles	n.d.	n.d.	n.d.	n.d.	n.d.
153.BB	- Cultures de plantes ornementales	15	70,0	10,0	100,0	12,5
153.BC	- Cultures horticoles, légumières, fruitières et ornementales	13	55,6	22,2	80,0	28,6
153.C0	Paysage et commercialisation en horticulture ornementale					
153.CA	- Aménagement paysager	19	62,5	18,8	80,0	23,1
153.CC	- Commercialisation des produits et des services horticoles	9	57,1	28,6	100,0	33,3
153.D0	Technologie des équipements agricoles	12	80,0	0,0	100,0	0,0
155.A0	Techniques équines	n.d.	n.d.	n.d.	n.d.	n.d.
231.04	Exploitation et production des ressources marines	n.d.	n.d.	n.d.	n.d.	n.d.
ALIMENTATION ET TOURISME						
154.A0	Technologie de la transformation des aliments	50	84,2	2,6	100,0	3,0
414.A0	Techniques de tourisme	49	62,5	3,1	95,0	4,8
430.01	Techniques de gestion hôtelière	181	80,8	0,8	89,5	0,9
430.02	Techniques de gestion des services alimentaires et de restauration	59	87,2	0,0	91,2	0,0
ARTS						
551.A0	Musique populaire	69	39,6	6,3	26,3	13,6
561.01	Interprétation théâtrale	n.d.	n.d.	n.d.	n.d.	n.d.
561.D0	Arts du cirque	11	57,1	28,6	75,0	33,3
561.A0	Théâtre – production	n.d.	n.d.	n.d.	n.d.	n.d.
561.AA	Théâtre – production : décors et costumes	17	69,2	15,4	100,0	18,2
561.AB	Théâtre – production : gestion et techniques de scène	21	82,4	5,9	71,4	6,7
570.02	Design de présentation	75	67,9	7,5	86,1	10,0
570.03	Design d'intérieur	181	77,2	1,6	85,3	2,1
570.04	Photographie	70	70,2	2,1	78,8	2,9
570.C0	Techniques de design industriel	37	60,0	8,0	100,0	11,8
573.AC	Techniques de métiers d'art : ébénisterie artisanale	27	68,2	0,0	73,3	0,0
573.14	Techniques de métiers d'art : impression textile	n.d.	n.d.	n.d.	n.d.	n.d.
573.AB	Techniques de métiers d'art : construction textile	n.d.	n.d.	n.d.	n.d.	n.d.
573.AE	Techniques de métiers d'art : joaillerie	12	87,5	12,5	71,4	12,5
BOIS ET MATÉRIAUX CONNEXES						
233.01	Techniques du meuble et du bois ouvré	n.d.	n.d.	n.d.	n.d.	n.d.
233.BB	Techniques du meuble et d'ébénisterie : menuiserie architecturale	25	87,5	0,0	92,9	0,0
CHIMIE ET BIOLOGIE						
210.01	Techniques de chimie analytique	n.d.	n.d.	n.d.	n.d.	n.d.
210.02	Techniques de génie chimique	16	61,5	0,0	100,0	0,0
210.03	Techniques de chimie-biologie	n.d.	n.d.	n.d.	n.d.	n.d.

	SITUATION EN 2003 Promotion 2001-2002					SITUATION EN 2002 Promotion 2000-2001			
Personnes diplômées	En emploi %	À la recherche d'un emploi %	À temps plein %	Taux de chômage %	Personnes diplômées	En emploi %	À la recherche d'un emploi %	À temps plein %	Taux de chômage %
244	53,8	2,9	79,3	5,2	n.d.	n.d.	n.d.	n.d.	n.d.
168	85,8	5,3	91,8	5,8	520	83,5	5,6	93,9	6,3
32	28,0	0,0	100,0	0,0	42	34,5	3,4	90,0	9,1
n.d.	n.d.	n.d.	n.d.	n.d.	393	54,5	2,1	85,5	3,6
n.d.	n.d.	n.d.	n.d.	n.d.	34	58,3	4,2	85,7	6,7
n.d.	n.d.	n.d.	n.d.	n.d.	1 160	53,7	2,3	88,3	4,1
n.d.	n.d.	n.d.	n.d.	n.d.	26	66,7	4,8	100,0	6,7
n.d.	n.d.	n.d.	n.d.	n.d.	96	86,1	0,0	96,8	0,0
n.d.	n.d.	n.d.	n.d.	n.d.	213	59,3	4,3	90,6	6,8
n.d.	n.d.	n.d.	n.d.	n.d.	n.d.	n.d.	n.d.	n.d.	n.d.
528	58,1	5,8	92,6	9,1	666	65,5	8,5	92,3	11,4
1 154	60,2	6,2	91,7	9,3	996	63,6	8,5	93,9	11,8
35	56,0	8,0	85,7	12,5	33	40,0	0,0	90,0	0,0
228	85,2	2,2	93,5	2,5	158	89,1	1,7	97,2	1,9
n.d.	n.d.	n.d.	n.d.	n.d.	n.d.	n.d.	n.d.	n.d.	n.d.
127	70,5	7,6	94,6	9,8	114	88,5	3,4	98,7	3,8
28	85,7	0,0	100,0	0,0	28	69,6	4,3	100,0	5,9
42	78,9	7,9	100,0	9,1	51	76,9	2,6	93,3	3,2
12	44,4	11,1	100,0	20,0	16	38,5	30,8	100,0	44,4
25	57,9	5,3	100,0	8,3	16	53,8	23,1	85,7	30,0
17	50,0	28,6	85,7	36,4	5	60,0	20,0	100,0	25,0
17	76,5	15,4	85,7	22,2	17	57,1	7,1	87,5	11,1
n.d.	n.d.	n.d.	n.d.	n.d.	14	70,0	0,0	85,7	0,0
12	77,8	0,0	100,0	0,0	9	100,0	0,0	100,0	0,0
5	80,0	0,0	100,0	0,0	n.d.	n.d.	n.d.	n.d.	n.d.
n.d.	n.d.	n.d.	n.d.	n.d.	n.d.	n.d.	n.d.	n.d.	n.d.
30	84,0	8,0	100,0	8,7	36	92,6	7,4	96,0	7,4
227	78,9	3,3	90,8	4,0	335	79,0	1,4	91,1	1,7
169	80,2	1,0	94,8	1,3	122	77,9	1,3	90,0	1,6
62	73,5	2,9	88,0	3,8	57	84,2	2,6	96,9	3,0
62	40,8	0,0	45,0	0,0	54	22,0	2,4	44,4	10,0
n.d.	n.d.	n.d.	n.d.	n.d.	34	29,2	4,2	85,7	12,5
n.d.	n.d.	n.d.	n.d.	n.d.	n.d.	n.d.	n.d.	n.d.	n.d.
n.d.	n.d.	n.d.	n.d.	n.d.	n.d.	n.d.	n.d.	n.d.	n.d.
25	84,2	10,5	81,3	11,1	3	n.d.	n.d.	n.d.	n.d.
10	100,0	0,0	71,4	0,0	7	100,0	0,0	100,0	0,0
85	60,3	9,5	86,8	13,6	84	67,2	7,8	86,0	10,4
218	87,3	0,0	84,1	0,0	182	82,7	4,5	87,3	5,2
71	74,0	8,0	75,7	9,8	69	83,0	6,4	76,9	7,1
39	77,4	0,0	100,0	0,0	41	69,2	0,0	94,4	0,0
24	88,9	5,6	56,3	5,9	29	68,0	4,0	88,2	5,6
n.d.	n.d.	n.d.	n.d.	n.d.	5	80,0	0,0	75,0	0,0
11	75,0	0,0	66,7	0,0	7	83,3	0,0	80,0	0,0
18	75,0	16,7	88,9	18,2	12	100,0	0,0	50,0	0,0
n.d.	n.d.	n.d.	n.d.	n.d.	n.d.	n.d.	n.d.	n.d.	n.d.
33	80,0	4,0	100,0	4,8	n.d.	n.d.	n.d.	n.d.	n.d.
n.d.	n.d.	n.d.	n.d.	n.d.	n.d.	n.d.	n.d.	n.d.	n.d.
24	61,9	9,5	100,0	13,3	24	55,0	20,0	100,0	26,7
n.d.	n.d.	n.d.	n.d.	n.d.	n.d.	n.d.	n.d.	n.d.	n.d.

SECTEURS ET DISCIPLINES	Personnes diplômées	En emploi %	À la recherche d'un emploi %	À temps plein %	Taux de chômage %
210.B0 Techniques de procédés chimiques	42	83,3	3,3	100,0	3,8
260.A0 Assainissement de l'eau	n.d.	n.d.	n.d.	n.d.	n.d.
260.03 Assainissement et sécurité industriels	n.d.	n.d.	n.d.	n.d.	n.d.
BÂTIMENT ET TRAVAUX PUBLICS					
221.A0 Technologie de l'architecture	185	56,8	3,6	92,4	6,0
221.B0 Technologie du génie civil	157	54,2	4,2	100,0	7,2
221.C0 Technologie de la mécanique du bâtiment	61	68,3	2,4	100,0	3,4
221.D0 Technologie de l'estimation et de l'évaluation en bâtiment	27	77,3	9,1	100,0	10,5
230.AA Technologie de la géomatique : cartographie	33	84,0	8,0	100,0	8,7
230.AB Technologie de la géomatique : géodésie	25	70,0	0,0	100,0	0,0
311.A0 Sécurité incendie (programme expérimental)	n.d.	n.d.	n.d.	n.d.	n.d.
ENVIRONNEMENT ET AMÉNAGEMENT DU TERRITOIRE					
145.01 Techniques d'écologie appliquée	57	47,2	5,6	88,2	10,5
145.02 Techniques d'inventaire et de recherche en biologie	48	57,1	31,4	90,0	35,5
145.B0 Techniques d'aménagement cynégétique et halieutique	25	38,9	44,4	85,7	53,3
147.11 Techniques du milieu naturel : exploitation forestière	13	30,0	20,0	100,0	40,0
147.14 Techniques du milieu naturel : aménagement de la faune	18	30,8	23,1	100,0	42,9
147.15 Techniques du milieu naturel : aménagement et interprétation du patrimoine	9	28,6	14,3	50,0	33,3
147.16 Techniques du milieu naturel : santé animale	17	71,4	7,1	100,0	9,1
147.18 Techniques du milieu naturel : protection de l'environnement	19	37,5	25,0	83,3	40,0
147.19 Techniques du milieu naturel : aquiculture	n.d.	n.d.	n.d.	n.d.	n.d.
222.01 Techniques d'aménagement du territoire	n.d.	n.d.	n.d.	n.d.	n.d.
ÉLECTROTECHNIQUE					
243.06 Technologie de l'électronique industrielle	29	78,3	8,7	88,9	10,0
243.11 Technologie de l'électronique	n.d.	n.d.	n.d.	n.d.	n.d.
244.A0 Technologie physique	75	42,1	5,3	91,7	11,1
243.15 Technologie de systèmes ordinés	112	62,8	5,1	98,0	7,5
243.16 Technologie de conception électronique	39	20,0	0,0	100,0	0,0
243.86 Technologie de l'électronique industrielle : électrodynamique	235	65,3	4,0	93,9	5,7
243.87 Technologie de l'électronique industrielle : instrumentation et automatisation	229	64,9	9,4	95,5	12,6
243.93 Techn. de l'électronique : spécialisation en télécommunications	313	58,0	9,6	90,6	14,2
243.94 Technologie de l'électronique : spécialisation en ordinateurs	104	51,9	10,1	90,2	16,3
243.95 Technologie de l'électronique : spécialisation en audiovisuel	45	79,4	11,8	66,7	12,9
280.04 Avionique	55	46,2	5,1	94,4	10,0
ENTRETIEN D'ÉQUIPEMENT MOTORISÉ					
248.C0 Techniques de génie mécanique de marine	n.d.	n.d.	n.d.	n.d.	n.d.
280.03 Entretien d'aéronefs	119	63,7	2,2	94,8	3,3
FABRICATION MÉCANIQUE					
235.01 Technologie du génie industriel	60	51,1	0,0	91,3	0,0
235.A0 Techniques de production manufacturière	14	81,8	9,1	100,0	10,0
241.11 Techniques de transformation des matériaux composites	n.d.	n.d.	n.d.	n.d.	n.d.
241.12 Techniques de transformation des matières plastiques	15	50,0	16,7	100,0	25,0
241.A0 Techniques de génie mécanique	436	50,9	3,6	94,7	6,6
248.01 Techniques d'architecture navale	12	66,7	11,1	83,3	14,3
280.B0 Techniques de construction aéronautique	122	36,3	5,5	90,9	13,2
FORESTERIE ET PAPIER					
190.86 Aménagement forestier : spécialisation en aménagement forestier	n.d.	n.d.	n.d.	n.d.	n.d.
190.B0 Technologie forestière	121	47,3	17,6	95,3	27,1
232.01 Techniques papetières	n.d.	n.d.	n.d.	n.d.	n.d.
COMMUNICATION ET DOCUMENTATION					
393.A0 Techniques de la documentation	90	85,3	5,9	84,5	6,5
570.A0 Graphisme	286	59,9	6,8	79,0	10,1
570.B0 Techniques de muséologie	15	54,5	9,1	83,3	14,3
581.B0 Techniques de l'impression	9	85,7	14,3	100,0	14,3
581.08 Techniques de gestion de l'imprimerie	11	100,0	0,0	100,0	0,0

	SITUATION EN 2003					SITUATION EN 2002			
	Promotion 2001-2002					Promotion 2000-2001			
Personnes diplômées	En emploi %	À la recherche d'un emploi %	À temps plein %	Taux de chômage %	Personnes diplômées	En emploi %	À la recherche d'un emploi %	À temps plein %	Taux de chômage %
31	71,4	9,5	100,0	11,8	54	85,0	2,5	97,1	2,9
18	68,8	0,0	100,0	0,0	32	79,2	0,0	89,5	0,0
n.d.	n.d.	n.d.	n.d.	n.d.	n.d.	n.d.	n.d.	n.d.	n.d.
169	58,5	0,0	97,4	0,0	163	59,3	0,0	97,3	0,0
136	59,4	5,0	100,0	7,7	169	53,2	4,0	97,0	6,9
61	70,5	2,3	100,0	3,1	64	79,6	0,0	100,0	0,0
17	91,7	0,0	100,0	0,0	19	87,5	0,0	100,0	0,0
31	90,0	5,0	94,4	5,3	n.d.	n.d.	n.d.	n.d.	n.d.
23	94,7	0,0	100,0	0,0	n.d.	n.d.	n.d.	n.d.	n.d.
n.d.	n.d.	n.d.	n.d.	n.d.	n.d.	n.d.	n.d.	n.d.	n.d.
64	50,0	25,0	84,6	33,3	45	54,5	18,2	100,0	25,0
36	66,7	22,2	94,4	25,0	31	54,5	9,1	83,3	14,3
22	20,0	66,7	66,7	76,9	27	42,9	42,9	88,9	50,0
14	30,0	60,0	100,0	66,7	9	22,2	44,4	100,0	66,7
20	14,3	7,1	50,0	33,3	20	31,3	12,5	80,0	28,6
8	66,7	0,0	100,0	0,0	7	80,0	0,0	75,0	0,0
13	100,0	0,0	80,0	0,0	18	93,8	6,3	80,0	6,3
11	88,9	0,0	87,5	0,0	15	75,0	16,7	100,0	18,2
n.d.	n.d.	n.d.	n.d.	n.d.	2	n.d.	n.d.	n.d.	n.d.
n.d.	n.d.	n.d.	n.d.	n.d.	n.d.	n.d.	n.d.	n.d.	n.d.
44	86,8	2,6	97,0	2,9	1	n.d.	n.d.	n.d.	n.d.
n.d.	n.d.	n.d.	n.d.	n.d.	10	n.d.	n.d.	n.d.	n.d.
70	33,9	6,8	100,0	16,7	54	73,2	7,3	100,0	9,1
136	49,0	8,7	92,2	15,0	130	66,7	4,3	91,9	6,1
30	22,7	0,0	80,0	0,0	38	51,7	0,0	93,3	0,0
240	67,2	4,9	97,6	6,8	240	67,6	7,4	95,3	9,9
178	63,9	26,4	91,3	13,2	208	74,0	9,1	95,6	10,9
303	62,6	7,2	89,9	10,3	323	60,3	10,9	93,1	15,3
84	59,7	4,5	87,5	7,0	127	57,3	10,4	87,3	15,4
49	81,6	5,3	80,6	6,1	48	72,7	9,1	83,3	11,1
47	71,1	7,9	92,6	10,0	41	65,4	0,0	94,1	0,0
n.d.	n.d.	n.d.	n.d.	n.d.	20	75,0	8,3	100,0	10,0
127	77,2	6,5	95,8	7,8	145	71,1	15,6	98,4	17,9
57	73,8	4,8	100,0	6,1	58	50,0	0,0	90,9	0,0
20	70,6	5,9	100,0	7,7	24	65,0	5,0	100,0	7,1
n.d.	n.d.	n.d.	n.d.	n.d.	n.d.	n.d.	n.d.	n.d.	n.d.
21	70,6	5,9	100,0	7,7	21	68,8	0,0	100,0	0,0
439	56,6	3,9	98,3	6,4	470	57,0	3,1	97,0	5,1
8	42,9	14,3	100,0	25,0	5	n.d.	n.d.	n.d.	n.d.
115	50,6	2,6	87,2	4,9	132	50,0	6,4	100,0	11,3
n.d.	n.d.	n.d.	n.d.	n.d.	n.d.	n.d.	n.d.	n.d.	n.d.
145	43,3	16,7	100,0	27,8	147	50,5	16,5	98,1	24,6
n.d.	n.d.	n.d.	n.d.	n.d.	n.d.	n.d.	n.d.	n.d.	n.d.
94	82,6	7,2	80,7	8,1	97	79,7	14,9	88,1	15,7
264	67,4	3,2	82,0	4,5	283	64,3	8,6	82,2	11,8
23	68,8	12,5	90,9	15,4	1	n.d.	n.d.	n.d.	n.d.
7	80,0	20,0	100,0	20,0	13	90,9	0,0	100,0	0,0
10	77,8	0,0	100,0	0,0	8	75,0	0,0	100,0	0,0

SECTEURS ET DISCIPLINES	Personnes diplômées	En emploi %	À la recherche d'un emploi %	À temps plein %	Taux de chômage %
581.A0 Infographie en préimpression	73	78,2	7,3	90,7	8,5
589.01 Art et technologie des médias	n.d.	n.d.	n.d.	n.d.	n.d.
589.86 Art et technologie des médias : télévision	n.d.	n.d.	n.d.	n.d.	n.d.
589.87 Art et technologie des médias : information écrite	n.d.	n.d.	n.d.	n.d.	n.d.
589.88 Art et technologie des médias : radio	n.d.	n.d.	n.d.	n.d.	n.d.
589.89 Art et technologie des médias : publicité	n.d.	n.d.	n.d.	n.d.	n.d.
MÉCANIQUE D'ENTRETIEN					
241.D0 Technologie de maintenance industrielle	93	80,3	7,0	98,2	8,1
MINES ET TRAVAUX DE CHANTIER					
271.01 Géologie appliquée	n.d.	n.d.	n.d.	n.d.	n.d.
271.02 Exploitation	6	100,0	0,0	100,0	0,0
271.03 Minéralurgie	n.d.	n.d.	n.d.	n.d.	n.d.
MÉTALLURGIE					
270.02 Contrôle de la qualité (métallurgie)	n.d.	n.d.	n.d.	n.d.	n.d.
270.03 Soudage	n.d.	n.d.	n.d.	n.d.	n.d.
270.04 Procédés métallurgiques	n.d.	n.d.	n.d.	n.d.	n.d.
TRANSPORT					
248.B0 Navigation	n.d.	n.d.	n.d.	n.d.	n.d.
280.A0 Techniques de pilotage d'aéronefs	17	54,5	27,3	83,3	33,3
415.17 Techniques administratives : transport	n.d.	n.d.	n.d.	n.d.	n.d.
CUIR, TEXTILE ET HABILLEMENT					
251.A0 Technologie des matières textiles	14	100,0	0,0	90,0	0,0
251.B0 Technologie de la production textile	7	60,0	0,0	66,7	0,0
571.86 Design de mode : mode masculine					
571.87 Design de mode : mode féminine					
571.A0 Design de mode	196	68,1	0,7	83,7	1,1
571.C0 Commercialisation de la mode	191	62,3	0,0	91,9	0,0
SANTÉ					
110.A0 Techniques dentaires	17	100,0	0,0	100,0	0,0
110.B0 Techniques de denturologie	16	100,0	0,0	90,9	0,0
111.A0 Techniques d'hygiène dentaire	157	94,8	0,0	80,4	0,0
112.A0 Acupuncture	34	91,7	4,2	22,7	4,3
120.01 Techniques de diététique	128	87,8	3,3	74,7	3,7
140.01 Technologie de laboratoire médical	n.d.	n.d.	n.d.	n.d.	n.d.
140.A0 Techniques d'électrophysiologie médicale	24	100,0	0,0	84,2	0,0
141.A0 Techniques d'inhalothérapie	119	93,7	0,0	81,1	0,0
142.A0 Technologie de radiodiagnostic	111	95,2	1,2	84,8	1,3
142.B0 Technologie de médecine nucléaire	16	100,0	0,0	92,3	0,0
142.C0 Technologie de radio-oncologie	53	91,2	0,0	96,8	0,0
144.A0 Techniques de réadaptation physique	136	83,5	1,0	81,4	1,1
144.B0 Techniques d'orthèses et de prothèses orthopédiques	15	92,3	7,7	91,7	7,7
160.A0 Techniques d'orthèses visuelles	56	91,9	0,0	94,1	0,0
160.B0 Audioprothèse	8	100,0	0,0	83,3	0,0
171.A0 Techniques de thanatologie	24	88,9	0,0	100,0	0,0
180.A0 Soins infirmiers	2 325	79,5	0,6	81,7	0,7
180.B0 Soins infirmiers (programme de passage)	90	90,5	0,0	91,2	0,0
411.A0 Archives médicales	52	100,0	0,0	100,0	0,0
SERVICES SOCIAUX, ÉDUCATIFS ET JURIDIQUES					
310.B0 Techniques d'intervention en délinquance	156	62,7	2,9	85,9	4,5
310.C0 Techniques juridiques	200	73,9	0,7	96,1	1,0
310.A0 Techniques policières	668	50,3	14,3	89,6	22,1
322.A0 Techniques d'éducation à l'enfance	744	83,5	1,1	78,7	1,3
351.A0 Techniques d'éducation spécialisée	831	82,6	1,6	65,3	1,9
384.01 Techniques de recherche, enquête et sondage	n.d.	n.d.	n.d.	n.d.	n.d.
388.A0 Techniques de travail social	314	69,5	4,3	74,7	5,8
391.A0 Techniques d'intervention en loisir	112	59,7	0,0	71,7	0,0

| | SITUATION EN 2003 | | | | | SITUATION EN 2002 | | | |
| | Promotion 2001-2002 | | | | | Promotion 2000-2001 | | | |
Personnes diplômées	En emploi %	À la recherche d'un emploi %	À temps plein %	Taux de chômage %	Personnes diplômées	En emploi %	À la recherche d'un emploi %	À temps plein %	Taux de chômage %
93	77,9	5,9	75,5	7,0	82	80,6	3,2	100,0	3,8
n.d.	n.d.	n.d.	n.d.	n.d.	n.d.	n.d.	n.d.	n.d.	n.d.
n.d.	n.d.	n.d.	n.d.	n.d.	88	82,8	7,8	88,7	8,6
n.d.	n.d.	n.d.	n.d.	n.d.	45	41,9	6,5	92,3	13,3
n.d.	n.d.	n.d.	n.d.	n.d.	33	75,0	8,3	77,8	10,0
n.d.	n.d.	n.d.	n.d.	n.d.	18	61,5	15,4	75,0	20,0
101	71,4	10,0	96,0	12,3	84	71,9	10,9	95,7	13,2
11	60,0	0,0	83,3	0,0	10	28,6	28,6	100,0	50,0
16	90,9	9,1	100,0	9,1	6	66,7	0,0	100,0	0,0
12	77,8	11,1	100,0	12,5	12	66,7	11,1	100,0	14,3
n.d.	n.d.	n.d.	n.d.	n.d.	n.d.	n.d.	n.d.	n.d.	n.d.
n.d.	n.d.	n.d.	n.d.	n.d.	n.d.	n.d.	n.d.	n.d.	n.d.
n.d.	n.d.	n.d.	n.d.	n.d.	n.d.	n.d.	n.d.	n.d.	n.d.
n.d.	n.d.	n.d.	n.d.	n.d.	30	66,7	27,8	100,0	29,4
n.d.	n.d.	n.d.	n.d.	n.d.	n.d.	n.d.	n.d.	n.d.	n.d.
n.d.	n.d.	n.d.	n.d.	n.d.	8	50,0	0,0	100,0	0,0
18	84,6	7,7	100,0	8,3	14	70,0	10,0	100,0	12,5
7	100,0	0,0	60,0	0,0	9	66,7	16,7	100,0	20,0
n.d.	n.d.	n.d.	n.d.	n.d.	6	50,0	0,0	100,0	0,0
7	100,0	0,0	80,0	0,0	27	76,2	4,8	93,8	5,9
178	53,3	1,6	83,1	3,0	97	76,7	5,5	83,9	6,7
173	64,1	2,3	82,9	3,5	118	69,3	1,1	91,8	1,6
13	100,0	0,0	100,0	0,0	22	100,0	0,0	94,4	0,0
16	83,3	0,0	90,0	0,0	16	92,3	0,0	66,7	0,0
193	93,3	2,2	81,0	2,3	196	88,8	0,7	79,5	0,8
31	100,0	0,0	35,0	0,0	24	90,0	0,0	27,8	0,0
127	78,6	4,8	77,3	5,7	141	78,0	2,8	76,5	3,4
n.d.	n.d.	n.d.	n.d.	n.d.	n.d.	n.d.	n.d.	n.d.	n.d.
11	88,9	0,0	87,5	0,0	13	90,9	0,0	100,0	0,0
123	96,8	0,0	91,2	0,0	73	97,9	0,0	80,9	0,0
77	95,1	1,6	94,8	1,7	68	95,5	0,0	85,7	0,0
7	100,0	0,0	100,0	0,0	12	100,0	0,0	100,0	0,0
40	100,0	0,0	96,4	0,0	38	100,0	0,0	100,0	0,0
123	84,4	1,0	77,8	1,2	106	80,0	1,3	73,4	1,5
18	100,0	0,0	93,3	0,0	21	88,2	0,0	100,0	0,0
59	89,7	0,0	97,1	0,0	59	100,0	0,0	97,7	0,0
9	100,0	0,0	83,3	0,0	14	91,7	0,0	63,6	0,0
28	86,4	0,0	89,5	0,0	33	90,9	4,5	85,0	4,8
1 662	78,1	0,5	80,9	0,6	992	80,1	0,4	84,8	0,5
161	97,3	0,9	82,2	0,9	153	95,2	0,0	85,0	0,0
26	100,0	0,0	95,5	0,0	36	100,0	0,0	88,9	0,0
120	76,2	1,2	81,3	1,5	162	73,8	0,0	81,1	0,0
202	75,3	1,4	94,5	1,8	252	69,5	1,6	97,0	2,2
598	57,2	7,2	87,4	11,2	511	60,5	3,3	83,6	5,2
612	87,8	1,1	82,9	1,2	438	90,7	1,5	84,1	1,6
853	83,4	1,0	64,2	1,2	711	82,8	2,1	65,8	2,4
n.d.	n.d.	n.d.	n.d.	n.d.	33	76,0	12,0	89,5	13,6
304	70,7	1,7	79,0	2,4	299	74,3	2,7	74,5	3,5
121	72,1	2,3	75,8	3,1	140	71,9	0,0	71,0	0,0

INDEX DES PROGRAMMES PAR ORDRE ALPHABÉTIQUE

Afin de privilégier une classification thématique, sauf exception, nous avons omis d'inscrire la mention «techniques» ou «technologie» dans les titres de programmes.

INDEX DES PROGRAMMES PAR NUMÉROS

INDEX DES ANNONCEURS

Avec la participation de :

Le guide *Les carrières du collégial* tient à remercier tous ses annonceurs et partenaires pour leur appui à la présente édition.

LES CARRIÈRES DU COLLÉGIAL

Rédaction

Directrice recherche et rédaction Christine Lanthier • **Coordonnatrice de la publication** Emmanuelle Gril • **Rédactrice en chef** Julie Leduc • **Secrétaire de rédaction** Stéphane Plante • **Collaborateurs** Marie-Claude Dion, Séverine Galus, Sophie Marsolais, Kareen Quesada, Sylvie Rivard, Pierre Saint-Arnaud • **Recherchiste** Véronik Carrier • **Réviseure** Johanne Girard

Production

Coordonnatrice à la production Nathalie Renauld • **Conception de la page couverture** Mélanie Dubuc • **Conception de la grille graphique** Geneviève Pineau • **Illustrations** Kevin Durocher • **Infographiste** Gestion d'impressions Gagné inc. • **Photographe** PPM Photos, Martin Tremblay

Diffusion

Coordonnatrice à la diffusion et à la distribution Mélanie Larivée

Ventes publicitaires

Directrice des ventes, produits imprimés Carole Dallaire • **Représentants** Jean-Philippe Doucet, Marie-Claude Gagner, Christophe Verhelst

Courriel : ventes@jobboom.com

Dépôt légal

Bibliothèque nationale du Québec • ISBN 2-89582-071-6
Bibliothèque nationale du Canada • ISSN 1205-7630
Août 2005

Jobboom

Président Bruno Leclaire • **Vice-président Éditeur** François Cartier • **Vice-président Production & Diffusion** Marcel Sanscartier • **Vice-présidente produits Web** Élisabeth Fortin • **Vice-présidente Ventes** Julie Phaneuf • **Directrice générale Contenus Jobboom** Patricia Richard

300, avenue Viger Est, 7ᵉ étage, Montréal (Québec) H2X 3W4
Téléphone : (514) 871-0222 • Télécopieur : (514) 890-1456 • www.jobboom.com

De la même collection

- **Les carrières du collégial**
- Les carrières de la formation universitaire
- Les métiers de la formation professionnelle

Cégep de Matane

Partagez nos passions!

- **Contacts humains**
- **Nouvelles technologies**
- **Culture**
- **Nature et plein air**

Nos programmes

Programmes préuniversitaires
- Sciences de la nature
- Sciences humaines
- Arts et Lettres

Programmes techniques
- Soins infirmiers
- Gestion et exploitation d'entreprise agricole
- Technologie de l'électronique industrielle
- Techniques de comptabilité et de gestion
- Techniques de l'informatique
- Techniques de tourisme
- Techniques d'urbanisme
- Techniques de photographie
- Techniques d'intégration multimédia

Communications ET CÆTERA - Photographies : Michel Julien, Guy Noël, Cégep de Matane

Service des communications
616, avenue Saint-Rédempteur
Matane (Québec) G4W 1L1
Tél. : (418) 562-1240, poste 2186
Sans frais : 1 800 463-4299
www.cegep-matane.qc.ca
comcegep@cegep-matane.qc.ca